W9-DFB-809

DEUTSCHE MÜNZEN

Historisches Museum Frankfurt am Main
Münzkabinett

Gisela Förschner

DEUTSCHE MÜNZEN

MITTELALTER BIS NEUZEIT

der
münzenprägenden Stände
von Aachen bis Augsburg

Band I

VERLAG GUTENBERG · MELSUNGEN
1984

Herausgegeben im Auftrag des Dezernats Kultur und Freizeit der Stadt Frankfurt am Main
Katalogbearbeitung: Dr. Gisela Förschner
Fotos: Fred Kochmann, Werner Berger und Archiv

Gesamtherstellung: Druckerei und Verlag Gutenberg, Melsungen

Printed in Germany

ISBN 3-87280-022-1

Inhaltsverzeichnis

Inhaltsverzeichnis

Inhaltsverzeichnis

Inhaltsverzeichnis

Vorwort

Das Münzkabinett des Historischen Museums, Frankfurt am Main, verwahrt die bedeutendste Sammlung deutscher Münzen vom Mittelalter bis zur Neuzeit. Der Sammlungsgeschichte Frankfurts verpflichtet beginnt hier eine einzigartige wissenschaftliche Darstellung, ausschließlich den eigenen Bestand der Münzen des deutschsprachigen Raumes zu veröffentlichen. Ungewöhnlich ist bisher die Gliederung des numismatischen Materials. Die chronologisch geordneten Prägungen eines Münzstandes berücksichtigt die Wertigkeit der Münzen und erleichtert ihre Identifizierung und schnellere Auffindung als nach herkömmlichen Ordnungskriterien. Der erste Band umfaßt den Buchstaben A, die alphabetisch aufgeführten Münzstände, von Aachen bis Augsburg[1)], ingesamt etwa 1800 Exemplare.

Den weitaus größten Teil dieser Deutschland-Sammlung hatte der Frankfurter Sammler Eduard Lejeune (* 20. März 1870, † 28. Juli 1944) innerhalb eines halben Jahrhunderts zusammengetragen. Begünstigt wurde seine Sammeltätigkeit durch Versteigerungen, bei denen Eduard Lejeune geschlossene Sammelgebiete erwerben konnte. Besonders drei große Spezialsammlungen haben ihren Anteil, die von Dr. Emil Bahrfeldt-Berlin[2)], Ferdinand Friedensburg[3)] und Arthur Löbbecke[4)], so daß fast alle Münzstände des Römisch-Deutschen-Reiches sowie des mittel- und süddeutschen Raumes vertreten sind.

Als langjähriger Betreuer der Sammlung Lejeune war Friedrich Friedmann (* 31. Mai 1906, † 8. September 1977), nach dem Verkauf der Sammlung durch die Erben Lejeunes an die Stadt Frankfurt am Main[5)], hauptamtlich damit beschäftigt, Verzeichnisse des übergebenen Sammlungsbestandes zu erstellen[6)]. Mit Gewissenhaftigkeit wurde sogar die Herkunft der einzelnen Stücke vermerkt.[7)] Friedrich Friedmanns Arbeit bildet die Grundlage für die neue Publikationsreihe.

Nachdem der alte Bestand und die Neuzugänge des Münzkabinetts mit der Sammlung Lejeune vereint worden waren, konnte die Inventarisierung beginnen. Jedes Stück wurde fotografiert[8)] und durch technische Daten – Durchmesser und Gewicht – vervollständigt. Unerläßlich war die Einarbeitung der numismatischen Literatur, wobei der Schwerpunkt auf ein Standardwerk des betreffenden Sammelgebietes gelegt wurde[9)]. Auf Fundnotizen und Aufsätze, verstreut in numismatischen Zeitschriften, wurde erst in zweiter Linie zurückgegriffen.

Da numismatische Literatur Sammlern und Anfängern oft schwer zugänglich ist, wurde dem jeweiligen Münzstand eine kurze Münzgeschichte vorangestellt. Die aus unterschiedlichen Veröffentlichungen zusammengetragenen Informationen weisen sowohl auf historische Zusammenhänge als auch auf Zäsuren der deutschen Geldgeschichte hin.

Ein wichtiges Anliegen dieser Arbeit ist es, alle Münzen, ob Goldstücke oder Taler, besonders schöne und seltene Exemplare neben Kupfermünzen oder niedrigen Nominalen, darzustellen. Dadurch entsteht ein numismatisches Nachschlagewerk, das den Forderungen unserer Zeit gerecht wird. Bisher unberücksichtigte Münzen können dank des von Friedrich Riemann vorgeschlagenen übersichtlichen Aufbaus dieses Kataloges gut eingebracht werden. Da die Münzabbildungen den beschreibenden Texten vorangestellt wurden, erleichtern Vergleiche eine Bestimmung. Auch die Numismatik kann zur „Kultur für alle“ werden, und die noch ungeschriebene DEUTSCHE MÜNZGESCHICHTE wird ihre Verwirklichung finden.

Frankfurt am Main, den 31. Oktober 1983

Gisela Förschner

Anmerkungen

1) Aachen, Ahlen, Alpen, Alsleben, Altenburg, Amberg, Amöneburg, Andechs, Andernach, Anhalt, Anholt, Anklam, Annweiler-Trifels, Apolda, Arenberg, Arnsberg, Arnstadt, Arnstein, Aschaffenburg, Aschersleben, Attendorn und Augsburg.

2) Sammlung des Herrn Dr. Emil Bahrfeldt-Berlin: Münzen des deutschen Mittelalters. Versteigerung am 21. Juni 1921 von Adolph Hess Nachfolger, Frankfurt am Main.

3) Sammlung des Herrn Geheimrats Professor Dr. h. c. Ferdinand Friedensburg: Münzen des deutschen Mittelalters, Versteigerungs-Katalog 52, vom 27. Oktober 1924 von Adolph E. Cahn, Frankfurt am Main.

4) Sammlung Arthur Löbbecke, Braunschweig: Verzeichnis verkäuflicher Münzen und Medaillen des Mittelalters und der Neuzeit sowie numismatische Literatur. Versteigerungs-Katalog 181, vom 23. August 1925, Adolph Hess Nachfolger, Frankfurt am Main.

5) Die seltenen deutschen Münzen kleinerer Werte erwarb 1938/39 die Stadt Frankfurt am Main für das Münzkabinett. Den Hauptanteil der Sammlung Lejeune ließen die Erben in drei Abteilungen bei der Frankfurter Münzenhandlung Dr. Busso Peus 1954, 1957 und 1961, Katalog-Nr. 250, 256 und 262, versteigern.

6) Häufig hatte Lejeune Münzen direkt beim Münzenhändler gekauft oder von anderen Sammlern getauscht. In diesen Fällen taucht entweder der Name des Münzenhändlers oder des Sammlers und der Zeitpunkt des Erwerbs auf, z. B. Tornau 5/18 (Otto Tornau, Mai 1918).

7) Die Herkunftsangabe z. B. Attendorn, Kat.-Nr. 5: Kirsch, Cahn 4/12, 732, bedeutet, daß das Stück aus der Sammlung Kirsch stammt, die im April 1912 bei der Münzenhandlung Adolph E. Cahn unter Nr. 732 versteigert wurde. Vgl. Adolph E. Cahn, Katalog der Münzensammlung des Reichstagsabgeordneten Geh. Rat Dr. jur. Th. Kirsch, Düsseldorf, Versteigerung am 15. April 1912, Frankfurt am Main, Seite 32, Nr. 732.

8) Ein Stern hinter der Inventarnummer bedeutet, daß dieses Stück im Text abgebildet ist, falls mehrere Exemplare zu einer Katalognummer zusammengefaßt wurden.

9) Für das Sammelgebiet Aachen wurde Julius Menadier, Die Aachener Münzen, Berlin 1913; für Anhalt: J. Mann, Anhaltische Münzen und Medaillen vom Ende des 15. Jahrhunderts bis 1906, Hannover 1907; für Augsburg: Albert Forster und Richard Schmid, Die Münzen der freien Reichsstadt Augsburg, Augsburg 1897, benutzt, vgl. ferner die Literaturangaben am Schluß eines jeden Münzstandes.

Geographische Orientierungshilfe der münzenprägenden Stände

AACHEN
Die wirtschaftliche Stellung Aachens beruht auf der Kreuzung der alten Handelswege von Belgien und den Niederlanden an den Rhein nach Köln und in Richtung Metz und Trier an den Niederrhein. Die geschichtliche Bedeutung der Stadt geht auf Karl den Großen zurück, der an dem bevorzugten Ort inmitten des Reichswaldes die Pfalz erbaute und dem Reich für Jahrhunderte die Krönungsstadt wie der Kirche einen Wallfahrtsort schuf.

Vgl. Julius Menadier, Die Aachener Münzen, Berlin 1913, Seite 2

AHLEN
Die Stadt Ahlen liegt am Westrand der Beckumer Berge und war an einer Wegkreuzung aus einem Amtshof des Bischofs von Münster und einem Kirchort entstanden.

Vgl. Joseph Weingärtner, Beschreibung der Kupfer-Münzen Westfalens, Paderborn 1872, S. 44

ALPEN
Der Ort liegt zwischen Wesel und Geldern an einem versandeten Arm des Rheins. In der Nähe befindet sich ein römisches Kastell, Ulpia castra. Der Vogt von Köln, Gumprecht, Herr zu Alpen, 1351–1379, verlieh dem Hauptort 1354 Stadtrechte.

Vgl. Alfred Noss, Die Münzen von Jülich, Mörs und Alpen, München 1927, S. 157

ALSLEBEN
In Alsleben, an der Saale gelegen, südlich von Bernburg und nördlich von Halle, wurde 979 ein Benediktinerinnenkloster gegründet. Das Kloster gehörte zum Erzstift Magdeburg.

Vgl. Brakteaten der Stauferzeit, 1138–1254, Aus der Münzensammlung der Deutschen Bundesbank, Frankfurt am Main 1977, Joachim Weschke, Nr. 22

ALTENBURG
Nahe der Pleiße gelegen und südlich von Leipzig war Altenburg seit dem 12. Jahrhundert ein Zentrum des Getreide- und Holzhandels sowie Zoll- und Geleitstelle an der Straße Leipzig/Nürnberg.

Vgl. Wolfgang Steguweit, Thüringische Brakteaten des Münzkabinetts Gotha, Gotha 1981, S. 29, 37, Nr. 12–15

AMBERG
Amberg liegt am Ostrand der Fränkischen Alb, von der Vils durchflossen, zwischen mittlerer Frankenalb und dem Oberpfälzer Hügelland. Im Mittelalter war Amberg ein Stützpunkt des Handels von Franken nach Böhmen und selbst ein Zentrum des Eisenbergbaus.

AMÖNEBURG
Östlich von Marburg gelegen, geht Amöneburg auf eine Klostergründung des Bonifacius im Jahre 721 zurück. Seit dem 12. Jahrhundert gehört Amöneburg zu Kur-Mainz und zählt zu den Mainzischen Münzstätten in Hessen.

Vgl. H. Buchenau, Der Marburger Brakteatenfund, in Blätter für Münzfreunde, 1924, S. 80–81

ANDECHS
Die Burg Andechs liegt auf dem „Heiligen Berg" in Oberbayern, östlich des Ammersees, und war bis 1248 Stammsitz der Grafen von Andechs (-Plassenberg). Heute ist dort ein Benediktinerpriorat und Wallfahrtsort.

Vgl. K. Hogl, Andechs Bayerns Heiliger Berg, Augsburg 1969, S. 200

ANDERNACH
Am Rhein, nördlich von Koblenz gelegen, ist Andernach eine uralte Siedlung. Ein wichtiger Marktort war Andernach bereits vor der Befestigung um 1129, wodurch Andernach den Charakter einer Stadt erhalten hatte.

Vgl. W. Hävernick, Die Münzen von Köln, 1935, S. 162

ANHALT
Das ehemalige Land Anhalt erstreckte sich an der Mittelelbe, an der Mulde und Saale bis zum Harz. Hauptorte und Münzstätten waren Aschersleben, Plötzkau, Zerbst, Köthen, Bernburg, Harzgerode, Schaumburg und Dessau, nach denen sich die Hauptlinien, durch wiederholte Teilung des Landes unter die Söhne, nannten. Für die Entwicklung des Landes waren die Wasserstraßen der Elbe und Saale von Wichtigkeit, ferner die Gewinnung der Stein- und Kalisalze aber auch Bleisilbererze und Flußspat.

Vgl. Heinz Thormann, Die anhaltischen Münzen des Mittelalters, Münster 1976, S. 11.

ANHOLT

Nahe der niederländischen Grenze in Westfalen gelegen, ist Anholt der Hauptort einer kleinen Grafschaft, die ursprünglich eigene Herren hatte, aber schon früh durch Erbschaft an andere Geschlechter, zuletzt an die Fürsten von Salm, kam. Die Lage der Stadt zu Aachen, Geldern und Limburg begünstigte den wirtschaftlichen Aufschwung.

Vgl. Joseph Weingärtner, Die Kupfer-Münzen Westfalen, 2. Teil, Paderborn 1881, S. 395

ANKLAM

Die Stadt ist am schiffbaren Unterlauf der Peene zur Ostsee gelegen und eine wichtige West-Ost-Verbindung zu Wasser ebenso zu Lande nach Rostock, weiterhin Stralsund, Greifswald, Strelitz und Stettin. 1264 erhielt Anklam lübisches Stadtrecht und gehörte um 1283 zur Hanse.

Vgl. N. Klüßendorf, Neue Forschungen zu gegengestempelten Doppelschillingen der Kipper- und Wipperzeit, in Hamburger Beiträge zur Numismatik, Heft 24–25, 1970–1972, S. 113

ANNWEILER

Kaiser Friedrich II. hatte den in der Pfalz gelegenen Ort 1219 zur Reichsstadt erhoben, der seine Bedeutung in salisch-staufischer Kaiserzeit erlangte.

5 km südöstlich von Annweiler auf dem Sonnenberg befinden sich die Ruinen der Burg Trifels. Der Trifels war mehrfach Aufenthaltsort der deutschen Kaiser. Fast 150 Jahre wurden hier die Reichsinsignien verwahrt.

Vgl. H. Buchenau, Königlicher Halbbrakteat des Speierer Umlaufsgebietes, in Blätter für Münzfreunde, Nr. 11, 1913, S. 5428

APOLDA

Am Zusammenfluß des Schröttenbaches und Herresserbaches, die zur Ilm gehen, ist Apolda gelegen und konnte dadurch den Handel auf dem Wasserwege seines südlichen Hinterlandes kontrollieren. Außerdem lag es verkehrsgünstig zwischen Erfurt und Halle. Anfangs war hier der Sitz der mainzischen Ministerialen, dann der Herren Vitzthum, die sich Herren von Apolda nannten.

Vgl. Carl Friedrich von Posern-Klett, Münzstätten und Münzen der Städte und geistlichen Stifter Sachsens im Mittelalter, Leipzig 1846, S. 15

ARNSTADT

Südlich von Erfurt an der Gera gelegen war Arnstadt ursprünglich kaiserliche Besitzung und kam vor 1130 an das Stift Hersfeld. Im 13. Jahrhundert erhielt der Ort Markt- und Stadtrechte. Die Entfernung Arnstadts zum Stift Hersfeld ermöglichte den Vögten regelmäßige Einnahmen bis die Grafen von Schwarzburg die Oberhoheit erhielten.

Vgl. Carl Friedrich von Posern-Klett, Münzstätten und Münzen der Städte und geistlichen Stifter Sachsens im Mittelalter, Leipzig 1846, S. 16

ARENBERG

Über der Ahr ragt im Ahrgebirge der 620 m hohe Arenberg auf, nach dem sich ein Adelsgeschlecht nennt. Wenn der Burggraf gerade an dieser Stelle in der Eifel seine Burg errichtete, so wegen der günstigen Lage über dem Ahrtal, durch das eine wichtige Straße führte. Außerdem war dieses Gebiet so wichtig, weil in der Nähe Eisenerz gewonnen wurde.

Die Läger waren so reichhaltig, daß sie noch Ende des vorigen Jahrhunderts abgebaut werden konnten. Weiterhin erwarben die Herren von Arenberg systematisch Gebiete mit Bergbau. Die Herrschaft Wildenburg am Rande des Siegerlandes und die Herrschaft Kommern am Rande der Eifel hatten Eisenerz- und Bleivorkommen. Die Gewinnung von Metallen gewährleistete letztlich das Recht auf Münzprägung, so daß sich die Herren von Arenberg für ihre Territorien die Reichsunmittelbarkeit sichern konnten.

Vgl. Heinrich Neu, Die Münzen und Medaillen des Herzogtums und des herzoglichen Hauses Arenberg, Bonn 1959, S. 11

ARNSBERG

Im Arnsberger Wald liegt Arnsberg zwischen Ruhr und Möhne und wurde zum Wirtschaftszentrum des sauerländisch-westfälischen Raumes. Die Grafen von Arnsberg hatten hier ihren Sitz. 1238 wurde Arnsberg befestigt und zur Stadt erhoben. Wahrscheinlich hatte sich der Kölner Erzbischof die Hälfte der Stadt Arnsberg abtreten lassen. Besonders gefördert wurde der Eisenbergbau.

Vgl. Walter Hävernick, Die Münzen von Köln, Köln 1935, S. 252

ARNSTEIN

Auf dem halben Weg zwischen Aschersleben und Hettstedt befindet sich die Burg Arnstein, nach der sich das gleichnamige Herrengeschlecht im Harzgebiet nannte.
Für seinen Kupferbergbau bekannt, war Hettstedt gleichzeitig die Münzstätte der Herren von Arnstein.

Vgl. Brakteaten der Stauferzeit, 1138–1254, Aus der Münzensammlung der Deutschen Bundesbank, Frankfurt am Main 1977, Nr. 20–21

ASCHAFFENBURG

Aschaffenburg liegt an einer Krümmung des Mains und entwickelte sich seit dem 12. Jahrhundert am östlichen Rand des Rhein-Main-Gebietes zu einem Zentrum in der Untermainebene, dem eine Mittlerstellung zweier Verkehrsgebiete zukam, dem hessisch-thüringischen und rheinischen Gebiet.

Vgl. Walter Hävernick, Das ältere Münzwesen der Wetterau, Marburg 1936, S. 73

ASCHERSLEBEN

Am Nordostrand des Harzes ist Aschersleben gelegen. Ursprünglich gehörte Aschersleben zu den alten Stammbesitzungen der Herzöge von Anhalt. Markt- und Münzrecht erhielt die Stadt im 12. Jahrhundert. 1322 fiel Aschersleben an das Bistum Halberstadt.

Vgl. Carl Friedrich von Posern-Klett, Münzstätten und Münzen der Städte und geistlichen Stifter Sachsens im Mittelalter, Leipzig 1846, S. 29

ATTENDORN

Im Sauerland an der Olpe gelegen ist Attendorn, das urkundlich zuerst 1072 erwähnt wird. Ende des 12. Jahrhunderts scheint neben dem Dorf Attendorn eine Burg vom Erzbischof von Köln angelegt worden zu sein. Um diese Zeit wird sicher auch ein Markt und eine kleine Marktansiedlung bestanden haben. Im Jahre 1222 versieht der Kölner Erzbischof Engelbert I. die Ansiedlung Attendorn mit Mauer und Graben und erhebt sie zur Stadt. Marktherr und Stadtherr ist spätestens seit 1180 allein der Erzbischof von Köln.

Vgl. Walter Hävernick, Die Münzen von Köln, Köln 1935, S. 187

AUGSBURG

Am Zusammenfluß der Wertach und Lech, die zur Donau führen, liegt Augsburg. Ursprünglich die Gründung einer römischen Kolonie an günstiger Lage begünstigte den wirtschaftlichen Aufstieg. Zwischen Alpen, Limes und Gallien gelegen, war die Stadt ein Verkehrsmittelpunkt und damit militärisch und verwaltungstechnisch wichtig. Dieser Lage ist wohl auch zuzuschreiben, daß trotz Völkerwanderung und Hunneneinfällen sich ein Teil der Bevölkerung aus der Römerzeit hinübergerettet hat in das Mittelalter. Es dürfte sich wenigstens eine Christengemeinde erhalten haben. Die Wahl des Ortes als Bischofssitz läßt dann eine im frühen Mittelalter wieder erlangte Bedeutsamkeit erkennen, zu der noch die Reliquienstätte der hl. Afra beigetragen hat.
Die weitere Entwicklung der Stadt beruht vor allem darauf, daß sie Mittelpunkt des Bistums war und Ausgangs- oder Durchgangsort vieler Italienzüge deutscher Herrscher.
Seit der Wende des 11. Jahrhunderts zeigt sich eine allmähliche Verlagerung der Machtverhältnisse innerhalb der Stadt: der Aufstieg des Bürgertums und sein Einfluß auf die Stadtverwaltung, den es durch seine zunehmende Wirtschaftskraft gewann.
Augsburg war Mittelpunkt der ostschwäbischen Gewerbelandschaft, die durch ihre Leinen- und Barchentproduktion hervorragte. Auf einem ersten Höhepunkt ihrer wirtschaftlichen Leistungskraft befand sich die Stadt als sich in Augsburg der Reichstag versammelte, um über die „Augsburger Konfession“ (1530) zu verhandeln. Die Geschäftsbeziehungen der Fugger führten nach Venedig und eine zweite Hauptrichtung nach Mittel- und Ostdeutschland bzw. Rheinland und in die Niederlande. Die Bankverbindungen der Augsburger Firmen ist heute noch nicht voll übersehbar.

Vgl. Dirk Steinhilber, Geld- und Münzgeschichte Augsburgs im Mittelalter, in Jahrbuch für Numismatik und Geldgeschichte, Band 5 und 6, Kallmünz 1955, S. 11

Übersichtskarte der münzenprägenden Stände siehe Seite 282.

1. Österreichischer Kreis

Aquileja, Bregenz, Breisach, Breisgau, Brixen, Burgau, Dietrichstein, Freiburg im Breisgau, Görz, Gradisca, Günzburg, Istrien, Kärnten, Krain, Laufenburg im Breisgau, Montfort, Nellenburg, Österreich (Ober- und Niederösterreich) unter der Enns, Steiermark, Tirol, Trient, Triest

2. Burgundischer Kreis

Arnheim, Artois, Brabant, Cambray, Flandern, Friesland, Geldern, Groningen, Hennegau, Holland, Limburg, Luxemburg, Mecheln, Namur, Nymwegen, Overyssel, Roermonde, Seeland, Utrecht, Zütphen

3. Niederrheinischer (Kur-) Kreis

Andernach, Arenberg, Beilstein, Bonn, Coblenz, Cöln (Erzbistum), Erfurt, Mainz, Pfalz (Kur-, Rhein-), Recklinghausen, Turn & Taxis, Trier, Westfalen (Herzogtum)

4. Fränkischer Kreis

Ansbach, Bamberg, Bayreuth, Castell, Eichstädt, Erbach, Erlangen, Fränkischer Kreis, Henneberg, Hohenlohe, Mergentheim, Nürnberg, Rothenburg o. T., Schwarzenberg, Schweinfurt, Seinsheim, Weißenburg, Wertheim, Windsheim, Würzburg

5. Bayerischer Kreis

Bayern, Freising, Haag, Leuchtenberg, Neuburg, Oberpfalz, Ortenburg, Passau, Regensburg, Salzburg, St. Emmeran, Sternstein, Sulzbach, Pappenheim, Wolfstein

6. Schwäbischer Kreis

Augsburg, Baden, Biberach, Buchau, Buchhorn, Constanz, Dinkelsbühl, Ellwangen, Esslingen, Fugger, Fürstenberg, Hall (Schwäbisch), Heilbronn, Hohenzollern, Isny, Kaufbeuren, Kempten, Klettgau, Königseck, Leutkirch, Liechtenstein, Lindau, Löwenstein-Wertheim, Memmingen, Nördlingen, Offenburg, Öttingen, Ravensburg, Reutlingen, Rottweil, Thengen, Überlingen, Ulm, Waldburg, Wangen, Württemberg

7. Oberrheinischer Kreis

Bar, Basel (Bistum), Bouillon, Bretzenheim, Colmar, Frankfurt am Main, Fulda, Hagenau, Hanau (Lichtenberg und Münzenburg), Hersfeld, Hessen (Cassel und Darmstadt), Isenburg, Königstein (Stolberg), Landau, Leiningen, Lothringen, Metz, Murbach, Nassau (Weilburg und Usingen), Prüm, Salm, Sayn-Wittgenstein, Simmern, Solms, Speier, Sponheim, Straßburg, Thann, Toul, Veldenz, Waldeck, Wetzlar, Wild- und Rheingrafen, Worms, Zweibrücken

8. Westfälischer Kreis

Aachen, Anholt, Bentheim, Berg, Cleve, Cöln (Stadt), Corvey, Diepholz, Dortmund, Essen, Gimborn, Gronsfeld, Herford, Holzapfel, Hoya, Jülich, Lingen, Lippe, Lüttich, Mark, Minden, Mörs, Münster, Nassau (Dietz, Dillenburg, Siegen), Oldenburg, Osnabrück, Ostfriesland, Paderborn, Pyrmont, Ravensberg, Reckheim, Rietberg, Schauenburg, Stablo und Malmedy, Thoren, Verdun, Virneburg, Werden, Wied, Westfalen (Königreich)

9. Obersächsischer Kreis

Altenburg, Anhalt, Barby, Berlin, Brandenburg (Kur- und Neumark), Eisenach, Frankfurt a. O., Gotha, Hatzfeld, Henneberg, Hohnstein, Lohra und Klettenberg, Koburg, Mansfeld, Meiningen, Ortenburg, Pommern, Quedlinburg, Reuß, Sachsen (Kur- und Ernstinische Linie), Schwarzburg, Stolberg, Stralsund, Walkenried, Weimar

10. Niedersächsischer Kreis

Braunschweig (Lüneburg und Wolfenbüttel), Bremen, Einbeck, Göttingen, Goslar, Halberstadt, Hamburg, Hameln, Hannover, Hildesheim, Holstein, Lauenburg, Lübeck, Magdeburg, Mecklenburg, Mühlhausen in Thüringen, Nordhausen, Rantzau, Ratzeburg, Stade, Erfurt, Rostock, Wismar

Anmerkungen

Häufig wird die alte Schreibweise benutzt; z. B. C statt K.

Nach dem Reichstag zu Köln 1512, endgültig festgelegt zu Worms 1521.

Nicht eingeteilt: Böhmen, Burg Friedberg, Jever, Knyphausen, Lausitz, Mähren, Mühlhausen im Elsaß (zur Schweiz), Rheda, Schlesien, Schönau, Schweiz (Mühlhausen im Elsaß)

Die Münzprägung Aachens beginnt zur Zeit der Karolinger, obwohl eine echte Münze Karls des Großen (768–814) mit dem Namen Aachens bisher nicht bekannt ist. Aber es ist kaum vorstellbar, daß der Ort der Reichsversammlungen ohne eigene Münze geblieben ist, zumal Karl der Große bestrebt gewesen ist, die Münzprägung möglichst den Pfalzen vorzubehalten. Denare und Obole sind die einzigen Münzen, die man für Aachen während der Zeit der Karolinger (bis 875) erwarten kann.

Durch das Eindringen der Wikinger im 9. Jahrhundert mit ihren wendigen Schiffen bis tief in die Flußläufe wurde die Aachener Münze zum Stillstand gebracht. Die Erneuerung dauerte zweihundert Jahre; den ottonischen Königen (936–1002) genügte die Tätigkeit der königlichen Münze in Köln, um die Märkte mit dem erforderlichen Geld auszurüsten.

Erst in der zweiten Hälfte des 11. Jahrhunderts gab es von neuem Aachener Münzen (Nr. 1). Das Brustbild Heinrichs IV. (1056–1106) und das Aachener Marienmünster weisen den Denar als Aachener Prägung aus, da ältere Fundstücke das Marienmünster und den Stadtnamen tragen.

Friedrich I. Barbarossa (1152–1190) errichtete neue königliche Münzstätten und setzte die älteren wieder in Betrieb. Keine Stadt erfuhr das in solch einem Maße wie der Sitz Karls des Großen. Seine Krönung ließ der Hohenstaufe durch Aachener Prägungen verherrlichen (Nr. 2). Sie zeigen den thronenden Kaiser in voller Gestalt mit geschultertem Schwert und auf der Rückseite die Kaiserpfalz. Die Krönungsstadt wird in der Umschrift als „Haupt des Reiches" ROMA CAPUT MUNDI benannt. Das Bild des thronenden Herrschers mit geschultertem Schwert ist eine selbständige Schöpfung des Aachener Stempelschneiders. Meist liegt das Schwert über den Knien des Thronenden als Zeichen der (oberst-) richterlichen Gewalt (Nr. 6). Im Jahre 1166 wird urkundlich die Neuordnung des Verkehrs- und Münzwesens Aachens festgelegt, Markt oder Messen werden zweimal jährlich abgehalten.

Heinrich VI. (1190–1197) erteilte Aachen das Stadtrecht. Seine Prägung (Nr. 13) zeigt auf der Rückseite die Umfassungsmauer und das Pfalzgebäude mit dem Bronzeadler, von dem bekannt ist, daß König Lothar von Frankreich (840–855) ihn nach Westen hat wenden lassen.

Die lange Regierungszeit Friedrichs II. (1215 bis 1250) führte mehrfach einen Wechsel des Münzbildes herbei (Nr. 14, 15, 20, 21, 22). Die Münzen nennen jedoch Aachen nicht als Münzort, sondern der Stadtpatron, Karl der Große und die Umschrift: ZANTUS KAROLUS stehen dafür stellvertretend. Unter Friedrich II. wurden weltliche und geistliche Fürsten durch Privilegien zu Landes- und damit zu Münzherren (Nr. 31, 34). Der Name des Königs auf der Vorderseite und des Landesherren auf der Rückseite brachte für die Stempelschneider ein Durcheinander, so tragen Gepräge doppelt denselben Namen, Richard von Cornwallis, auf der Vorder- und Rückseite (Nr. 34).

Kaiser Rudolfs von Habsburg (1273–1291) Münzen mit seinem Namen als König (Nr. 36) meinen mit dem thronenden Bärtigen wiederum Karl den Großen. Die Umschrift auf der Rückseite: URBS AQUENSIS VINCE mit den drei Türmen und der Krone unter dem Rundbogen weisen die Stadt Aachen als Königsstadt aus.

Im Jahre 1283 wurde laut Vertrag die Aachener Münze Herzog Johann I. von Brabant verpfändet. Die Aachener Umschrift der Rückseite (Nr. 36) erhält sich auf den folgenden Vertragsmünzen Adolfs von Nassau (Nr. 41), Albrechts von Österreich (Nr. 46) und Heinrichs von Luxemburg (Nr. 51) lediglich erweitert durch die Abkürzung S(ancta) M(aria). Die Münzemissionen richten sich nach größeren Münzen als den bisherigen Denaren.

Vorbildlich werden schließlich englische Sterlinge (Nr. 52), die des Königs Brustbild, Eduards I. von England (1272–1307), in Vorderansicht und das umschriftteilende Kreuz auf der Rückseite zeigen.

Während der Umwälzungen im Münzverkehr nutzte Ludwig der Bayer (1314–1347) der Stadt Aachen durch die Erweiterung ihrer alten Privilegien. Dem Rat der Stadt wurden die gesamten Aufsichtsrechte über das eigene und fremde Geld innerhalb seiner Stadtmauern übertragen. Als Beizeichen erscheint der Reichsadler auf den Sterlingen in dem Kreuzwinkel der Rückseite (Nr. 53). Damit endet Aachens Prägetätigkeit als königliche Münzstätte Mitte des 14. Jahrhunderts.

Seit der Verpfändung des Münzrechts an den Herzog von Jülich im Jahre 1356 sind auch Doppelsterlinge (Nr. 55) zu belegen. Turnosgroschen (Nr. 59) folgen als größere und schwerere Silbermünzen den französischen Vorbildern. Auf der Vorderseite zeigen sie den knieenden Karl den Großen mit dem Marienmünster. Nach der Rückseitenumschrift dieser Turnosgroschen wurden sie sowohl in Aachen (Nr. 59), als auch auf dem Adelssitz des Geschlechts Jungheit – seit 1374 – geprägt (Nr. 61). Das Vorderseitenbild des Jungheiter Turnosgroschens zeigt das Brustbild Karls des Großen über dem Aachener Adlerwappen.

Gleichzeitig beeinflussen auch Goldmünzen die Landschaft zwischen Maas und Rhein:

Französische Chaise d'or seit 1303 und Mouton d'or seit 1311/13 unter Philipp IV geprägt. Eine Aachener Goldprägung aus dem Mittelalter ist jedoch bisher nicht bekannt.

Herzog Reinhald von Jülich (1402–1423) war in seinen ersten Regierungsjahren gezwungen, wegen Begleichung einer Schuld sich und seinen Nachkommen nur den Schlagschatz aus der Münze der Stadt Aachen vorzubehalten. Wahrscheinlich befand sich die Münze schon vordem im Betrieb der Stadt, ohne bestimmen zu können, wann sie städtisch geworden ist. 1402 wurden Turnosgroschen in der Münzstätte Aachen mit dem nur etwas veränderten jungheitschen Münzbild ausgegeben (Nr. 67). Auf den Münzen ab 1410 (Nr. 80) hält Karl der Große das von ihm gestiftete Marienmünster statt des Zepters in der Hand. Die Rückseitenumschrift mit: MONETA URB(is) AQUEN(sis), Geld der Stadt Aachen, liegt beiden Typen zugrunde.

Diese Umschrift tragen sowohl Halbgroschen (Nr. 103), Sterlinge (Nr. 108) als auch Viertelgroschen (Nr. 110). Das Münzbild des Sterlings zeigt jetzt den Kopf Karls des Großen mit Heiligenschein von vorn (Nr. 108) und nicht mehr den Kopf des englischen Königs (Nr. 53). Etwa 100 Jahre später ist das Gewicht der Sterlinge um die Hälfte reduziert.

Mit dem Jahre 1430 hat die Prägung Aachens für sechs Jahrzehnte ausgesetzt. Erst 1489 (Nr. 113) und 1490 (Nr. 115) hat man sie wieder aufgenommen, um sie mit Mariengroschen, 1491 (Nr. 116) und 1492 (Nr. 119), sowie Viertelgroschen, 1498 (Nr. 123) wieder ausgehen zu lassen. Nicht eindeutig ist die Wertigkeit der beiden Münzen von 1491 (Nr.116) und von 1492 (Nr. 119). Nach dem Vertrag von 1490 könnten sie auf den kurrheinischen Münzfuß geschlagen worden sein und zwei verschiedene Werte wie zwei verschiedene Münzbilder darstellen: Der Vierundzwanzigstel-Gulden 1491 (Nr. 116) zeigt Maria mit dem Kind über der Mondsichel, und der Zwölftel-Gulden (Nr. 118) zeigt Maria und Karl den Großen. Die Stempel sind wahrscheinlich von Hans von Retlingen, einem Aachener Goldschmied, geschnitten worden, der Münzmeister war Johann van der Meer, der sich mit einem Gesuch an den Herzog von Jülich wendet, er möge ihm die Münzmeisterstelle im Land Jülich übertragen; er sei bis 1498 im Dienst des Aachener Rats gestanden, der aber den Betrieb geschlossen und ihn entlassen hätte. Seine Münzen reichen bis 1498 (Nr. 122).

Spätestens Ende des 15. Jahrhunderts war der Jüliche Pfandbesitz an Aachens Münze erloschen.

Eine Neuordnung des gesamten deutschen Münzwesens wurde angestrebt. Aachen kam 1521 zu den Ständen des (niederrheinisch-)westfälischen Kreises, nachdem auf dem Reichstag zu Worms das Reich in zehn Kreise eingeteilt worden war. Damit hatte der westfälische (8.) Kreis für etwa 250 Jahre die Aufsicht über das Münzwesen zugewiesen bekommen (vgl. Seite 14). 1566 wurde in Köln die genaue Befolgung beschlossen. Der Rat der Stadt Aachen konnte zur Bewahrung seines Münzrechts weder die Urschrift des kaiserlichen Münzprivilegs vorlegen, noch besaß die Stadt eigene Silbervorkommen. Die Anerkennung als berechtigter Münzstand gelang durch die Vorlage eigener alter Münzen. Bis zum Einzug der Franzosen – als Folge der Französischen Revolution – wurde das Münzrecht von der Stadt genutzt.

Zur Kontrolle der neuen Reichsverordnung wurden Proben der werthaltigen Münzen – hauptsächlich Taler – auf den Probationstagen geprüft. Der älteste Taler von Aachen ist 1568 datiert (Nr. 133). Neben der Prägung von Reichsmünzen – Doppeltalern, Talern, Halbtalern (Nr. 147), Vierteltalern (Nr. 151, ohne Abbildung) und Goldgulden ab 1572 (Nr. 124 aus dem Jahr 1585) sowie Dukaten ab 1641 (Nr. 126 aus dem Jahr 1643) – sollten kleine Scheidemünzen in Silber als Landmünzen zulässig sein (Nr. 179).

Das Münzbild der Rückseite wurde vom Reich vorgeschrieben:

Doppeladler des Reiches mit Namen und Titel des jeweiligen Kaisers. Als Vorderseite bestimmte der Rat das Bild Karls des Großen (in ganzer Gestalt thronend) über dem Adlerschild in vollem Kaiserornat mit Vollbart. 1571 treten zwei verschiedene Münzbilder des gleichen Grundtyps auf, das alte mit frontaler Kopfhaltung (Nr. 136) und das neue mit gewendetem Kopf (Nr. 137). Das neue Münzbild übernehmen die Goldprägung (Nr. 124) sowie die Sechs-Markstücke (Nr. 154).

Um einem Mangel an Scheidemünzen zu begegnen, wurden Buschen geprägt (Nr. 223), mit Wertzahl und Adler überprägte fremde Silbergroschen.

Eine Folge der religiösen Wirren (ab 1574) war, daß protestantische Bürger zum Rat der Stadt zugelassen wurden, jedoch bestritt der Kaiser, Rudolf II., daß der evangelische Magistrat zu Recht bestand und gestattete nicht die Zulassung zum Reichstag. Von den Kreismünztagen ausgeschlossen, steigerte der Rat die Scheidemünzprägung: Kupfer-Vier-Heller 1573 (Nr. 358) und Sechs-Heller 1582 (Nr. 211) mit der Wertzahl im Reichsapfel. Im Grunde lag die Scheidemünze außerhalb der Interessen des Kreistages. Für die erste Kupfermünze von 1573 (Nr. 358) gibt es bisher kein Aachener Vorbild, da die bisherigen Münzen nur in Silber ausgeprägt waren. In der Rückseitenumschrift (Vgl. Nr. 216) benennt sich Aachen ab 1585 als freie Reichsstadt. Der Beginn der Aachener Kupferprägung kann mit dem Jahre 1573 angesetzt werden.

Im Jahre 1598 waren die alten Verhältnisse in Aachen wieder hergestellt. Der Rat ließ sich die Prägung von Kupfermünzen nunmehr genehmigen, um dem Mangel an kleinen Nominalen entgegen zu wirken. Große Wertzahlen IIII (Nr. 359), III, II (Nr. 462) und I beherrschen das Münzbild der Heller auf der Rückseite. Den I-Heller gibt es nur mit der Jahreszahl 1604, den II-Heller von 1605, den III-Heller ohne Jahreszahl, den IIII-Heller von 1605 und 1655 (Nr. 372).

Aachener Silbermünzen werden erst wieder ab 1615 geprägt, erstmals Markstücke zu Zwei-Mark 1616 (Nr. 185, ohne Abbildung), dann Sechs-Mark (Nr. 154), Drei-Mark (Nr. 169) und Mark (Nr. 196) im Jahre 1619. Taler gibt es kaum; die Masse der Neuprägungen waren Kupfermünzen: Vier-Heller 1614 (Nr. 360), 1615 (Nr. 361) und 1616 (Nr. 362). Damit war der alte Grundsatz, $^{1}/_{10}$ in Landmünzen zu dem Kurantgeld zu prägen, aufgegeben. Die Umschrift

„DEUS FORT(itudo) MEA ET REFUG(ium) MEUM" – Gott ist meine Stärke und meine Zuflucht, weist auf die Wiedereinsetzung des katholischen Rates hin.

Während des Dreißigjährigen Krieges (1618 bis 1648) bildeten die verschiedenen Markstücke den wesentlichen Bestand an Aachener Prägungen: Vier-Mark 1644 (Nr. 159), Drei Mark 1626 (Nr. 170), Mark 1619 (Nr. 196).

Im Jahre 1648 laufen mehrfach Beschwerden wegen geringhaltiger Aachener Silbermünzen. Die Stadt Frankfurt am Main hatte in einem Münzverruf bereits 1578 vor „Aachischen dreyschilling" gewarnt, die „so keine halbe Patzen" wären[1] (Nr. 183). Auch mit Vier-Mark 1647 (Nr. 164) und Zwei-Mark 1639 (Nr. 187) würden benachbarte Münzstände von geringhaltigem Soldatengeld überschwemmt werden.

Am 2. Mai 1656 verheert ein Feuer die gesamte Stadt Aachen; nur die aus Stein erbauten Kirchen und Klöster bleiben verschont. Große Bestände an Münzen gehen in den Wohnhäusern unter. So wird beschlossen, 1658 neue Vier-Heller zu prägen (Nr. 376), die vom Stempelschnitt besonders sorgfältig gefertigt sind. Alte Stücke werden in neue getauscht, um Ordnung in das Münzwesen zu bringen. Ab 1670/71 wird das Münzbild geändert (Nr. 380). Die dreizeilige deutsche Schrift löst die zweizeilige lateinische ab; diese Münzen mit deutscher Schrift bleiben bis zum Ende der reichsstädtischen Zeit – 1814 – gültig.

Zu einem vorläufigen Abschluß der Aachener Silberprägung kam es 1661 mit einer Pause von fast einem halben Jahrhundert. Fortgesetzt wurde nur die Kupferprägung mit einem einzigen Nominal: Vier-Heller (vielleicht schon) 1660 (Nr. 379) als dem frühesten Belegstück bis 1691 (Nr. 387). So entzieht sich die Stadt mit ihren Kupferprägungen der Kreisaufsicht. Die Bedeutung Aachens als wichtige Prägestätte sank auf die Stufe einer ländlichen Kleinstadt herab, obwohl theoretisch Rang, Sitz und Stimme auf den Kreis- und Probationstagen erhalten blieb und 1681 Aachen zur Kreismünzstätte erhoben wurde.

Im Jahre 1707 wurden wieder Silbermünzen ausgegeben: Drei-Mark (Nr. 175), Zwei-Mark (Nr. 190, ohne Abbildung) und Mark (Nr. 201, ohne Abbildung). Diese Markprägungen wurden nicht fortgesetzt, weil die Kurfürsten in Düsseldorf ihren Schlagschatz beanspruchten. Der Rat der Stadt Aachen suchte einen Ausweg in der Prägung von Ratspresenzen, die ausdrücklich schlagschatzfrei wie die Kupfermünzen waren. Es war in den deutschen Städten eine Sitte, daß in den Ratsversammlungen anwesenden Ratsherren im Ratskeller ein Freitrunk geboten wurde. Für solche Weinspenden gab es besondere Marken, deren Geltung über den Ratskeller hinausreichte.

Während dieser Prägeunterbrechung gab es nur die kupfernen Vier-Heller 1713 (Nr. 389), Dukaten (Nr. 132), Zwei-Mark (Nr. 195) und Mark (Nr. 206, ohne Abbildung), aus dem Jahre 1754 auch Drei-Mark (Nr. 178).

Seit 1757 hat die Stadt Aachen die Kupfer-Vier-Heller (Nr. 437) weitergeprägt. In Anlehnung an die Aachener Kupfer-Vier-Heller-Prägung wurden von den Herren in Schönau bei Aachen ähnliche Kupfermünzen (Nr. 463) geprägt, um sie in Aachen in Umlauf zu bringen. Eine Verordnung der Stadt von 1756 verbietet die Münze, so daß die Prägung eingestellt wird.

Hinzukamen außerdem Kupfer-Zwölf-Heller ab 1758 (Nr. 230), da die Stadt seit 1754 keine Silbermünzen mehr emittierte und die Kupfer-Vier-Heller allein den Bedarf an Kleingeld nicht mehr decken konnten. In den Jahren 1760, 1761 und 1764 werden ausschließlich Kupfer-Zwölf-Heller geprägt.

In drei aufeinanderfolgenden Jahren werden Kupfer-Vier-Heller ausgegeben: 1757 (Nr. 437), 1758 (Nr. 441) und 1759 (Nr. 444, ohne Abbildung), dann wieder 1765 (Nr. 447), 1767 (Nr. 448) und nach 25 Jahren nochmals 1782 (Nr. 454) und 1793 (Nr. 459).

Kupfer-Zwölf-Heller werden in vier aufeinanderfolgenden Jahren ausgegeben: 1758 (Nr. 230), 1759 (Nr. 248), 1760 (Nr. 255) und 1761 (Nr. 263). Auf der Rückseite signiert der Münzmeister Rensonet mit M R. Im Jahre 1764 wird die Prägung (Nr. 267) zögernd wieder aufgenommen. Der neue Münzmeister, Johann Kohl, bezeichnet seine Prägungen mit I K unterhalb des Adlers. Die Jahre 1765 (Nr. 273) und 1767 (Nr. 290) hatten eine hohe Auflage und unterscheiden sich von den ersten Prägungen (1758 bis 1761) durch immer wieder veränderte Verzierungen auf der Rückseite und durch reicher ausgestattete Adlerdarstellungen auf der Vorderseite. Die starke Emission von Kupfermünzen, die nur in der Stadt selbst umlaufen sollten, fließt auch in benachbarte Gebiete, so daß der Herzog von Jülich durch seinen Vertreter, den Vogtmajor eine Beschwerde beim Magistrat der Stadt vorbrachte. Truppen rücken gewaltsam in die Stadt ein, ins Münzhaus wird vorgedrungen und die Prägestempel werden entwendet. Eine kaiserliche (Schieds-)Kommission untersagte fortab der Stadt die weitere Prägung von großen Mengen Kupfermünzen.

Nach einer Pause von mehr als zwanzig Jahren – als das Verbot vergessen war – wurde in vier aufeinanderfolgenden Jahrgängen: 1791 (Nr. 298), 1792 (Nr. 313), 1793 (Nr. 331) und 1794 (Nr. 337) wieder geprägt. In dieser dritten Prägeperiode von 1791 bis 1794 gab es nur wenige Kupfer-Zwölf-Hellerstücke aus dem Jahr 1793, jedoch um so mehr Kupfer-Vier-Heller (Nr. 459). Der Münzmeister ist weiterhin I K, Johan Kohl.

Das Ende der offiziellen Münzprägung in Aachen war das Jahr 1793. Nachdem die Franzosen 1794 die Stadt besetzt hatten, brachten sie ihre eigene Papierwährung, die Assignaten, mit.

Aus militärischen Erwägungen wurde 1797 die alte Ratsverfassung wiederhergestellt. Der Kupferschläger Godefried Stanislaus wird von der Stadt beauftragt, wieder Kupfer-Zwölf-Heller-Münzen zu prägen. Die Stücke zeichnet er mit seinen Initialien G S neben den Schwanzfedern des Adlers (Nr. 356). Die Beschlagnahme aller Geräte zur Münzherstellung zeigt, daß die Prägung des Jahres 1797 außerhalb der Legalität vorgenommen worden war. Dennoch bleibt die jüngste Münze von Aachen das Kupfer-Zwölf-Heller-Stück 1797, die noch einige Zeit – wegen Kleingeldmangels – umgelaufen sein mag, bevor Aachen 1814 in das preußische Münzsystem eingebunden wurde.

1 000 Jahre Aachener Münzgeschichte sind beendet. Die wichtigsten Zäsuren der deutschen Geldgeschichte lassen sich mit Münzen veranschaulichen. Die Zeit, als Aachen königliche und reichsstädtische Münzstätte war, läßt sich abgrenzen, während Aachen als Jülicher Pfandbesitz sich zeitlich nicht genau festlegen läßt.

Seit der Mitte des 17. Jahrhunderts wird deutlich, daß Handel und Verkehr auch in Aachen auf fremdes Geld angewiesen waren. Die Aachener Eigenart des Münzverkehrs beruhte auf der Rechnung nach Gulden, Mark und Buschen (das Stück zu 4 Hellern). Obwohl Gulden als $^{2}/_{3}$-Taler in Aachen nie ausgeprägt wurden, besteht der Gulden als Rechnungseinheit:

1 Gulden = 6 Mark,
1 Mark = 6 Buschen.

Für den Zeitraum 1750 bis 1794:

1 Reichstaler	=	54 Aachener Mark,
	=	9 Aachener Gulden.
1 Aachener Gulden	=	6 Aachener Mark,
1 Aachener Mark	=	24 Heller,
	=	6 Buschen.

Die Bezeichnung Buschen hat sich bis heute in Aachen für Geld im Volksmund erhalten.

Gekürzt nach: Julius Menadier, Die Aachener Münzen, Berlin 1913.
Karl Gerd Krumbach, Die XII-Heller-Prägung der Reichsstadt Aachen, 1758–1797, Aachen 1976.
Karl Gerd Krumbach, Die IIII-Heller-Prägung der Reichsstadt Aachen, 1604–1793, Aachen 1979.

Anmerkung

1) Vgl. Frankfurter Geld vor 400 Jahren, Ausstellungskatalog des Historischen Museums, Frankfurt 1979, S. 65.

S. 5, T. 59

HEINRICH IV. 1056–1106.

1. Denar.

Vs. Gekröntes Brustbild mit Lilien- und Kreuzszepter.
(..)NTA(.......)
Rs. Kirche.
ERVM MVRE

Silber 15 mm 0,91 g Foto 759/1A–2A/L Inv.-Nr. 1. Doppelschlag.
Lit. Men. 19. Rosenberg 4/22.

FRIEDRICH I. 1152–1190.

2. Denar.

Vs. Thronender Kaiser mit Schwert und Reichsapfel.
FR(.)D(....)IMPR Kaiser Friedrich
Rs. Pfalz mit Zinnenturm, Mauer und Tor.
+(......)PVTMVNDI

Silber 18 mm 1,39 g Foto 759/3A–5A/L Inv.-Nr. 2.
Lit. Men. 26a. Opdenh. 3/08, 302.

3. Denar.

Vs. Thronender Kaiser mit Schwert und Reichsapfel, Schwert dicht am Kopf.
FREDERI' IMPR
Rs. Pfalz mit Zinnenturm, Mauer und Tor.
+ROMACAPVTMVNDI

Silber 19 mm 1,55 g Foto 759/6A–7A/L Inv.-Nr. 3.
Lit. Men. zu. 26a. Opdenh. 3/08, 132.

4. Denar.

Vs. Thronender Kaiser mit Schwert und Reichsapfel, im Feld Stern.
FPEDEPI .IMPP.
Rs. Pfalz mit Zinnenturm, Mauer und Tor.
+ROMACAPVTMVNDI

Silber 18 mm 1,43 g Foto 759/8A–9A/L Inv.-Nr. 4.
Lit. Men. zu 27. Cappe Bd. I Taf. IX, 175. Opdenh. 3/08, 130.

5. Denar.

Vs. Thronender Kaiser mit Schwert und Reichsapfel im Feld Ringel und Stern.
FREDRI IMPP
Rs. Pfalz mit Zinnenturm, Mauer und Tor.
(.....)APVTMVNDI

Silber 15 mm 1,28 g Foto 759/10A–11A/L Inv.-Nr. 5.
Lit. Men. 28. Opdenh. 3/08, 17.

6. Denar.

Vs. Thronender Kaiser, das Schwert auf dem Schoß, in der Linken Szepter, im Feld Stern.
(..)EDERI IMP(.)
Rs. Dreitürmiges Gebäude mit Ringmauer.
+ROMACAPVTMVNDI

Silber 17 mm 1,27 g Foto 759/12A–13A/L Inv.-Nr. 6.
Lit. Men. zu 32, Rückseite 32b. Weygand 1/17, 2298.

7. Denar.

Vs. Thronender Kaiser, das Schwert auf dem Schoß, in der Linken Reichsapfel, im Feld Stern.
FPEDEP(.) ICIMRPI
Rs. Dreitürmiges Gebäude mit drei Arkaden.
(.......)PV(.)MVNDI

Silber 17 mm 1,15 g Foto 759/14A–15A/L Inv.-Nr. 7.
Lit. Men. zu 32. H. 565 v. Berl. Mzbl. 1866, T. 25, 2. Opdenh. 3/08, 90.
ex. Gr.+B. 289.

Anmerkung:
Einzelne Buchstaben erscheinen spiegelbildlich.
Die in Klammern gesetzten Punkte sind unleserliche Buchstaben, Zeichen oder Ziffern.

S. 5, T. 59

8. Denar.
Vs. Thronender Kaiser mit Lanze und Reichsapfel.
FRIDERCV'IMPA(...)
Rs. Palast mit vier Türmen, darüber Stern.
+POSAC(....)SMOVNDI
Silber 19 mm 1,47 g Foto 759/16A–17A/L Inv.-Nr.8.
Lit. Men. zu 33a. Florange 3/12.

9. Denar.
Vs. Thronender Kaiser mit Lilienszepter und Reichsapfel.
FRIDERIVIO(..)AVG'
Rs. Palast mit vier Türmen, darüber Stern.
+ROSAC(..)VTSVNIo
Silber 19 mm 1,43 g Foto 759/18A–19A/L Inv.-Nr. 9.
Lit. Men. zu 34. Opdenh. 3/08, 85.

10. Denar.
Vs. Thronender Kaiser mit Lilienszepter und Reichsapfel.
FRIDCPIO(......)
Rs. Palast mit vier Türmen, darüber Stern.
+(.......)VToVNDI
Silber 18 mm 1,50 g Foto 759/20A–21A/L Inv.-Nr. 10.
Lit. Men. zu 34. Florange 3/13.

11. Obol. Dynastischer Beischlag.
Vs. Thronender Weltlicher mit Lilien- und Kreuzszepter.
+HANC (....)
Rs. Palast mit vier Türmen, darüber Stern im Perlkreis.
+N(.)TECNISPFIV
Silber 15 mm 0,63 g Foto 759/22A–23A/L Inv.-Nr. 11. Eingerissen.
Unediert. Kirsch, Cahn 4/12, 1476.

12. As.
Vs. Thronender Kaiser mit Lanze und Reichsapfel.
Ohne Umschrift.
Rs. Torturm mit Säulenhalle, rechts Mauerturm mit Kreuz. Ohne Umschrift.
Silber 12 mm 0,31 g Foto 759/24A–25A/L Inv.-Nr. 12.
Lit. Men. vgl. 23. A. Cahn 3/26, 164.

HEINRICH VI. 1190–1197.

13. Obol.
Vs. Thronender König mit Lilienszepter und Reichsapfel.
+HEINRICVSREX
Rs. Palast, auf dem Mittelturm Adler mit ausgebreiteten Flügeln. Statt Umschrift Kranz.
Silber 15 mm 0,85 g Foto 759/26A–27A/L Inv.-Nr. 13.
Lit. Men. 35. A. Helbing 4/33, 129.

FRIEDRICH II. 1215–1250.

14. Denar.
Vs. Thronender König mit Schwert und Reichsapfel.
(.......)DERI
Rs. Dreitürmiges Gebäude, über dem Mittelturm Brustbild mit 2 Lanzen.
(..)XPA(....)
Silber 17 mm 1,29 g Foto 759/28A–29A/L Inv.-Nr. 14.
Lit. vgl. Men. 50. Opdenh. 3/08, 91.

Anmerkung:
Einzelne Buchstaben erscheinen spiegelbildlich.
Die in Klammern gesetzten Punkte sind unleserliche Buchstaben, Zeichen oder Ziffern.

S. 5, T. 59

15. Denar.
Vs. Thronender König mit Schwert und Reichsapfel auf Bogen, der zwei Türme verbindet, im Feld Stern.
+REXFR EDECPA
Rs. Gekröntes Brustbild mit Szepter und Reichsapfel unter Portal mit 5 Türmen.
✳ ZANCTUZKALUZ
Silber 19 mm 1,42 g Foto 759/30A–31A/L Inv.-Nr. 15.
Lit. Men. zu 51. A. Helbing 4/33, 184.

16. Denar.
Vs. Thronender König mit Szepter und Reichsapfel.
✳ REXFRE DERICVZ
Rs. Torturm mit Säulenhalle.
✳ ZANCT(.....)ROLVZ
Silber 16 mm 1,24 g Foto 759/32A–33A/L Inv.-Nr. 16.
Lit. Vgl. Men. 53b. A. Helbing 3/28, 1682.

17. Denar.
Vs. Thronender König mit Szepter und Reichsapfel.
+REXFE. .DECVZ
Rs. Torturm mit Säulenhalle.
✳ ZANCTUZ.KAROLUUZ.
Silber 16 mm 1,41 g Foto 760/2A–4A/L Inv.-Nr. 19.
Lit. Men. zu 53. A. Helbing 4/33, 186.

18. Denar.
Vs. Thronender König mit Szepter und Reichsapfel.
+(....)DEVC(.)
Rs. Torturm mit Säulenhalle, aber auf dem mittleren Turm ein Kreuz.
✳ ZANCTVZ.KA(..)LVZ
Silber 16 mm 1,11 g Foto 760/1A–2A/L Inv.-Nr. 18.
Lit. Men. 53c. Opdenh. 3/08, 234.

19. Denar.
Vs. Thronender König mit Szepter und Reichsapfel.
✳ FREDERI CVZCEZ
Rs. Torturm mit Säulenhalle, aber auf dem mittleren Turm eine Lilie.
+(..)ANCTVZKAROL
Silber 16 mm 1,36 g Foto 759/34A–36A/L Inv.-Nr. 17.
Lit. Men. sonst 53b. A. Schulman 10/13.

20. Denar.
Vs. Thronender König mit Szepter und Reichsapfel in Perlraute.
FRE DER ICV SCE
Rs. Pfalzgebäude mit hohem Mittelturm in Perlraute.
SAN TUS KAR LUS
Silber 17 mm 1,44 g Foto 760/5A–6A/L Inv.-Nr. 20.
Lit. Men. 57. Dbg. ZfN I. S. 75, 9. A. Cahn 10/09.

21. Denar.
Vs. Thronender König mit Lilie und Reichsapfel.
(.....)DE RI(...)
Rs. Dreitürmiges Gebäude, in den Seitenbogen je eine Lilie.
(....)ATORI
Silber 17 mm 1,42 g Foto 760/7A–8A/L Inv.-Nr. 21.
Lit. Men. 59. Hess 2/25.

22. Denar.
Vs. Thronender König mit Palmwedel und Reichsapfel.
+✳ F(... ....)D✳
Rs. Brustbild Karls des Großen ein Gebäude stützend.
(...... .)TOR
Silber 16 mm 1,31 g Foto 760/9A–10A/L Inv.-Nr. 22.
Lit. Men. 62c. Cappe I Taf. IX, 146. Opdenh. 3/08, 303.

S. 5, T. 59

23. Denar.
Vs. Thronender König mit Palmwedel und Reichsapfel.
(.............)
Rs. Brustbild Karls des Großen ein Gebäude stützend.
(.....)A(...)
Silber 16 mm 1,19 g Foto 760/11A–12A/L Inv.-Nr. 23.
Lit. Men. 62f. Opdenh. 3/08.

24. Denar.
Vs. Thronender König mit Palmwedel und Reichsapfel.
+FRED(.) (....)
Rs. Brustbild Karls des Großen ein Gebäude stützend.
+WILLEH(..)REX
Silber 16 mm 1,26 g Foto 760/13A–14A/L Inv.-Nr. 24.
Lit. Men. zu 62, vgl. Men. 66 für die Rückseite. Opdenh. 3/08.

25. Denar.
Vs. Thronender König mit Palmwedel und Reichsapfel.
+.FRID (....)
Rs. Brustbild Karls des Großen ein Gebäude stützend.
(...)EPNASO(.)
Silber 16 mm 1,18 g Foto 760/15A–16A/L Inv.-Nr. 25.
Lit. Men. zu 62a. Opdenh. 3/08.

26. Denar.
Vs. Thronender König mit Palmwedel und Reichsapfel.
(..)N(..)
Rs. Brustbild Karls des Großen ein Gebäude stützend.
(.......)C
Silber 16 mm 1,14 g Foto 760/17A–18A/L Inv.-Nr. 26.
Lit. Men. 62 var. Walla.

27. Obol.
Vs.Thronender König mit Palmwedel und Reichsapfel.
(.)FRI (...)
Rs. Brustbild Karls des Großen ein Gebäude stützend.
(.....)AV
Silber 15 mm 0,41 g Foto 760/19A–20A/L Inv.-Nr. 27.
Lit. Men. 63. A. Helbing 4/33, 191.

28. Obol.
Vs. Thronender König mit Szepter und Reichsapfel
in Perlraute.
FRE DER ICV (...)
Rs. Pfalzgebäude in Perlraute.
ZAN TVZ (...) LVZ
Silber 14 mm 0,62 g Foto 760/23A–24A/L Inv.-Nr. 29.
Lit. Men.-. A. Helbing 4/33, 194.

29. Obol. Aachen?
Vs. Thronender Gekrönter mit Szepter und Reichsapfel.
Ohne Umschrift.
Rs. Dreitürmiges Gebäude. Ohne Umschrift.
Silber 12 mm 0,52 g Foto 760/25A–26A/L Inv.-Nr. 501.
Lit. A. Helbing 4/33, 79. Sonst unediert.

30. As.
Vs. Thronender Gekrönter mit Szepter und Reichsapfel.
Ohne Umschrift.
Rs. Brustbild Karls des Großen ein Gebäude stützend.
Ohne Umschrift.
Silber 11 mm 0,24 g Foto 760/21–22A/L Inv.-Nr. 30.
Lit. Men. 64. Cahn 12/24 ex Friedensburg 38.

WILHELM VON HOLLAND. 1254–1256.

31. Denar.
Vs. Thronender König mit Palmwedel und Reichsapfel.
(.....)EZ(..)
Rs. Brustbild Karls des Großen ein Gebäude stützend.
+WILL(.....)
Silber 16 mm 1,35 g Foto 760/27A–28A/L Inv.-Nr. 31.
Lit. Men. 65a. NZ I.S. 77,1. Opdenh. 3/08, 74a.

S. 5, T. 59

32. Denar.
Vs. Thronender König mit Palmwedel und Reichsapfel.
(..)ROLLT.N(..)
Rs. Brustbild Karls des Großen ein Gebäude stützend.
+W(..)LEL REX
Silber 17 mm 1,34 g Foto 760/29A–30A/L Inv.-Nr. 32.
Lit. Men. 66d. NZ I.S. 77,2. Opdenh. 3/08, 74.

33. Obol.
Vs. Thronender König mit Palmwedel und Reichsapfel.
+.KARO(...)X
Rs. Brustbild Karls des Großen ein Gebäude stützend.
WILLEUMoREX
Silber 14 mm 0,42 g Foto 760/31A–32A/L Inv.-Nr. 33.
Lit. Men. 68. Redder 5/33.

RICHARD VON CORNWALLIS. 1257–1271.

34. Denar.
Vs. Thronender König mit Palmwedel und Reichsapfel.
(..)HA(...)
Rs. Brustbild Karls des Großen ein Gebäude stützend.
(.)RICHA(......)
Silber 16 mm 1,24 g Foto 760/33A–34A/L Inv.-Nr. 34.
Lit. Men. 69. Hess 6/13.

RUDOLF VON HABSBURG. 1273–1291.

35. Denar.
Vs. Thronender König mit Schwert und Reichsapfel.
✳ RVDOLPh' (.)REX
Rs. Krone unter einem mit drei Kuppeltürmen besetzten Bogen.
.VRBS.AQVENSIS(..)INCE
Silber 18 mm 1,31 g Foto 760/35A–36A/L Inv.-Nr. 35.
Lit. Men. 73a. Opdenh. 3/08, 94.

36. Denar.
Vs. Thronender König mit Schwert und Reichsapfel.
✳ RVDOLPh' ROM REX
Rs. Krone unter einem mit drei Kuppeltürmen besetzten Bogen.
.(..)BS.AQVENSIS.VINCE
Silber 17 mm 1,44 g Foto 761/1–2/L Inv.-Nr. 36.
Lit. Men. 73d. Opdenh. 3/08, 304.

37. Denar.
Vs. Thronender König mit Schwert und Reichsapfel.
⚜ RVDOLP(..) (...)REX
Rs. Krone unter einem mit drei Kuppeltürmen besetzten Bogen, mittlerer Turm dünner.
.VRBS.AQ(......)INCE
Silber 17 mm 1,34 g Foto 761/3–4/L Inv.-Nr. 37.
Lit. Men. 73e. Gruß 9/11.

38. Denar.
Vs. Thronender König mit Schwert und Reichsapfel.
+RVDOL(..)(....).REX
Rs. Krone unter einem mit drei Kuppeltürmen besetzten Bogen.
.WRBS(......)INCE Stempelfehler.
Silber 16 mm 1,29 g Foto 761/5–6/L Inv.-Nr. 38.
Lit. Men. 73f. Walla 5/09.

39. Alte Fälschung. (Guß).
Vs. Thronender König mit Schwert und Reichsapfel.
✳ R(.....) ROM.REX
Rs. Krone unter einem mit drei Kuppeltürmen besetzten Bogen.
VRB(.......)SIS
Silber? 17 mm 1,20 g Foto 761/7–8/L Inv.-Nr. 39.
Lit. Men.-. Opdenh. 3/08, 95.

S. 5, T. 59

ADOLF VON NASSAU. 1292–1298.

40. Großpfennig.
Vs. Thronender König mit Szepter und Reichsapfel.
✳ ADOLFVS ROM.REX
Rs. Das Aachener Münster.
+VRBS.AQVENSIS:.S.M
Silber 19 mm 1,13 g Foto 761/9–10/L Inv.-Nr. 40.
Lit. Men. zu 74b. Opdenh. 3/08, 268. Eingerissen.

41. Großpfennig.
Vs. Thronender König mit Szepter und Reichsapfel.
✳ ADOLFVS .ROM.REX
Rs. Das Aachener Münster.
+VRBS AQVENSIS:VINCE.SM
Silber 20 mm 1,33 g Foto 761/11–12/L Inv.-Nr. 41.
Lit. Men. zu 74b. Opdenh. 3/08.

42. Großpfennig.
Vs. Thronender König mit Szepter und Reichsapfel.
✳ ADOLFVS. .ROM.REX
Rs. Das Aachener Münster.
VRBS.AQVENSIS VIN(..)SM
Silber 20 mm 1,33 g Foto 761/13–14/L Inv.-Nr. 42.
Lit. Men. zu 74. Cappe I, Taf. XI, 185. Opdenh. 3/08, 96.

43. Großpfennig.
Vs. Thronender König mit Szepter und Reichsapfel.
✳ ADOLFVS ROM.REX
Rs. Das Aachener Münster.
VRBS AQVENSIS.VINCE.S.M.
Silber 18 mm 1,24 g Foto 761/15–16/L Inv.-Nr. 43.
Lit. Men. zu 74. Opdenh. 3/08, 97.

44. Großpfennig.
Vs. Thronender König mit Szepter und Reichsapfel.
✳ ADOLFVS. (......)X
Rs. Das Aachener Münster.
VRBS.AQVENSIS:VINCE.S(..)
Silber 19 mm 1,31 g Foto 761/17-18/L Inv.-Nr. 44.
Lit. Men. zu 74. Opdenh. 3/08, 306.

ALBRECHT I. VON ÖSTERREICH. 1298–1308.

45. Großpfennig.
Vs. Thronender König mit Szepter und Reichsapfel.
✳ ALBTVS. .ROM.REX
Rs. Das Aachener Münster.
VRBS.AQVENSIS.VINCE SM
Silber 20 mm 1,24 g Foto 761/19–20/L Inv.-Nr. 45.
Lit. Men. zu 75e. Opdenh. 3/08, 133.

46. Großpfennig.
Vs. Thronender König mit Szepter und Reichsapfel.
✳ ALBERT9. .ROM.REX
Rs. Das Aachener Münster.
VRBS.AQVENSIS.VINCE.S.M.
Silber 20 mm 1,42 g Foto 761/21–22/L Inv.-Nr. 46.
Lit. Men. 76a. Opdenh. 3/08, 305.

47. Großpfennig.
Vs. Thronender König mit Szepter und Reichsapfel.
✳ ALBE(..). ROM.REX
Rs. Das Aachener Münster.
VRBS:AQVENSIS:VINCE:S(..)
Silber 20 mm 1,34 g Foto 761/23–24/L Inv.-Nr. 47.
Lit. Men. zu 77d. Opdenh. 3/08.

S. 5, T. 59

48. Großpfennig.
Vs. Thronender König mit Szepter und Reichsapfel.
✳ AL ROM REX .ROM.REX
Rs. Das Aachener Münster.
VRBS(.............).SoMo
Silber 20 mm 1,44 g verprägt Foto 761/25–26/L Inv.-Nr. 48.
Lit. Men.-. Opdenh. 3/08, 3. ex Helbing 22.XI.1902.

49. Fälschung.
Vs. Thronender König mit Szepter und Reichsapfel.
✳ A(.....) .ROM.REX
Rs. Das Aachener Münster.
VRBSAQV(.....)VINCE.S(..)
Zinn? 19 mm 0,93 g Foto 761/27–28/L Inv.-Nr. 49.
Lit. Men. zu 77.

HEINRICH VII. VON LUXEMBURG. 1309–1312.

50. Großpfennig.
Vs. Thronender König mit Szepter und Reichsapfel.
✳ hENRIQ9 ✳ ✳ ROMoREX
Rs. Das Aachener Münster.
VRBSoAQVENSIS ✳ VINCEoSoMo
Silber 21 mm 1,34 g Foto 761/29–30/L Inv.-Nr.50.
Lit. Men. zu 78. Opdenh. 3/08, 115.

51. Großpfennig.
Vs. Thronender König mit Szepter und Reichsapfel.
✳ hENRIQ9 ✳ IWP R
Rs. Das Aachener Münster.
VRBSoAQVENSISoVINCEoSoMo
Silber 21 mm 1,28 g Foto 761/31–32/L Inv.-Nr. 51.
Lit. Men. zu 80. Opdenh. 3/08, 108.

52. Sterling.
Vs. Gekröntes Brustbild von vorn, unten Adler.
+HENRICV.S⁝DEI⁝GRA
Rs. Langkreuz mit je drei Kugeln in den Winkeln.
ROAM ANO RVM REX
Silber 18 mm 1,34 g Foto 761/33–34/L Inv.-Nr. 52.
Lit. Men. 79. A. Rosenberg 12/30, 92.

LUDWIG IV. DER BAYER. 1314–1347.

53. Sterling ohne Jahr (um 1320).
Vs. Gekröntes Brustbild von vorn.
Adler LVDOVICVS⁝ROM⁝REX
Rs. Langkreuz mit Adler und je drei Kugeln in den Winkeln.
MON ETA AQVE NSIS
Silber 19 mm 1,37 g Foto 761/36–37/L und 762/1–2/L Inv.-Nr. 53.
Lit. Men. 82a. Farina 1939. Opdenh. 3/08, 28.

54. Sterling ohne Jahr.
Vs. Gekröntes Brustbild von vorn.
Adler LVDOVICVS.ROM.IMPR
Rs. Langkreuz mit Adler und je drei Kugeln in den Winkeln.
MON ETA AQVE NSIS
Silber 19 mm 1,40 g Foto 762/3–4/L Inv.-Nr. 54.
Lit. Men. 83c. Farina 1942. Opdenh. 3/08, 29.

S. 5, T. 59

WILHELM I. 1356–1361.

55. Doppelsterling ohne Jahr (ab 1356).
Vs. Gekröntes Brustbild von vorn.
Adler AQVIS⁝GRAИI⁝CAPVT⁝IИPI
Rs. Langkreuz mit Adler und je drei Kugeln in den Winkeln.
VRBS AQVE REGA SEDS
Silber 23 mm 1,92 g Foto 769/3–4/L Inv.-Nr. 55.
Lit. Men. 86e. Farina 1945. Kube 9/05.

56. Sterling ohne Jahr.
Vs. Gekröntes Brustbild von vorn.
Adler AQVIS⁝GRANICAPVT⁝INPI
Rs. Langkreuz mit Adler und je drei Kugeln in den Winkeln.
VRBS AQVE REGA SEDS
Silber 18 mm 0,90 g Foto 762/5–6/L Inv.-Nr. 56.
Lit. Men. 87. Hess, Luzern 8/37.

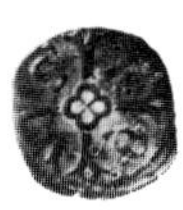

57. Heller ohne Jahr (ca. 1350/60).
Vs. Adlerschild, oben spitz.
Rs. Auf Kreuz Vierpass.
A Q V S'
Silber 12 mm 0,23 g Foto 762/7–8/L Inv.-Nr. 57.
Lit. Men. 89b.

58. Heller ohne Jahr (ca. 1350/60).
Vs. Adlerschild, oben gerade.
Rs. Auf Kreuz Vierpass.
A Q V S'
Silber 13 mm 0,24 g Foto 762/9–10/L Inv.-Nr. 58.
Lit. Men. 89c. Farina 1973. Opdenh. 3/08, 54.

HERZOG WILHELM II. 1361–1393.

59. Turnosgroschen ohne Jahr.
Vs. Kniender Karl der Große mit dem Marienmünster.
SC'S×KAROLVS MAGH×IMPOR
Rs. Langkreuz in doppelter Umschrift, in einem Winkel Adler.
Innen: MON ETA AQV EN'S
außen: VRBS:AQ VENSIS REGALI S×SEDES
Silber 26,5 mm 2,64 g Foto 769/1–2/L Inv.-Nr. 59.
Lit. Men. 91 Vorderseite a) Rückseite b). Merzbacher 11/99.

60. Turnosgroschen ohne Jahr.
Vs. Kniender Karl der Große mit dem Marienmünster (längere Türme)
SC'S×KAROLVS MAGH (....)OR
Rs. Langkreuz in doppelter Umschrift, in einem Winkel Adler.
MON ETA AQV ENS
VRBS:AQ VENSIS REGALI S×SEDE
Silber 26 mm 2,64 g verprägt Foto 769/5–6/L Inv.-Nr. 60.
Lit. Men. zu 91. Opdenh. 3/08, 272.

S. 5, T. 59

Münzstätte Jungheit.

61. Turnosgroschen 1374.

Vs. Brustbild Karls des Großen mit Szepter und Reichsapfel über Adlerschild.
+KAROLVS×MAG NVS×INP(..)ATR
Rs. Kreuz in doppelter Umschrift.
MON ETA⁑ IVNC hEIT
XC:VINCI XGN(.)II AN:DNIoMo CCCoLXXIIII

Silber 26 mm 2,19 g Foto 769/7–8/L Inv.-Nr. 61.
Lit. Men.-(zu 94). Farina 1962. Opdenh. 3/08, 192.

62. Turnosgroschen 1374.

Vs. Brustbild Karls des Großen mit Szepter und Reichsapfel über Adlerschild.
+KAROL(..)MAG NVSINPERAT
Rs. Kreuz in doppelter Umschrift.
MON ETA⁑IVNC hEIT
XC:VINCI XC:REGII (........) CCCoLXXIIII

Silber 27 mm 2,22 g Foto 769/9–10/L Inv.-Nr. 62.
Lit. Men. zu 94. Opdenh. 3/08, 198.

63. Turnosgroschen 1374.

Vs. Brustbild Karls des Großen ohne Nimbus mit Szepter und Reichsapfel über Adlerschild.
+KAROLVS×MAG NVS×INPERAT
Rs. Kreuz in doppelter Umschrift.
MON ETA⁑ IVNC hEIT
XC:VINCIT XC:REGN AN:D ИI:m CG.LXXIIII

Silber 26 mm 2,02 g Foto 769/11–12/L Inv.-Nr. 63.
Lit. Men. 94 var. Farina 1962 var. Opdenh. 3/08, 45.

64. Turnosgroschen 1375.

Vs. Brustbild Karls des Großen mit Nimbus, Szepter und Reichsapfel über Adlerschild.
+KAROLVS×MAG NVS×INPERAT
Rs. Kreuz in doppelter Umschrift.
MON ƐTA⁑ IVNG hEIT
XP:VINCI XP:REGII ANO:DNI CCCoLXXV

Silber 26 mm 2,31 g Foto 769/13–14/L Inv.-Nr. 64.
Lit. Men. zu 95. Farina -. Opdenh. 3/08, 31.

65. Turnosgroschen 1375.

Vs. Brustbild Karls des Großen mit Szepter und Reichsapfel über Adlerschild.
+KAROLVSMAG NVS×INPERAT
Rs. Kreuz in doppelter Umschrift.
MON ƐTA⁑ IVNG hEIT
XP:VINCI XP:REGn ANO:DNI XCCCLXXV

Silber 26 mm 2,33 g Foto 769/15–16/L Inv.-Nr. 65.
Lit. Men. zu 95. Leo Hamburger, 1/26 Vogel 5.

66. Turnosgroschen 1375.

Vs. Brustbild Karls des Großen mit Szepter und Reichsapfel über Adlerschild.
+KARLOVS×MAG NVS×INPERAT
Rs. Kreuz in doppelter Umschrift.
MON ƐTA⁑ IVNG hEIT
CX:VINCI XC:REGNA ANO:DNI MCCC.LXXV

Silber 26 mm 2,32 g Foto 769/17–18/L Inv.-Nr. 66.
Lit. Men. zu 95. Schoeller 11/12.

S. 5, T. 59

Münzstätte Aachen

HERZOG REINHALD. 1402–1423.

67. Turnosgroschen 1402.

Vs. Brustbild Karls des Großen mit Szepter und Reichsapfel über Adlerschild.
SCS:KAROL.MA GNVS:IPERAT'
Rs. Kreuz teilt nur die innere Umschrift.
MON ƐTA VRB' AQEN
+ANNO:DOWINI:MILLESIMO:CCCC:SECVNDO
Silber 26 mm 2,55 g Foto 769/19–20/L Inv.-Nr. 67.
Lit. Men. zu 98a. Farina zu 1967. Opdenh. 3/09, 98.

68. Turnosgroschen 1402.

Vs. Brustbild Karls des Großen mit Szepter und Reichsapfel über Adlerschild.
SCS:KAROL.MA GVNS:IPERAT'
Rs. Kreuz teilt die innere Umschrift.
MON ETA VRB' AQEN
+ANNO:DOMINI:MILLESIMO:CCCC:SECVNDO
Silber 25 mm 2,40 g Foto 769/21–22/L Inv.-Nr. 68.
Lit. Men. 98a var. Farina zu 1967. Opdenh. 3/08, 26.

69. Turnosgroschen 1403.

Vs. Brustbild Karls des Großen mit Szepter und Reichsapfel über Adlerschild.
SCS:KAROL'.MA GNVS:IPERAT'
Rs. Kreuz teilt die innere Umschrift.
MON ƐTA VRB' AQEN
+ANNO:DOWINI:MILLESIMO:CCCC:TERCIO
Silber 26 mm 1,94 g Foto 769/23–34/L Inv.-Nr. 69.
Lit. Men. zu 99. Opdenh. 3/08, 191.

70. Turnosgroschen 1403.

Vs. Brustbild Karls des Großen mit Szepter und Reichsapfel über Adlerschild.
SCS:KAROL:MA GNVS:IPERAT'
Rs. Kreuz teilt innere Umschrift.
MON ƐTA VRB' AQEN
+ANNO:DOMINI:MILLESIMO:CCCC::TERCIO
Silber 26 mm 1,80 g Foto 769/25–26/L Inv.-Nr. 70.
Lit. Men. 99. Opdenh. 3/08, 55.

71. Turnosgroschen 1403.

Vs. Brustbild Karls des Großen ohne Nimbus mit Szepter und Reichsapfel über Adlerschild.
SCS:KAROL'.MA GNVS:IPERAT'
Rs. Kreuz teilt innere Umschrift.
MON ETA VRB AQEN
+ANNO:DOMINI:MILLESIMO:CCCCTERCIO
Silber 26 mm 1,73 g Foto 769/27–28/L Inv.-Nr. 71. Ausgerissen.
Lit. Men. zu 99. Farina 1968 var.
Opdenh. 3/08, 137.

S. 5, T. 59

72. Turnosgroschen 1404.
Vs. Brustbild Karls des Großen mit Nimbus, Szepter und Reichsapfel über Adlerschild, Adler nach rechts.
SCS'.KAROL.MA GVNS:IPERAT.'
Rs. Kreuz teilt innere Umschrift.
MON ƐTA VRB' AQEN
+ANNO:DOMINI:MILLESIMO:CCCC:QVARTO
Silber 26 mm 2,00 g Foto 769/31–32/L Inv.-Nr. 72.
Lit. Men. 100a. Opdenh. 3/08, 5.

73. Turnosgroschen 1404.
Vs. Brustbild Karls des Großen mit Nimbus, Szepter und Reichsapfel über Adlerschild, Adler nach rechts.
SCS:KAROLMA GNVS:(....)AT
Rs. Kreuz teilt innere Umschrift.
MON (.)TA:VRB' AQEN
+ANNO:DOMINI:MILLESIMO:CCCC:QVARTO
Silber 26 mm 2,25 g Foto 769/35–36/L Inv.-Nr. 73.
Lit. Men. zu 100a. Opdenh. 3/08, 7.

74. Turnosgroschen 1404.
Vs. Brustbild Karls des Großen mit Nimbus, Szepter und Reichsapfel über Adlerschild, Adler nach links.
SCS:KAROLMA GNVS:IPERAT
Rs. Kreuz teilt innere Umschrift.
MON ƐTA VRB' AQEN
+ANNO:DOMINI:MILLESIMO:CCCC:QVARTO
Silber 25 mm 2,00 g Foto 769/29–30/L Inv.-Nr. 75.
Lit. Men. 100b. Opdenh. 3/08, 136.

75. Turnosgroschen 1404.
Vs. Brustbild Karls des Großen mit Nimbus, Szepter und Reichsapfel über Adlerschild, Adler nach links.
SCS:KAROL.MA GNVS:IPERAT
Rs. Kreuz teilt innere Umschrift.
MON ETA VRB' AQEN
+ANNO:DOMINI:MILLESIMO:CCCC:QVARTO
Silber 26 mm 2,29 g Foto 769/33–34/L Inv.-Nr. 74.
Lit. Men. zu 100b. Opdenh. 3/08, 4.

76. Turnosgroschen 1405.
Vs. Brustbild Karls des Großen mit Nimbus, Szepter und Reichsapfel über Adlerschild, Adler nach links.
SCS:KAROL.MA GNVS:IPERAT'
Rs. Kreuz teilt innere Umschrift.
MON ETA VRB' AQEN
+ANNO:DOMINI:MILLESIMO:CCCC:QVINTO
(O trifft +)
Silber 25 mm 2,12 g Foto 770/1–2/L Inv.-Nr. 76.
Lit. Men. 101a. Opdenh. 3/08, 32.

77. Turnosgroschen 1405.
Vs. Brustbild Karls des Großen mit Nimbus, Szepter und Reichsapfel über Adlerschild.
SCS:KAROL.MA GNVS:IPERAT'
Rs. Kreuz teilt innere Umschrift.
MON ETA VRB' AQEN
+ANN:DOMINI:MILLESIMO:CCCC:QVINTO
Silber 25 mm 1,86 g Foto 770/3–4/L Inv.-Nr. 77.
Lit. Men. 101b. Opdenh. 3/08, 33.

78. Turnosgroschen 1405.
Vs. Brustbild Karls des Großen mit Szepter und Reichsapfel über Adlerschild.
SCS:kAROL(....) GNVS:IPERAT'
Rs. Kreuz teilt innere Umschrift.
MON ETA VRB' AQEN
+ANNO:(......)MO:CCCC:QVINT
Silber 24 mm 2,24 g Foto 770/5–6/L Inv.-Nr. 78.
Lit. Men. zu 101. Opdenh. 3/08, 229.

S. 5, T. 59

79. Turnosgroschen 1405.
Vs. Brustbild Karls des Großen mit Szepter und Reichsapfel über Adlerschild.
SCS:hAROL'.MA GNVS:IPERAT'
Rs. Kreuz teilt innere Umschrift.
+ANNO:DOMINI:MILLESIMO:CCCC:QVINTO
MON ETA VRB'AQEN
(MONETA unter QVINTO statt unter ANNO beginnend)
Silber 25 mm 2,03 g Foto 770/7–8/L Inv.-Nr. 79.
Lit. Men. zu 101. Opdenh. 3/08, 25.

80. Turnosgroschen 1410.
Vs. Brustbild Karls des Großen mit Kirche und Reichsapfel über Adlerschild.
..SE(..)KAROL:MA G'.IPE(.....)
Rs. Kreuz in doppelter Umschrift.
+MONETA:VRB'AQVES'
+ANNO(...)MINI:MILLESIMO:CCCC:DCC'
Silber 25 mm 1,67 g ausgebrochen Foto 770/9–10/L Inv.-Nr. 80.
Lit. Men. zu 113. A. Rosenberg 1/09.

81. Turnosgroschen 1411.
Vs. Brustbild Karls des Großen mit Kirche und Reichsapfel über Adlerschild.
.SCS:KAROL:MA G:IPERATO' ✳
Rs. Kreuz in doppelter Umschrift.
+IIONƐTA:VRB'.AQVS'
+ANNO:DOMINI:MILLESIMO:CCCC:VND'
Silber 25 mm 1,85 g Foto 770/11–12/L Inv.-Nr. 81.
Lit. Men. zu 112a. Opdenh. 3/08, 6.

82. Turnosgroschen 1411.
Vs. Brustbild Karls des Großen mit Kirche und Reichsapfel über Adlerschild.
..SCS:KAROL:MA G:IPERATO' ✳
Rs. Kreuz in doppelter Umschrift.
+MONƐTA:VRB'AQVS'
+ANNO:DOMINI:MILLESIMOCCCCC:VND'
: auf das erste C korrigiert.
Silber 25 mm 1,64 g Foto 770/15–16/L Inv.-Nr. 83.
Lit. Men. zu 112a. Opdenh. 3/08, 31.

83. Turnosgroschen 1411.
Vs. Brustbild Karls des Großen mit Kirche und Reichsapfel über Adlerschild.
..SCS:KAROL:MA G:IPERATO' ✳
Rs. Kreuz in doppelter Umschrift.
+MONƐTA:VRB'.AQVS'
+ANNO:DOMINI:MILLESIMO:CCCC:VND'
Silber 26 mm 1,85 g Foto 770/17–18/L Inv.-Nr. 84.
Lit. Men. zu 112a.

84. Turnosgroschen 1411.
Vs. Brustbild Karls des Großen mit Kirche und Reichsapfel über Adlerschild.
..SCS:KAROL.MA G'.IPERATO' ✳
Rs. Kreuz in doppelter Umschrift.
+MONƐTA:VRB'AQVES'
+ANNO:DOMINI:MILLESIMO:CCCC:VND'
Silber 25 mm 1,64 g Foto 770/13–14/L Inv.-Nr. 82.
Lit. Men. 112b. Opdenh. 3/08, 16.

S. 5, T. 59

85. Turnosgroschen 1412.
Vs. Brustbild Karls des Großen mit Kirche und Reichsapfel über Adlerschild.
..SCS:KAROL:MA G':IPERATO' ✳
Rs. Kreuz in doppelter Umschrift.
+IIONƐTA:VRB:AQVS
+ANNO:DOMINI:MILLESIMO:CCCC:XII
Silber 25 mm 1,74 g Foto 770/21–22/L Inv.-Nr. 85.
Lit. Men. zu 114a. Opdenh. 3/08, 18.

86. Turnosgroschen 1412.
Vs. Brustbild Karls des Großen mit Kirche und Reichsapfel über Adlerschild.
..SCS:KAROL:MA G:IPERATO' ✳
Rs. Kreuz in doppelter Umschrift.
+MONƐTA:VRB'.AQVS'
+ANNO:DOMINI:MILLESIMO:CCCC:XII
zwischen Anfang und Ende der äußeren Umschrift großer Abstand.
Silber 25 mm 1,50 g Foto 770/19–20/L Inv.-Nr. 86.
Lit. Men. zu 114. Opdenh. 3/08, 14.

87. Turnosgroschen 1412.
Vs. Brustbild Karls des Großen mit Kirche und Reichsapfel über Adlerschild.
..SCS:KAROL'.MA G:IPERATO'✳
Rs. Kreuz in doppelter Umschrift.
+MONƐTA:VRB'.AQVS'
+ANNO:DOMINI:MILLESIO:CCCC:XII
Silber 25 mm 1,32 g Foto 770/23–24/L Inv.-Nr. 87.
Lit. Men. zu 114. Opdenh. 3/08, 21.

88. Turnosgroschen 1412.
Vs. Brustbild Karls des Großen mit Kirche und Reichsapfel über Adlerschild.
..SCS:KAROL:MA G:IPERATO' ✳
Rs. Kreuz in doppelter Umschrift.
+MONƐTA:(..)B'AQVS'
+ANNO:DOMINI:MILESIMO:CCCC:XII
Silber 24 mm 1,68 g Foto 770/25–26/L Inv.-Nr. 88.
Lit. Men. zu 114. Opdenh. 3/08, 10.

89. Turnosgroschen 1413.
Vs. Brustbild Karls des Großen mit Kirche und Reichsapfel über Adlerschild.
..SCS:KAROL:MA G:IPERATO(.) ✳
Rs. Kreuz in doppeler Umschrift.
+IIONƐTA:VRB'AQVS(.)
+ANNO:DOMINI:MILLESIMO:CCCC:XIII
Silber 25 mm 1,52 g ausgebrochen Foto 770/27–28/L Inv.-Nr. 89.
Lit. Men. zu 114b. Opdenh. 3/08, 57.

90. Turnosgroschen 1418.
Vs. Brustbild Karls des Großen mit Kirche und Reichsapfel über Adlerschild.
..SCS:KAROLMA G:IPERATO' ✳
Rs. Kreuz in doppelter Umschrift.
+IIONƐTA:VRB:AQVS
+ANNO:DOMIN:MILLISIMO:CCCCXVIII
Silber 25 mm 1,84 g Foto 770/29–30/L Inv.-Nr. 90.
Lit. Men. 115a. Opdenh. 3/08, 99.

91. Turnosgroschen 1418.
Vs. Brustbild Karls des Großen mit Kirche und Reichsapfel über Adlerschild.
..SCS:KAROLMA G:IPERATO' .
Rs. Kreuz in doppelter Umschrift.
+IIONƐTA:VRB:AQVS'.
+ANNO:DOMINI:(..)LLE(...)OCCCCXVIII
Silber 24 mm 1,94 g Foto 770/31–32/L Inv.-Nr. 91.
Lit. Men. zu 115. Opdenh. 3/08, 52.

S. 5, T. 59

92. Turnosgroschen 1419.
Vs. Brustbild Karls des Großen mit Kirche und Reichsapfel über Adlerschild.
.SCS:KAROL:MA G:IPERATO' ✳
Rs. Kreuz in doppelter Umschrift.
+MONƐTA:VRB:AQVS'
+ANNO:DOMINI:MILLESIMOCCCCXIX
Silber 24 mm 2,04 g Foto 770/33–34/L Inv.-Nr. 92.
Lit. Men. zu 116. Farina 1979. Ohm 5/28.

93. Turnosgroschen 1419.
Vs. Brustbild Karls des Großen mit Kirche und Reichsapfel über Adlerschild.
.SES:(.)AROL:MA G:IPERATO(.) .✳
Rs. Kreuz in doppelter Umschrift. Punkt zwischen den Turmkreuzen.
+MONƐTA:VRB'.AQVS'
+ANNO:DOMINI:MILESIMO:CCCC:XIX
Silber 23 mm 1,44 g Foto 770/35–36/L Inv.-Nr. 93.
Lit. Men. zu 116b. Opdenh. 3/08, 48.

94. Turnosgroschen 1419.
Vs. Brustbild Karls des Großen mit Kirche und Reichsapfel über Adlerschild.
..SCS:hAROL:MA G:IPERAT'✳
Rs. Kreuz in doppelter Umschrift.
+MONƐTA:VRB'.AQVS'
+ANNO:DOMINI:MILESIMO:CCCC:XIX
Silber 25 mm 1,73 g Foto 771/1–2/L Inv.-Nr. 94.
Lit. Men. zu 116d. Opdenh. 3/08, 46.

95. Turnosgroschen 1419.
Vs. Brustbild Karls des Großen mit Kirche und Reichsapfel über Adlerschild.
.SES:KAROL:MA G'.IPE(...)O' ✳
Rs. Kreuz in doppelter Umschrift.
+MONƐTA:VRB'.AQVS'
+ANNO:DOMINI:MILESIMO:CCCC:XIX
Silber 24 mm 1,73 g Foto 771/3–4/L Inv.-Nr. 95.
Lit. Men. zu 116. Opdenh. 3/08, 47.

96. Turnosgroschen 1419.
Vs. Brustbild Karls des Großen mit Kirche und Reichsapfel über Adlerschild.
.SCS:KAROL:MA G:IPERATO' ✳
Rs. Kreuz in doppeler Umschrift.
+MONƐTA:VRB:AQVS'
+ANNO:DOMINI:MILESIMO:CCCCXIX
Silber 24 mm 1,71 g Foto 771/5–6/L Inv.-Nr. 96.
Lit. Men. zu 116. Opdenh. 3/08, 49.

97. Turnosgroschen 1419.
Vs. Brustbild Karls des Großen mit Kirche und Reichsapfel über Adlerschild.
SES:KAROL:MA G'.IPERATO' ✳
Rs. Kreuz in doppelter Umschrift.
+MONƐTA:VRB'AQVS'
+ANNO:DOMINI:MILESIMO:CCCC:XIX
Silber 25 mm 1,71 g Foto 771/7–8/L Inv.-Nr. 97.
Lit. Men. 116. Opdenh. 3/08, 50.

98. Turnosgroschen 1419.
Vs. Brustbild Karls des Großen mit Kirche und Reichsapfel über Adlerschild.
.SES:KAROL:MA G'.IPERATO' ✳
Rs. Kreuz in doppelter Umschrift.
+MONƐTA:VRB:AQVS'.
+ANNO:DOMINI:MILESIMO:CCCCXIX
Silber 24 mm 1,79 g Foto 771/9–10/L Inv.-Nr. 98.
Lit. Men. zu 116. Opdenh. 3/08, 50.

S. 5, T. 59

99. Turnosgroschen 1419.
Vs. Brustbild Karls des Großen mit Kirche und Reichsapfel über Adlerschild.
..SCS:KAROL:MA G:IPERATO' ✳
Rs. Kreuz in doppelter Umschrift.
+MONƐTA:VRB:AQVS'.
+ANNO:DOMINI:MILESIMO:CCCCXIX
Silber 24 mm 1,92 g Foto 771/11–12/L Inv.-Nr. 99.
Lit. Men. zu 116. Opdenh. 3/08, 51.

100. Turnosgroschen 1420.
Vs. Brustbild Karls des Großen mit Kirche und Reichsapfel über Adlerschild.
..SES:KAROL:MA G'.IPERATO' ✳
Rs. Kreuz in doppelter Umschrift.
+MONƐTA:VRB'.AQVS'
+ANNO:DOMINI:MILESIMO:CCCC:XX
Silber 25 mm 1,84 g Foto 771/13–14/L Inv.-Nr. 100.
Lit. Men. zu 117. Opdenh. 3/08, 22.

101. Turnosgroschen 1421.
Vs. Brustbild Karls des Großen mit Kirche und Reichsapfel über Adlerschild.
..SES:RAROL:MA G:IPERATO' ✳
Rs. Kreuz in doppelter Umschrift.
+MONƐTA:VRB'.AQVS'
+ANNO:MINI:MILESIMO:CCCC:XXI
Silber 25 mm 1,98 g Foto 771/15–16/L Inv.-Nr. 101.
Lit. Men. zu 118.

102. Turnosgroschen 1422.
Vs. Brustbild Karls des Großen mit Kirche und Reichsapfel über Adlerschild.
..SES:RAROL:MA G'.IPERATO' ✳
Rs. Kreuz in doppelter Umschrift.
+MONƐTA:VRB'.AQVS'
+ANNO:DOMINI:MILESIMO:CCCC:XXII
Silber 25 mm 1,79 g Foto 771/17–18/L Inv.-Nr. 102.
Lit. Men. zu 119. Opdenh. 3/08, 80.

103. Halbgroschen ohne Jahr (seit 1410).
Vs. Brustbild Karls des Großen mit Szepter und Reichsapfel über Adlerschild.
S.hAROLMA GNVS.IPERA
Rs. Kreuz mit Adler und drei Kugeln in den Winkeln.
+MONƐTA ❀ VRBIS ❀ AQVEN
Silber 19 mm 1,22 g Foto 762/11–12/L Inv.-Nr. 103.
Lit. Men. 103a. Farina 1956. Opdenh. 3/08, 103.

S. 5, T. 59

104. Halbgroschen ohne Jahr.
Vs. Brustbild Karls des Großen mit Kirche und Reichsapfel über Adlerschild.
..S:RAROL:M G:IPERA
Rs. Kreuz, in den Winkeln je ein Doppeladler und Stern.
+MONƐTA:VRBIS:AQVENSIS
Silber 21 mm 0,98 g Foto 762/13–14/L Inv.-Nr. 104.
Lit. Men. 104a. Farina 1969. Leitzmann 12. Hess 3/98

105. Halbgroschen ohne Jahr.
Vs. Brustbild Karls des Großen mit Kirche und Reichsapfel über Adlerschild.
..S.RAROL:MA G:IPERA
Rs. Kreuz, in den Winkeln je Adler und je Stern.
+MONƐTA:RRBIS:AQVENSIS
Silber 20 mm 0,97 g Foto 762/15–16/L Inv.-Nr. 105.
Lit. Men. 104d. var. Opdenh. 3/08, 138.

106. Halbgroschen ohne Jahr.
Vs. Brustbild Karls des Großen mit Kirche und Reichsapfel über Adlerschild.
..S:RAROL:M A:IPERA
Rs. Kreuz, in den Winkeln je ein Adler und je ein Stern.
+MONETA:VRBIS:AQVENSIS
Silber 20 mm 0,72 g Foto 762/17–18/L Inv.-Nr. 106.
Lit. Men. zu 104. Opdenh. 3/08, 264.

107. Sterling ohne Jahr.
Vs. Kopf Karls des Großen.
KAROL:MAGNVS ✳ IPERAT
Rs. Kreuz mit Adler und je 3 Kugeln in den Winkeln.
+MONETA ❀ VRBIS ❀ AQVENSIS
Silber 18 mm 0,73 g Foto 762/19–20/L Inv.-Nr. 107.
Lit. Men. zu 107f. Opdenh. 3/08, 135.

108. Sterling ohne Jahr.
Vs. Kopf Karls des Großen.
Adler S.KAROL:MAGNVS'IPERAT
Rs. Kreuz mit Adler und je 3 Kugeln in den Winkeln.
+MONETA ❀ VRBIS ❀ AQVEN(.)
Silber 17,5 mm 0,75 g Foto 762/21–22/L Inv.-Nr. 108.
Lit. Men. zu 107h. L. Hamburger 10/12, 4713.

109. Sterling ohne Jahr.
Vs. Kopf Karls des Großen.
Adler S.KAROL.MAGNVS.IPERA
Rs. Kreuz mit Adler und je 3 Kugeln in den Winkeln.
+MONETA ❀ VRBIS ❀ AQVEN
Silber 17 mm 0,74 g Foto 762/23–24/L Inv.-Nr. 109.
Lit. Men. zu 107i. Opdenh. 3/08, 104.

110. Viertelgroschen ohne Jahr.
Vs. Kirche über Adlerschild.
S:KARO MAG:IPE (I und P zusammengeschrieben)
Rs. Kreuz in Umschrift.
+MONETA:VRB:AQVES'
Silber 17 mm 0,54 g Foto 762/25–26/L Inv.-Nr. 110.
Lit. Men. 108a. Kerl 2/17, 154.

S. 5, T. 59

111. Viertelgroschen ohne Jahr.
Vs. Kirche über Adlerschild.
S.KARO MAG:IP
Rs. Kreuz in Umschrift.
+MONETA:VRB:AQVES'
Silber 17 mm 0,63 g Foto 762/27–28/L Inv.-Nr. 111.
Lit. Men. zu 108b. Opdenh. 3/08, 103.

112. Viertelgroschen ohne Jahr.
Vs. Kirche über Adlerschild.
S:KARO MAG:IPE
Rs. Kreuz in Umschrift.
+MONETA:VRB:AQVE'
Silber 15 mm 0,53 g Foto 762/29–30/L Inv.-Nr. 112.
Lit. Men. 108c. Leo Hamburger 7/28.

UNTER HERZOG WILHELM IV. 1475–1511.

113. Turnosgroschen 1489.
Vs. Brustbild Karls des Großen mit Kirche und Reichsapfel über Adlerschild.
.S:KAROL.MA'. .IPERA'. ✳
Rs. Kreuz in doppelter Umschrift.
+MONETA:VRB':AQVEИ'
+AИO:EИI:MILESIMO:CCCC:LXXXIX:
Silber 25 mm 1,42 g Foto 771/19–20/L Inv.-Nr. 113.
Lit. Men. zu 123 a. Opdenh. 3/08, 44.

114. Turnosgroschen 1489.
Vs. Brustbild Karls des Großen mit Kirche und Reichsapfel über Adlerschild.
.S:KAROL.MA' .IPERA. ✳
Rs. Kreuz in doppelter Umschrift.
+MOИETA:VRB'.AQVEN
+AИO:CNI:MILESIMO:CCCC:LXXXIX
Silber 24 mm 1,52 g Foto 771/21–22/L Inv.-Nr. 114.
Lit. Men. zu 123. Opdenh. 3/08, 44.

115. Turnosgroschen 1490.
Vs. Brustbild Karls des Großen mit Kirche und Reichsapfel über Adlerschild.
.S:RAROL.MA'. .IPERA. ✳.
Rs. Kreuz in doppelter Umschrift.
+MOИETA:VRB':.AQVEИ
+AИO:CNI:MILESIMO:CCCC:LXXXX.
Silber 24 mm 1,93 g Foto 771/23–24/L Inv.-Nr. 115.
Lit. Men. zu 123d. Modes 1/11.

116. Mariengroschen 1491.
(Vierundzwanzigstel Gulden).
Vs. Adlerschild auf Blumenkreuz.
VRBS:AQ VENSIS:: REGNI:SE JES. 1891
Rs. Hüftbild der Madonna über Mondsichel.
AVE:REGIA.CELORV.MATER:REGIS:AGELOR'
Silber 28,5 mm 2,89 g Foto 771/31–32/L Inv.-Nr. 116.
Lit. Men. zu 125a. Cahn 12/03.

S. 5, T. 59

117. Mariengroschen 1491.
Vs. Adlerschild auf Blumenkreuz.
VRBS'.AQ VENSIS: REGNI:SE JES:18.91
Rs. Hüftbild der Madonna über Mondsichel.
AVE:REGIA:CELORV:MATER::REGIS:AGELO
Silber 27 mm 2,78 g Foto 771/25–26/L Inv.-Nr. 117.
Lit. Men. 125 var. Opdenh. 3/08, 83.

118. Mariengroschen 1491. (Zwölftel Gulden).
Vs. Adlerschild auf Blumenkreuz.
+CIVITATV.ET.PROVINCIARVM:GALLIE
Rs. Brustbild der Madonna und Karls des Großen, der das Marienmünster darbringt über Jahreszahl.
+VRBS:AQVEN:REGNI:SEDES:CAPVT:OIM
Silber 27 mm 2,61 g Foto 771/27–28/L Inv.-Nr. 118.
Lit. Men. 126. Farina 1986. Opdenh. 3/08, 153.

119. Mariengroschen 1492. (Zwölftel Gulden).
Vs. Adlerschild auf Blumenkreuz.
+CIVITATV'.ET.PROVINCIARVM.GALLIE
Rs. Brustbild der Madonna und Karls des Großen, der das Marienmünster darbringt über Jahreszahl.
+VRBS:AQVEN:REGNI:SEJES:CAPVT:OIM
Silber 29,5 mm 2,99 g Foto 771/29–30/L Inv.-Nr. 119.
Lit. Men. 127b var. Farina 1988. Schulman 10/11.

120. Viertelgroschen ohne Jahr.
Vs. Kirche über Adlerschild.
:.S:KARO'. MAG:IPE.
Rs. Blumenkreuz.
+MONETA:VRBIS:AQVENS
Silber 16 mm 0,50 g Foto 762/31–32/L Inv.-Nr. 120.
Lit. Men. zu 124. Farina 1971. Opdenh. 3/08, 60.

121. Viertelgroschen 1496.
Vs. Madonna über Adlerschild.
(...):GRA' PLENA.J(.)TEC
Rs. Kreuz, in den Winkeln Jahresziffern.
+MONETA:VRBIS:AQVE(...)
Silber 17 mm 0,55 g Foto 762/33–34/L Inv.-Nr. 121.
Lit. Men. 128b. Farina conf. 1993. Opdenh. 3/08, 30.

122. Viertelgroschen 1498.
Vs. Madonna über Adlerschild.
AVE:GRACI. PLEИA.J.TEC
Rs. Kreuz, in den Winkeln Jahresziffern.
+MOИETA:VRBIS:AQVEИSIS
Silber 18 mm 0,54 g Foto 762/35–36/L Inv.-Nr. 122.
Lit. Men. zu 129a.

123. Viertelgroschen 1498.
Vs. Madonna über Adlerschild.
(..)E:GRACI PLEИA.J.TEC
Rs. Kreuz, in den Winkeln Jahresziffern.
+MOИETA:(.)RBIS:AQVENSIS.:
Silber 19 mm 0,56 g Foto 773/1–4/L Inv.-Nr. 123.
Lit. Men. zu 129a. Opdenh. 3/08, 11.

S. 6, T. 1

124. Goldgulden 1585.
Vs. Thronender Karl der Große über Wappenschild, im Feld Endziffern der Jahreszahl.
.MO.REG.SE.LIB. .IMP.VRB.AQVIS.
Rs. Gekrönter Doppeladler.
RVDOLP.II.ROMAN.CÆSARAVGV.
Gold 23 mm 3,27 g Foto 778/5–7/L Inv.-Nr. 124.
Lit. Men. zu 157b. var. Fr. 138. Opdenh. 3/08, 263.

125. Zwittergoldgulden 1591/1592.
Vs. Thronender Karl der Große über Wappenschild, im Feld Endziffern der Jahreszahl 9Z.
MO.REG.SEDLIB IMP.VRB.AQVISG
Rs. Gekrönter Doppeladler.
RVDOLP.II.ROMANCÆSARAVG.91
Gold 22 mm 3,17 g Schrötlingssprung
Foto 778/8–9/L Inv.-Nr. 125.
Lit. Men. 159 var. Vgl. Fr. 138. Brünner 5/11.

126. Dukat 1643.
Vs. Brustbild Karls des Großen über Wappenschild.
REG.SEDVRBIS.AQVISGR.DVCAT.NOVI.
Rs. Stehender Kaiser, zwischen seinen Füßen Adler, im Feld Jahreszahl.
FERDINAND.III.D:G.RO.IM.SE.AVG
Gold 23 mm 3,45 g Foto 778/10–11/L Inv.-Nr. 126. Beschnitten.
Lit. Men. 206 var. Farina 1994. Fr. 141.
Rosenberg 12/07 ex Kaselowski.

127. Zwitterdukat 1643/1645.
Vs. Brustbild Karls des Großen über Wappenschild.
MO.REG.SED.VRB.AQVISGRANI
Rs. Stehender Kaiser, zwischen seinen Füßen Adler, im Feld Jahreszahl 1643.
FERDINAND.III.D:G.RO.IM.SE.AVG
Gold 22 mm 3,38 g Foto 778/12–13/L Inv.-Nr. 127.
Lit. Men..-.Vgl. Fr. 141. Hess 3/29, 3485.

128. Dukat 1645.
Vs. Brustbild Karls des Großen über Wappenschild.
REG.SED.VRBIS.AQVISGR.DVCAT.NOVI
Rs. Stehender Kaiser, zwischen seinen Füßen Adler, im Feld Jahreszahl.
FERDINAND.III.D:G.RO.IM.SE.AVG
Gold 22 mm 3,46 g Foto 778/14–15/L Inv.-Nr. 128.
Lit. Men.-. Fr. 141. Hamburger, 2/09 Joseph.

129. Dukat 1646.
Vs. Schrift in vier Zeilen.
DVCATVS NOVVS REG.S.VR AQVISGR
Rs. Stehender Kaiser, zwischen seinen Füßen Adler, im Feld Jahreszahl.
FERDINANDVS.III. D:G.RO.IM.S.AVG
Gold 24 mm 3,42 g Foto 778/16–17/L Inv.-Nr. 129.
Lit. Men. 207b. var. Farina 1995. Fr. 142.

S. 6, T. 1

130. Dukat 1646.

Vs. Schrift in vier Zeilen.
DVCATVS NOVVS REG.S.VR AQVISGR
Rs. Stehender Kaiser, im Feld Jahreszahl, zwischen seinen Füßen Adler.
FERDINAND.III D:G.RO.IM.S.AVG

Gold 23 mm 3,42 g Foto 778/19–20/L Inv.-Nr. 130.
Lit. Men. zu 207. Farina zu 1995.Fr. 142. Opdenh. 274.

131. Dukat 1646.

Vs. Schrift in vier Zeilen.
DVCATVS NOVVS REG.S.VR AQVISGR
Rs. Stehender Kaiser ohne Schärpe, im Feld Jahreszahl.
FERDINANDVS(.)III. D:G.RO.IM.SE.AVG

Gold 24 mm 3,43 g Foto 778/21–22/L Inv.-Nr. 131.
Lit. Men. zu 207. Farina 1996. Fr. 142.
Opdenh. 238.

132. Dukat 1753.

Vs. Schrift in fünf Zeilen.
DVCATVS NOVUS REG:SED:VRBIS AQVIS.GR.
Rs. Stehender Kaiser, zwischen seinen Füßen Adler, im Feld Jahreszahl.
FRANCISCUS.I.D.G. ROM.IMP.SEMP.A.

Gold 21 mm 3,47 g Foto 778/23–24/L Inv.-Nr. 132.
Lit. Men. 260 var. Farina 2002. Fr. 145. Hess 4/01.

133. Reichstaler 1568 (ältester Taler).

Vs. Thronender Karl der Große über Wappenschild, im Feld Jahreszahl.
+MO‘✳REGIÆ✳SEDIS✳
VRBIS✳AQVISGRANI
Rs. Gekrönter Doppeladler.
MAXIMI’✳II’✳ROMA’✳
CÆSAR✳SEMP’✳AVG’

Silber 41 mm 28,84 g Foto 784/1–2/L Inv.-Nr. 133.
Lit. Men. 132b var. Dav. 8902. Farina 2006. Opdenh. 52.

134. Reichstaler 1569.

Vs. Thronender Karl der Große über Wappenschild, im Feld Jahreszahl.
+MO’✳REGIÆ✳SEDIS
VRBIS✳AQVISGRANI
Rs. Gekrönter Doppeladler.
MAXIMI’✳II’✳ROMA’✳
CÆSAR✳SEMP’✳AVG’

Silber 42 mm 29,13 g Foto 1007/2–3/L Inv.-Nr. 134.
Lit. Men. 133b var. Dav. 8902. Farina 2011. Opdenh. 267.

S. 6, T. 1

135. Reichtstaler 1570.
Vs. Thronender Karl der Große über Wappenschild, im Feld Jahreszahl.
+MO'✳REGIÆ✳SEDIS
VRBIS✳AQVISGRANI
Rs. Gekrönter Doppeladler.
MAXIMI'✳II'✳ROMA'✳
CÆSAR✳SEMP'✳✳AVGV'
Silber 41 mm 28,83 g Foto 1007/4–5/L
Inv.-Nr. 135.
Lit. Men. 134d. Dav. 8902. Hess. 3/02.

136. Reichstaler 1571.
Vs. Thronender Karl der Große über Wappenschild, im Feld Jahreszahl.
+MO'✳REGIÆ✳SEDIS✳
VRBIS✳AQVISGRANI
Rs. Gekrönter Doppeladler.
MAXIMI'✳II'✳ROMA'✳
CÆSAR✳SEMP'✳AVG'
Silber 41 mm 28,98 g Foto 1007/6–8/L
Inv.-Nr. 136.
Lit. Men. 135a var. Dav. 8902. Opdenh. 154.

137. Reichstaler 1571.
Vs. Thronender Karl der Große über Wappenschild, im Feld Jahreszahl.
MO.REGIÆSEDIS
VRBISAQVISGRANI
Rs. Gekrönter Doppeladler.
MAXIMIL.II.ROMAN.
CÆSAR.AVGVS. ohne SEMP
Silber 42 mm 28,78 g Foto 784/3–4/L
Inv.-Nr. 137. Schrötlingssprung.
Lit. Men. 144c. Dav. 8902. Opdenh. 2.

138. Reichstaler 1571.
Vs. Thronender Karl der Große über Wappenschild, unten im Feld Jahreszahl.
MO.REGIÆ SEDIS
VRBISAQVISGRANI
Rs. Gekrönter Doppeladler.
MAXIMIL.II.ROMAN.
CÆSARAVGVS
Silber 41 mm 29,14 g Foto 784/5–6/L
Inv.-Nr. 138.
Lit. Men. 144b. Dav. 8902. Egger 4/06.

139. Reichstaler 1573.
Vs. Thronender Karl der Große über Wappenschild, im Feld Jahreszahl.
+MO.REGIÆ SEDIS
VRBIS AQVI(..)AN
Rs. Gekrönter Doppeladler.
MAXIMIL.II.ROMAN
CÆSAR AVGVS
Silber 41 mm 28,58 g Foto 1007/9–11/L
Inv.-Nr. 139.
Lit. Men. 145b. Dav. 8904. Farina 2024. Opdenh. 194.

140. Reichstaler 1577.
Vs. Thronender Karl der Große über Wappenschild, im Feld Jahreszahl.
MO.REGIÆ SEDIS
VRBISAQVISGRANI
Rs. Gekrönter Doppeladler.
RVDOLP.II.ROMA.CÆSAR
AVGVST.
Silber 41 mm 28,86 g Foto 1007/12–14/L
Inv.-Nr. 140.
Lit. Men. 149. Dav. 8906. Farina 2025. Opdenh. 195.

S. 6, T. 1

141. Reichstaler 1585.

Vs. Thronender Karl der Große über Wappenschild, im Feld Jahreszahl aus 1582 geändert.
MO.REGIÆ SEDIS:
VRBISAQVISGRA.
Rs. Gekrönter Doppeladler.
.RVDOLP.II.ROMAN.
CÆSAR.AVGVS.

Silber 39 mm 28,92 g Foto 784/7–8/L
Inv.-Nr. 141.
Lit. Men. 151. Madai 4747. Dav.-. Farina-.
C. Sch.-. Opdenh. 196.

142. Reichstaler 1589.

Vs. Thronender Karl der Große über Wappenschild, im Feld Endziffern der Jahreszahl.
.MO.REGIÆ.SED .LIB.VRB.AQVIS.
Rs. Gekrönter Doppeladler.
RVDOL.II.ROMAN.
CÆSAR.AVGVST

Silber 39 mm 28,78 g Foto 1007/15–16/L
Inv.-Nr. 142.
Lit. Men. 161. Dav. 8908. Farina -.
Opdenh. 58.

144. Reichstaler 1644.

Vs. Thronender Karl der Große über Wappenschild, im Feld Jahreszahl.
❀ MON.NOVA.REGNE.
VRBIS.AQVISGRANI
Rs. Gekrönter Doppeladler.
FERDINANDVS.III.D:G.ROM.
IMP.SEM.AVG

Silber 43 mm 28,70 g Foto 1007/19–20/L
Inv.-Nr. 144.
Lit. Men. 210. Dav. 5005. Farina 2031.
Opdenh. 81.

143. Reichtstaler 1596.

Vs. Thronender Karl der Große über Wappenschild, im Feld Endziffern der Jahreszahl.
.MO.REGIÆ.SED
LIB.VRB.AQVIS (Eichel)
Rs. Gekrönter Doppeladler.
RVDOL.II.ROMAN.
CÆSAR.AVGVST □

Silber 40 mm 28,98 g Foto 1007/17–18/L
Inv.-Nr. 143.
Lit. Men. 162. Farina -.
Meyer Taf. IV. 2. Dav. 8908. Opdenh. 159.

145. Reichstaler ohne Jahr.

Vs. Thronender Wilder Mann über Wappenschild mit 2 Fahnen.
✳ VRBS.AQVENSIS.VRBS.
REGALIS.
REGNI.SEDES.
PRINCIPALIS.PRIMA.
REGVM.CVRIA
Rs. Gekrönter Doppeladler.
FERDINANDVS.III.D:G.ROM.
IMP.SEM.AVG

Silber 41 mm 28,93 g Foto 784/9–10/L
Inv.-Nr. 145
Lit. Men. 211a. Dav. 5007.
H. S. Rosenberg 2/21, 672 ex A. Riechmann.

146. Halber-Reichstaler 1568.

Vs. Thronender Karl der Große über Wappenschild, im Feld Jahreszahl.
+MO'✳REGIÆ✳SEDIS✳
VRBIS✳AQVISGRANI
Rs. Gekrönter Doppeladler.
MAXIM'✳II'✳ROMA'✳
CÆSAR'✳SEMP'✳AVGV'✳

Silber 34 mm 14,54 g Foto 784/11–12/L
Inv.-Nr. 146.
Lit. Men. 136b var. Opdenh. 8.

S. 6, T. 1

147. Halbertaler 1569.

Vs. Thronender Karl der Große über Wappenschild, im Feld Jahreszahl.
.MO.✳REGIÆ✳SEDIS✳
(..)BIS✳AQVISGRANI
Rs. Gekrönter Doppeladler.
MAXIM'✳II'✳ROMA'✳CÆSAR'✳
SEMP'✳AVG'✳

Silber 33 mm 14,56 g Foto 784/13–14/L
Inv.-Nr. 147.
Lit. Men. 137b var. Farina 2012.
Kube 7/07 ex Wilmersdörfer.

148. Halbertaler 1570.

Vs. Thronender Karl der Große über Wappenschild, im Feld Jahreszahl.
+MO'✳REGIÆ✳SEDIS VRBIS✳
AQVISGRANI
Rs. Gekrönter Doppeladler.
MAXIMI'✳II'✳ROMA'✳CÆSAR✳
SEMP'✳AVGV'

Silber 34 mm 14,23 g mit drei runden Punzierungen. Foto 1007/21–22/L Inv.-Nr. 148.
Lit. Men. 138a. Opdenh. 193.

149. Halbertaler 1571.

Vs. MO.REGIÆ SEDIS VRBIS
AQVISGRANI.
Rs. MAXIMIL.II.ROMAN
CÆSAR AVGVS.

Silber 34 mm 14,51 g Foto 784/15–16/L
Inv.-Nr. 149.
Lit. Men. 146c. Farina 2023. Opdenh. 32.

150. Dreißig-Mark 1571.

Vs. Thronender Karl der Große über Wappenschild, im Feld Jahreszahl.
MO:REGIÆ SEDIS
VRBIS:AQVISGRA:
Rs. Gekrönter Doppeladler.
MAXIMILIAN:II:IMP:
AVG:P:F:DECRE:

Silber 31 mm 9,93 g Foto 784/17–18/L
Inv.-Nr. 150.
Lit. Men. (143). Opdenh. 49.

151. Vierteltaler 1568.

Vs. Thronender Karl der Große über Wappenschild, im Feld Jahreszahl.
.MO(..)REGIÆ(.)✳SEDIS✳
VRBIS'✳AQVISGRANI
Rs. Gekrönter Doppeladler.
MAXIMI(.)✳II'✳ROMA'✳
CÆSAR✳SEMP'✳AVG'

Silber 28 mm 5,73 g Foto 1007/23–24/L
Inv.-Nr. 151.
Lit. Men. 140 var. Opdenh. 53.

152. Vierteltaler 1570.

Vs. +MO'✳REGI(.)✳SEDIS
VRBIS✳AQVISGRANI
Rs. MAXIMI'✳II'✳ROMA
✳CÆSAR✳
SEM(...)AVG'

Silber 28 mm 6,94 g Doppelschlag.
Foto 784/19–20/L Inv.-Nr. 152.
Lit. Men. 142. Farina 2018. Laufer 12/04.

153. Achteltaler 1572.

Vs. Brustbild Karls des Großen mit Kirche und Szepter über Adlerschild.
MO REGIÆ SEDIS
VRBIS AQVISGRANI.
Rs. Gekrönter Doppeladler.
MAXIMIL.II.ROMAN
CÆSAR AVG.

Silber 28 mm 4,00 g Foto 778/35–36/L
Inv.-Nr. 153.
Lit. Men. 148 var. Opdenh. 13.

154. Sechs-Mark 1619.

Vs. Thronender Karl der Große über Wappenschild.
:MONETA ❀ REGIÆ ❀ SEDIS:
Rs. .VI.I. .MARCK. .1619.
❀.VRBIS❀ AQVISGRANI.

Silber 33 mm 5,05 g Schrötlingssrpung.
Foto 784/23–24/L Inv.-Nr. 154.
Lit. Men. zu 185b. Farina 2040. Cahn 12/03.

S. 6, T. 1

155. Sechs-Mark 1620.
Vs. Thronender Karl der Große über Wappenschild.
oMON ❀ (..)GIÆ SED (...)
Rs. Wertangabe und Jahreszahl in drei Zeilen.
VI MARCK 1Z70
❀ VRB(...)AQVISGRANI(.?)
Silber 29 mm 4,23 g Foto 1007/25–26/L Inv.-Nr. 155.
Lit. Men. 187a var. Opdenh. 112.

156. Sechs-Mark 1620.
Vs. Thronender Karl der Große über Wappenschild.
MONETA ❀ RE GIÆ ❀ SEDISo
Rs. Wertangabe und Jahreszahl in drei Zeilen.
VI MARCK 1620
❀ (.)VRBIS ❀ AQV(..)GRANI:
Silber 28 mm 4,16 g Foto 1007/27–28/L Inv.-Nr. 156.
Lit. Men. zu 187b. Weygand 2341.

157. Sechs-Mark 1620.
Vs. Thronender Karl der Große über Wappenschild.
oMONETA ❀ RE GIÆ ❀ SEDIS.
Rs. Wertangabe und Jahreszahl in drei Zeilen, keine Punkte in den Verzierungen.
VI MARCK 16Z0
❀ VRBIS ❀ AQVISGRANI:
Silber 32 mm 4,64 g Foto 780/3–4/L Inv.-Nr. 157.
Lit. Men. 187 var. Farina 2040. Kirsch, Cahn 4/12.

158. Sechs-Mark 1620.
Vs. Thronender Karl der Große über Wappenschild.
oMONETA ❀ RE GIÆ ❀ S(.)IDIS.
Rs. Wertangabe und Jahreszahl in drei Zeilen.
(..) MARCK 16Z0
❀ VRBIS ❀ AQVISGRANI(.)
Silber 29 mm 4,86 g Foto 780/5–6/L Inv.-Nr. 158.
Lit. Men. zu 188b. Opdenh. 116.

159. Vier-Mark 1644.
Vs. Brustbild Karls des Großen über Adlerschild.
MON.REG.SEDIS.IMP.VR(..) AQVISGRA
Rs. Drei Zeilen Schrift in Raute.
IIII MARCK ACH
FERD III.D:G (.)O(.)IM SE.AV
Silber 27 mm 3,31 g Foto 780/7–8/L Inv.-Nr. 159.
Lit. Men. 214b var. Rosenberg 12/10, ex Schwalbach.

160. Vier-Mark 1644.
Vs. Brustbild Karls des Großen über Adlerschild.
MON.REG.SEDIS.IMP.VRB. AQVISGRA
Rs. Drei Zeilen Schrift in Raute.
IIII MARCK .ACH.
(.)ERD III.D:G RO.IM SE(..)V(.)
Silber 27 mm 2,93 g Foto 1007/29–30/L Inv.-Nr. 160.
Lit. Men. zu 214. Opdenh.

161. Vier-Mark 1646.
Vs. Brustbild Karls des Großen über Adlerschild.
MON.REG.SEDIS.IMP(.)VRB. AQVISGRA
Rs. Drei Zeilen Schrift in Raute.
IIII MARCK ACH
FERD III.DG RO.IM SE.AV
Silber 25 mm 2,66 g Foto 1007/31–33/L Inv.-Nr. 161.
Lit. Men. zu 216a. Opdenh. 293.

162. Vier-Mark 1646.
Vs. Brustbild Karls des Großen über Adlerschild.
MON(.....)SEDIS.IMP.VRB. AQVISG:
Rs. Drei Zeilen Schrift in Raute.
IIII MARCK ACH
FERD III.D:G RO(.)IM SE.AV
Silber 27 mm 3,14 g Foto 779/3–4/L Inv.-Nr. 162.
Lit. Men. zu 216f. Opdenh.

S. 6, T. 1

163. Vier-Mark 1646.
Vs. Brustbild Karls des Großen über Adlerschild.
MON.REG(.)SEDIS(.)IMP.VRB(.......)
Rs. Schrift in drei Zeilen, in Verzierung.
IIII MARCK ACH
✳FERD(....)D(.)G(.)RO(.)IM(.)SE(.)AVG 1646.
Silber 27 mm 2,71 g Foto 1007/34–35/L Inv.-Nr. 163.
Lit. Men. 217. Weygand 2342.

164. Vier-Mark 1647.
Vs. Brustbild Karls des Großen über Adlerschild.
MON.REG.SEDIS.IMP.VRB.AQVISGRA
Rs. Schrift in drei Zeilen, in Verzierung mit vier Punkten.
IIII MARCK ACH
✳FERDINAND(.)III.D:G.RO.IM.SE.AVG. 1647
Silber 27 mm 2,72 g Foto 780/9–10/L Inv.-Nr. 164.
Lit. Men. 218.

165. Vier-Mark 1647.
Vs. Brustbild Karls des Großen über Adlerschild.
MON.REG.SEDIS.IMP.VRB.AQVISGRA
Rs. Schrift in drei Zeilen, in Verzierung zwei Punkte.
IIII MARCK ACH
✳FERD(........)I D:G.RO.IM.SE.AVG. 1647.
Silber 27 mm 2,61 g Foto 1007/36–37/L Inv.-Nr. 165.
Lit. Men. zu 218.

166. Vier-Mark 1647.
Vs. Brustbild Karls des Großen über Adlerschild.
MO(....)G.SEDIS.IMP.VRB.AQVISGRA
Rs. Schrift in drei Zeilen. III MARCK ACH
✳FERDINAND.III.D:G RO.IM.SE(.)AVG(....)7
Silber 27 mm 3,03 g Foto 1002/1–2/L Inv.-Nr. 166.
Lit. Men. 218. Opdenh. 295.

167. Vier-Mark 1648.
Vs. Brustbild Karls des Großen über Adlerschild.
MON.REG.SEDIS.IMP.VRB.AQVISGRA.
Rs. Schrift in drei Zeilen, Verzierung ohne Punkte.
✳ FERDINAND(.)III.D:G.RO.IM.SE.AVG. 1648
Silber 27 mm 3,91 g Foto 780/11–12/L Inv.-Nr. 167.
Lit. Men. 220a var.

168. Vier-Mark 1648.
Vs. Brustbild Karls des Großen über Adlerschild.
MON.REG.S(.)DIS.IMPVRB.AQVISGR
Rs. Schrift in drei Zeilen, zwei Punkte in Verzierung.
✳ FERDINAND.III.D:G.RO.IM.S(.).AVG.1648
Silber 26 mm, 2,33 g Foto 1002/3–4/L Inv.-Nr. 168.
Lit. Men. 220b. Opdenh. 142.

169. Drei-Mark 1619.
Vs. Brustbild Karls des Großen über Adlerschild.
:MON(.....)EGI(..)SEDIS:
Rs. Schrift in drei Zeilen.
.III. (.)ARCK (.)619
❃ VRBIS✳AQVISGRANI(.)
Silber 24 mm 2,12 g Foto 1002/5–6/L Inv.-Nr. 169.
Lit. Men. zu 189. Opdenh. 143.

170. Drei-Mark 1626.
Vs. Brustbild Karls des Großen über Adlerschild,
im Feld 26.
MO.REG.SED.VRB.AQVISG.
Rs. Schrift in drei Zeilen.
.I.I.I. MARCK .ACH.
+FERD.II.D:G.ROM.IMP.SEMP.AVG
Silber 26 mm 2,80 g Foto 780/13–14/L Inv.-Nr. 170.
Lit. Men. zu 195. Opdenh. 144.

S. 6, T. 1

171. Drei-Mark 1631.
Vs. Brustbild Karls des Großen über Wappenschild, im Feld 31
MO.REG.SED.VRB.AQVISGR
Rs. Schrift in drei Zeilen. .I.I.I. MARCK .ACH.
✳FERD.II.D:G.ROM.IMP.SEMP.AVG
Silber 25 mm 2,88 g Foto 1002/7–8/L Inv.-Nr. 171.
Lit. Men. zu 196a. Opdenh. 145.

172. Drei-Mark 1639.
Vs. Brustbild Karls des Großen über Wappenschild, im Feld 39
(..)REG.(.)ED.VRB.AQVISGR.
Rs. Schrift in drei Zeilen.
III MARCK ACH
Adler FERD III.D:G.ROM.IMP.SEMP.AVG
Silber 19 mm 2,72 g Foto 1002/9–10/L Inv.-Nr. 172.
Lit. Men. zu 221. Opdenh. 146.

173. Drei-Mark 1640.
Vs. Brustbild Karls des Großen über Wappenschild, im Feld 0 4
.MO.REG.SED.VRB(..)VIS.GR.
Rs. Schrift in drei Zeilen.
III MARCK ACH
(..)RD III D.G.ROM.IMP.SEMP A(..)
Silber 24 mm 2,19 g Foto 1002/11–15/L Inv.-Nr. 173.
Lit. Men. zu 222b. Redder 5/33.

174. Drei-Mark 1641.
Vs. Brustbild Karls des Großen über Wappenschild, im Feld 4 1
MO.REG.SED.VR(...)AQVISGR
Rs. Schrift in drei Zeilen.
III MARCK ACH
Adler FERDIIID:G.ROM.IMP.SEMP AVG
Silber 25 mm 3,03 g Foto 1002/16–17/L Inv.-Nr. 174.
Lit. Men. zu 223b. Opdenh. 125.

175. Drei-Mark 1707.
Vs. Brustbild Karls des Großen über Wappenschild, im Feld 0 7.
MON.REG.SED.VRB.AQVISGRA
Rs. Schrift in drei Zeilen.
III MARCK ACH
Adler IOSEPHVS.I.D.G ROM.IMP.SEMPAVG
M und P zusammengeschrieben.
Silber 23 mm 2,19 g Foto 1002/18–19/L Inv.-Nr. 175.
Lit. Men. 251a. Opdenh. 40.

176. Drei-Mark 1728.
Vs. Brustbild Karls des Großen über Wappenschild.
MO.REG.SEDIS.VRB.AQVIS.GRA
Rs. Schrift in vier Zeilen.
❀ III ❀ MARCK ✦ ACH ✦ 1728
❀ CAROLVS.VI.D.G.ROM.IMP.SEM.AVG
Silber 23 mm 2,04 g Foto 780/15–16/L Inv.-Nr. 176.
Lit. Men. 255. Kube 9/10. Opdenh. 294.

177. Drei-Mark 1754.
Vs. Brustbild Karls des Großen über Wappenschild.
MON.REG.SEDIS.URB.AQUIS.GR:
Rs. Schrift in vier Zeilen.
❀ I.I.I ❀ MARCK ✦ ACH ✦ 1754
✳ FRANCISCUS.I.D.G.ROM.IMP.SEMP.AUG

Fünf Exemplare.
Silber 22 mm 1,82 g Foto 1002/20–21/L Inv.-Nr. 177.
Lit. Men. zu 262. Opdenh. 239a.
Silber 23 mm 2,00 g Foto 780/17–18/L Inv.-Nr. 178.
Lit. Farina 2043.
Silber 22 mm 2,00 g Foto 780/19–20/L Inv.-Nr. 179.
Lit. Rosenberg 12/10 ex Schwalbach.
Silber 22 mm 1,94 g Foto 1002/24–25/L Inv.-Nr. 181.
Lit. Opdenh. 35.
Silber 21 mm 1,54 g Foto 1068/1–2/L Inv.-Nr. 182.
Lit. Opdenh. 248.

S. 6, T. 1

178. Drei-Mark 1754.
Vs. Brustbild Karls des Großen über Wappenschild.
MON.REG.SEDIS.URB.AQUIS.GR:
Rs. Schrift in vier Zeilen.
❁ I.I.I ❁ MARCK ✦ ACH✦ 1754
Siber 22 mm 1,97 g Foto 1002/22–23/L Inv.-Nr. 180.
Lit. Men. zu 262. Opdenh. 4.

179. Zwei-Mark 1572.
(Dreischilling oder Doppelbatzen).
Vs. Brustbild Karls des Großen mit Münster und Szepter über Wappenschild. 7 2
MO.REGIÆ SEDIS.
VRBISAQVISGRANI
Rs. Gekrönter Doppeladler.
MAXIMIL.II.ROMANCÆSARAVGVS
Silber 21 mm 1,60 g Foto 912/22A–23A/L Inv.-Nr. 183.
Lit. Men.-. Frankfurter Geld vor 400 Jahren, (Ausstellungskatalog, Hist. Mus. 1979) 66,1. A. Cahn 1/29, 163, irrtümlich als 1/8 Taler bezeichnet.

180. Zwei-Mark 1577.
(Dreischilling oder Doppelbatzen).
Vs. Brustbild Karls des Großen mit Münster und Szepter über Wappenschild. Szepter gegen M.
.MO.REGI(..) .SE.VR.AQVIS.
Rs. Gekrönter Doppeladler.
RVDOLP.II.RO.CÆS.AV.1577
Silber 20 mm 1,13 g Foto 766/9–10/L Inv.-Nr. 184.
Lit. Men. zu 152b.

181. Zwei-Mark 1577.
(Dreischilling oder Doppelbatzen).
Vs. Brustbild Karls des Großen mit Münster und Szepter über Wappenschild. Türme nahe am Kopf.
.MO REGIÆ. .SE.VR.AQVIS.
Rs. Gekrönter Doppeladler.
RVDOLP.II.RO.CÆS.AV.1577
Silber 20 mm 1,33 g Foto 766/11–12/L Inv.-Nr. 185.
Lit. Men. zu 152b. Opdenh. 300.

182. Zwei-Mark 1577.
(Dreischilling oder Doppelbatzen).
Vs. Brustbild Karls des Großen mit Münster und Szepter über Wappenschild.
.MO.REGIÆ. .SE.VR.AQVIS.
Rs. Gekrönter Doppeladler.
.RVDOLP.II.RO CÆS.AV 1577(.)
Zwei Exemplare.
Silber 20 mm 1,57 g Foto 766/13–14/L Inv.-Nr. 186.
Lit. Men. 152b. Opdenh. 127.
Silber 21 mm 1,44 g Foto 766/15–16/L Inv.-Nr. 187.
Lit. Men. 152b. Krakau 11/06.

183. Zwei-Mark 1577.
(Dreischilling oder Doppelbatzen).
Vs. Brustbild Karls des Großen mit Münster und Szepter über Wappenschild.
MO.REGIÆ SE.VR.AQVIS
Rs. Gekrönter Doppeladler.
RVDOLP.II.RO.CÆS.AV.1577
Silber 20 mm 1,34 g Foto 766/17–18/L Inv.-Nr. 188.
Lit. Men. zu 152a. Frankfurter Geld vor 400 Jahren, 66,2. Laufer 6/10.

184. Zwei-Mark 1578.
(Dreischilling oder Doppelbatzen).
Vs. Brustbild Karls des Großen mit Münster und Szepter über Wappen.
(.)MOREGIÆ. SE.VR.AQVIS.
Rs. Gekrönter Doppeladler.
RVDOLP.II.RO.CÆS.AV.1578.
Silber 20 mm 1,52 g Foto 766/19–20/L Inv.-Nr. 189.
Lit. Men. 153. Opdenh. 301.

185. Zwei-Mark 1616.
Vs. Brustbild Karls des Großen über Wappenschild, im Feld Jahreszahl.
.MON.REG.SED VRB.AQVISG(.)
Rs. Gekrönter Doppeladler.
MATH.I.ROM.I(...)SEMP.AVGV
Silber 22 mm 2,01 g Foto 1002/27/L und 1068/3–4/L Inv.-Nr. 190.
Lit. Men. 176c var. Thieme 10/13.

186. Zwei-Mark 1616.
Vs. Brustbild Karls des Großen über Wappenschild.
MON.REG.SE(..) VRB. AQVISGRA
Rs. Gekrönter Doppeladler mit Wertzahl 2.
MATH.I'ROM.IMP.SEMP.AVGVS:
Silber 22 mm 2,03 g Foto 1002/28–29/L Inv.-Nr. 191.
Lit. Men. zu 176. Kube 9/10.

S. 6, T. 1

187. Zwei-Mark 1639.
Vs. Brustbild Karls des Großen über Wappenschild.
MO.REG.SED.VRB.AQVISGR
Rs. Gekrönter Doppeladler mit Wertzahl 2.
F(.)RD.III.D:G.ROM.IMP.SEM.AVG
Silber 23 mm 1,45 g Foto 779/5–6/L Inv.-Nr. 192.
Lit. Men. 224, Vorderseite b), Rückseite a). Jenke 9/14.

188. Zwei-Mark 1646.
Vs. Brustbild Karls des Großen über Wappenschild.
MO.REG.SEDIS.VRB.AQVISGRA
Rs. Gekrönter Doppeladler mit Wertzahl 2.
FERD.III.D(.)G.RO.IMP.SEM.AVG
Silber 22 mm 1,83 g Foto 1002/30–31/L Inv.-Nr. 193.
Lit. Men. zu 225a. Opdenh. 147.

189. Zwei-Mark 1649.
Vs. Brustbild Karls des Großen über Wappenschild.
MO.REG.SEDIS.VRB.AQVISGR
Rs. Schrift in drei Zeilen.
✳ I ✳ I ✳ MARCK ACH
Adler FERDINAND.III.D · G · RO IM.SE.AV
Silber 22 mm 1,69 g Foto 1002/32–33/L Inv.-Nr. 194.
Lit. Men. zu 227. Modes 4143.

190. Zwei-Mark 1707.
Vs. Brustbild Karls des Großen über Wappenschild.
MON.REG.SEDIS.VRB.AQVISGR
Rs. Drei Zeilen Schrift.
✳ II ✳ MARCK ACH
✳ IOSEPHVS · I · D · G · ROM · IMP · SEMP · AVG
Silber 19 mm 1,66 g Foto 766/21–22/L Inv.-Nr. 195.
Lit. Men. 253c. Opdenh. 20.

191. Zwei-Mark 1727.
Vs. Brustbild Karls des Großen über Wappenschild.
MO.REG.SEDIS.VRB.AQVIS.GRA
Rs. Drei Zeilen Schrift über Jahreszahl.
❀ II ❀ MARCK .ACH. 1727
❀ CAROLVS.VI.D.G.ROM.IMP.SEM.AVG
Silber 19 mm 1,66 g Foto 766/23–24/L Inv.-Nr. 196.
Lit. Men. zu 256a. Opdenh. 292.

192. Zwei-Mark 1727.
Vs. Brustbild Karls des Großen über Wappenschild.
MO.REG.SEDIS.VRB.AQVIS.GRA
Rs. Drei Zeilen Schrift über Jahreszahl.
❀ II ❀ MARCK ACH 1727
❀ CAROLVS.VI.D.G.ROM.IMP.SEM AVG
Silber 20 mm 1,49 g Foto 766/25–26/L Inv.-Nr. 197.
Lit. Men. zu 256. Opdenh. 114.
Zwei Exemplare
Silber 19 mm 1,38 g Foto 766/27–28/L Inv.-Nr. 198.
Lit. Men. zu 256. Opdenh. 24.

193. Zwei-Mark 1728.
Vs. Brustbild Karls des Großen über Wappenschild.
MO.REG.SE(.....)RB.AQVIS(...)
Rs. Drei Zeilen Schrift über Jahreszahl.
❀ II ❀ MARCK ❀ ACH ❀ 1728
❀ CAROLVS.VI.D.G.(.....)MP.SEM.AVG
Silber 20 mm 1,69 g Foto 766/29–30/L Inv.-Nr. 199.
Lit. Men. 257d. Farina 2044.

194. Zwei-Mark 1753.
Vs. Brustbild Karls des Großen über Wappenschild.
Langes Szepter.
MON.REG.SEDIS.URB.AQUIS.GR:
Rs. Drei Zeilen Schrift über Jahreszahl.
❀ II ❀ MARCK ✦ ACH ✦ 1753
✳FRANCISCUS.I.D.G.ROM.IMP.SEMP.AUG
Zwei Exemplare.
Silber 20 mm 1.45 g Foto 766/31–32/L Inv.-Nr. 200.
Lit. Men. 264a. var. Opdenh. 13.
Silber 20 mm 1,35 g Foto 766/33–35/L Inv.-Nr. 201.
Lit. Men. 264a. var. Opdenh. 148.

195. Zwei-Mark 1753
Vs. Brustbild Karls des Großen über Wappenschild.
MON.REG.SEDIS.URB.AQUISGR:
Rs. Drei Zeilen Schrift über Jahreszahl.
❀ II ❀ MARCK ❀ ACH ❀ 1753
✳FRANCISCUS.I.D.G.ROM.IMP.SEMP.AUG
Silber 20 mm 1,72 g Foto 766/36–38/L Inv.-Nr. 202.
Lit. Men. 264b. Opdenh. 20.
Zwei Exemplare
Silber 20 mm 1,72 g Foto 765/1–2/L Inv.-Nr. 203*.
Lit. Men. 264b.

S. 6, T. 1

196. Mark 1619.
Vs. Brustbild Karls des Großen über Wappenschild.
MO(..)TA.REGIÆ.SEDIS
Rs. Schrift in zwei Zeilen über Jahrszahl.
I MARCK 1619 ohne Kaisertitel.
❁ VRBIS ✳ AQVISGR(...)
Silber 21 mm 1,78 g Foto 765/3–4/L Inv.-Nr. 204.
Lit. Men. zu 190. Kube 9/10.

197. Mark 1631.
Vs. Brustbild Karls des Großen über Wappenschild, im Feld 16 31
MO.REG.SEDIS (1) AQVISGRAN
Rs. Gekrönter Doppeladler.
FERDINAND.II.RO.IM.SE.AVG
Silber 21 mm 1,10 g Foto 765/5–6/L Inv.-Nr. 205.
Lit. Men. zu 198. Farina 2047. Opdenh. 296.

198. Mark 1631.
Vs. Brustbild Karls des Großen über Wappenschild, im Feld 3 1.
MO.REG.SED AQVISGRAN
Rs. Gekrönter Doppeladler.
FERDINAND.II.ROM.IM.SE.AVG
Silber 21 mm 1,48 g Foto 765/7–8/L Inv.-Nr. 206.
Lit. Men. 198.

199. Mark 1643.
Vs. Brustbild Karls des Großen und Wappenschild.
MO.REG·SEDIS.AQVIS.GRA
Rs. Zwei Zeilen Schrift über Jahreszahl.
✳ I ✳ MARCK 1643
MON.NOV.VRBIS.AQVISGRA
Silber 19 mm, 1,42 g Foto 765/9–10/L Inv.-Nr. 207.
Lit. Men. 228b. Opdenh. 297.

200. Mark 1643.
Vs. Brustbild Karls des Großen über Wappenschild.
.MO.REG.SEDIS.AQVISGR
Rs. Zwei Zeilen Schrift über Jahreszahl.
✳ I ✳ MARCK 1643
✳ MON.NOV.VRB(.)S.AQVISGRA
Silber 19 mm 1,24 g Foto 765/11–12/L Inv.-Nr. 208.
Lit. Men. zu 228. Opdenh. 152.

201. Mark 1707.
Vs. Brustbild Karls des Großen über Wappenschild, im Feld 07.
MO.REG.SEDIS.AQVIS.GR
Rs. Drei Zeilen Schrift.
✳ I ✳ MARCK ACH
✳ MON.NOV.VRBIS.AQVIS.GR
Silber 17 mm 0,62 g Foto 765/13–14/L Inv.-Nr. 209.
Lit. Men. 254c. Opdenh. 230.

202. Mark 1707.
Vs. Brustbild Karls des Großen über Wappenschild, im Feld 07.
MO.REG.SEDIS.AQVIS.GR(.)
Rs. Drei Zeilen Schrift.
✳ I ✳ MARCK ACH
✳ MON.NOV.VRBIS.(...)IS GRA
Silber 18 mm 0,73 g Foto 765/15–16/L Inv.-Nr. 210.
Lit. Men. 254b. Opdenh. 1.

203. Mark 1727.
Vs. Brustbild Karls des Großen über Wappenschild.
MO:REG:SEDIS VRB:AQVISGRA.
Rs. Drei Zeilen Schrift über Jahreszahl.
✳ I ✳ MARCK ACH 1727
✳ CAROLVS.VI.D:G.ROM:IMP:SEMP:AVG
Silber 17 mm 0,58 g Foto 765/17–18/L Inv.-Nr. 211.
Lit. Men. zu 258b. Farina 2045.

204. Mark 1727.
Vs. Brustbild Karls des Großen über Wappenschild.
MO:REG:SEDIS VRB AQVISGRA
Rs. Drei Zeilen Schrift über Jahreszahl.
✳ I ✳ MARCK ACH 1727
✳ CARLVS.VID:G:ROM.IMP:SEM.AVG
Silber 17 mm 0,61 g Foto 765/19–20/L Inv.-Nr. 212.
Lit. Men. zu 258. Opdenh. 150.

S. 6, T. 1

205. Mark 1728.
Vs. Brustbild Karls des Großen über Wappenschild.
MO.REG.SEDIS.VRB.AQVIS.GRA
Rs. Drei Zeilen Schrift über Jahreszahl.
❀ I ❀ MARCK ✦ ACH ✦ 1728 große 2
✠ CAROLVS.VI.D.G.ROM.IMP.SEM.AVG
Silber 16 mm 0,76 g Foto 765/21–22/L Inv.-Nr. 213.
Lit. Men. 259a. Opdenh. 29.

206. Mark 1753.
Vs. Brustbild Karls des Großen über Wappenschild.
MON.REG.SEDIS.VRB.AQUIGR:
Rs. Drei Zeilen Schrift über Jahreszahl.
❀ I ❀ MARCK ✦ ACH ✦ 1753
✳FRANCISCUS.I.D:G:ROM.IMP.SEMP.AUG
Silber 18 mm 0,89 g Foto 765/23–24/L Inv.-Nr. 214.
Lit. Men. zu 265b. Opdenh. 34.

207. Mark 1753.
Vs. Brustbild Karls des Großen über Wappenschild.
Szepter auf G.
MON.REG.SEDIS.URB.AQUIS GR
Rs. Drei Zeilen Schrift über Jahreszahl.
❀ I ❀ MARCK ✦ ACH ✦ 1753
✳FRANCISCUS.I.D.G.ROM.IMP.SEMP.AUG
Silber 18 mm 0,85 g Foto 765/25–26/L Inv.-Nr. 215.
Lit. Men. 265c. Opdenh. 36.
Zwei Exemplare.
Silber 18 mm 0,92 g Foto 765/29–30/L Inv.-Nr. 217.

208. Mark 1753.
Vs. Brustbild Karls des Großen über Wappenschild.
MON.REG.SEDIS.URB.AQUISGR
Rs. Drei Zeilen Schrift über Jahreszahl.
❀ I ❀ MARCK ✦ ACH ✦ 1753 geschwungene 7
✳FRANCISCUS.I.D.G.ROM.IMP.SEMP.AUG
Silber 18 mm 0,88 g Foto 765/27–28/L Inv.-Nr. 216.
Lit. Men. zu 265. Opdenh. 36.

209. Mark 1753
Vs. Brustbild Karls des Großen über Wappenschild.
MON.REG.SEDIS.URB.AQUIS.GR:
Rs. Drei Zeilen Schrift über Jahreszahl.
❀ I ❀ MARCK ✦ ACH ✦ 1753
✳FRANCISCUS.I.D.G.ROMIMP.SEMP.AUG
Silber 18 mm 0,60 g Foto 765/31–32/L Inv.-Nr. 218.
Lit. Men. 265a. Opdenh. 149.

210. Mark 1753.
Vs. Brustbild Karls des Großen über Wappenschild.
MON.REG.SEDIS.URB.AQUIS.GR.
Rs. Drei Zeilen Schrift über Jahrszahl.
❀ I ❀ MARCK ✦ ACH ✦ 1753
✳FRANCISCUS.I.D G:ROM.IMP.SEMP.AUG
Silber 18 mm 0,87 g Foto 765/34–35/L Inv.-Nr. 219.
Lit. Men. zu 265. Opdenh. 42.

211. Sechs-Heller 1582.
Vs. Wappenschild.
+MONETA.VRB.AQVIS.8Z
Rs. Reichsapfel, darin 6, zwischen Sternen, darunter HELR
RVDOL.II.RO IM.SEM.AV
Silber 17 mm 0,93 g Foto 768/14–15/L Inv.-Nr. 220.
Lit. Men. 155. Opdenh. 41.

212. Sechs-Heller 1583.
Vs. Wappenschild.
+MONETA.VRB.AQVIS.83.
Rs. Reichsapfel, darin 6, darunter HELR
RVDOL.II.RO.IM.SEM.AV
Silber 17 mm 0,73 g Foto 768/16–17/L Inv.-Nr. 221.
Lit. Men. zu. 156. Opdenh. 110.

213. Sechs-Heller 1583.
Vs. Wappenschild.
MONETA.VRB.AQVIS.83·83
Rs. Reichsapfel, darin 6, darunter HELR
RVDL(....)I.RI·RO.IM.SEM.AV
Silber 16 mm 0,59 g Foto 768/18–19/L Inv.-Nr. 222.
Lit. Men. zu 156. Opdenh. 184. Ausgebrochen.

214. Sechs-Heller 1585.
Vs. Wappenschild zwischen 8 und 5.
+MO.RE.SE.LIB.IM.VRB.AQV
Rs. Gekrönter Reichsadler.
.RVDOL.II.RO.IM.SE.AV.
Silber 18 mm 0,83 g Foto 768/20–21/L Inv.-Nr. 223.
Lit. Men. 164a. Opdenh. 19.

S. 6, T. 1

215. Sechs-Heller 1586.
Vs. Wappenschild zwischen 8 und 6.
+MO.RE.SE.LIB.IM.VRB.AQV
Rs. Gekrönter Reichsadler.
RVDOL.II.RO.IM.SE.AV
Silber 18 mm 0,90 g Foto 768/22–23/L Inv.-Nr. 224.
Lit. Men. 165a. Opdenh. 111.

216. Sechs-Heller 1586.
Vs. Wappenschild zwischen 8 und 6.
+.MO.RE.SE.LIB.IM.VR.AQV
Rs. Gekrönter Doppeladler.
RVDOL.II.RO.IM.SE.AV
Silber 17 mm 1,04 g Foto 768/24–26/L Inv.-Nr. 225.
Lit. Men. zu 165b. Opdenh. 1.

217. Sechs-Heller 1586.
Vs. Wappenschild zwischen 8 und 6.
+.MO.RE.SE.LIB.IM.VR.AQV.
Rs. Gekrönter Doppeladler.
.RVDOL.II.RO.IM.SE.AV
Silber 18 mm 0,81 g Foto 768/27–28/L Inv.-Nr. 226.
Lit. Men. zu 165b. Opdenh. 1.

218. Sechs-Heller 1586.
Vs. Wappenschild zwischen 8 und 6.
+MO.RE.S(..)LIB.V(..)AQ
Rs. Gekrönter Doppeladler.
RVDOL.II.(...)M.SE.AV
Silber 18 mm 0,79 g Foto 768/29–30/L Inv.-Nr. 227.
Lit. Men. 165b var. Weygand 2336.

219. Sechs-Heller 1586.
Vs. Wappenschild zwischen 8 und 6.
+.MO.RE.SE(......)IM.VR.AQ:
Rs. Gekrönter Doppeladler.
.RVDOL.II.RO.I(...)E.AV
Silber 18 mm 0,85 g Foto 768/31–32/L Inv.-Nr. 228.
Lit. Men. zu 165. Opdenh. 1.

220. Sechs-Heller 1587.
Vs. Wappenschild zwischen 8 und 7.
+.MO.RE.SEL.IB.IM.VR.AQV
Rs. Gekrönter Doppeladler.
.RVDOL.II.RO.IM(.)SE.AV
Silber 18 mm 0,93 g Foto 768/33–34/L Inv.-Nr. 229.
Lit. Men. 166 var. Opdenh. 139.

221. Sechs-Heller 1587.
Vs. Wappenschild zwischen 8 und 7.
+.MO(.)RE·SE.LIB.IM.VR.AQ.
Rs. Gekrönter Doppeladler.
RVDOL.II.RO.IM.SE.AV
Silber 19 mm 1,02 g Foto 768/35–36/L Inv.-Nr. 230.
Lit. Men. zu 166. Opdenh. 1.

222. Sechs-Heller 1588.
Vs. Wappenschild zwischen 8 und 8.
+MO.RE.SE.LIB(..)M.VR.AQ
Rs. Gekrönter Doppeladler.
(.)RVDOL.I.RO.IM.SE.AV.
Silber 18 mm 0,83 g Foto 763/1–2/L Inv.-Nr. 231.
Lit. Men. 167. Opdenh. 140.

223. Sechs-Buschen ohne Jahr (um 1597), Notmünze beidseitig gegengestempelt.
Vs. Adler zwischen AC und H im glatten Reif.
Rs. Wertzahl VI im Ringelreif.
Silber 24 mm 1,81 g Foto 780/21–22/L Inv.-Nr. 232.
Lit. Men. zu 171a. Opdenh. 273. Eingerissen.

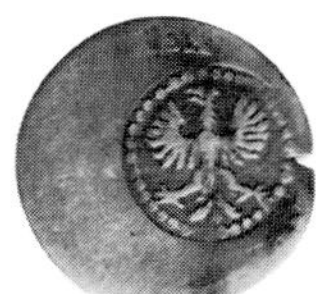

224. Sechs-Buschen ohne Jahr (um 1597), Notmünze beidseitig gegengestempelt.
Vs. Adler im Perlenreif ohne Buchstaben.
Rs. Wertzahl VI im Ringelreif.
Silber 20 mm 1,60 g Foto 780/23–24/L Inv.-Nr. 233.*
Lit. Men.- (zu 171b). Opdenh. 45.
Zwei Exemplare.
Silber 22 mm 1,87 g Foto 1068/5–6/L Inv.- Nr. 234.
Lit. Men.- (zu 171b) J. u. F. 2464. Eingerissen.

Anmerkung: V und R oft zusammengeschrieben.

S. 6, T. 1

225. Drei-Buschen ohne Jahr.
Notmünze beidseitig gegengestempelt.
Vs. Adler mit 11 Flügelfedern im Perlreif.
Rs. Wertzahl III darüber ... im Ringelreif.
Silber 22 mm 1,42 g Foto 780/25–27/L Inv.-Nr. 235.
Lit. Men. 172a. Farina 2033. Secker 1/07.

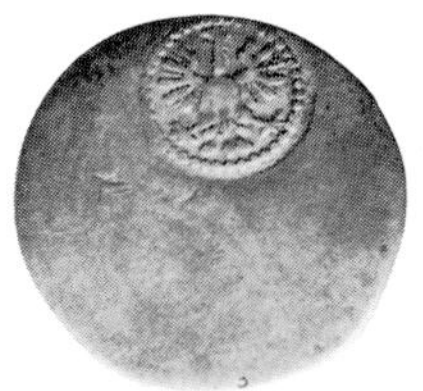

226. Drei-Buschen ohne Jahr.
Notmünze beidseitig gegengestempelt.
Vs. Adler mit sechs Flügelfedern im Perlreif.
Rs. Wertzahl III über drei Kugeln in Perlreif.
Silber 26 mm 1,94 g Foto 780/28–29/L Inv.-Nr. 236.
Lit. Men. zu 172a. Opdenh. 5.

227. Drei-Buschen ohne Jahr.
Notmünze beidseitig gegengestempelt.
Vs. Adler mit neun Flügelfedern im Perlreif.
Rs. Wertzahl III über Verzierung.
Silber 24 mm 1,93 g Foto 780/30–31/L Inv.-Nr. 237.
Lit. Men. zu 172b. A. Schulmann 10/11.

228. Zwei-Buschen ohne Jahr.
Notmünze beidseitig gegengestempelt.
Vs. Adler zwischen AC und H im glatten Reif.
Rs. Wertzahl II im Ringelreif.
Silber 22 mm 1,44 g Foto 780/32–33/L Inv.-Nr. 238.
Lit. Men. zu 173b. Redder 5/33.

229. Buschen ohne Jahr.
Notmünze beidseitig gegengestempelt.
Vs. Adler im Perlreif.
Rs. Wertzahl I zwischen Verzierungen.
Silber 19 mm 0,74 g Foto 763/3–4/L Inv.-Nr. 239.
Lit. Men.-. A. Schulmann 10/11.

230. Kupfer-Zwölf-Heller 1758.
Münzzeichen MR = Münzmeister Rensonet.
Adler zwischen Jahreszahl.
Rs. Schrift in fünf Zeilen über Verzierung.
XII HELLER REICHS STADT ACHEN
HELLER und ACHEN zwischen Lilien.
Kupfer meist 24 mm ca. 4,9 g Foto 780/34–35/L Inv.-Nr. 240.
Lit. Men. zu 292e. Farina 2082. Opdenh. K. 58.16.

231. Nur ACHEN zwischen Lilien.
Foto 779/9–10/L Inv.-Nr. 241.
Lit. Men. zu 292e. Opdenh. K. 58.17.

232. HELLER und ACHEN zwischen Rosetten.
Foto 1002/34–35/L Inv.-Nr. 242.
Lit. Men. zu 292e. Opdenh. K. 58.6.

S. 6, T. 1 und 2

233. Kupfer-Zwölf-Heller 1758.
Münzzeichen MR = Münzmeister Rensonet.
Vs. Adler zwischen Jahreszahl.
Rs. Schrift in fünf Zeilen über Verzierung.
XII HELLER REICHS STADT ACHEN
HELLER und ACHEN zwischen gleichen Rosetten.
Kupfer meist 24 mm ca. 4,9 g Foto 1002/36–37/L Inv. Nr. 243.
Lit. Men. zu 292. Opdenh. K. 58.4.

234. Flügelansatz fast horizontal.
Foto 779/11–12/L Inv.-Nr. 244.
Lit. Men. zu 292. K. 58.4.

235. Krallen berühren 7 und 5.
Foto 1009/5–6/L Inv.-Nr. 245.
Lit. Men. zu 292. K. -.

236. Flügelfeder berührt 5.
Großes C in REICHS.
Foto 1009/5–6/L Inv.-Nr. 246.
Lit. Men. 292b var. Opdenh. K. 58.5.

237. HELLER zwischen kleinen,
ACHEN zwischen großen Muscheln.
Foto 779/13–15/L Inv.-Nr. 247.
Lit. Men. 292e var. Opdenh. K. 58.9.

238. HELLER und ACHEN zwischen kleinen Muscheln.
Foto 1009/7–8/L Inv.-Nr. 248.
Lit. Men. 292e var. Opdenh. K. 58.12.

239. Adlerflügel siebenteilig.
Foto 1009/10–11/L Inv. Nr. 249.
Lit. Men. 292. K. 58.11 (Adler).

240. Ohne Münzzeichen M R.
Foto 779/16–17/L Inv.-Nr. 250.
Lit. Men. zu 292. Opdenh. K. 58.7.

241. Nur ACHEN zwischen großen Muscheln.
Münzzeichen.
Foto 1009/12–13/L Inv.-Nr. 251.
Lit. Men. 292e. Opdenh. K. 58.18.

242. Große 5.
Foto 1009/14–15/L Inv.-Nr. 252.
Opdenh. K. -. (58.17 Adler; 58.18 Schrift).

243. Kleine 5.
Foto 779/18–19/L Inv.-Nr. 253.
Opdenh. K. 58.21.

244. Ohne Münzzeichen M R.
Foto 1009/16–17/L Inv.-Nr. 254.
Lit. Men. 292b. Opdenh. K. 58.18.

245. ACHEN zwischen kleinen Muscheln.
8 mit größerem oberen Kreis.
Foto 1009/18–19/L Inv.-Nr. 255.
Lit. Men. zu 292. Opdenh. K. 58.20.

246. HELLER und ACHEN zwischen Rosetten.
Ohne Münzzeichen M R.
Foto 779/20–21/L Inv.-Nr. 256.
Lit. Men. 292d. K. 58.8.

Anmerkung: Aus dem ersten Prägejahr des Kupfer-Zwölf-Hellers – 1758 – konnten mehr als 40 Varianten aus Vorderseiten- und Rückseitenstempeln bisher festgestellt werden.
Die Prägezahl beläuft sich nach Münzakten auf: 1873728 Stück.
(vgl. Krumbach, S. 77).

S. 6, T. 2

247. Kupfer-Zwölf-Heller 1759.
Münzzeichen MR = Münzmeister Rensonet.
Vs. Adler zwischen Jahreszahl.
Eine achte Feder ist nachträglich am linken Adlerflügel angebracht.
Rs. Schrift in fünf Zeilen über Verzierung, darunter MR.
XII HELLER REICHS STADT ACHEN
Kupfer meist 24 mm ca. 5,01 g Foto 1009/20–21/L Inv.-Nr. 257.
Lit. Men. 293b var. Farina 2082. K. 59.15.

248. LL berühren die Wertzahl XII.
Foto 779/22–23/L Inv.-Nr. 258.
Lit. Men. 293. K. 59.44.

249. 9 berührt den Münzrand.
Foto 1068/7–8/L Inv.-Nr. 259.
Lit. Men. zu 293. K. 59.47.

250. Abwärts gerichtete Fußbalken bei LL.
Foto 1068/9–10/L Inv.-Nr. 260.
Lit. Men. zu 293. K. 59.33.

251. Ohne Münzzeichen.
D ohne Fußbalken.
Foto 779/24–26/L Inv.-Nr. 261.
Lit. Men. zu 293. Opdenh. K. 59.35.

252. Ohne Münzzeichen.
1 steht höher als 7.
Foto 1009/23A–24A/L Inv.-Nr. 262.
Lit. Men. zu 293. K. 59.14.

Anmerkung: Im Prägejahr 1759 der Kupfer-Zwölf-Heller konnten 47 Varianten aus Vorderseiten- und Rückseitenstempeln festgestellt werden.
Die Prägezahl beläuft sich auf insgesamt 1713420 Stück entsprechend der Münzakten (vgl. Krumbach, S. 107).

253. Kupfer-Zwölf-Heller 1760.
Münzzeichen MR = Münzmeister Rensonet.
Vs. Adler zwischen Jahreszahl.
Rs. Schrift in fünf Zeilen über Verzierung, darunter MR.
XII HELLER REICHS STADT ACHEN
Kupfer meist 24 mm ca. 4,13 g Foto 1009/25A–26A/L Inv.-Nr. 263.
Lit. Men. 294. K. 60 Adler vgl. 48, Schrift 50.

254. 6 durchkreuzt Feder.
Foto 1009/27A–28A/L Inv.-Nr. 264.
Lit. Men. 294. K. 60.43.

255. Stempelausbruch neben ACHEN.
Foto 779/27–28/L Inv.-Nr. 265.
Lit. Men. 294. K. 60.26.

256. Kleiner Stempelfehler zwischen RE.
Foto 1009/29A–30A/L Inv.-Nr. 266.
Lit. Men. 294. K. 60.35.

257. Verzierung mit gleicher Breite wie ACHEN.
Foto 1009/31–32/L Inv.-Nr. 267.
Lit. Men. 294. K. 60.15.

258. Zeilenlauf von ACHEN leicht abwärts.
Foto 779/29–30/L Inv.-Nr. 268.
Lit. Men. 294. K. 60.37.

S. 6, T. 2

259. Stempelsprung zwischen 7 und Adlerbein.
Foto 1009/33A–34A/L Inv.-Nr. 269.
Lit. Men. 294. K. 60.51.

260. Mittelbalken von H(eller) unvollständig.
Foto 1011/2–3/L Inv.-Nr. 270.
Lit. Men. 294. vgl. K. 60.32.

261. Ohne Münzzeichen.
Foto 1011/4–5/L Inv.-Nr. 271.
Lit. Men. 294. K. 60.14 var.

262. Ohne Münzzeichen.
Foto 779/31–32/L Inv.-Nr. 272.
Lit. Men. 294. K. 60.15 var.

Anmerkung: Das Prägejahr 1760 ist das variantenreichste der Kupfer-XII-Heller. Es konnten über 51 Varianten aus Vorderseiten- und Rückseitenstempeln festgestellt werden.
Die Prägezahl konnte aufgrund der Stempelvarianten lediglich mit ungefähr 1900000 geschätzt werden. (Vgl. Krumbach, S. 140f.)

263. Kupfer-Zwölf-Heller 1761.
Münzzeichen MR = Münzmeister Rensonet.
Vs. Adler zwischen Jahreszahl.
1 mit Kopfbalken, rechtes Bein berührt Schwanzfeder.
Rs. Schrift in fünf Zeilen über Verzierung, darunter MR.
XII HELLER REICHS STADT ACHEN
Kupfer meist 24 mm ca. 4,94 g Foto 779/33–34/L Inv. Nr. 273.
Lit. Men. zu 295. Opdenh. K. 61.3.

264. 1 ohne Kopfbalken.
Foto 1011/6–7/L Inv.-Nr. 274.
Lit. Men. zu 295. K. 61.4.

265. Beginn eines Stempelfehlers.
Foto 1011/8–9/L Inv.-Nr. 275.
Lit. Men. zu 295. K. 61.5.

266. Münzzeichen IK = Johan Kohl.
Adler mit 7 Federn am linken und 10 Federn am rechten Flügel. ACHCN statt ACHEN.
Foto 779/35–36/L Inv.-Nr. 276.
Lit. Men. 295 var. K. -. Kube 9/10.

Anmerkung: Mit einer geringen Auflage des Kupfer-XII-Hellers 1761 endet die erste Prägeperiode, die 1758 begonnen hatte.
Zu den acht bei Krumbach erwähnten Varianten aus Vorderseite- und Rückseitenstempeln, kann eine weitere Variante hinzugefügt werden, die das Münzzeichen IK = Münzmeister Johan Kohl zeigt. Das Münzzeichen neben den Schwanzfedern des Adlers war bisher lediglich in der zweiten Münzperiode zu belegen, die 1764 begann.
Die Prägezahlen belaufen sich aufgrund der Schätzung der festgestellten Prägestempel auf 300000 Stück.
(vgl. Krumbach, S. 176f.)

267. Kupfer-Zwölf-Heller 1764.
Münzzeichen IK = Iohan Kohl.
Vs. Adler zwischen Jahreszahl, unten Münzzeichen.
Römische I in der Jahreszahl.
Rs. Schrift in fünf Zeilen über symmetrischer Verzierung.
XII HELLER REICHS STADT ACHEN
Kupfer meist 24 mm ca. 3,93 g Foto 781/1/L Inv. Nr. 277.
Lit. Men. zu 296. Opdenh. K. 64.1.

268. Adler mit 8 Flügelfedern.
Foto 1011/10–11/L Inv.-Nr. 278.
Lit. Men. zu 296. Opdenh. K. 64.2.

Anmerkung: Die Prägung der Kupfer-XII-Heller wird nach zweijähriger Unterbrechung 1764 unter dem Münzmeister Iohan Kohl fortgesetzt. Seine Initialen befinden sich unterhalb des Adlers.
Es konnten lediglich vier Varianten aus Vorderseiten- und Rückseitenstempeln festgestellt werden, so daß der Jahrgang 1764 die seltensten Stücke der Kupfer-XII-Heller-Prägung aufweist. Die Prägezahl konnte auf 150000 Stück geschätzt werden.
(Vgl. Krumbach S. 184f).

S. 6, T. 2

269. Kupfer-Zwölf-Heller 1765.
Münzzeichen IK = Iohann Kohl.
Vs. Adler zwischen Jahreszahl, unten Münzzeichen.
Rs. Schrift in fünf Zeilen über unterschiedlichen Verzierungen.
XII HELLER REICHS STADT ACHEN
Kupfer meist 24 mm ca. 4,72 g Foto 1011/14–15/L Inv.-Nr. 279.
Lit. Men. 297. Opdenh. K. 65.26.

270. Sternförmige Blüte rechts von ACHEN (dieser Stempel wird mehrmals gekoppelt).
Foto 1011/16–17/L Inv.-Nr. 280.
Lit. Men. 297(a). Opdenh. K. 65.12.

271. Adler mit 9 Flügelfedern.
Foto 1011/18–19/L Inv.-Nr. 281.
Lit. Men. 297(b). Opdenh. K. 65.11.

272. 7 der Jahreszahl steht höher.
Foto 1011/20–21/L Inv.-Nr. 282.
Lit. Men. 297(c^1). K. 65.16.

273. Zwei Exemplare.
S zu TADT mit größerem Abstand.
Foto 781/11–12/L Inv.-Nr. 283.*
Lit. Men. 297(c^1). K. 65.15.
Foto 1011/22–23/L Inv.-Nr. 284.
Lit. Men. 297(c^1). Jenke 5/16. K. 65.15.

274. Verzierung mit einer großen Blüte rechts von ACHEN.
Foto 1011/24–25/L Inv.-Nr. 285.
Men. 297(c^2). Opdenh. K. 65.24.

275. Zwei Blüten unter A und H von ACHEN.
Foto 1011/26–27/L Inv.-Nr. 286.
Lit. Men. 297(d). Opdenh. K. 65.19.

276. Größere Blüte unter A.
Foto 1011/28–29/L Inv.-Nr. 287.
Lit. Men. 297(e). Opdenh. K. 65.18.

Anmerkung: Der in Klammern angegebene Kleinbuchstabe nach der Menadier-Nummer ermöglicht eine Klassifizierung (z. B. Men. 297[a–o]).

277. C von ACHEN zwischen Blüte und Knospe.
Foto 1011/30–31/L Inv.-Nr. 288.
Lit. Men. 297(f). Opdenh. K. -.

Der Jahrgang 1765 der Kupfer-Zwölf-Heller-Prägung gehört zu dem formenreichsten Jahrgang überhaupt.
Es konnten über 31 Varianten aus Vorderseiten- und Rückseitenstempeln festgestellt werden. Die Prägezahl wird auf insgesamt 1200000 Stück geschätzt. (Vgl. Krumbach, S. 188f.).

278. Kupfer-Zwölf-Heller 1765.
Münzzeichen IK = Iohan Kohl.
Vs. Adler zwischen Jahreszahl, unten Münzzeichen.
Rs. Schrift in fünf Zeilen über unterschiedlichen Verzierungen.
Kupfer meist 24 mm ca. 4,96 g Foto 1011/32–33/L Inv.-Nr. 289.
Lit. Men. 297(g). Opdenh. K. 65.23.

279. ACHEN zwischen Punkten.
Foto 781/9–10/L Inv.-Nr. 290.
Lit. Men. 297(i). Opdenh. K. 65.1.

280. Symmetrisch eingerollte Verzierung.
Foto 1011/34–35/L Inv.-Nr. 291.
Lit. Men. 297(k). Opdenh. K. 65.5.

281. N von ACHEN spiegelbildlich.
Foto 1011/36–37/L Inv.-Nr. 292.
Lit. Men. 297(l). Opdenh. K. 65.3.

282. Münzzeichen IK mit größerem Abstand zu den Schwanzfedern des Adlers.
Foto 1008/2–3/L Inv.-Nr. 293.
Lit. Men. 297. K. 65.4.

S. 6, T. 2

283. Wellenförmige Verzierung.
N von ACHEN spiegelbildlich.
Foto 781/3–4/L Inv.-Nr. 294.
Lit. Men. 297(m). Opdenh. K.-.

284. Symmetrische Verzierung zwischen Palmenzweigen.
Foto 781/5–7/L Inv.-Nr. 295.
Lit. Men. 297(n). Brill 3/10. K. 65.2.

285. Einseitiger Abschlag (1765?). Schrift über ungewöhnlicher Verzierung.
Foto 1076/1/L Inv.-Nr. 387.
Lit. Men. 297(o). Opdenh. K. 65.6 var.

286. Fehlprägung, beiderseits vertieft.
Kupfer 26 mm 2,63 g Foto 782/7–8/L Inv.-Nr. 359.
Lit. Men.-. L. Hamburger 7/10. K. 65.26 var.

287. Kupfer-Zwölf-Heller 1767.
Münzzeichen IK = Iohan Kohl.
Vs. Adler zwischen Jahreszahl, unten Münzzeichen.
Rs. Schrift in fünf Zeilen über Verzierung.
Kupfer 24 mm ca. 4,37 g Foto 1008/4–5/L Inv.-Nr. 296.
Lit. Men. 298(a). Opdenh. K. 67.26.

288. Zwei Blüten unter A und H von ACHEN.
Foto 1008/6–7/L Inv.-Nr. 297.
Lit. Men. 298(b). Opdenh. K. 67.2.

289. Drei Exemplare.
Blüte und Knospe unter A und H von ACHEN.
Foto 1008/8–9/L Inv.-Nr. 298.
Lit. Men. 298(c). Opdenh. K. 67.5.
Foto 1008/16–17/L Inv.-Nr. 303.
Lit. Men. 298(d). K. 67.5.
Foto 1068/11–12/L Inv.-Nr. 305.
Lit. Men. 298. K. 67.5.

290. Drei Exemplare.
Blüte neben A von ACHEN.
6 von Jahreszahl berührt das Adlerbein.
Foto 781/13–14/L Inv.-Nr. 299.*
Foto 1008/10–11/L Inv.-Nr. 300.
Foto 1008/12–13/L Inv.-Nr. 301.
Lit. Men. 298. K. 67.22.

291. Jahreszahl mit großen Abständen.
Foto 1008/14–15/L Inv.-Nr. 302.
Lit. Men. 298. K. 67.23.

292. A von STADT ohne Querstrich.
Foto 781/15–16/L Inv.-Nr. 304.
Lit. Men. 298. K. 67.18.

Anmerkung: Der in Klammern angegebene Kleinbuchstabe nach der Menadier-Nummer ermöglicht eine Klassifizierung (z. B. Men. 297[a–o]).

S. 6, T. 2

293. 17 der Jahreszahl berührt obere Adlerkralle.
Foto 1008/19–20/L Inv.-Nr. 306.
Lit. Men. 298(e). K. 67.11.

294. 67 der Jahreszahl enggeschrieben.
Foto 781/17–18/L Inv.-Nr. 307.
Lit. Men. 298. K. 67.12.

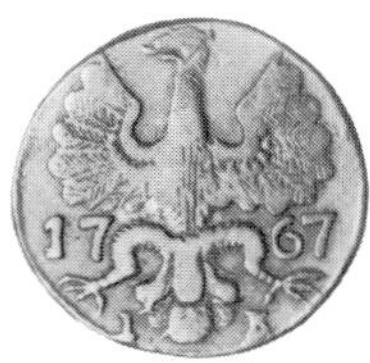

295. Blüte unter A von ACHEN.
Foto 1008/21–22/L Inv.-Nr. 308.
Lit. Men. 298. K. 67.19.

296. Zwei Exemplare.
Kleine Blüten am unteren Rand.
Foto 1068/13–14/L Inv.-Nr. 309.
Foto 1008/24A–25A/L Inv.-Nr. 310.*
Lit. Men. 298(f). K. 67.7.

Anmerkung: Die zweite Prägeperiode umfaßt die Jahrgänge 1764, 1765 und 1767. (Vgl. Krumbach, S.38). Insgesamt werden 27 Varianten aus Vorderseiten- und Rückseitenstempeln festgestellt.
Die Prägezahl von 1247644 belegen die Münzakten.
(Vgl. Krumbach, S. 212f.).

297. Kupfer-Zwölf-Heller 1791.
Münzzeichen IK = Iohan Kohl.
Vs. Adler zwischen Jahreszahl, teilweise lateinische Jahreszahl, unten Münzzeichen.
Rs. Schrift in fünf Zeilen über Verzierung.
Kupfer 24 mm ca. 4,04 g Foto 1008/26A–27A/L Inv.-Nr. 311.
Lit. Men. zu 300c(a). Opdenh. K. 91.16.

298. Schmaler Adler wie vorher.
Teilweise lateinische Jahreszahl.
Foto 781/19–20/L Inv.-Nr. 312.
Lit. Men. zu 300c(e). Buchenau 7/07. K. 91.17.

299. Münzzeichen IK mit I-Punkt.
Foto 1008/28A–29A/L Inv.-Nr. 313.
Lit. Men. 300a(b). Opdenh. K. 91.22.

300. Ziffer 1 der Jahreszahl steht viel höher.
Foto 781/21–22/L Inv.-Nr. 314.
Lit. Men. 300a(d). Opdenh. K. 19.19.

301. Zwei Exemplare.
K spiegelbildlich im Münzzeichen.
Foto 781/23–24/L Inv.-Nr. 315.*
Lit. Men. 300b(c). Opdenh. K. 91.21.
Foto 1008/30A–31A/L Inv.-Nr. 316.
Lit. Men. 300b. K. 91.21.

Anmerkung: Der in Klammern angegebene Kleinbuchstabe nach der Menadier-Nummer ermöglicht eine Klassifizierung (z. B. Men. 297[a–o]).

S. 6, T. 2

302. ACHEN größer. Ohne Münzzeichen.
Foto 1008/32A–33A/L Inv.-Nr. 317.
Lit. Men. 300d(f). Opdenh. K. 91.8.

303. 1 der Jahreszahl mit breitem Fußbalken.
Foto 1008/34A–35A/L Inv.-Nr. 318.
Lit. Men. 300d(g). Opdenh. K. 91.7.

304. Ohne Verzierung.
Foto 1008/36A–37A/L Inv.-Nr. 319.
Lit. Men. 300(h). Opdenh. K. 91.11.

305. Zwei Exemplare.
Mit Mittelpunkt in der Schrift.
Foto 1010/29–30/L Inv.-Nr. 320.
Lit. Men. 300d(i). Opdenh. K. 91.14.
Foto 1010/23–24/L Inv.-Nr. 323.
Lit. Men. 300d(m). Opdenh. K. 91.14.

306. Ohne Mittelpunkt in der Schrift.
Foto 1010/27–28/L Inv.-Nr. 321.
Lit. Men. 300d(k). Opdenh. K. 91.13.

307. Stempelfehler am S von REICHS.
Foto 1010/25–26/L Inv. Nr. 322.
Lit. Men. 300d(l). Opdenh. K. 91.24.

308. 91 der Jahreszahl eingeengt.
Foto 1010/21–22/L Inv.-Nr. 324.
Lit. Men. 300d. K. 91.25.

309. Stempelfehler am E von REICHS.
Foto 1010/19–20/L Inv. Nr. 325.
Lit. Men. 300d(n). Opdenh. K. 91.26.

310. Ohne Münzzeichen.
Foto 781/25–26/L Inv.-Nr. 326.
Lit. Men. 300d(o). Opdenh. K. 91.2.

311. Große Schrift REICHS STADT.
Foto 1010/17–18/L Inv.-Nr. 327.
Lit. Men. 300d. K. 91.1.

Anmerkung: Die dritte Prägeperiode wird nach 20jähriger Unterbrechung im Jahre 1791 der Kupfer-Zwölf-Heller-Prägung wieder aufgenommen.
Insgesamt konnten 27 Varianten aus Vorderseiten- und Rückseitenstempeln festgestellt werden. Die Prägezahl wird auf 1400000 Stück geschätzt. (Vgl. Krumbach S. 232f.)

312. Kupfer-Zwölf-Heller 1792.
Ohne Münzzeichen.
Vs. Adler zwischen Jahreszahl.
Rs. Schrift in fünf Zeilen über vereinfachter Verzierung.
Kupfer 24 mm 3,93 g Foto 781/27–28/L Inv.-Nr. 328.
Lit. Men. 301(a). Opdenh. K. 92.13.

313. Drei Exemplare.
Mittelpunkt zwischen A und C.
Foto 1010/15–16/L Inv.-Nr. 329.
Lit. Men. 301(a). Opdenh. K. 92.7. Kleiner Stempelfehler.
Foto 1010/13–14/L Inv.-Nr. 330.*
Lit. Men. 301(c). Opdenh. K. 92.7. Größerer Stempelfehler.
Foto 1010/11–12/L Inv.-Nr. 331.
Lit. Men. 301(c). K. 92.7.

314. 2 der Jahreszahl steht höher.
Foto 1010/9–10/L Inv.-Nr. 332.
Lit. Men. 302(c). K. 92.5.

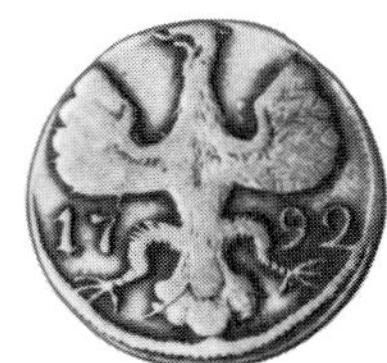

315. E von REICHS hochgestellt.
Foto 1010/6–8/L Inv.-Nr. 333.*
Lit. Men. 301(d). Opdenh. K. 92.3.

316. Zwei Exemplare.
Große 1 der Jahreszahl.
Foto 1010/4–5/L Inv.-Nr. 334.
Lit. Men. 301(e). Opdenh. K. 92.11.
Foto 1010/2–3/L Inv.-Nr. 336.
Lit. Men. 301(e). K. 92.11.

317. Mittelpunkt zwischen A und C.
Foto 781/33–34/L Inv.-Nr. 335.
Lit. Men. 301(e). K. 96.16.

S. 6, T. 2

318. Große Ziffern.
Foto 1068/15–16/L Inv.-Nr. 337.
Lit. Men. 301(e). K. 92.12.

319. Stempelfehler bei X von XII.
Foto 1068/17–18/L Inv.-Nr. 338.
Lit. Men. 301(f). Opdenh. K. 92.9.

320. Stempelfehler läuft durch XII.
Foto 1068/19–21/L Inv.-Nr. 339.
Lit. Men. 301(g). Opdenh. K. 92.8.

321. Zweig endet unter S von STADT.
Foto 1068/22–23/L Inv.-Nr. 340.
Lit. Men. 301(h). Opdenh. K. 92.2.

322. Blüte neben N von ACHEN.
Foto 1068/24–25/L Inv.-Nr. 341.
Lit. Men. 301(i). Opdenh. K. 92.35.

323. Zwei Exemplare.
Abstand zwischen E und N von ACHEN.
Foto 1068/26–27/L Inv.-Nr. 342.
Lit. Men. 301(k). Riechmann 12/16. K. 92.28.
Foto 1068/28–29/L Inv.-Nr. 343.

324. Zwei Exemplare.
Abstand zwischen AC von ACHEN.
Foto 1068/30–31/L Inv.-Nr. 344.
Lit. Men. 301(l). Opdenh. K. 92.19.
Foto 1068/32–33/L Inv.-Nr. 345.

325. L von HELLER über I von REICHS.
Foto 1068/34–35/L Inv.-Nr. 346.
Lit. Men. 301(m). Opdenh. K. 92.38.

326. Zwei Exemplare.
Verzierung ohne Blume mit Schleife.
Foto 1069/1–2/L Inv.-Nr. 347.
Lit. Men. 301(n). Opdenh. K. 92.21.
Foto 1069/3–4/L Inv.-Nr. 348.

327. Hauptzweig endet unter A.
Kupfer 24 mm 4,11 g Foto 781/31–32/L Inv.-Nr. 349.
Lit. Men. 301(o). Opdenh. K. 92.32.

328. Stempelfehler über 1 von 1792 und in der Schrift.
Foto 1069/5–6/L Inv.-Nr. 350.
Lit. Men. 301(o). K. 92.37.

329. ACHEN sehr groß geschrieben.
Foto 782/1–2/L Inv.-Nr. 351.
Lit. Men. 301(p). Opdenh. K. 92.1.

330. Beiderseits vertieft.
Foto 781/29–30/L Inv.-Nr. 352.
Lit. Men. zu 301. A. Schulmann 10/11. K. vgl. 92.9.

Anmerkung: Mehr als 40 Varianten aus Vorderseiten- und Rückseitenstempeln konnten festgestellt werden.
Bei einer Ergiebigkeit von 70000 je Vorderseitenstempel konnte eine Prägezahl von 1750000 errechnet werden. (Vgl. Krumbach, S. 255.)

331. Kupfer-Zwölf-Heller 1793.
Vs. Adler zwischen Jahreszahl.
Rs. Schrift in fünf Zeilen über gekreuzten Zweigen.
XII zwischen Rosetten.
Kupfer 26 mm 3,80 g Foto 782/3–4/L Inv.-Nr. 353.
Lit. Men. 302b(a). Opdenh. K. 93.5.

Anmerkung: Der in Klammern angegebene Kleinbuchstabe nach der Menadier-Nummer ermöglicht eine Klassifizierung (z. B. Men. 297[a–o]).

S. 6, T. 2

332. XII ohne Rosetten. Blume neben N von ACHEN.
Foto 1069/7–8/L Inv.-Nr. 354.
Lit. Men. 302 a (b). Opdenh. K. 93.6.

333. Ziffer 1 und 7 der Jahreszahl weit auseinander.
Foto 1069/9–10/L Inv.-Nr. 355.
Lit. Men. 302 a(b). K. 93.2.

334. Blume unter N von ACHEN.
Foto 1069/11–12/L Inv.-Nr. 356.
Lit. Men. 302 a(c). Opdenh. K. 93.3.

335. Zweige ohne Blume.
Foto 1069/13–14/L Inv.-Nr. 357.
Lit. Men. 302 a(d). Opdenh. K. 93.4.

336. Adler und ACHEN sehr groß.
Stempelfehler.
Foto 782/5–6/L Inv.-Nr. 358.
Lit. Men. 302 a(e). Opdenh. K. 93.1.

Anmerkung: Die Ausprägung der Kupfer-Zwölf-Heller im Jahre 1793 ist sehr gering.
Lediglich sieben Varianten aus Vorderseiten- und Rückseitenstempeln konnten ermittelt werden. Die Prägezahl wird auf 350 000 geschätzt. (Vgl. Krumbach S. 284 f.)

337. Kupfer-Zwölf-Heller 1794.
Vs. Adler zwischen Jahreszahl.
Rs. Schrift in fünf Zeilen über Zweigen.
Kupfer 19 mm 5,40 g Foto 782/10–9/L Inv.-Nr. 360.
Lit. Men. 303 a(a). Opdenh. K. 94.10.

Anmerkung: Der in Klammern angegebene Kleinbuchstabe nach der Menadier-Nummer ermöglicht eine Klassifizierung (z. B. Men. 297[a–o]).

338. Zwei Exemplare.
Blume unter A und H von ACHEN.
Foto 1069/15–16/L Inv.-Nr. 361.
Lit. Men. 303 a(b). Opdenh. K. 94.11.
Foto 1069/17–18/L Inv.-Nr. 363.

339. Adler mit drei großen Schwungfedern.
Foto 782/11–12/L Inv.-Nr. 362.
Lit. Men. 303 a(c). Opdenh. K. 94.12.

340. Zweig, Blume rechts. 94 der Jahreszahl schlank.
Foto 1069/19–21/L Inv.-Nr. 364.
Lit. Men. 303 a(d). Opdenh. K. 94.4.

341. Blume zwischen HE und EN von ACHEN.
Foto 1069/22–23/L Inv.-Nr. 365.
Lit. Men. 303 a(e). Opdenh. K. 94.5.

342. Zwei Exemplare.
REICHS STADT besonders groß.
Zweige ohne Blume und Schleife.
Foto 1069/24–25/L Inv.-Nr. 366.
Lit. Men. 303 a(h). Opdenh. K. 94.9.
Foto 782/15–16/L Inv.-Nr. 369.*

343. Zwei Exemplare.
Ziffer 4 der Jahreszahl verändert.
Foto 782/13–14/L Inv.-Nr. 367.*
Lit. Men. 303 a(f). Opdenh. K. 94.20.
Foto 1069/26–27/L Inv.-Nr. 368.

S. 6, T. 2

344. XII zwischen großen Rosetten.
Foto 1069/28–29/L Inv.-Nr. 370.
Lit. Men. 303b(k). Opdenh. K. 94.14.

345. Ziffern 7 und 9 der Jahreszahl berühren die Krallen des Adlers.
Foto 1069/30–33/L Inv.-Nr. 371. Gelocht.
Lit. Men. 303b. K. 94.15.

346. XII zwischen kleinen Rosetten.
Foto 1069/34–35/L Inv.-Nr. 372.
Lit. Men. 303b(l). Opdenh. K.-.

347. Besonders große Buchstaben.
Rosette unter ACHEN.
Foto 782/17–18/L Inv.-Nr. 373.
Lit. Men. 303c (m). Opdenh. K. 94.17.

348. Ziffer 4 der Jahreszahl geöffnet.
Foto 1070/1–2/L Inv.-Nr. 374.
Lit. Men. 303c(n). Opdenh. K. 94.23.

349. Ziffer 1 der Jahreszahl steht höher.
Foto 1070/3–4/L Inv.-Nr. 375.
Lit. Men. 303c(n). K. 94.22.

350. ACHEN sehr groß geschrieben.
Foto 782/19–20/L Inv.-Nr. 376.
Lit. Men. 303c(o). Opdenh. K. 94.25.

351. Zwei Exemplare.
ACHEN mit spiegelbildlichem N.
Foto 1070/5–6/L Inv.-Nr. 377.
Lit. Men. 303c. K. 94.26.
Foto 782/23–24/L Inv.-N. 379.*

352. Ziffer 9 der Jahreszahl besonders groß.
Adlerflügel mit feinen Federn.
Foto 782/21–22/L Inv.-Nr. 378.
Lit. Men. 303 Anm. (p). Opdenh. K. 94.27.

Anmerkung: Bei der Kupfer-Zwölf-Heller-Prägung von 1794 konnten fast 30 Varianten aus Vorderseite- und Rückseitenstempeln nachgewiesen werden. Die Prägezahl wird auf 1 260 000 geschätzt. (Vgl. Krumbach, S. 290f.)

353. Kupfer-Zwölf-Heller 1797.
Münzzeichen GS = Münzmeister Godefried Stanislaus.
Vs. Adler zwischen Jahreszahl, unten GS.
Rs. Schrift in fünf Zeilen über Zweigen.
Kupfer 24 mm 3,53 g Foto 782/25–26/L Inv.-Nr. 380.
Lit. Men. 304a(a). Farina 2082. Opdenh. K. 97.2.

354. Drei Exemplare.
Kurze Adlerkrallen. Ziffer 9 der Jahreszahl höhergestellt.
Foto 782/27–28/L Inv.-Nr. 381.
Lit. Men. 304a(b). Opdenh. K. 97.6.
Foto 1070/7–8/L Inv.-Nr. 382.
Foto 782/31–32/L Inv.-Nr. 385.

355. ACHEN mit kleinerem C.
Foto 1070/9–10/L Inv.-Nr. 383.
Lit. Men. 304a. K. 97.9.

S. 6, T. 2

356. Kürzere Zweige.
Foto 782/29–30/L Inv.-Nr. 384.
Lit. Men. 304 a(c). Opdenh. K. 97.5.

357. Zeitgenössische Fälschung.
Ohne Münzzeichen GS.
Foto 782/33–34/L Inv.-Nr. 386.
Lit. zu Men. 304 b. Opdenh. K. vgl. S. 19 und 67.27.

Anmerkung: Es konnten 9 Varianten aus den Vorderseiten- und Rückseitenstempeln ermittelt werden. Aus den Münzakten ist eine Prägezahl von 408 000 Stück nachzuweisen.

358. Kupfer-Vier-Heller 1573.
Vs. Wappen.
+MONETA REGI(..)SEDIS
Rs. Wertzahl 4 im Reichsapfel, beiderseits Endziffern der Jahreszahl 73.
VRBIS AQVISGRANI
Kupfer 16 mm 0,92 g Foto 763/5–6/L Inv.-Nr. 388.
Lit. Men.-. K.-. Redder 5/33.

359. Kupfer-Vier-Heller 1605.
Vs. Adler zwischen 60 und 5.
Rs. Wertzahl II.II
❀ MO:CIVITA(.)AQVENSI
Kupfer 17 mm 1,94 g Foto 763/7–8/L Inv.-Nr. 389.
Lit. Men. 179 b. K. 188.05.2.
Cahn 10/19.

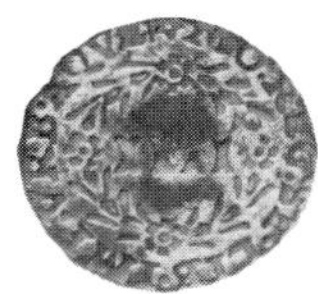

360. Kupfer-Vier-Heller 1614.
Vs. Adler zwischen Jahreszahl.
✳ DEVS.FORT.MEA.ET·REFV.MEVM
Rs. Wertzahl IIII in Kranz.
✳ MO:REG:SE.LIB.IMP.VRB.AQVE
Kupfer 19 mm 1,19 g Foto 763/9–10/L Inv.-Nr. 390.
Lit. Men. zu 180 c. Farina-. Larsch 1/07. K. zu 189.14.2.

361. Kupfer-Vier-Heller 1615.
Vs. Adler zwischen Jahreszahl.
✳ DEVS.FORT.MEA(.)ET.REFV·MEVM
Rs. Wertzahl IIII in Kranz.
(.)MO:R(.)G:SE:IM(..........)
Kupfer 20 mm 1,82 g Foto 763/11–12/L Inv.-Nr. 391.
Lit. Men. 181 b. Kube 9/10. K. 189.15.2.

362. Kupfer-Vier-Heller 1616.
Vs. Adler zwischen 16 und 16.
✳ DEVS(.)FORT.MEA(.)ET.REFV.MEVM
Rs. Wertzahl IIII in Kranz.
✳ MO.REG:SE(..)MP.VRB.AQVENS
Kupfer 21 mm 1,36 g Foto 763/13–14/L Inv.-Nr. 392.
Lit. Men. zu 182. Opdenh. K. 189.16.2.

S. 6, T. 2

363. Kupfer-Vier-Heller 1619.
Vs. Adler zwischen 16 und 19.
Rs. Wertzahl II · II.
Adler MO.VRBIS(.)AQVENSIS
Kupfer 19 mm 1,19 g Foto 763/15–16/L Inv.-Nr. 393.
Lit. Men. 192. Bachens 1/11. K. 190.19.2.

364. Kupfer-Vier-Heller 1624.
Vs. Adler zwischen 16 und Z4.
Rs. Wertzahl IIII.
Adler MO.VRBIS ✳ AQVENSIS
Kupfer 17 mm 1,51 g Foto 763/17–18/L Inv.-Nr. 394.
Lit. Men. 202. A. H. S. Rosenberg 5/12. K. vgl. 190.24.1.

365. Kupfer-Vier-Heller 1634.
Vs. Adler zwischen 16 und 34.
Rs. Wertzahl II.II.
Adler MO.VRBIS.AQVENSIS
Kupfer 20 mm 1,20 g Foto 763/19–20/L Inv.-Nr. 395.
Lit. Men. 204. Farina 2080. Opdenh. K. 190.34.3.

366. Kupfer-Vier-Heller 1638.
Vs. Adler zwischen 3 und 8.
Rs. Wertzahl IIII.
.:.MO.VRBIS.AQ(...)NSIS
Kupfer 19 mm 1,68 g Foto 763/21–22/L Inv.-Nr. 396.
Lit. Men. 229a. Opdenh. K. vgl. 191.38.2.

367. Adler am Anfang der Umschrift.
Kupfer 19 mm 1,55 g Foto 763/23–24/L Inv.-Nr. 397.
Lit. Men. 229c. Farina-. Schwalbach 12/09. K. 191.38.6.

368. Zwei Exemplare
Adler MO.VRBI.A.QV(....)
Adler MO.V(...)A.QVENSI
Kupfer 18 mm 0,98 g Foto 763/25–26/L Inv.-Nr. 398.
Lit. Men. zu 229d. Opdenh. K. 191.38.1.
Kupfer 17 mm 1,42 g Foto 763/27–28/L Inv.-Nr. 399.

Anmerkung:
Auflage 30000 Jahrgang 1605.
Auflage 60000 Jahrgang 1614 und 1615.
Auflage 100000 Jahrgang 1616.
Auflage 80000 Jahrgang 1619.
Auflage 40000 Jahrgang 1624.
Auflage 140000 Jahrgang 1634.
Auflage 600000 Jahrgang 1638.
(Vgl. Krumbach, S. 73f.)

369. Kupfer-Vier-Heller 1643.
Vs. Adler zwischen 4 und 3.
Rs. Wertzahl IIII.
Adler MOVRBIS.(....)SIS
Kupfer 19 mm 1,84 g Foto 763/29–30/L Inv.-Nr. 400.
Lit. Men. zu 230b. Opdenh. K. 192.43.8.

370. Adler MOVRBISAQENSIS
Zwei Exemplare
Kupfer 19 mm 1,27 g Foto 763/31–32/L Inv.-Nr. 401.
Kupfer 19 mm 1,71 g Foto 763/35–36/L Inv.-Nr. 403.*
Lit. Men. zu 230. Opdenh. K. -.

371. Buchstabe A ohne Querbalken.
Kupfer 19 mm 1,30 g Foto 763/33–34/L Inv.-Nr. 402.
Lit. Men. zu 230. Schiffers. 4/09. K. 192.43.1.

S. 6, T. 2

372. Kupfer-Vier-Heller 1655.
Vs.Adler zwischen 55.
Rs. Wertzahl IIII.
Adler MO:CIVITA.AQVENSI
Kupfer 16 mm 1,40 g Foto 764/1–2/L Inv.-Nr. 404.
Lit. Men. 231a. Farina 2079. Vgl. K. 193.55.3.

373. Adler MOCIVITA(...)NSI
Kupfer 16 mm 0,90 g Foto 764/3–4/L Inv.-Nr. 405.
Lit. Men. 231b. K. 193.55.6.

374. Kupfer-Vier-Heller 1658.
Vs. Adler zwischen 58.
Rs. Schrift in drei Zeilen unter Adler.
AQVIS GRANVM IIII
Kupfer 19 mm 1,43 g Foto 764/5–6/L Inv.-Nr. 406.
Lit. Men.-. Keßler 4/16. K. 194.58.1.

375. Adler über V. Q mit lotrechtem Verbindungsstrich.
Kupfer 19 mm 1,52 g Foto 764/9–8/L Inv.-Nr. 407.
Lit. Men. 233a. Farina 2079. Opdenh. K. 194.58.3.

376. Adler über QV.
Kupfer 20 mm 1,66 g Foto 764/9–10/L Inv.-Nr. 408.
Lit. Men. 233a. (b). Opdenh. K.-.

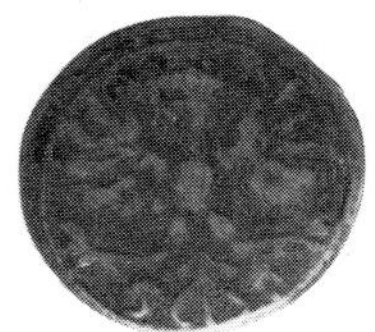

377. Kupfer-Vier-Heller 1658.
Vs. Adler zwischen 58. Adlerrumpf kleiner.
Rs. Schrift in drei Zeilen unter Adler.
AQVIS GRANVM IIII kleines Q.
Kupfer 22 mm 1,51 g Foto 764/14–15/L Inv.-Nr. 409.
Lit. Men. 233a(c). Opdenh. K. 194.58.10.

378. Mit Gegenstempel: M über Balkenschild.
Kupfer 20 mm 1,48 g Foto 764/11–13/L Inv.-Nr. 410.
Lit. zu Men. 233. Hess 9/21. Zu K. 194.58.4.

Anmerkung:
Auflage 200000 Jahrgang 1643.
Auflage 200000 Jahrgang 1655.
Auflage 500000 Jahrgang 1658.
(Vgl. Krumbach, S. 90f.)

379. Kupfer-Vier-Heller 166(.).
Vs. Adler zwischen 6 und (?).
Rs. Wertzahl II.II
Adler MO.VRBIS ❀ AQVENSIS
Kupfer 18 mm 1,43 g Foto 764/16–17/L Inv.-Nr. 411.
Lit. Men.-. K.-.

380. Kupfer-Vier-Heller 1671.
Vs. Adler zwischen 71.
Rs. Schrift in drei Zeilen unter Adler in Blätterkranz.
REICHS STAT.ACH IIII
Kupfer 20 mm 1,43 g Foto 764/18–19/L Inv.-Nr. 412.
Lit. Men. zu 236. Farina -. Opdenh. K. 195.71.2.

S. 6, T. 2

381. Kupfer-Vier-Heller 1676.
Vs. Adler zwischen 76.
Rs. Schrift in drei Zeilen unter Adler in Blätterkranz.
REICHS STAT.ACH IIII
Kupfer 20 mm 2,47 g Foto 764/20–21/L Inv.-Nr. 413.
Lit. Men. 238. Farina -. Opdenh. K. 195.76.1.

382. Kupfer-Vier-Heller 1678.
Vs. Adler zwischen 78. Stempelsprung.
Rs. Schrift in drei Zeilen unter Adler in Blätterkranz.
REICHS STATACH IIII
Kupfer 19 mm 1,40 g Foto 764/22–23/L Inv.-Nr. 414.
Lit. Men. 239. Kube 9/10. K. 195.78.1.

383. Kupfer-Vier-Heller 1681.
Vs. Adler zwischen 81.
Rs. Schrift in drei Zeilen unter Adler über Blätterkranz (hohle Blätter).
REICHS STATACH IIII
Kupfer 19 mm 1,44 g Foto 764/24–25/L Inv.-Nr. 415.
Lit. Men. 240. Riechmann 12/16. K. 195.81.1.

Anmerkung:
Auflage 500000 Jahrgang 1658.
Auflage 80000 Jahrgang 1671.
Auflage 150000 Jahrgang 1676.
Auflage 60000 Jahrgang 1678.
Auflage 60000 Jahrgang 1681.

384. Kupfer-Vier-Heller 1686.
Vs. Adler zwischen 8 6.
Rs. Schrift in drei Zeilen unter Adler in Blätterkranz.
REICHS STATACH IIII
Kupfer 19 mm 1,49 g Stempelsprung. Foto 764/26–27/L Inv.-Nr. 416.
Lit. Men. 240. Redder 5/33. K. 195.86.2.

385. Kupfer-Vier-Heller 1688.
Vs. Adler zwischen 8 8.
Rs. Schrift in drei Zeilen unter Adler in Blätterkranz.
REICHS STAT.ACH IIII
Kupfer 19 mm 1,39 g Foto 764/28–29/L Inv.-Nr. 417.
Lit. Men. 243. Kremer 5/09. K. 195.88.3.

386. Kupfer-Vier-Heller 1690.
Vs. Adler zwischen 9 0.
Rs. Schrift in drei Zeilen unter Adler in Blätterkranz.
REICHS STAT.ACH IIII
Kupfer 19 mm 1,51 g Foto 764/30–31/L Inv.-Nr. 418.
Lit. Men. 244. Kube 9/10. K.-.

387. Kupfer-Vier-Heller 1691.
Vs. Adler zwischen 9 1. Adler über IC.
Rs. Schrift in drei Zeilen unter Adler in Blätterkranz.
REICHS STAT.ACH IIII
Kupfer 18 mm 1,77 g Foto 764/32–33/L Inv.-Nr. 419.
Lit. Men. 245. Opdenh. K.-.

388. Adler über I von REICHS.
Foto 764/34–35/L Inv.-Nr. 420.
Lit. Men. 245. Opdenh. K. 195.91.1.

389. Kupfer-Vier-Heller 1713.
Vs. Adler zwischen 17 und 13.
Rs. Schrift in drei Zeilen unter Adler über Blätterkranz.
REICHS STAT.ACH IIII
Kupfer 20 mm 1,57 g Foto 764/36–37/L Inv.-Nr. 421.
Lit. Men. 266a. Opdenh. K. 196.13.2.

390. Kupfer-Vier-Heller 1715.
Vs. Adler zwischen 17 und 15.
Rs. Schrift in drei Zeilen unter Adler über Blätterkranz (hohle Blätter).
REICHS STAT.ACH IIII
Kupfer 20 mm 1,33 g Foto 774/1–2/L Inv.-Nr. 422.
Lit. Men. 267. (a). Opdenh. K. 196.15.1.

S. 6, T. 2 und 3

391. Volle Blätter des Kranzes.
Foto 774/3–4/L Inv.-Nr. 423.
Lit. Men. 267. (b). Opdenh. K. 196.15.2.

Anmerkung:
Auflage 200000 Jahrgang 1686 und 1688.
Auflage 50000 Jahrgang 1690.
Auflage 30000 Jahrgang 1691.
Auflage 40000 Jahrgang 1713.
Auflage 50000 Jahrgang 1715.
(Vgl. Krumbach, S. 109f.)

392. Kupfer-Vier-Heller 1716.
Vs. Adler zwischen 17 und 16. Ziffer 7 auffallend groß.
Rs. Schrift in drei Zeilen unter Adler in Blätterkranz, Adler über IC.
REICHS STAT.ACH İİİİ
Kupfer 20 mm 1,33 g Foto 774/5–6/L Inv.-Nr. 424.
Lit. Men. 268. (a). Opdenh. K. 196.16.5.

393. Adler über C.
Foto 774/7–8/L Inv.-Nr. 425.
Lit. Men. 268. (b). K. 196.16.1.

394. Jahreszahl unleserlich.
Foto 774/9–10/L Inv.-Nr. 426.
Lit. Men.-. Opdenh.

395. Kupfer-Vier-Heller 1734.
Vs. Adler zwischen 17 und 34. S über CH
Rs. Schrift in drei Zeilen unter Adler in Blätterkranz.
REICHS STATACH İİİİ
Kupfer 19 mm 1,57 g Foto 774/11–12/L Inv.-Nr. 427.
Lit. Men. 269. (a). Farina -. Opdenh. K. 196.34.2.

396. Zwei Exemplare.
S von REICHS über H von ACH
Foto 774/13–14/L Inv.-Nr. 428.
Foto 774/15–16/L Inv.-Nr. 429.
Lit. Men. 269. (b). Opdenh. K. 196.34.1.

397. Kupfer-Vier-Heller 1737.
Vs. Adler zwischen 17 und 37.
Rs. Schrift in drei Zeilen unter Adler mit zwei Sternen in Blätterkranz.
REICHS STAT.ACH IIII
Kupfer 19 mm 1,78 g Foto 774/17–18/L Inv.-N. 430.
Lit. Men. 270. (a). Farina 2081. Opdenh. K. 196.37.1.

398. Zwei Exemplare
E von REICHS über T von STA.
Foto 774/19–20/L Inv.-Nr. 431.
Foto 774/21–22/L Inv.-Nr. 432.
Lit. Men. 270. K. 196.37.3.

Anmerkung:
Auflage 200000 Jahrgang 1716.
Auflage 150000 Jahrgang 1734.
Auflage 300000 Jahrgang 1737.
(Vgl. Krumbach, S. 117f.)

399. Kupfer-Vier-Heller 1738.
Vs. Adler zwischen 17 und 38.
Wertzahl ohne Halbmonde.
Rs. Schrift in drei Zeilen unter Adler zwischen Sternen in Kranz.
REICHS STAT.ACH IIII
Kupfer 18 mm 1,34 g Foto 774/28–29/L Inv.-Nr. 433.
Lit. Men. 271a. (c). Opdenh. K. 196.38.1.

400. Wertzahl mit Halbmonden.
Foto 774/23–25/L Inv.-Nr. 434.
Lit. Men. 271b. (a). Farina 2081. Opdenh. K. 196.38.4.

401. Buchstabe C von REICHS steht tiefer.
Foto 774/26–27/L Inv.-Nr. 435.
Lit. Men. 271b. (b). Opdenh. K. 196.38.5.

S. 6, T. 3

402. Silberabschlag des Vier-Hellers 1738.
Vs. Adler zwischen 17 und 38.
Rs. Schrift in drei Zeilen unter Adler zwischen Sternen in Kranz.
REICHS. STAT.ACH IIII
Silber 20 mm 2,23 g Foto 774/30–31/L Inv.-Nr. 436.
Lit. Men. 271c. Farina -. Zu K. 196.38.3.

403. Kupfer-Vier-Heller 1741.
Vs. Adler zwischen 17 und 41.
Unter A von ACH auf Mitte letzte I der Wertzahl.
Rs. Schrift in drei Zeilen unter Adler zwischen Sternen in Kranz.
REICHS STAT.ACH IIII
Kupfer 19 mm 1,54 g Foto 774/32–33/L Inv.-Nr. 437.
Lit. Men. 272a. (b). Opdenh. K. 196.41.1.

404. Letzte I der Wertzahl zwischen AC und ACH.
Foto 774/34–35/L Inv.-Nr. 438.
Lit. Men. 272a. (a). Opdenh. K. 196.41.1.

405. Kupfer-Vier-Heller 1742.
Vs. Adler zwischen 17 und 42.
Rs. Schrift in drei Zeilen unter Adler in Kranz.
REICHS STATT.ACH IIII
Kupfer 19 mm 1,71 g Foto 773/5–6/L Inv.-Nr. 439.
Lit. Men. 273a. Farina -. Walla 5/09. K. 196.42.1.

406. Silberabschlag des Vier-Hellers 1742.
Silber 17 mm 1,14 g Foto 773/7–8/L Inv.-Nr. 440.
Lit. Men. (irrtümlich 272b) 273b. Opdenh. K. 196.42.1.

Anmerkung:
Auflage 350000 Jahrgang 1738.
Auflage 120000 Jahrgang 1741 und 1742.
(Vgl. Krumbach, S. 142f.).

407. Kupfer-Vier-Heller 1743.
Vs. Adler zwischen 17 und 43.
Adlerflügel mit je 7 Federn.
Rs. Schrift in drei Zeilen.
REICHS STAT.ACH IIII
Kupfer 19 mm 1,36 g Foto 773/9–10/L Inv.-Nr. 441.
Lit. Men. 274. (a). Opdenh. K. 196.43.11.

408. Vs. Adler mit 7 Federn links und 6 Federn rechts am Flügel.
Rs. Adler über IC von REICHS
R von REICHS und S von STAT übereinander.
Kupfer 19 mm 1,59 g Foto 773/11–12/L Inv.-Nr. 442.
Lit. Men. 274. (b). Opdenh. K.-.

409. Adler über I von REICHS
Foto 773/13–14/L Inv.-Nr. 443.
Lit. Men. 274. (c). Opdenh. K.-.

410. Adlerflügel mit je 6 Federn.
Wertzahl IIII eng.
Foto 773/15–16/L Inv.-Nr. 444.
Lit. Men. 274. (d). Opdenh. K. 196.43.12.

S. 6, T. 3

411. Wertzahl weit.
Foto 773/17–18/L Inv.-Nr. 445.
Lit. Men. 274. (e). Opdenh. K. 196.43.15.

412. Zwei Exemplare.
Adler mit je 5 Federn.
Foto 773/19–20/L Inv.-Nr. 446.
Foto 773/21–22/L Inv.-Nr. 447.
Lit. Men. 274. (f). Opdenh. K. 196.43.9.

413. Silberabschlag des Kupfer-Vier-Hellers 1743.
Vs. Mittelpunkt zwischen I von REICHS
und dem zweiten T von STAT.
Silber 18 mm 1,14 g Foto 773/23–24/L Inv.-Nr. 448.
Lit. Men. (irrtümlich 273b) 274b. Helbing 3/12. K.-.

414. Kupfer-Vier-Heller 1744.
Vs. Adler zwischen 17 und 44, Adlerflügel mit je 5 Federn.
Rs. Schrift in drei Zeilen unter Adler.
REICHS STAT.ACH IIII
Kupfer 19 mm 2,26 g Foto 773/25–26/L Inv.-Nr. 449.
Lit. Men. 275 (b). Opdenh. K. 196.44.4.

415. Ziffern 44 der Jahreszahl sehr dicht.
Foto 773/27–28/L Inv.-Nr. 450.
Lit. Men. 275. (c). Opdenh. K. 196.44.9.

416. I, T und I genau untereinander.
Foto 773/29–30/L Inv.-Nr. 451.
Lit. Men. 275. (a). Opdenh. K. 196.44.13.

417. Adlerflügel mit je 6 Federn.
Ziffer 17 auseinander.
Foto 773/31–32/L Inv.-Nr. 452.
Lit. Men. 275. (d). Schwalbach 12/09. K. 196.44.8.

418. Stempelsprung an Wertzahl. Adlerflügel mit fünf Federn.
Foto 773/33–34/L Inv.-Nr. 453.
Lit. Men. 275. (a1). Leo Hamburger 7/10. K. 196.44.10.

Anmerkung:
Auflage 80000 Jahrgang 1743 und 1744.
(Vgl. Krumbach, S. 129f.).

419. Kupfer-Vier-Heller 1745.
Vs. Adler zwischen 17 und 45.
Adlerflügel mit je 5 Federn.
Rs. Schrift in drei Zeilen unter Adler in Kranz.
REICHS. STAT.ACH IIII
Kupfer 19 mm 1,42 g Foto 775/1–2/L Inv.-Nr. 454.
Lit. Men. 276. (a). Opdenh. K. vgl. 196.45.9.

420. Adlerflügel mit je 4 großen Federn.
Foto 775/7–8/L Inv.-Nr. 457.
Lit. Men. 276. (b). Opdenh. K. 196.45.9.

421. Zwei Exemplare.
Adlerflügel mit 5 Federn. REICHS ohne Punkt dahinter.
Foto 775/3–4/L Inv.-Nr. 455.
Lit. Men. 276. (c). Opdenh. K. 196.45.4.
Foto 775/5–6/L Inv.-Nr. 456.
Lit. Men. 276. (c). Opdenh. K. 196.45.5.

422. Adlerflügel mit je 4 Federn.
REICHS ohne Punkt dahinter. 45 der Jahreszahl höher.
Foto 775/9–10/L Inv.-Nr. 458.
Lit. Men. 276. (d). Opdenh. K. 196.45.3.

S. 6, T. 3

423. Kupfer-Vier-Heller 1751.
Vs. Adler zwischen 17 und 51.
Unter Punkt von STAT.ACH I von Wertzahl und Fußbalken der ersten I der Wertzahl gewölbt.
Rs. Schrift in drei Zeilen unter Adler über Verzierung. Wertzahl zwischen Blumen.
REICHS. STAT.ACH IIII
Kupfer 21 mm 1,66 g Foto 775/11–13/L Inv.-Nr. 459.
Lit. Men. 277a. (a). Opdenh. K. vgl. 196.51.13.

424. Wertzahl unter AT und A.
Foto 775/14–15/L Inv.-Nr. 460.
Lit. Men. 277a. (b). Opdenh. K. vgl. 196.51.10.

425. Wertzahl unter AT, A und Zwischenraum zu C.
Foto 775/16–17/L Inv.-Nr. 461.
Lit. Men. 277a (c). Opdenh. K. 196.51.8.

426. Ohne Punkt zwischen STATACH.
Foto 775/18–19/L Inv.-Nr. 462.
Lit. Men. zu 277. Bruer 2/28. K.-.

427. Silberabschlag des Kupfer-Vier-Hellers 1751.
Silber 21 mm 2,83 g Foto 775/20–21/L Inv.-Nr. 463.
Lit. Men. 277c. Opdenh. K. 196.51.1.

428. Kupfer-Vier-Heller 1752.
Vs. Adler zwischen 17 und 52.
Rs. Schrift in drei Zeilen unter Adler über Verzierung.
REICHS. STAT.ACH IIII
Kupfer 21 mm 1,55 g Foto 775/22–23/L Inv.-Nr. 464.
Lit. Men. 278. Farina 2081. Opdenh. K. 196.52.1.

429. Einseitige Prägung.
Foto 775/24–25/L Inv.-Nr. 465.
Lit. Men. 278. K. 196.52.3.

Anmerkung:
Auflage 600000 Jahrgang 1745.
Auflage 800000 Jahrgang 1751.
Auflage 200000 Jahrgang 1752.
(Vgl. Krumbach, S. 138f.).

430. Kupfer-Vier-Heller 1753.
Vs. Adler zwischen 17 und 53.
Rs. Schrift in drei Zeilen unter Adler über Verzierung.
REICHS. STAT.ACH IIII
Kupfer 21 mm 1,50 g Foto 775/26–27/L Inv.-Nr. 466.
Lit. Men. 279a. Opdenh. K. vgl. 196.53.3.

431. Drei Exemplare.
Kupfer-Vier-Heller 1754.
Vs. Adler zwischen 17 und 54.
Rs. Schrift in drei Zeilen unter Adler über Verzierung.
Letztes T von STAT über mittlerem Zwischenraum der Wertzahl.
Kupfer 21 mm 1,89 g Foto 775/34–35/L Inv.-Nr. 467.
Foto 772/2/L Inv.-Nr. 472.
Foto 772/3–4/L Inv.-Nr. 473.
Lit. Men. 280. (a). Kube 9/10.

S. 6, T. 3

432. Zwei Exemplare.
R und T von REICHS und STA untereinander sowie A von STAT und I der Wertzahl.
Foto 775/30–31/L Inv.-Nr. 468.
Foto 772/7–8/L Inv.-Nr. 475.
Lit. Men. 280. (b). Opdenh. K. 196.54.4.

433. Stempelfehler bei R und ST.
Foto 775/32–33/L Inv.-Nr. 469.
Lit. Men. 280. K. 196.54.5.

434. Letzte I der Wertzahl höher.
Foto 775/28–29/L Inv.-Nr. 470.
Lit. Men. 280. (c). Opdenh. K. 196.54.6.

435. Zwei Exemplare.
Ohne Mittelpunkt.
Foto 775/36–37/L Inv.-Nr. 471.
Foto 772/5–6/L Inv.-Nr. 474.
Lit. Men. 280. K. 196.54.7.

436. Beiderseits vertieft.
Foto 778/3–4/L Inv.-Nr. 7887.
Lit. Men. (zu 280). Opdenh. K.-.

437. Kupfer-Vier-Heller 1757.
Vs. Adler zwischen 17 und 57.
Rs. Schrift in drei Zeilen unter Adler, der zwischen Verzierung. Wertzahl zwischen Rosetten.
Kupfer meist 20 mm ca. 1,63 g Foto 772/9–10/L Inv.-Nr. 476.
Foto 772/17–18/L Inv.-Nr. 478.*
Lit. Men. 281 var. Farina 2081. Opdenh. K. 196.57.1.

438. Wertzahl zwischen Tulpen.
Foto 772/11–12/L Inv.-Nr. 477.
Lit. Men. 281 var. (b) Opdenh. K. 196.57.5.

439. Adler zwischen Rosetten.
Foto 772/13–14/L Inv.-Nr. 479.
Lit. Men. 281. (c). Opdenh. K. 196.57.4.

440. Adler zwischen Sternen.
Foto 772/15–16/L Inv.-Nr. 480.*
Lit. Men. zu 281. (d). Opdenh. K. 196.57.3.

Anmerkung:
Auflage 200000 Jahrgang 1753.
Auflage 500000 Jahrgang 1754.
Auflage 30000 Jahrgang 1757.
(Vgl. Krumbach, S. 148f.).

441. Kupfer-Vier-Heller 1758.
Vs. Adler zwischen 17 und 58.
8 und 7 Flügelfedern.
Rs. Schrift in drei Zeilen unter Adler, Wertzahl zwischen Rosetten.
Kupfer 20 mm 1,70 g Foto 772/19–20/L Inv.-Nr. 481.
Lit. Men. 282. (b). Opdenh. K. 196.58.3.

442. Rückseite des Kupfer-Vier-Hellers (1758).
Rs. Incus (vertieft).
Kupfer 20 mm 1,82 g Foto 772/21–22/L Inv.-Nr. 482.
Lit. Men. zu 282. (a2). Opdenh.

443. Wertzahl zwischen Lilien.
Foto 772/23–24/L Inv.-Nr. 483.
Lit. Men. 282 (a1). Opdenh. K. 196.58.7.

444. Kupfer-Vier-Heller 1759.
Vs. Adler zwischen 17 und 59.
Rs. Schrift in drei Zeilen unter Adler, Wertzahl zwischen Rosetten.
REICHS STAT.ACH IIII
Kupfer 20 mm 1,57 g Foto 772/25–26/L Inv.-Nr. 484.
Lit. Men. 283. Farina 2083. Opdenh. K. 196.59.1.

S. 6, T. 3

445. Kupfer-Vier-Heller 1765.
Vs. Adler zwischen 17 und 65.
Rs. Schrift in drei Zeilen über Blütenzweigen, in der Mitte große Blume.
IIII REICHS STAT.ACH
Kupfer meist 21 mm ca. 1,78 g Foto 772/27–28/L Inv.-Nr. 485.
Lit. Men. 285a. (a). Farina 2083. Opdenh. K. 197.65.3.

446. In der Mitte kleine Blume.
Foto 772/29–30/L Inv.-Nr. 486.
Lit. Men. 285a. (b). Opdenh. K. 197.65.4.

447. Rechte Blume mit zwei Blättern.
Foto 772/31–32/L Inv.-Nr. 487.
Lit. Men. 285a. (c). Opdenh. K. 197.65.5.

448. Kupfer-Vier-Heller 1767. Zwei Exemplare.
Vs. Adler zwischen 17 und 67.
Rs. Schrift in drei Zeilen über Blütenzweigen mit rechts vier Blüten.
Foto 772/33–34/L Inv.-Nr. 488.
Foto 776/7–8/L Inv.-Nr. 489.*
Lit. Men. 286a. (a). Opdenh. K. 197.67.1.

449. Jahreszahl aus 1766 korrigiert.
Foto 772/35–36/L Inv.-Nr. 490.
Lit. Men. zu 286a. (b1). Opdenh. K. 197.67.4.

450. Rückseite des Kupfer-Vier-Heller 1767.
Rs. Incus (vertieft).
Foto 776/1–2/L Inv.-Nr. 491.
Lit. Men. zu 286b. (b2). Buchenau 7/07. K. vgl. 197.67.3.

451. 17 der Jahreszahl weit auseinander.
Foto 776/3–4/L Inv.-Nr. 492.
Lit. Men. 286. Vgl. K. 197.67.3.

452. Jahreszahl aus 1766 geändert; drei Blumen links.
Foto 776/5–6/L Inv.-Nr. 493.
Lit. Men. zu 286a. (c). Opdenh. K. 197.67.5.

453. Kupfer-Vier-Heller 1792.
Vs. Adler zwischen 17 und 92.
Rs. Schrift in drei Zeilen über Blütenzweigen, links 3 Blumen.
Kupfer meist 21 mm ca. 1,41 g Foto 776/9–10/L Inv.-Nr. 494.
Lit. Men. 287. (a). Opdenh. K. 197.92.3.

454. Ohne Mittelpunkt.
Foto 776/11–12/L Inv.-Nr. 495.
Lit. Men. 287. (b). Opdenh. K. 197.92.2.

455. Rechts drei Blumen.
Foto 776/13–14/L Inv.-Nr. 496.
Lit. Men. 287. (c). Opdenh. K. 197.92.1.

456. Kupfer-Vier-Heller 1793. Zwei Exemplare.
Vs. Adler zwischen 17 und 93.
Rs. Schrift in drei Zeilen über gekreuzten Zweigen.
IIII REICHS STAT ACH
Kupfer meist 21 mm ca. 1,38 g Foto 776/25–26/L Inv.-Nr. 497.
Foto 776/31–32/L Inv.-Nr. 498.
Lit. Men. 288c. Opdenh. K. 197.93.2.

457. Drei Exemplare.
Zwischenraum größer von REI und CHS.
Foto 776/29–30/L Inv.-Nr. 499.
Foto 776/33–34/L Inv.-Nr. 500.
Foto 776/35–36/L Inv.-Nr. 501.
Lit. Men. zu 288c. Opdenh. K. 197.93.7.

458. Zwei Exemplare.
STAT:ACH und Zweige mit Schleife.
Foto 776/23–24/L Inv.-Nr. 502.
Foto 776/27–28/L Inv.-Nr. 503.
Lit. Men. 288d. Opdenh. K. 197.93.3.

459. Zwei Exemplare.
Wertzahl zwischen Rosetten.
Foto 776/15–16/L Inv.-Nr. 504.*
Foto 776/21–22/L Inv.-Nr. 505.
Lit. Men. 288e. Farina 2083. Opdenh. K. 197.93.6.

S. 6, T. 3

460. Zweige mit 4 Blumen links.
Foto 776/17–18/L Inv.-Nr. 506.
Lit. Men. zu 288. Opdenh. K. 197.93.9.

461. Zweige mit einer Blume rechts.
Foto 776/19–20/L Inv.-Nr. 507.

Anmerkung:
Auflage 300000 Jahrgang 1758.
Auflage 150000 Jahrgang 1759.
Auflage 185000 Jahrgang 1765.
Auflage 460000 Jahrgang 1767.
Auflage 400000 Jahrgang 1792.
Auflage 600000 Jahrgang 1793.
(Vgl. Krumbach, S. 156f.)

462. Kupfer-Zwei-Heller 1605.
Vs. Adlerschild zwischen abgekürzter Jahreszahl 6 und 5.
Rs. Wertzahl zwischen Punkten.
.I.I.
❀ MO.CIVIT.AQVENS
Kupfer 14 mm 1,14 g Foto 778/1–2/L Inv.-Nr. 7888.
Lit. Men. 184b. Schwalb. 12/09. K.- (vgl. 183.05.1.)

S. 6, T. 3

JOHANN GOTTFRIED VON BLANCHE.

463. Kupfer-Vier-Heller 1755.

Vs. Gekrönter Doppeladler mit Löwenschild.
Rs. Löwe über Schrift.
R:HERRS: SCHÖNAW IIII

Kupfer 20 mm 1,96 g Foto 1116/5–6/L Inv.-Nr. 7889.
Lit. Men. 2. Cahn 9/18. K. 302.55.1.

Literatur

Berghaus	Peter Berghaus, Westfälische Münzgeschichte des Mittelalters, Münster 1976.
Berl. Münzb.	Berliner Münzblätter.
Cappe	H. Ph. Cappe, Die Münzen der deutschen Kaiser und Könige des Mittelalters, Band 1–3, 1853.
Dav.	John S. Davenport, Church and City Talers 1600–1700, Chicago 1967.
	John S. Davenport, German Talers 1500–1600, Frankfurt am Main 1979.
Dbg.	Hermann Dannenberg, Die deutschen Münzen der sächsischen und fränkischen Kaiserzeit, Band 1–4, Berlin 1876–1905.
Farina	Sammlung C. Farina, Köln, Hess, 1893, Mai u. Februar.
Fr.	Robert Friedberg, Gold Coins of the World, New York 1971.
Gr.-Briesen	Der Brakteatfund von Groß-Briesen, bearb. v. Fr. Bardt in Zeitschrift für Numismatik. 11. Bd. Berlin 1884, S. 212ff.
Ilisch	Peter Ilisch, Münzfunde und Geldumlauf in Westfalen in Mittelalter und Neuzeit. (Veröffentlichungen des Provinzialinstituts für westfälische Landes- und Volksforschung des Landschaftsverbandes Westfalen-Lippe. Reihe I, Heft 23). Münster 1980.
Joseph	Sammlung Joseph, Hamburger, Februar 1909.
J. u. F.	Paul Joseph und Eduard Fellner, Die Münzen von Frankfurt am Main, Frankfurt/Main 1896.
K.	Karl Gerd Krumbach, Die XII-Heller-Prägung der Reichsstadt Aachen 1758–1797, Aachen 1976.
	Karl Gerd Krumbach, Die IIII-Heller-Prägung der Reichsstadt Aachen 1604–1793, Aachen 1979.
Kaselowski	Sammlung Kaselowski, Rosenberg, Dezember 1907.
Kirsch	Sammlung Kirsch, Düsseldorf, A. E. Cahn, Frankfurt am Main 15. April 1912.
Men.	Julius Menadier, Die Aachener Münzen, Berlin 1913.
Noss	A. Noss, Die Aachener Mariengroschen in Berliner Münzblätter, N. F. Nr. 305, 1928, S. 255–258.
Thieler	H. Thieler, Seltene Aachener Denare des 11. Jahrhunderts in Zeitschrift des Aachener Geschichtsvereins, Bd. 78, 1967, S. 337–341.
Vogel	Sammlung Vogel, Leo Hamburger, Frankfurt am Main, Januar 1926.
Weygand	Sammlung Dr. Max Weygand, Düsseldorf, Aldoph Hess Nachf., Frankfurt am Main, Auktion 153, Januar 1917.
ZfN	Zeitschrift für Numismatik.

Nachrichten über das Münzwesen der Stadt Ahlen fehlen, da das Rathaus im Jahre 1714 abbrannte und auch das Archiv größtenteils verloren ging.

Die Stadt gehörte währungsmäßig zum Bistum oder der Stadt Münster, nachdem 1521 das Reich in zehn Kreise aufgeteilt worden war, zu dem westfälischen Kreis (siehe Seite 14).

Münzen wurden von der Stadt nur in wenigen Jahren geprägt:

1584, 1610 (und 1616). Sie dienten in verschiedenen Werten: 12-Pfennig (Nr. 1 und 2), 6-Pfennig (Nr. 3 und 4), 3-Pfennig (Nr. 5 und 6), 2-Pfennig (Nr. 7), Pfennig (Nr. 8) und Heller (Nr. 10) als einheimisches Zahlungsmittel.

Auf der Vorderseite ist das Wappenbild der Stadt dargestellt, ein gekrümmter, geflügelter Aal mit Krone. Die Umschrift benennt den Münzherren:

Stadt Ahlen und das Prägejahr. Einer besonderen Genehmigung vom obersten Landesherren in Münster bedurfte es nicht, da es sich lediglich um Kupferprägungen handelte. Auf der Rückseite erscheinen die Wertzahlen in großen römischen Ziffern.

Nach Joseph Weingärtner, Beschreibung der Kupfermünzen Westfalens, Paderborn 1872, Seite 44 und Nachtrag, Seite 389.

S. 6, T. 35

1. Kupfer-12-Pfennig 1584.
Vs. Wappen. Gekrümmter, geflügelter Aal mit Krone.
❀ .STADT ❀ ALEN. 1584.
Rs. Wert. XII in Perlkreis, umgeben von 10 Halbmonden und Sternchen.
Kupfer 29 mm 3,83 g Foto 935/9–11/L Inv.-Nr. 508.
Lit. W. 95 b. Hess 3/28.

2. Kupfer-12-Pfennig 1610.
Vs. Wappen.
✳ ❀ ✳ STADT ✳ ❀ ✳ ALEN ✳ ❀ ✳ 1.6.1.0
Rs. Wert. XII in Verzierungen.
Kupfer 31 mm 3,63 g Foto 935/7–8/L Inv.-Nr. 509.
Lit. W. 96. Suchier 10/08.

3. Kupfer-6-Pfennig 1584.
Vs. Wappen.
❀ STADT ❀ ALEN.1584(.)
Rs. Wert. VI in Verzierungen.
Kupfer 24 mm 2,07 g Foto 935/5–6/L Inv.-Nr. 510.
Lit. W. zu 98. Schwalbach 12/09.

4. Kupfer-6-Pfennig 1610.
Vs. Wappen.
✳ ❀ ✳ STADT ✳ ALEN.1.6.1.0
Rs. Wert. .V.I. mit 3 ❀ in Verzierungen.
Kupfer 25 mm 2,23 g Foto 935/2+4/L Inv.-Nr. 511.
Lit. W. zu 99. Erbstein 1/11.

5. Kupfer-3-Pfennig 1584.
Vs. Wappen.
(.)STADT(.)ALEN(.)1584
Rs. Wert. .III. in Verzierungen.
Kupfer 21 mm 2,15 g Foto 901/1–2/L Inv.-Nr. 512.
Lit. W. 100 d var. Riechmann 4/18.

6. Kupfer-3-Pfennig 1610.
Vs. Wappen.
✳ STADT ✳ ALEN ✳ 1610
Rs. Wert. III in Verzierungen.
Kupfer 21 mm 1,08 g Foto 901/3–4/L Inv.-Nr. 513.
Lit. W. 101. Riechmann 4/18.

7. Kupfer-2-Pfennig 1584.
Vs. Wappen.
(.)STADT(.)ALE(..)158(.)
Rs. Wert. I.I in Verzierungen.
Kupfer 18 mm 1,33 g Foto 901/5–6/L Inv.-Nr. 514.
Lit. W. 102. Erbstein 1/11.

S. 6, T. 35

8. Kupfer-1-Pfennig 1584.
Vs. Wappen.
✳ STADT ✳ ALEN.1584
Rs. Wert. I in Verzierungen.
Kupfer 16 mm 1,40 g Foto 901/7–8/L Inv.-Nr. 515.
Lit. W. 104a var. Modes.

9. Fälschung: Kupfer-Heller 1584.
Vs. Wappen.
✳ STADT ✳ ALEИ ✳ 1584
Rs. Wert. I über H in Verzierungen.
Kupfer 16 mm 0,88 g Foto 901/9–10/L Inv.-Nr. 516.
Lit. W.-. Modes 5/12.

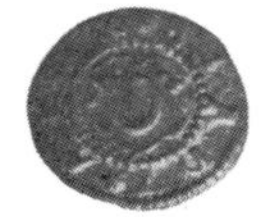

10. Kupfer-Heller ohne Jahr (1584).
Vs. Wappen.
✳ STADT ✳ ALEN
Rs. Wert. I über H in Verzierungen.
Kupfer 14 mm 0,61 g Foto 901/11–12/L Inv.-Nr. 517.
Lit. W. 105. Pieper 8/21.

Anmerkungen:
Einzelne Buchstaben erscheinen spiegelbildlich.
Die in Klammern gesetzten Punkte sind unleserliche Buchstaben, Zeichen oder Ziffern.
Die Herkunft der einzelnen Münze ist meist angegeben; mit dem Erwerbsdatum, von welchem Münzenhändler, aus welcher Auktion oder Sammlung stammend. Zum Beispiel Weygand 1/17, 2298 ist zu lesen: Sammlung Weygand Januar 1917 Nr. 2298.

Literatur

Erbstein — Sammlung Erbstein, A. Hess, Versteigerung 130, Januar 1911.
G. — H. Grote, Münzstudien, Leipzig 1857.
Suchier — Sammlung A. Suchier, Hamburger, Oktober 1908.
W. — Joseph Weingärtner, Beschreibung der Kupfer-Münzen Westfalens, nebst historischen Nachrichten, Paderborn 1872.

Da die Herren von Alpen bereits im 14. Jahrhundert ihre Burg wegen Geldschwierigkeiten an den Herzog von Geldern verpfändet hatten, nannten sich zwei Geschlechter mit diesem Namen.

Der Burggraf Heinrich und seine Brüder lösten die Pfandschaft im Jahre 1330 ab und verpfändeten ihren Besitz an den Bruder ihrer Mutter, den kölnischen Edelvogt Rütger (1324–1344).

Der älteste Sohn Rütgers, Gumprecht († 1376) verlieh dem Ort 1354 Stadtrecht. Das Pfand aber konnte nie mehr gelöst werden, weder mit Geld noch mit Waffengewalt. Jahrhundertelang blieb es im Besitz des Erzstifts Köln. Die Inhaber des Vogtamtes, die Herren von Heppendorf, nannten sich und ihre Nachkommen immer Vogt zu Köln, Herr zu Alpen.

Das Amt des Vogtes zu Köln vererbte sich meist vom Vater auf den Sohn, bis im Jahre 1418 ein Enkel Gumprechts, der Sohn seiner Tochter, Gumprecht von Neuenahr, mit dem Amt belehnt wurde. Von ihm stammt die Prägung um 1418 (Nr. 1), ausgewiesen durch die Umschrift und das geteilte Wappenschild auf der Vorderseite: Der Adler von Neuenahr und das zwölffach quergeteilte Feld für Heppendorf und die Erbvogtei zu Köln.

Das Münzbild der Rückseite, das Brustbild des heiligen Jakob, weist Ähnlichkeit mit dem heiligen Andreas auf, den Graf Friedrich III. von Mörs (1417–1448) auf seine Gulden und Schillinge hat prägen lassen. Da aus Urkunden nicht bekannt ist, wo sich die Münzstätte befand, könnte die Prägung entweder in Alpen selbst stattgefunden haben oder in Mörs. Die Umschrift gibt keine Auskunft. Die Münzzeichen: Sterne, Rosetten und Kreuze, sind ungedeutet.

Die Prägung von Alpen gehört in die zweite große Münzepoche, in die Zeit der Groschenprägung, die um 1300 beginnt. Ein Teilstück des Groschens ist der Albus. Hundert Jahre später, als der Albus noch umlief, wurde 1 Reichstaler = 80 Albus (Köln) gerechnet.

Nach Alfred Noss, die Münzen von Jülich, Mörs und Alpen, München 1927, S. 156.

S. 5, T. 60

GUMPRECHT I. VON NEUENAHR.
1418 bis (um) 1422.

1. Albus ohne Jahr (1418).

Vs. Wappen von Neuenahr-Heppendorf
und Rosetten im Dreipass.
✳ GVMPE ✳ ✳ RTVS ✳ D' ✳ NWENA' ✳
Rs. Hüftbild des heiligen Jakob des Älteren mit Schwert
und Buch unter gotischem Schutzdach.
MONETA ✳ NOVA ✳ D' ✳ ALPE'

Silber 20 mm 2,01 g Foto 935/12–13/L Inv.-Nr. 518.
Lit. Noss 5. Leo Hamburger 6/14, vgl. Auktion 9/13, 1276.

Literatur

G. — A. Grote, Münzstudien, Leipzig 1862.
Noss — Alfred Noss, Die Münzen von Jülich, Mörs und Alpen, München 1927.

Besonders im sächsischen Raum gründeten die Könige seit 950 neue Münzstätten. Das Privileg, Münzen zu prägen, war gekoppelt mit dem Recht, Markt zu halten und Zoll zu erheben. Alsleben war Anfang des 14. Jahrhunderts ein wichtiger Handelsplatz an der Saale. Der oberste Münzherr von Alsleben war der Kaiser. Sein Name NRI Heinrich VII. (1308–1313) und der Prägeort ALSL Alsleben stehen in der Umschrift.

Die Münzen von Alsleben gehören der Brakteatenprägung an, die das Ende der ersten großen Münzepoche – die Zeit der Denare (Pfennige) von 800 bis 1300 – kennzeichnet. Zu jener Zeit wurden auch die Brakteaten als „Pfennige“ bezeichnet. Die Bezeichnung „Brakteat“ (vom lateinischen Bractea = Blatt) ist ein numismatischer Begriff aus dem 17. Jahrhundert.

Die Brakteaten sind sehr dünne und nur einseitig geprägte Münzen, die wegen ihrer Zerbrechlichkeit schon nach sehr kurzer Umlaufszeit aus dem Verkehr gezogen werden mußten, was als Münzverrufung, Urkunden folgend als renovationes monetae, bezeichnet wird. Häufig wurden mehrere Brakteaten gleichzeitig geprägt, so daß die Prägung schärfer (Nr. 1) oder schwächer (Nr. 2) ausfällt.

S. 5, T. 85

HEINRICH VII. 1308–1313.

1. Brakteat.

Stehender Dynast mit Schwert und Schild.
NRI ALSL

Silber 20 mm 0,34 g Foto 935/16/L Inv.-Nr. 519.
Lit. Mad. II, Taf. 5, 83. A. Hess 3/29, 1.

2. Brakteat.

Stehender Dynast mit Schwert und Schild.
NRI ALSL

Silber 21 mm 0,43 g Foto 935/17/L Inv.-Nr. 520.
Schwache Prägung.

Literatur

Mad.	Verzeichnis von raren Thalern nach Madai, Frankfurt am Main 1770.
Thormann	Heinz Thormann, Die anhaltischen Münzen des Mittelalters. Münster 1976.
	Heinz Thormann, Die Münzen der Herzöge von Sachsen 1212–1422. Münster 1982.

In der alten staufischen Reichsstadt und Münzstätte Altenburg wurden seit dem 12. Jahrhundert Münzen geprägt, da Altenburg ein Zentrum des Pleißenhandels und ein wichtiger Getreide- und Holzhandelsplatz sowie Zoll- und Geleitstelle war.

Die ältesten Münzen Altenburgs sind Brakteaten (Nr. 1) Friedrichs I. (1152–1190) mit der Besonderheit, daß sie einen Durchmesser von 34 mm (Nr. 2 und 3) und mehr (Nr. 6 und 7) erreichen. Das Münzbild zeigt den thronenden Kaiser, der meist auch in der Umschrift benannt wird. Der sorgfältige Stempelschnitt läßt Luteger von Altenburg als Stempelschneider vermuten, dessen Name auf Brakteaten verschiedener Prägeherren genannt wird.

Der Brakteat aus dem letzten Jahrzehnt der Regierungszeit Friedrichs I. – um 1180 – (Nr. 3) wurde Vorbild des in Ostthüringen und Meißen dann oft verwendeten Münztyps. Die dominierende Rolle der Altenburger Brakteaten erklärt sich damit, daß die Stücke schwerer waren als die der anderen Münzstätten. Dadurch sicherten sie sich ein größeres Umlaufsgebiet und veranlaßten benachbarte Fürsten, wie die Markgrafen von Meißen, sich diesem Münzfuß anzupassen.

Im Jahre 1324 verpfändet der König, Ludwig der Bayer (1314–1347), seinem künftigen Schwiegersohn, Friedrich II., für geleistete Hilfe die alten Reichsstädte Altenburg, Chemnitz und Zwickau nebst dem Pleißenland und in demselben Jahr auch das Burggrafenamt zu Altenburg.
Altenburger Brakteaten durften vom Münzmeister, auch wenn sie noch so alt waren, nicht zerbrochen werden.

Während der Umstellung des Münzwesens in Sachsen von breiten Brakteaten – um 1340 – auf Groschen wurde die Tätigkeit der Altenburger Münzstätte eingestellt. Die böhmischen Groschen, die erstmals von König Wenzel II. in Böhmen im Jahre 1300 ausgegeben worden waren, wurden als vollgültiges Zahlungsmittel in Altenburg anerkannt.

Schon 1393 wird die Prägung „glatter“ Heller in Altenburg urkundlich durch die Tätigkeit des Münzmeisters Paul Benholz belegt. 1395 wurde die Altenburger Hellermünzprägung den Münzmeistern Nicolaus Schönmünzer und Tietze Kadan unterstellt. Der Typ der alten Händelheller zeigte ein Kreuz mit Punkten oder Ringeln in den Winkeln und auf der Rückseite eine Hand. Für das Pleißener Land lag das Löwenwappen auf dem Kreuz und die fünfblättrige Rose auf der Handfläche (Nr. 8). Die Prägung erfolgte von der Stadt mit Genehmigung des Kurfürsten Friedrich II. (1428–1464) ab 1451.

Die Verrechnung war: 14 Heller auf den Meißnischen Groschen.

Im Jahre 1428 fielen die aus Böhmen kommenden Hussiten auch in Altenburg ein. Erst 1433 brachten die Verhandlungen auf dem Basler Konzil eine Beruhigung der politischen Lage. Unter dem Einfluß der schwierigen Finanzlage, als Folge der hussitischen Einfälle, und der Abwehrmaßnahmen wurde in Sachsen erstmals 1438 in Leipzig ein Landtag einberufen. Der Kurfürst Friedrich II. war bestrebt, für sein Land und seine Untertanen in gerechtem Sinne zu wirken, dabei unterstützte ihn seine Frau, die Schwester des Kaisers Friedrich III. (1440–1493). Nachdem Leipzig im Jahre 1507 Messestadt geworden war, wurde Altenburg nach und nach eine Landstadt.

Vgl. dazu:
Carl Friedrich v. Posern-Klett, Münzstätten und Münzen der Städte und geistlichen Stifter Sachsens im Mittelalter, Leipzig 1846, Seite 9.
Gerhard Krug, die meißnisch-sächsischen Groschen, 1338 bis 1500, Berlin 1974, Seite 74 und 147.
Brakteaten der Stauferzeit, 1138–1254, aus der Münzensammlung der Deutschen Bundesbank, Frankfurt am Main 1977, Abbildung 48 und 49.

S. 5, T. 94

FRIEDRICH I. 1152–1190.

1. Brakteat.

Sitzender Gekrönter mit Szepter und Reichsapfel auf Bogen zwischen 2 Türmen; im Feld :.:

Silber 30 mm 0,58 g Foto 932/14/L, 935/18/L Inv.-Nr. 527.
Lit. Rod. 3. A. Helbing 4/33, 98.

2. Brakteat.

Auf Bogen thronender Kaiser mit Lilienszepter und Reichsapfel; im Feld ein Stern.
FRIDERI IMPERDEIG

Silber 34 mm 0,88 g Foto 932/15/L Inv.-Nr. 521.
Lit. Buchenau, Gotha 317. Nieter 12/32.

3. Brakteat um 1180.

Auf Bogen thronender Kaiser mit Lilienszepter und Reichsapfel in einer oben dreibogigen Einfassung.
FRIDECV ZIMPER

Silber 34 mm 0,92 g Foto 932/16/L Inv.-Nr. 522.
Lit. Seega zu 515. Riotte 1/29.

4. Brakteat.

Letztes Jahrzehnt der Regierungszeit.
Auf Bogen thronender Kaiser mit Lilienszepter und Doppelapfel.
FRIDERICVSoINPERATOR ET.SEMP AV

Silber 33 mm 0,87 g Foto 932/17/L Inv.-Nr. 523.
Lit. Buchenau, Gotha 329–31. Zu Cappe II, T. 3, 20.
Leo Hamburger 6/12.

REGIERUNGSZEIT KAISER HEINRICHS VI. 1190–1197 BIS ZUM BEGINN DER REGIERUNG KAISER OTTOS IV. 1208–1215.

5. Brakteat.

Thronender Kaiser mit Lilienszepter und Doppelapfel, im Feld 4 Kugeln.

Silber 36 mm 0,88 g Foto 932/18/L Inv.-Nr. 524.
Lit. Bl. f. Mzfr. Taf. 47, 6. A. Hess 12/19, 39.

S. 5, T. 94

OTTO IV. 1208–1215.

6. Brakteat.

Zwischen zwei kleinen Türmen thronender Kaiser mit Lilie und Doppelapfel.
INPAT OROTTO

Silber 36 mm 0,70 g Foto 932/19/L Inv.-Nr. 526.
Lit. Cappe, K. M., II., Taf. 11, 90. A. Hess 6/29, 19.

7. Brakteat.

Thronender Kaiser mit Lilienszepter und Doppelapfel zwischen zwei je ein Türmchen tragenden Bogen.

Silber 36 mm 0,84 g Foto 932/20–22/L Inv.-Nr. 525.
Lit. Nordhausen 163. Button 87, 3/41, 1088.

ZEIT FRIEDRICHS II. 1428–1464.

8. Heller ohne Jahr.

Vs. Löwenschild auf Kreuz.
Rs. Hand, darauf Rose.

Silber 14 mm 0,35 g Foto 936/2–3/L Inv.-Nr. 528.
Lit. Pos. Taf. 19, 2. K. 25. Krug 839. Kessler 12/11.

Literatur

Bl. f. Mzfr. — Blätter für Münzfreunde.

Cappe — H. Ph. Cappe, Die Münzen der deutschen Kaiser und Könige des Mittelalters, Band 1–3, 1853.

Gotha — Fund von Gotha (1900), H. Buchenau und B. Pick, 1928.

Kessler — Sammlung Kessler, Blankenburg, Sally Rosenberg, Auktion 22, November 1909.

Krug — Gerhard Krug, Die meißnisch-sächsischen Groschen 1338 bis 1500, Berlin 1974.

Nordhausen — Fund von Nordhausen, E. Mertens, in: Münzstudien VI, Verl. A. Riechmann, Halle/Saale 1929.

Pos. Klett — Carl Friedrich von Posern-Klett, Münzstätten und Münzen der Städte und Geistlichen Stifter Sachsens im Mittelalter, Leipzig 1846.

Seega — Brakteatenfund von Seega. Ein Beitrag zur Erforschung der deutschen Münzdenkmäler aus dem Zeitalter der staufischen Kaiser, von Heinrich Buchenau, Marburg 1905.

Thormann — Heinz Thormann, Die anhaltischen Münzen des Mittelalters, Münster 1976.

Heinz Thormann, Die Münzen der Herzöge von Sachsen 1212–1422, Münster 1982.

Seit der Mitte des 13. Jahrhunderts war Amberg eine Stadt mit Ummauerung und Vilstor.
Das geteilte Wappen ist seit 1412 zu belegen und zeigt einen nach oben wachsenden (gekrönten) Löwen und unten die bayerischen Wecken. Dieses Wappenbild zeigt der von der Stadt Amberg hergestellte kleine Gegenstempel, mit dem die Prager Groschen in den Wirren der Hussitenzeit, 1419 bis 1436, als vollwertiges Umlaufsgeld in der Stadt kenntlich gemacht wurden. Obwohl sich in den Mauern der Stadt Amberg keine eigene Münzstätte befand, hatte der Rat der Stadt das Aufsichtsrecht über die in ihrem Gebiet umlaufenden Münzen.

Durch den Handel mit Eisenerz und die Lage am Handelsweg von Franken nach Böhmen, von der Stelle ab, wo die Vils damals schiffbar war, kursierten Münzen der umliegenden Gebiete, besonders Prager Groschen, die in der Zeit von 1300 bis 1547 in Böhmen geprägt worden waren. Wie Münzfunde beweisen, erstreckte sich ihr Umlaufsgebiet von den Bodenseestädten bis Kiew, von der niederländischen Grenze bis in die Schweiz.

Die Prager Groschen stammen aus dem Silber der Grube in Kuttenberg, wo sie auch ausgemünzt wurden. Entsprechend den Erträgen der Kuttenberger Silbergrube wurden die Prager Groschen zu manchen Zeiten zu hunderttausend Stück geprägt. Sie enthielten jedoch unterschiedlich viel Silber: Die älteren wogen 2,99 g oder 2,38 g bis ihr Gewicht auf ca. 1,38 g fiel.
Als die Hussiten von 1419 bis 1436 die Regierung in Prag übernahmen, wurden die vorhandenen Münzstempel von Wenzel IV. (1378–1419) weiterbenutzt, so daß die Stücke auffallend flach und schlecht ausgeprägt waren.

Die Obrigkeiten der Städte im Südwesten des Reiches begannen, die Prager Groschen auf ihre Güte zu überprüfen und die guten mit einem Stempel zu versehen. Die Gegenstempel waren zwischen 1420 und 1430 in Bayern, Schwaben, Baden, Württemberg, Franken, dem Maingebiet und Westfalen so verbreitet, daß heute an die 100 gegenstempelnde Städte bekannt sind.

Vgl. K. Castelin, Grossus Pragensis, Der Prager Groschen und seine Teilstücke, 1300–1347. Braunschweig 1973.

S. 5, T. 99

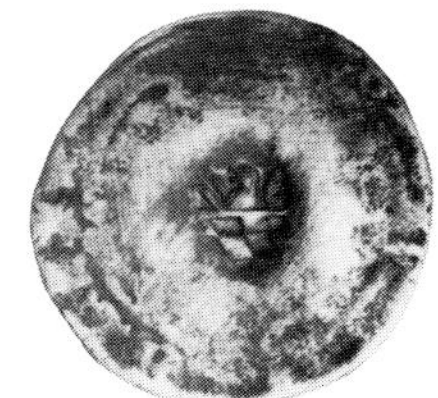
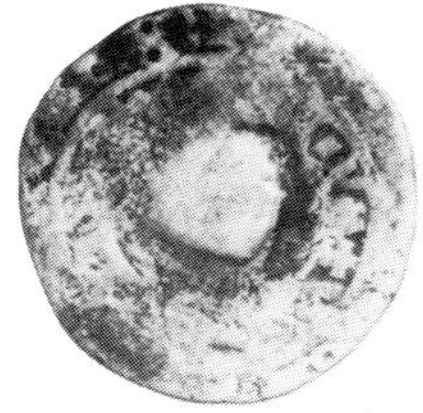

1. Prager Groschen (Hussitenzeit 1419–1436).
Vs. Krone von doppelter Umschrift umgeben (Wenzel IV. 1378–1419).
Gegenstempel: Stadtschild mit wachsendem Löwen über Wecken.
Rs. Böhmischer Löwe in Umschrift.
Silber 26 mm 2,31 g Foto 935/14–15/L Inv.-Nr. 529.
Lit. Katz 92. Castelin 5. Krusy A3, 2 a. Zeigler 9/28.

Literatur

Castelin — Karel Castelin, Grossus Pragensis, Der Prager Groschen und seine Teilstücke 1300–1547, Braunschweig 1973.

Katz — Victor Katz, Kontramarky na Prazskych Grosich, Prag 1927, ferner Victor Katz, Ein Beitrag zur Geschichte der Prager-Groschen-Stempelung, in: Frankfurter Münzzeitung, Nr. 30, 6, 1932.

Krusy — Hans Krusy, Gegenstempel auf Münzen des Spätmittelalters, Frankfurt am Main 1974.

Seit dem 12. Jahrhundert gehört Amöneburg zu Kur-Mainz und damit zu den mainzischen Münzstätten in Hessen.

Die Umschrift einer Prägung (Nr. 1) weist den obersten Münzherren, den Bischof von Mainz namentlich aus, Siegfried III. von Eppstein (1230–1249), und zeigt sein Brustbild mit den Attributen eines Geistlichen, dem Krummstab und dem Buch (der Bibel). Auf der Rückseite wird die Münzstätte genannt, und das mainzische Rad als Wappenbild steht unter einem Kirchengebäude.

Während in der ersten Hälfte des 13. Jahrhunderts „regionale Pfennigmünzen" geprägt wurden, die ursprünglich auf die karolingische Münzreform zurückgehen und in den lateinischen Urkunden Denare genannt werden, setzen sich in der zweiten Hälfte des 13. Jahrhunderts – besonders in Mittel- und Norddeutschland – einseitige Brakteatenprägungen durch.

Aus der Zeit des Mainzer Bischofs Werner von Eppstein (1259–1284) erscheint auf einem Brakteat (Nr. 2) das Brustbild eines Geistlichen zwischen Kugelkreuz und Rad unter Kleeblattbogen, der ein Kirchengebäude trägt. Im Grundtyp ähnlich ist der folgende Brakteat (Nr. 3) eines Geistlichen mit seinen Attributen. Die sich wiederholenden Buchstaben: VAN sind vielleicht auf Werner und Amöneburg zu beziehen.

Die Vielzahl der Münzbilder, die sich für eine Münzstätte in Anspruch nehmen lassen, ist vor allem dadurch entstanden, daß dieses Geld in kurzen Abständen außer Kurs gesetzt, „verrufen" wurde, in Hessen offenbar jährlich. Dann durfte auf den Märkten mit den alten „Pfennigen" nicht mehr bezahlt werden; sie mußten (als wären sie fremde Währung) gegen gültige eingetauscht werden, wobei ein gewisses Aufgeld, der „Schlagschatz" zu entrichten war. Dieser Währungszwang galt allerdings nur für Kauf und Verkauf auf den Märkten. Er war also eine Art Umsatzsteuer. Außerhalb des Marktbereichs konnten mit den verrufenen Pfennigen, die ja ihren Silberwert nicht eingebüßt hatten, bestimmte Zahlungen beglichen werden.

Vgl. Wolfgang Hess, 200 Jahre Münzen und Geld in Hessen, Marburg 1972, Seite 9.

S. 5, T. 102

SIEGFRIED III. VON EPPSTEIN. 1230–1249.

1. Denar.

Vs. Sitzender Erzbischof mit Krummstab und Buch.
SIFRI DVSE
Rs. Kirchengebäude über Spitzbogen, darunter zwei Räder.
AMENEBOI

Silber 19 mm 0,74 g Foto 901/13–14/L Inv.-Nr. 530.
Lit. P. A. 79.

ZEIT WERNERS VON EPPSTEIN. 1259–1284 und später.

2. Brakteat.

Brustbild eines Geistlichen zwischen Kugelkreuz und Rad unter Kleeblattbogen, der ein Gebäude und zwei Kuppeltürme trägt.

Silber 22 mm 0,40 g Foto 935/19/L Inv.-Nr. 532.
Lit. Riede. Fiorino 10/17, 2410.

3. Brakteat.

Brustbild eines Geistlichen mit Buch und Krummstab in Kleeblattbogen, worauf Gebäude zwischen zwei Kuppeltürmen.
V.A.N.V.A.N.

Silber 28 mm 0,71 g Foto 935/21/L Inv.-Nr. 531.
Lit. Marburg 100. Vgl. N.Z.1858 S. 63, 4. Fiorino 10/17, 2397.

Literatur

Fiorino — Sammlung Fiorino, Kassel, Sally Rosenberg, Auktion 15, Oktober 1917.
Hess — Wolfgang Hess, 2000 Jahre Münzen und Geld in Hessen, Marburg 1972.
P. A. — Mainzisches Münzcabinet des Prinzen Alexander von Hessen, Darmstadt 1882.
Riede — Fund von Riede bei Fritzlar.
Marburg — Fund von Marburg, um 1290, Blätter für Münzfreunde, 1924, S. 42 und 1930, S. 146.
N. Z. — Numismatische Zeitschrift.

Währungsmäßig gehört der schriftlose Dünnpfennig (Nr. 1) in den süddeutschen Raum und erinnert an Regensburger Gepräge. Eine Reihe von Regensburger Pfennigen zeigt als Münzbild den Bischof (Vorderseite) und einen Engel (Rückseite) oder eine Kampfszene (Vorderseite) und einen Engel (Rückseite) aber auch eine Kampfszene (Vorderseite) und einen Stehenden (Rückseite), so daß diese Prägung mit dem Brustbild eines Weltlichen – an Lilie und Adler kenntlich – (Vorderseite) und einer Kampfszene (Rückseite) sich hier einpaßt.

Möglich ist, daß der Andechser Markgraf Berthold IV. (1188–1204), als er zum Herzog von Dalmatien und Kroatien erhoben worden war und damit in den Reichsfürstenstand kam, die Prägung vornehmen ließ. Mit Kaiser Friedrich I. Barbarossa (1152–1190) brach er von Regensburg – 1189 – zum dritten Kreuzzug in das Heilige Land auf, weil Saladin von Ägypten Jerusalem und Akkon 1188 erobert hatte. Auf Wunsch des Kaisers übernimmt Berthold als Bannerträger einen der vier Heerhaufen. Er wird Zeuge, als Friedrich I. im Fluß Saleph 1190 ertrinkt.

Ob jedoch das Stück auf der Burg Andechs oder in Regensburg geprägt worden ist, kann nicht eindeutig geklärt werden. Als Münzmeister käme nach den Innsbrucker Urkunden Wolfard, Sohn des Münzmeisters Heinrich, in Betracht (Wolfardus filius domini Henrici monetarii).

Vgl. Joseph E. Obermayr, Historische Nachrichten von Bayerischen Münzen, Frankfurt und Leipzig 1763, Seite 121, Tafel 6 und 5, Nr. 63 und 64.
Kurt Hogl, Andechs, Bayerns Heiliger Berg, Augsburg 1969.
Vgl. die Abbildungen bei Walter Grasser, Bayerische Münzen, Rosenheimer Raritäten 1980, Seite 36, Nr. 63 und 67.

S. 5, T. 117

1. Dünnpfennig. 12. Jahrhundert.
Vs. Brustbild des Grafen mit Lilie und Adler von vorn.
Rs. Kampfszene.
Silber 24 mm 0,96 Foto 952/14–15/L Inv.-Nr. 533.
Lit. Oberm. 81. Cahn 3/14.

Literatur

M. Karl Möser, Eine Münzstätte der Andechser zu Innsbruck und die Augsburger Münze in Nordtirol, Studien über das älteste Münzwesen Tirols, in: Forschungen und Mitteilungen zur Geschichte Tirols und Vorarlberg IV. Jg., Heft 3 und 4.

Oberm. Joseph Eucharius Obermayr, Historische Nachrichten von Bayerischen Münzen, Frankfurt und Leipzig 1763.

Die Bestimmungen der Münzreform Karls des Großen auf der Versammlung der Kirchenväter des Reiches, 793 in Frankfurt am Main, setzten den neuen silbernen Pfennig (Denar) zur einzigen Münze im Frankenreich ein. Die folgenden fünf Jahrhunderte werden als „Pfennigzeit“ benannt. In diese Epoche gehören die Andernacher Gepräge. Ein frühes Beispiel veranschaulicht die Nachprägung eines Denars (Nr. 1) Ludwigs des Frommen (814–840), der wegen des Dreifaltigkeitsknotens, als eigene Gestaltung für Andernach, in diese Münzstätte gehört. Die Denare Ottos III. (983–1002) zeigen sowohl den Dreifaltigkeitsknoten als auch die Umschrift ANDERNAKA (Nr. 2–3). Selten zeigen die Münzen Porträtköpfe, meist ein Kreuz.

Ursprünglich war das Recht, Münzen zu prägen, ausschließlich dem König vorbehalten; sein Name befindet sich auf der Vorderseite der Prägungen (Nr. 1–3). Eines der bekanntesten Münzbilder des 10. Jahrhunderts gibt die Nachprägung eines Kölner Pfennigs von König Otto III. (983–996) wieder (Nr. 5), der das Monogramm von Köln: SANCTA COLONIA trägt. Demnach hat Andernach vom Ende des 10. Jahrhunderts bis in die erste Hälfte des 11. Jahrhunderts Nachprägungen Kölner Pfennige geschlagen, die wiederum am Dreifaltigkeitsknoten kenntlich sind. Als Münzherren in Andernach lassen sich mit Bestimmtheit König Otto III. (983–1002) und Herzog Theoderich (Dietrich) von (Ober-) Lothringen (984–1026) und König Konrad II. (1027–1039) nachweisen. Noch unter Konrad II. ist dann mindestens ein Anteil der Münzstätte Andernach (analog wie in Bonn) in den Besitz des Kölner Erzstiftes übergegangen. Beider Namen – der des Königs und der des Erzbischofs – erscheinen auf einem Denar (Nr. 8). Eine urkundliche Verleihung ist nicht bekannt, aber im 11. Jahrhundert gewährte der König vorrangig kirchlichen Würdenträgern das Münzrecht. Dafür spricht, daß 1147 der Erzbischof Arnold von Randerath (1137–1151) dem Kloster Egmont Zollfreiheit gewährte, da er am Rheinzoll in Andernach Anteil hatte. Erst 1167 schenkt König Friedrich I. Barbarossa (1152–1190) dem Erzbischof Rainald von Dassel (1159–1167) den Hof Andernach mit der Münze. Die Schenkung wird später von König Otto IV. (1198–1215) 1198 und König Philipp (1198–1208) im Jahre 1205 bestätigt. So war Andernach Münzstätte des Kölner Erzstiftes im Rheinischen Gebietsteil. Die Rückseiten der Münzen zeigen ein tempelartiges Kirchengebäude (Nr. 9–13). Mitte des 11. Jahrhunderts setzt Erzbischof Anno (1056–1075) dann sein Porträt, Namen und Titel auf die Prägungen (Nr. 16). Eine mehrtürmige Kirche wird bis in viele Einzelheiten auf den kleinen Schrötlingen der Münzen durchgebildet, so daß für einen Denar des Erzbischofs Dietrich I. (1208–1212) wohl der Münzmeister Dammar verantwortlich zeichnet (Nr. 18).

Die Andernacher Münzstätte ist nicht dauernd in Tätigkeit gewesen. Gesicherte Gepräge sind nur aus dem 9. (Nr. 1), späten 10. (Nr. 2–7) und Mitte des 11. Jahrhundert (Nr. 8–16) und dann erst wieder aus dem Ende des 12. (Nr. 17) und Anfang des 13. Jahrhunderts (Nr. 18) bekannt. Die Prägeunterbrechung dauerte fast hundert Jahre – von 1075 bis 1167 –. Im 12. und 13. Jahrhundert wurde in Andernach nach dem leichten mittelrheinischen und nicht nach dem schwereren kölnischen Münzfuß geprägt. Äußerlich jedoch sind die Münzbilder stark von den Kölner Vorbildern beeinflußt.

Urkundliche Nachrichten aus der Zeit vor 1160 bestätigen: 2 (leichte) Andernacher Pfennige = 1 (schwerer) Kölner Pfennig.

Vgl. Walter Hävernick, Die Münzen von Köln, Köln 1935, S. 162.

S. 5, T. 65

NACHPRÄGUNG
LUDWIGS DES FROMMEN (814–840).

1. Denar.

Vs. Kreuz, im zweiten und dritten Winkel Dreifaltigkeitsknoten.
+HLVDOVVICVS IMP (rückläufig)
Rs. Dreifaltigkeitsknoten.
++PISTIAIIA PELIGIO (rückläufig).
Silber 19 mm 1,03 g Foto 901/15–16/L Inv.-Nr. 555.
Lit. Dbg. II.1732. ex A. Cahn 12/32, 1.

OTTO III. 983–1002.

2. Denar.

Vs. Kreuz, im vierten Winkel Dreifaltigkeitsknoten.
+OTTO REX
Rs. Dreifaltigkeitsknoten in der Stadtmauer.
+(.)NDERNAKA
Silber 19 mm 1,15 g Foto 901/17–18/L Inv.-Nr. 534.
Lit. Dbg. 433b. Hess 11/25.

3. Denar.

Vs. Kreuz, im vierten Winkel Dreifaltigkeitsknoten.
+OTTO REX
Rs. Dreifaltigkeitsknoten in der Stadtmauer.
+ANDERNKA
Silber 19 mm 1,28 g Foto 901/19–20/L Inv.-Nr. 535.
Lit. Dbg. 433. Joseph 12/16.

4. Denar.

Vs. Kreuz, im vierten Winkel Dreifaltigkeitsknoten.
o+o(.....)RE Dreifaltigkeitsknoten.
Rs. Adler.
+ANDERNAKA
Silber 19 mm 1,24 g gelocht Foto 901/21–22/L Inv.-Nr. 536.
Lit. Dbg. 434. Hess 10/25, gelocht.

NACHPRÄGUNG
DES SPÄTEREN KÖLNER PFENNIGS.

5. Denar.

Vs. Kreuz mit vier Kugeln.
Dreifaltigkeitsknoten ODDO
Dreifaltigkeitsknoten MRVN
Rs. Coloniamonogramm.
Silber 19 mm 1,45 g Foto 901/23–24/L Inv.-Nr. 537.
Lit. Häv. 81b. Dbg. 342h var. Bahrfeldt, Hess 6/21, 3270a.

THEODERICH VON LOTHRINGEN.
984–1026.

6. Denar.

Vs. Szepter zwischen zwei einander zugekehrten Brustbildern.
+THEODERICVS.D(..).
Rs. Kreuz, darauf ANDER NA KA, in den Winkeln zwei Dreifaltigkeitsknoten und zwei Blumen.
Silber 20 mm 1,22 g Foto 901/25–26/L Inv.-Nr. 538.
Lit. Dbg. 437. Schulman 10/11.

S. 5, T. 65

7. Denar.
Vs. Gekrönter Kopf links. +NTDEPIODX
Rs. In fünf Zeilen: Lilie, +AND, .+., RNA(.) und Lilie.
Silber 19 mm 1,19 g Foto 901/31–32/L Inv.-Nr. 540.
Dbg. 443 var. A. Cahn, 4/21, 676.

ERZBISCHOF PILGRIM, 1021–1036, und KÖNIG KONRAD II., 1027–1039.

8. Denar.
Vs. Kreuz, in den Winkeln PI, Dreifaltigkeitsknoten, GR und IH +CHONR(..)VS IMP
Rs. Kirche, darunter Dreifaltigkeitsknoten.
SANCTA(.....)IA
Silber 19 mm 1,35 g Foto 901/33–34/L Inv.-Nr. 541.
Lit. Häv. 224. Dbg. 381a. Cappe -. Helbing 6/29, 3.

9. Denar.
Vs. Im Perlkreis kreuzförmig angeordnet:
PILIGR IM VS, in den Winkeln 4 Bogen.
Rs. Kirche, darunter Bogen mit Kreuz. AND RNA
Silber 19 mm 1,26 g Foto 901/35–36/L Inv.-Nr. 542.
Lit. Häv. 710a. Dbg.-(vgl. 446). Hess. 10/25.

10. Denar.
Vs. Im Perlkreis kreuzförmig angeordnet:
+CHVONRA ED(..)S
Rs. Kirche, darin liegendes Kreuz zwischen Punkten, unten Säulenkapitell.
Silber 19 mm 0,90 g Foto 905/1–2/L Inv.-Nr. 543.
Lit. Häv. 726. Dbg. 447.

11. Denar.
Vs. Ins Kreuz gestellt:
Ringel, I ILOGR R
Rs. Kirche, darin Kreuz, unten Ringel, im Feld beiderseits Dreifaltigkeitsknoten und Ringel.
ENO EOR
Silber 18 mm 1,32 g Foto 905/3–4/L Inv.-Nr. 544.
Lit. Häv.- (730). Dbg. zu 449. Seligman 10/11.

12. Denar.
Vs. Auf Kreuz Ringel,
M ILOGI R., im dritten Winkel ein Ringel.
(.)HORVOM(..)
Rs. Kirche, darin LT . HA, unten S.
Silber 20 mm 1,10 g Foto 905/7–8/L Inv.-Nr. 545.
Lit. Häv. 736 (ungenau). Dbg. 1537. Kube 11/21.

13. Denar nach 1039.
Vs. Kreuzförmig angeordnet:
Kugel, M, ILIGR, R, Kugel.
+CHVONRADVS
Rs. Fünfsäulige Kirche.
SCA COLONIA
Silber 20 mm 1,10 g Foto 905/7–8/L Inv.-Nr. 546.
Lit. Häv. 737. Dbg. 382. A. Cahn 5/27, 360.

S. 5, T. 65

ERZBISCHOF HERMANN II. 1039–1056.

14. Denar.

Vs. Szepter zwischen zwei einander zugekehrten Brustbildern.
Rs. Kreuz mit vier Kugeln.

Silber 20 mm 1,15 g Foto 901/27–28/L Inv.-Nr. 539.
Lit. HBN 12/13, 1958/59.S.33 Nr. 1.
CNS IX–XI, Bd. 1. S. 150 Nr. 103, und Bd. 1:B2, S. 121, Nr. 25.
Bl. f. Mzkd. 3/1837, Taf. 4, 77. A. Cahn 10/26, 152.

15. Denar.

Vs. Gebäude.
+C(....)NIA VRBS
colonia urbs=Stadt Köln
Rs. Kirchenportal, unten ein Kreuz.
MN .NH

Silber 18 mm 0,90 g Foto 901/29–30/L Inv.-Nr. 552.
Lit. Häv. 309. Dbg. 373. Cahn 1/21.

ERZBISCHOF ANNO. 1056–1075.

16. Denar.

Vs. Brustbild rechts, davor Krummstab und Kreuzstab.
+ANNOM(.....)ICCOS
Rs. Gebäude mit Tor und 3 Türmen.
+AN(.....)VTAS

Silber 17 mm 0,99 g Foto 905/9–10/L Inv.-Nr. 547.
Lit. Häv. 738. Dbg.-. Hess 10/25.

ERZBISCHOF PHILIPP VON HEINSBERG. 1167–1191.

17. Denar des leichten Fußes.

Vs. Thronender Erzbischof mit Krummstab und Buch.
PH (..) IP
Rs. Dreitürmiges Gebäude.

Silber 14 mm 0,70 g Foto 905/11–12/L Inv.-Nr. 548.
Lit. Häv. 739a. Bl. f. Mzfr. 57. Jg. 1922, Nr. 52, T. 250d nach diesem Exemplar. Cahn 10/24, 147.

ERZBISCHOF DIETRICH I. 1208–1212.

18. Denar des leichten Fußes.

Vs. Brustbild mit Krummstab und Buch links, im Feld sechsstrahliger Stern.
+VHICRNIATIEPICM
Rs. Viertürmige Kirche, darüber achtstrahliger Stern.
+PIACTHAVCPEMV

Silber 17 mm 0,83 g Foto 905/19–20/L Inv.-Nr. 553.
Lit. Häv.-. Bisher unbekannt. A. Cahn 4/21, 641.

19. Denar des leichten Fußes.

Vs. Thronender Erzbischof mit Krummstab und Buch.
(.)POTV(.....)AN(...)
Rs. Mit Ringeln besetzter Bogen, darauf 3 Türme, neben dem mittleren 2 Kreuze und 2 Kugeln, unter dem Bogen ein Kreuz.
+ANVCICA(...)FECAO(Trugschrift?)

Silber 19 mm 0,66 g Foto 905/21–22/L Inv.-Nr. 554.
Lit. Häv.-. A. Riechmann 4/28, 535. Mediert.

S. 5, T. 65

20. Denar des leichten Fußes.
Vs. Brustbild mit Krummstab und Buch links.
+TI.ARCHIPISCOPSI
Rs. Dreitürmiges Gebäude mit 4 Arkaden.
+ICNATHVCPECIAV
Silber 17 mm 0,83 g Foto 905/13–14/L Inv.-Nr. 549.
Lit. Häv. 742a var. Z. f. N. 16 S. 172, 169. A. Cahn 1/29, 402.

21. Denar des leichten Fußes.
Vs. Brustbild mit Krummstab und Buch links.
+AC(.)A(.)VCPHOIV
Rs. Dreitürmiges Gebäude.
+ICLNATNVEPISIAV
Silber 16 mm 0,78 g Foto 905/15–16/L Inv.-Nr. 550.
Lit. vgl. Häv. 712. Cahn 11/25.

22. Denar des leichten Fußes.
Vs. Brustbild mit Krummstab und Buch links, im Feld zwei Sterne und eine Kugel.
+VRTIARCP(.)IACOPSI
Rs. Dreitürmiges Gebäude mit Tor und Fallgitter.
+IPNIPCAHVP(.)CAV
Silber 18 mm 0,73 g Foto 905/17–18/L Inv.-Nr. 551.
Lit. Häv. 747a var. Ähnlich Fund von Nauborn 169.
Friedensburg, Cahn 10/24, 2748.

Literatur

Bahrfeldt	Sammlung Dr. Emil Bahrfeldt, Berlin, Hess, Auktion Juni 1921.
Bl. f. Mzkd.	Blätter für Münzkunde 3, 1837.
CNS	Corpus Nummorum Saeculorum IX–XI qui in Scuecia reperti sunt, Bd. 1 und Bd. 1:2.
Cappe	H. Ph. Cappe, Die Münzen der Deutschen Kaiser und Könige des Mittelalters, Bd. I–II, 1848/57.
Dbg.	Hermann Dannenberg, Die Deutschen Münzen der sächsischen und fränkischen Kaiserzeit, Bd. 1–4, Berlin 1876–1905.
HBN	Hamburger Beiträge zur Numismatik, 12/13, 1958/59.
Häv.	Walter Hävernick, Die Münzen von Köln, Köln 1935.
Joseph	Sammlung Joseph, Hamburger, Februar 1909.
Nauborn	Fund von Nauborn, Krs. Wetzlar, um 1210, Zeitschrift für Numismatik, 16, 1888, S. 151.
Wendling	A. Wendling, Corpus Nummorum Lotharingiae Mossellanae, Metz 1979.
	A. Wendling, Sylloge Nummorum Lotharingiae 1170, Metz 1980.

Anhalts Münzgeschichte umfaßt einen Zeitraum von rund 650 Jahren – etwa von 1212 bis 1867 – dem Regierungsantritt Heinrichs I., Graf von Anhalt, und das Ende der Prägetätigkeit fällt in die Regierungszeit Herzog Leopold Friedrichs von Anhalt (1817–1871).

Der Staat Anhalt war nach der Erbteilung von 1212 entstanden. Die Grafen des Stammlandes nannten sich nach der Burg Anhalt im Unterharz und waren seit 1218 Reichsfürsten. Unter der Regierung Heinrichs I. (1212–1244) setzte die Brakteatenprägung ein. In Urkunden wird Heinrich I. auch als Herzog benannt, was jedoch lediglich auf sein militärisches Amt im Gegensatz zu seinem zivilrechtlichen Amt als Graf zu beziehen ist. Seine Prägungen bezeugen beide Ämter; der Herzog wird mit Schwert und Fahne (Nr. 1 und 3), der Graf als Richter mit Schwert und Zepter (Nr. 5) dargestellt. Der Grafentitel: COM (es) He (nricus) erscheint in der Umschrift (Nr. 2).

Nach dem Tod Heinrichs I. – 1244 – stehen seine jüngeren Söhne bis 1252 unter Vormundschaft ihrer älteren Brüder, Heinrichs II. (1252–1267) und Bernhards I. (1252–1286). Etwa 1265 erfolgte die Teilung der anhaltischen Herrschaft. Heinrich II. erhält den Westen des Landes mit Aschersleben und der Burg Anhalt, Bernhard I. die Mitte mit Bernburg und Siegfried (1252–1310) erhält den Osten mit Dessau. Die Linie Bernburg wurde durch Bernhard I., die alte Linie Köthen durch Siegfried I. und die alte Linie Zerbst durch Siegmund I. (1382–1405) begründet. Die Zuweisung der schriftlosen Brakteaten (Nr. 15 bis 62) aus der zweiten Hälfte des 13. Jahrhunderts zu den einzelnen anhaltischen Linien ist nicht gesichert, wahrscheinlich sind die meisten von Heinrich II. geprägt worden.

Otto I. (1267–1305), Sohn Heinrichs II., prägte in Aschersleben (Nr. 12). Die Prägung zusammen mit seinem Bruder, Heinrich III. (1267–1283) herausgegeben, zeigt als Münzbild die beiden Brüder nebeneinander stehend (Nr. 13).

Bis ins 14. Jahrhundert beherrschte diese Pfennigprägung in Form von Brakteaten den Markt und war für den größten Teil der Bevölkerung und den täglichen Bedarf die Grundwährung. Als nach der großen Münz- und Währungsreform auch in Anhalt Groschen geprägt wurden, rechnete man 1 neuen Groschen zu 6 Pfennigen (Brakteaten). Die neue Groschenprägung in Anhalt (Nr. 65) kann als Äquivalent des seit Jahrzehnten in Frankreich geschlagenen Turnosen (1266) oder des in Böhmen geprägten Groschens (1300) angesehen werden. Urkunden bezeugen jedoch, daß weiterhin nach Prager Groschen (sog. Böhmischen) gerechnet wurde, ohne einen Hinweis auf die Ausgabe des neuen Geldes zu führen. Gegenstempelungen sind auf Prager Groschen in Anhalt nicht nachzuweisen, es sei denn, man sucht sie unter den vielen noch unbestimmten Gegenstempeln. Das Münzbild des anhaltischen Groschen (Nr. 65) zeigt das meißnische Blumenkreuz im Vierpaß. Die einschneidende Änderung im Geldverkehr von der reinen Pfennig- zur Groschenwährung war auch in Anhalt vollzogen. In Meißen erfolgte die Währungsreform 1339 nach der Einstellung der Brakteatenprägung im Jahre 1338. Der Name Albrechts V. (1473–1475) erscheint bei den Groschen in der Umschrift der Vorderseite und dem gespaltenen Wappen; der halbe Adler und die fünf Balken sind der brandenburgische rote Adler in silbernem Feld und die Ballenstädter Balken. Der Balkenschild erscheint auch im Rautenkranz (Nr. 78). Neben neuen Groschen und Halbgroschen (Nr. 68) sind weiterhin Pfennige (Nr. 63, 66 und 67) im Lande umgelaufen, abgesehen von fremden Prägungen benachbarter Landesherren. Während die Pfennige als Summenbegriff in Pfund gerechnet wurden, waren Schock oder Mandel den Groschen vorbehalten. Einseitige Pfennige wurden entsprechend ihrer Münzzeichen über den Doppelwappen in Köthen (Nr. 70), Bernburg (Nr. 71), Zerbst (Nr. 73) und einer ungedeuteten Münzstätte (Nr. 74) als Kleingeld geprägt.

Nachdem die Linien Aschersleben (1315) und Bernburg (1468) erloschen waren und ihre Besitzungen an Zerbst, dann wieder unter Brüder geteilt, neue Linien entstanden und solche Teilungen mehrmals vollzogen worden sind, wird im Jahre 1539 eine gemeinschaftliche Prägung herausgegeben (Nr. 75).

Die reiche Silberausbeute Anfang des 16. Jahrhunderts wurde für die Münzprägung genutzt. Da es an Gold fehlte, und um die im Großhandel und als Rechnungseinheit bewährten Goldgulden zu ersetzen, wurden größere Silbermünzen als die bisher üblichen ca. 3 g schweren Groschen geschaffen. Der für Anhalt entscheidende Anstoß ging vom benachbarten Sachsen aus, wo im Jahre 1507 eine Massenprägung der Guldengroschen einsetzte. Der Guldengroschen erhielt seinen Namen durch sein Silbergewicht als Äquivalent des Goldguldens, d. h. ein großer Silbergroschen für einen Goldgulden. Diese Silberwährung wird sich im Laufe des 16. Jahrhunderts endgültig durchsetzen. Die Bezeichnung für diese etwa 30 g schweren Silbermünzen bürgert sich als „Taler" ein.

Da Anhalt nach der Neuordnung des deutschen Münzwesens zu den Ständen des obersächsischen (9.) Kreises gehört (vgl. S. 14), tragen die Taler (Nr. 159) und die Teilstücke des Talers (Nr. 160 und 210) vorschriftsmäßig das behelmte mehrfeldige Wappen von Anhalt auf der Vorderseite und den gekrönten Doppeladler des Reiches auf der Rückseite.

Die großen Talermünzen eigneten sich durch ihr schönes Gepräge auch besonders zu Schau- und Erinnerungsstücken. Sie wurden ausgegeben zu Ehren einzelner Personen des Herrscherhauses und nach dem vom Reich festgesetzten Münzfuß geprägt. Auf den Tod seiner Tochter, Dorothea Maria, ließ Johann Georg II. (1570–1618) einen Achtel-Taler 1617 (Nr. 79) prägen und sein Sohn, Johann Kasimir (1618–1660), veranlaßte eine Prägung auf den Tod seiner Schwester, Sophie Elisabeth, den Viertel-Taler 1622 (Nr. 491). Ludwig von Köthen gab auf den Tod seiner ersten Frau, Amöna Amalia, einen Taler 1625 (Nr. 279) und einen Achtel-Taler (Nr. 280) heraus. Während in der armen Zeit nach dem Dreißigjährigen Krieg Eleonore Dorothea einen Dreier 1665 (Nr. 492) und Johann Kasimir einen Groschen 1660 (Nr. 493) zur Erinnerung erhalten. Beide Stücke wurden von Johann Georg von Dessau (1660–1693) ausgegeben. Das Münzbild informiert durch Schrift über die Lebensdaten der Verstorbenen.

Die Teilbarkeit des Talers in Halb-, Viertel- und Achtelstücke, sowie die Verrechnung nach 24 Groschen, 72 Kreuzern und 288 Pfennigen verhalf diesem neuen System zum Durchbruch. Das Münzbild der Rückseite zeigt die Wertzahl im Reichsapfel (Nr. 81). Dennoch war die Reichsmünzordnung insofern unrealistisch, als die Kleinmünzen zu hoch angesetzt wurden. Die Ausprägung dieser Münzen nach dem vom Reich verordneten Münzfuß führte zu Verlusten des Münzherren, so daß Kleingeldmangel die Folge war. Stattdessen wurden geringhaltige Stücke gewinnbringend außerhalb der Kontrolle des Reiches ausgebracht. Oft verschwiegen die durch Kupfer verlängerten kleinen Silbermünzen ihre Prägestätten, ihren Wert und die Zeit ihrer

Entstehung. Kipper-Kupfer-Zwölfer (Nr. 107), Acht-Groschen (Nr. 109), Vier-Groschen (Nr. 110), Groschen (Nr. 117 und 201), Dreier (Nr. 131 und 205), Zweipfennig (Nr. 137), Pfennig (Nr. 138), Heller (Nr. 139) oder Doppelschilling (Nr. 114) wurden geprägt. Die guten Silbermünzen wurden aufgekauft und zum Umprägen geringhaltigen Kleingeldes verwendet. Münzgeschichtlich ist es die Zeit der Kipper und Wipper. Die Teuerung zog an, kaum daß noch Lebensmittel für dieses Geld zu erhalten waren. Der Dreißigjährige Krieg (1618–1648) begann mit einer Inflation.

Nach dem Dreißigjährigen Krieg hatten sich die wirtschaftlichen Verhältnisse völlig geändert. Der Geldverkehr wurde ausschließlich von Silbergeld beherrscht. Der 2/3-Taler (Nr. 194) wurde die neue Umlaufmünze der zweiten Kipperzeit. Die Wertzahl: 2/3 oder 1/3 (Nr. 197) befindet sich meist am unteren Rand der neuen Münze, die auch als Gulden (Nr. 494) und Halber-Gulden (Nr. 499) bezeichnet wurde. Vielfach werden im 17. Jahrhundert Leitsprüche der Fürsten als Glaubensbekenntnis auf ihre Münzen geprägt: IN DOMINO FIDUCIA NOSTRA „Unser Vertrauen in Gott“.

Der Gulden und das 2/3-Talerstück übernahm die Rolle des Talers. Dennoch sollte der alte Taler beibehalten werden, aber sein Wert wurde auf 105 Kreuzer in den südlichen Landesteilen des Reiches und in den nördlichen auf 32 Groschen festgesetzt. Sechzehn-Groschen (Nr. 195) entsprachen dem 2/3-Talerstück und Acht-Groschen (Nr. 196) dem 1/3-Talerstück. Teilstücke waren ferner Doppelgroschen (Nr. 198), Groschen (Nr. 199), Sechser, Dreier (Nr. 244) und Pfennig (Nr. 217) oder in Anhalt-Zerbst: Vierteltaler 1667 (Nr. 210), Groschen 1663 (Nr. 211), Dreier 1663 (Nr. 215) und Pfennig 1663 (Nr. 217).

Für den täglichen Geldbedarf war das Kleinsilbergeld bei der Bevölkerung sehr wichtig. So wurden in Anhalt-Bernburg nach dem Vorbild in Braunschweig-Lüneburg Mariengroschen eingeführt: 24 Mariengroschen (Nr. 294), 6 Mariengroschen (Nr. 309), beide von 1727. Die Münzen wurden in feinem Silber ausgegeben, was auch jeweils angegeben wird; lediglich, daß der Feingehalt der Münzen stufenweise mit dem Münzgewicht sank.

Im Jahre 1559 – nach der neuen Reichsmünzordnung in Augsburg – wurde der schwere Taler nicht mehr dem Goldgulden gleichgesetzt. Eine neue Goldmünze, der Dukat, wurde eingeführt. In Anhalt-Zerbst wird unter Karl Wilhelm (1667–1718) 1/2 Dukat ohne Jahr (Nr. 218) mit dem Brustbild des Fürsten und seinem Monogramm unter dem Fürstenhut geprägt.

Die weitaus größte Emission von Dukaten wurde in Anhalt-Bernburg unter Viktor Friedrich (1721–1765) herausgebracht. Die Dukatenprägung in den Jahren 1730, 1733 (Nr. 291), 1741 (Nr. 292), 1744, 1746, 1747, 1750 und 1761 (Nr. 293) weist durch die Initialen unterhalb des Wappens fünf Münzmeister aus: IIG Johann Jerimias Gründler; HS (Johann) Heinrich Siegel; HCRF Heinrich Christian Rudolf Friese; IHS Johann Heinrich Siegel und IGS Johann Gottfried Siegel.

Die Brüder, Johann Ludwig (* 1688 † 1746) und Christian August (* 1690 † 1747), prägten nach dem Tod ihres Vetters, Johann August (1718–1742), im Jahre 1742 einen Dukaten (Nr. 248) auf ihren gemeinsamen Regierungsantritt. Beide Brustbilder erscheinen auf der Vorderseite der Prägung, die Rückseite beschreibt die Eintracht der Brüder: FRATRUM CONCORDIA. Lediglich durch den Kupferabschlag eines Dukaten (Nr. 281) ist die Dukatenprägung von Anhalt-Köthen aus der Mitte des 18. Jahrhunderts zu belegen. Das Münzbild zeigt das verschlungene Monogramm A L, August Ludwigs (1728–1755), das unter der Krone auf dem Zwölftel-Taler 1751 (Nr. 284), dem 1/24-Taler 1751 (Nr. 286) erscheint. Die Dukatenprägung im Jahre 1747 und 1751 zeigt jedoch vergleichbar dem 2/3-Taler 1747 (Nr. 282) auch dessen Münzbild: Bären als Wappenhalter und auf der Rückseite den Bär mit Schild und Schrift: SENIOR DOMUS.

Im Jahre 1750 beauftragt der preußische König, Friedrich der Große (1740–1786), seinen Generalmünzdirektor, das preußische Münzsystem neu zu ordnen. Preußen löste sich damit aus der seit über zwei Jahrhunderten verbindlichen Reichsmünzverordnung (vgl. Seite 14) und prägte aus dem Gewicht von 234 g Feinsilber 14 neue preußische Taler im Gegensatz zu den bisher üblichen 10 Talern aus 234 g Feinsilber – der kölnischen Mark. Im Hinblick auf Preußen beschließt Maria Theresia (1740–1780) für Österreich zusammen mit Bayern 1753 eine Münzkonvention. Eine leichtere Münze – ähnlich wie in Preußen – wird sich den Markt erobern: Der Konventionsgulden, von dem 20 Stück aus 234 g Feinsilber geprägt werden. Verrechnet wurden in Preußen:

1 Taler = 24 Groschen
1 Groschen = 12 Pfennige

in Österreich:
1 Gulden = 60 Kreuzer
1 Kreuzer = 4 Heller

In Anhalt-Zerbst und Anhalt-Bernburg sind Prägungen beider Münzfüße herausgegeben worden. Im Jahre 1758, als die Preußen während des Siebenjährigen Krieges (1756–1763) durch Sachsen und Anhalt maschierten, um Schlesien zu besetzen, zeigt der Acht-Groschen 1758 (Nr. 256) von Anhalt-Zerbst sowie von Anhalt-Bernburg die Acht-Groschen (Nr. 306), Drittel- (Nr. 301), Viertel- (Nr. 313) und Sechstel-Taler (Nr. 317) im Münzbild der Vorderseite Ähnlichkeit mit dem Porträt Friedrichs des Großen. Das Guldenstück 1763 (Nr. 255), der Sechstel-Konventionstaler 1766 (Nr. 259) und das Vier-Groschenstück 1767 (Nr. 262) waren nach dem Konventionsmünzfuß die gängigen Werte. Auf der Rückseite des Münzbildes steht der Hinweis:

ad norman conventionis und kennzeichnet, wieviel solcher Stücke auf die feine Mark von 234 g gehen (Nr. 389 und 414). Der Umlaufsbereich umfaßte alle der Münzkonvention beigetretenen Staaten. Anhalt war mit dem Ende des Siebenjährigen Krieges (1763), angeregt durch Kursachsen, der österreich-bayrischen Münzkonvention mit seinem Münzwesen gefolgt. Zur Verdeutlichung wurden bis zu drei Verrechnungsarten, z. B. bei dem Sechzehn-Pfennigstück 1764 (Nr. 264) angegeben: in Groschen, Pfennigen und Kreuzern.

Im 19. Jahrhundert schloß sich Anhalt wie die meisten mitteldeutschen Staaten entsprechend der wirtschaftlichen Entwicklung dem preußischen 14-Taler-Münzfuß an.

Der in Preußen bereits 1750 eingeführte Graumansche Münzfuß wird in Anhalt-Bernburg dem Ausbeutetaler 1834 (Nr. 461) zugrunde gelegt. Die Stückelung des Talers bestand aus Groschen (Nr. 471) und Sechs-Pfennig (Nr. 477) in Silber und in Kupfer Drei-Pfennig und Pfennig, Jahrgänge von 1839 (Nr. 481) und 1840 (Nr. 479 und 482).

Innerhalb des Deutschen Zollvereins wird 1838 nach dem Dresdner Münzvertrag die Vereinsmünze geschaffen. Anhalt-Bernburg prägte in den Jahren 1840 und 1845, Anhalt-Köthen nur im Jahr 1840 (Nr. 290) und Anhalt-Dessau 1839, 1843 und 1846 (Nr. 502) Doppeltaler mit zweierlei Wertbezeichnung. Prägungen nach den Münzverträgen 1852 sind der Doppeltaler 1855 von Anhalt-Bernburg.

Der Vereinstaler (Nr. 503) und 1869 (Nr. 504) der Vereinigten Herzogtümer wurde zwischen den Zollvereinsstaaten und Österreich in Wien 1857 geschaffen. Die Scheidemünzen wurden bis auf geringfügige Veränderungen während des Dresdner und Wiener Münzvertrages fast ohne Unterschiede ausgeprägt. Die Jahreszahl steht fortan unterhalb der Wertangabe auf der Rückseite (Nr. 480, 483 und 510). Gerechnet wurde: 1 Taler = 30 Silbergroschen = 12 Pfennige.

Hier enden die über 500 Belegstücke von Anhalts Münzgeschichte. Das Herzogtum gliederte sich dem Deutschen Reich 1871 ein und übernimmt das Dezimalsystem.

Vgl. Heinz Thormann, Die anhaltischen Münzen des Mittelalters, Münster 1976.
J. Mann, Anhaltische Münzen vom Ende des 15. Jahrhunderts bis 1906, Hannover 1907.
Kurt Jaeger, Die Münzprägungen der deutschen Staaten vor Einführung der Reichswährung, Mitteldeutsche Kleinstaaten, Basel 1972.

S. 5, T. 84

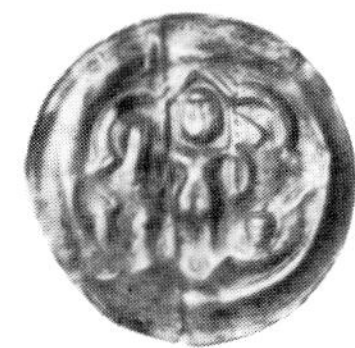

HEINRICH I. 1212–1244.

1. Brakteat.

Stehender Graf mit Schwert und Fahne zwischen zwei Türmen im Vierpaß.

Silber 22 mm 0,56 g Foto 935/23/L Inv.-Nr. 556.
Lit. T. 236. Frbg. 1663. Bl. f. Mzfr. Taf. 231, 17. Cahn 5/31.
A. Cahn 7/31, 752.

2. Brakteat.

Stehender Graf mit Schwert und Schild.
COM (ES HE)

Silber 23 mm 0,68 g Foto 935/24/L Inv.-Nr. 557.
Lit. T. 226. Gerbstedt 1. Tornau 2/31.

3. Brakteat.

Stehender Graf mit Schwert und Fahne.

Silber 23 mm 0,69 g Foto 935/25/L Inv.-Nr. 558.
Lit. Vgl. T. 238.

4. Brakteat.

Stehender Graf mit zwei Szeptern zwischen zwei Türmen.

Silber 22 mm 0,47 g Foto 935/26/L Inv.-Nr. 559.
Lit. T. 250. Cahn 5/31.

5. Brakteat.

Auf Bogen thronender Graf mit quergehaltenem Schwert und Szepter, links im Feld Turm auf Bogen.

Silber 21 mm 0,48 g Foto 935/27–28/L Inv.-Nr. 560.
Lit. T. 256. C. 769. NZ 1850 Taf. 5, 2. Cahn 7/22.
A. Leo Hamburger 9/26, 391.

6. Brakteat.

Brustbild mit zwei Szeptern unter Dreibogen mit drei Türmen.

Silber 23 mm 0,52 g Foto 935/29/L Inv.-Nr. 561.
Lit. ZfN 14 Taf. 11, 58. Bahrfeldt, Hess 6/21, 1162. T. 264. C. 780.

7. Brakteat.

Kopf unter Dreibogen mit drei Türmen.

Silber 20 mm 0,57 g Foto 935/30/L Inv.-Nr. 562.
Lit. T.-. A. Helbing 4/33, 1794.

8. Brakteat.

Stehender Graf mit Fahne und Turm, im Feld rechts Andreaskreuz.

Silber 23 mm, 0,66 g Foto 935/31/L Inv.-Nr. 563.
Lit. Gerbstedt 9. Tornau 98. Hess 10/32. T. 249. C. 761.

S. 5, T. 84

9. Brakteat.
Sitzender Graf mit Lanze und Schild, darüber Lilie.
Silber 23 mm 0,52 g Foto 935/32/L Inv.-Nr. 564.
Lit. Zu T. 388, 351. Cahn 5/31.

10. Brakteat.
Brustbild unter Dreibogen,
darauf ✣ zwischen zwei Fahnen.
Silber 22 mm 0,43 g Foto 935/33/L Inv.-Nr. 565.
Unediert.
Lit. Zu T. 152 A. Pieper 3/24.

11. Brakteat.
Auf Bogen thronender Graf mit Schwert und Fahne.
Silber 23 mm 0,65 g Foto 935/35/L Inv.-Nr. 566.
Lit. T. 259. A. Leo Hamburger 9/26, 391.

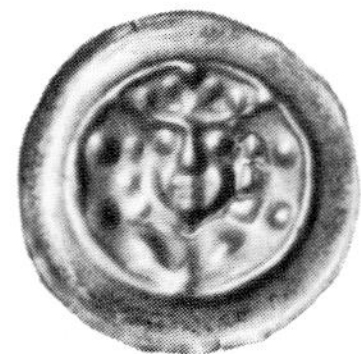

OTTO I. 1267–1305.

12. Brakteat (Aschersleben).
Königsbüste zwischen vier Kugeln.
Silber 24 mm 0,60 g Foto 935/36/L Inv.-Nr. 567.
Lit. Schönemann in Bl. f. Mzfr. Taf. 262, 14. Schadeleben. Buchenau 6/28.

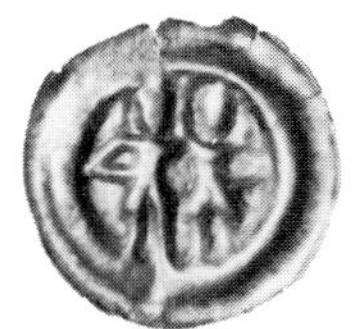

OTTO I. und HEINRICH III. 1267–1283.

13. Brakteat.
Die beiden brüderlichen Fürsten stehend mit eingestemmten äußeren Armen einander umarmend.
Silber 22 mm 0,34 g Foto 935/37/L Inv.-Nr. 568.
Lit. T. 439. Schadeleben 46. Frdbg. 1673. Cahn 5/31.

14. Brakteat.
Der Anhalter Schild auf einer Mauer, mit Rundbogen, die zwei Türme verbindet.
Silber 20 mm 0,56 g Foto 957/1/L Inv.-Nr. 569, (vgl. Nr. 35, Inv.-Nr. 590).
Lit. T. 277. Groß-Briesen 61. Vogel, Hess 11/27, 1956.

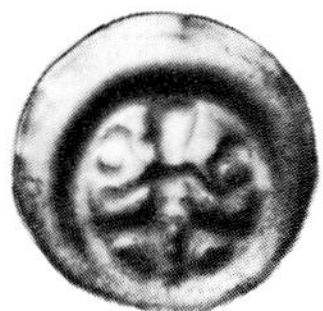

Unbestimmte Brakteaten.

15. Sitzender Graf mit zwei Ringen.
Silber 18 mm 0,47 g Foto 957/2/L Inv.-Nr. 570.
Lit. T. 425 a. Schadeleben 34. A. Leo Hamburger 9/26, 391.

16. Stehender Graf, zwei Blumenszepter schulternd, zwischen zwei Kugeln.
Silber 19 mm 0,54 g Foto 934/1/L Inv.-Nr. 571.
Lit. T. 342. Schönemann Bl. f. Mzfr. 37 V. Taf. IV. Häv. 519 Taf. 36. A. Leo Hamburger 9/26, 391.

S. 5, T. 84 und 85

Unbestimmte Brakteaten.

17. Brustbild mit zwei Türmen.
Silber 20 mm 0,64 g Foto 934/2/L Inv.-Nr. 572.
Lit. T. 462. Schadeleben 45. Cahn 5/31.

18. Stehender Graf zwischen vier Schilden.
Silber 19 mm 0,34 g Foto 934/3/L Inv.-Nr. 573.
Lit. T. 455. Schadeleben 49 var. Cahn 5/31.

19. Stehender Graf mit zwei Schilden zwischen zwei Halbbögen mit Turm.
Silber 20 mm 0,44 g Foto 934/4/L Inv.-Nr. 574.
Lit. T. 366. Schadeleben 50.

20. Stehender Graf zwischen zwei kleinen Schilden, darüber Halbbögen mit Turm.
Silber 21 mm 0,46 g schwache Prägung Foto 934/5/L Inv.-Nr. 575.
Lit. T. 366. Schadeleben 50. A. Leo Hamburger 9/26, 391.

21. Zwei Fürsten halten den anhaltischen Schild vor sich.
Silber 18 mm 0,42 g Foto 934/6/L Inv.-Nr. 576.
Lit. T. 437. Schadeleben 51. A. Leo Hamburger 9/26, 391.

22. Behelmtes Brustbild mit Schwert und Fahne.
Silber 20 mm 0,48 g Foto 934/7/L Inv.-Nr. 577.
Lit. T. 288. Schadeleben 53. A. Leo Hamburger 9/26, 391.

23. Zwei Köpfe über zwei Bögen mit Kreuzen einander entgegengesetzt.
Silber 19 mm 0,41 g Foto 934/8/L Inv.-Nr. 578.
Lit. T. 438a. Schadeleben 54. Cahn 5/31.

24. Stehender Graf mit Kugel- und Lilienszepter zwischen zwei Türmen. (Schrift?)
Silber 20 mm 0,43 g Foto 934/9/L Inv.-Nr. 579.
Lit. T. 254. Baasdorf 2. Elze II. Taf. I, 19. A. Leo Hamburger 9/26, 391.

25. Sitzender Graf mit zwei Szeptern zwischen zwei Türmen.
Silber 20 mm 0,51 g Foto 934/10/L Inv.-Nr. 580.
Lit. T. 413a. Baasdorf 13. Fund von Borne 76. A. Leo Hamburger 9/26, 391.

26. Stehender Graf mit zwei Schwertern zwischen vier Türmen.
Silber 21 mm 0,57 g Foto 934/11/L Inv.-Nr. 581.
Lit. T. 318. Baasdorf 33. Fund von Borne 66. A. Leo Hamburger 9/26, 391.

S. 5, T. 85

Unbestimmte Brakteaten.

27. Sitzender Graf mit zwei Reichsäpfeln.
Silber 19 mm 0,44 g Foto 934/12/L Inv.-Nr. 582.
Lit. T. 362 var. Jessen 33. A. Leo Hamburger 9/26, 391.

28. Sitzender Graf mit zwei Schwertern.
Silber 19 mm 0,54 g Foto 934/13/L Inv.-Nr. 583.
Lit. T. 395. Jessen 40. A. Leo Hamburger 9/26, 391.

29. Stehender Graf mit zwei Flügeln.
Silber 20 mm 0,65 g Foto 934/14/L Inv.-Nr. 584.
Lit. T. 290. Jessen 47. A. Leo Hamburger 9/26, 391.

30. Stehender Graf mit Schwert und Fahne.
Silber 20 mm 0,53 g Foto 934/15/L Inv.-Nr. 585.
Lit. T. 301. Fund von Borne 67. Cahn 5/31.

31. Stehender Graf mit Schwert und Fahne zwischen zwei Kreuzen.
Silber 20 mm 0,53 g Foto 934/16/L Inv.-Nr. 586.
Lit. T. 302. Fund von Borne 68. A. Leo Hamburger 9/26, 391.

32. Stehender Graf mit zwei Türmen.
Silber 21 mm 0,64 g Foto 934/17/L Inv.-Nr. 587.
Lit. T. 370. Fund von Borne 72. Weinmeister 3/14.

33. Stehender Graf mit zwei Lanzen zwischen zwei Kreuzen.
Silber 20 mm 0,56 g Foto 934/18/L Inv.-Nr. 588.
Lit. T. 356. Borne 58. Piesdorf 2. A. Leo Hamburger 9/26, 391.

34. Sitzender Graf mit zwei kreuztragenden Türmen.
Silber 19 mm 0,54 g Foto 934/19/L Inv.-Nr. 589.
Lit. T. 419. Piesdorf 12. Cahn 5/31.

35. Anhaltischer Schild über Mauer mit zwei Türmen.
Silber 21 mm 0,39 g Foto 934/20/L Inv.-Nr. 590, vgl. Nr. 14 (Inv.-Nr. 569)
Lit. T. 278. Wolkenberg 36. A. Leo Hamburger 9/26, 391.

36. Sitzender Graf mit Schwert und Schild neben Turm.
Silber 19 mm 0,49 g Foto 934/21/L Inv.-N. 591.
Lit. Vgl. T. 400. Ohrdruf II, 508. Cahn 5/31.

37. Sitzender Graf mit Lanze und Schild.
Silber 19 mm 0,53 g Foto 933/2–3/L Inv.-Nr. 592.
Lit. T. 388. Ohrdruf II, 539. A. Leo Hamburger 9/26, 391.

S. 5, T. 85

Unbestimmte Brakteaten.

38. Stehender Graf mit Schwert und Fahne.
Silber 21 mm 0,72 g Foto 933/4/L Inv.-Nr. 596.
Lit. T. 304. A. Leo Hamburger 9/26, 391.

39. Stehender Graf mit Schwert und Reichsapfel mit Doppelkreuz zwischen Kugeln und Türmen.
Silber 19 mm 0,43 g Foto 933/5/L Inv.-Nr. 599.
Lit. T. 334. A. Leo Hamburger 9/26, 391.

40. Stehender Graf mit zwei Fahnen zwischen zwei Kreuzen.
Silber 20 mm 0,52 g Foto 933/6/L Inv.-Nr. 600.
Lit. T. 295. A. Leo Hamburger 9/26, 391.

41. Stehender Graf mit zwei Fahnen (wie vorher, aber ohne Kreuze).
Silber 19 mm 0,49 g Foto 933/7/L Inv.-Nr. 601.
Lit. T. 296. Cahn 5/31.

42. Stehender Graf mit zwei Türmen zwischen zwei Kugeln.
Silber 18 mm 0,49 g Foto 933/8/L Inv.-Nr. 602. Ausgebrochen.
Lit. T. 368. Cahn 5/31.

43. Stehender Graf mit Fahne und großem Schild.
Silber 19 mm 0,46 g Foto 933/9/L Inv.-Nr. 603.
Lit. T. 307a. A. Leo Hamburger 9/26, 391.

44. Stehender Graf mit zwei Szeptern.
Silber 19 mm 0,45 g Foto 933/10/L Inv.-Nr. 604.
Lit. T. 349. A. Leo Hamburger 9/26, 391.

45. Stehender Graf mit Fahne und Sternszepter.
Silber 19 mm 0,19 g Foto 933/11/L Inv.-Nr. 605.
Lit. T.-. A. Leo Hamburger 9/26, 391.

46. Stehender Graf mit Fahne und Schild, darüber Kugel.
Silber 19 mm 0,59 g Foto 933/12/L Inv.-Nr. 606.
Lit. Vgl. T. 310. Cahn 5/31.

47. Stehender Graf mit zwei Lanzen zwischen zwei Türmen über Bögen.
Silber 20 mm 0,60 g Foto 933/13/L Inv.-Nr. 607.
Lit. T. 354. A. Leo Hamburger 9/26, 391.

S. 5, T. 85

Unbestimmte Brakteaten.

48. Stehender Graf mit zwei Fahnen auf Dreibogen, der auf seinen Enden zwei Türme trägt.
Silber 19 mm 0,57 g Foto 933/15–16/L Inv.-Nr. 608.
Lit. T. 231. A. Leo Hamburger 9/26, 391.

49. Stehender Graf mit zwei Helmen.
Silber 19 mm 0,40 g Foto 933/17/L Inv.-Nr. 741.
Lit. T. (vgl. 314).

50. Stehender Graf mit Bogen und Lanze.
Silber 17 mm 0,44 g schwache Prägung Foto 933/18/L Inv.-Nr. 609.
Lit. T.-. A. Leo Hamburger 9/26, 391.

51. Sitzender Graf mit zwei Lanzen.
Silber 21 mm 0,55 g Foto 933/19/L Inv.-Nr. 610.
Lit. T. 404a. A. Leo Hamburger 9/26, 391.

52. Sitzender Graf mit Lanze und Fahne.
Silber 19 mm 0,50 g Foto 933/20/L Inv.-Nr. 611.
Lit. Vgl. T. 428. A. Leo Hamburger 9/26, 391.

53. Sitzender Graf mit zwei Schwertern zwischen zwei Schilden.
Silber 20 mm 0,47 g Foto 933/21/L Inv.-Nr. 612.
Lit. T. 394. A. Leo Hamburger, 9/26, 391.

54. Sitzender Graf mit doppeltem Kreuzszepter und Schild.
Silber 21 mm 0,60 g Foto 933/22/L Inv.-Nr. 613.
Lit. T. 408. A. Leo Hamburger 9/26, 391.

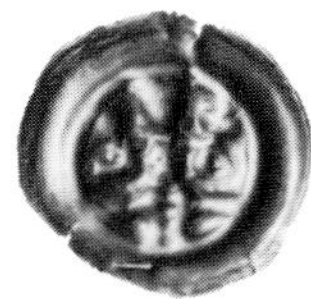

55. Sitzender Graf mit zwei Szeptern.
Silber 19 mm 0,43 g Foto 932/2/L Inv.-Nr. 614.
Lit. T. 417. A. Leo Hamburger 9/26, 391.

56. Sitzender Graf mit zwei Türmen.
Silber 19 mm 0,44 g Foto 932/4/L Inv.-Nr. 615.
Lit. T. 420. Vogel, Hess 11/27, 1956.

57. Sitzender Graf mit zwei Kugeln.
Silber 18 mm 0,43 g schwache Prägung Foto 932/5/L Inv.-Nr. 616.
Lit. Zu T. 423. A. Leo Hamburger 9/26, 391.

S. 5, T. 85

Unbestimmte Brakteaten.

58. Stehender Graf mit Schwert und Szepter zwischen zwei Tortürmen.
Silber 20 mm 0,64 g Foto 932/6/L Inv.-Nr. 617.
Lit. T. 352. A. Leo Hamburger 9/26, 391.

59. Brustbild unter Dreibogen mit drei Türmen.
Silber 18 mm 0,60 g schwache Prägung Foto 932/7/L Inv.-Nr. 618.
Lit. T. 283. Cahn 5/31.

60. Behelmtes Brustbild mit zwei Lanzen.
Silber 17 mm 0,37 g schwache Prägung Foto 932/8/L Inv.-Nr. 619.
Lit. T.–. A. Leo Hamburger 9/26, 391.

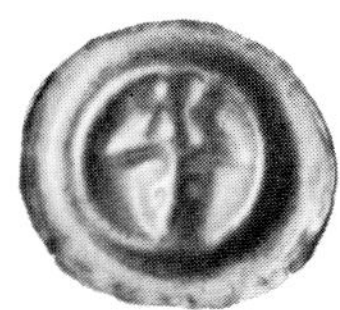

61. Behelmter Schild.
Silber 21 mm 0,39 g schwache Prägung Foto 932/9/L Inv.-Nr. 620.
Lit. T. 274. Cahn 5/31.

62. Brustbild über Leiste zwischen zwei Türmen, darunter Bogen.
Silber 17 mm 0,20 g schwache Prägung Foto 932/10/L Inv.-Nr. 621.
Lit. Cahn 5/31.

GEORG I.
ALTE LINIE ZU ZERBST. 1405–1474.

Münzstätte Köthen und Zerbst

63. Hohlpfennig ohne Jahr.
Halber Adler und fünf Balken im Strahlenrand.
Silber 17 mm 0,23 g Foto 932/10/L Inv.-Nr. 622.
Lit. T. 502. M. 1. A. Leo Hamburger 9/26, 391.

64. Hohlpfennig ohne Jahr.
Halber Adler und fünf Balken im Strahlenrand.
Silber 16 mm 0,23 g, schwache Prägung Foto 1079/6/L Inv.-Nr. 623.
Lit. T. 502. M. 1. A. Leo Hamburger 9/26, 391.

ALBRECHT V.
MITTLERE LINIE ZU KÖTHEN. 1473–1475.

65. Groschen ohne Jahr.
Vs. Anhaltischer Schild, darüber G.
⁑ALBERTVS(.)DEIGRACIADVXANII
Rs. Blumenkreuz im Vierpaß, oben Schachschild (Wappen von Aschersleben).
⁑GROSSVS:NOWS:CV.AIIhALTT
Silber 27 mm 2,30 g Foto 1000/2–3/L Inv.-Nr. 624.
Lit. T. 500. Zu M. 12. Erbstein 10/09.

WALDEMAR VI. UND SIGMUND III.
1456–1487.

66. Einseitiger Pfennig ohne Jahr.
In einem Schild der steigende gekrönte Bär, hinter seinem Rücken VS.
Silber 15 mm 0,22 g Foto 905/23/L Inv.-Nr. 625.
Lit. T. 514. M. 16. v. Tornau.

S. 5, T. 85

WALDEMAR VI., ERNST RUDOLF, SIEGMUND UND GEORG II. 1471–1487.

67. Hohlpfennig ohne Jahr.
Wappen.
Silber 12 mm 0,12 g Foto 905/25/L Inv.-Nr. 626.
Lit. T. 515. M. 18. Hess. 10/17.

ERNST, RUDOLF UND WOLFGANG. 1508–1510.

Münzstätte Bernburg
68. Halber Groschen 1509.
Vs. Zwei Wappen.
XERNR(..)WIIxNERxW(.)ANH
Rs. Stehender Geharnischter mit Schild und Fahne.
MO NO+SA(..)ENSIS 17o9 (gotische 5 = 7)
Silber 21 mm 1,25 g Foto 1079/2–3/L Inv.-Nr. 627.
Lit. T. 526. M. 25 n/o. A. Hess 6/27, 682.

69. Halber Groschen 1510.
Vs. Zwei Wappen.
✳ ERN' ✳ ROF' ✳ WIF'DRI'A(..)ANH'
Rs. Stehender Geharnischter.
MO(.)NO ✳ BE NEBOR' ✳ 1710 (gotische 5 = 7)
Silber 21 mm 1,27 g Foto 1079/4–5/L Inv.-Nr. 628.
Lit. T. 527. M. 26d. H. S. Rosenberg 12/06.

Köthen. Münzzeichen A.
70. Einseitiger Pfennig ohne Jahr.
Die Schilde von Anhalt und Aschersleben an einer Schleife, darunter Münzzeichen A.
Silber 14 mm 0,33 g Foto 905/27–28/L Inv.-Nr. 629.
Lit. M. 27. A. Leo Hamburger 9/26, 391.

Bernburg. Münzzeichen Lilie.
71. Einseitiger Pfennig ohne Jahr.
Die Schilde von Anhalt und Aschersleben an einer Schleife, darunter Münzzeichen Lilie.
Silber 15 mm 0,32 g Foto 905/74–75/L Inv.-Nr. 630.
Lit. M. 29. Secker 9/07.

72. Einseitiger Pfennig ohne Jahr.
Die Schilde von Anhalt und Aschersleben an einer Schleife, darunter Münzzeichen Lilie.
Schild von Aschersleben länger.
Silber 13 mm 0,41 g Foto 905/31–32/L Inv.-Nr. 631.
Lit. M. 29a (als Variante). A. Leo Hamburger 9/26, 391.

Zerbst. Münzzeichen O.
73. Einseitiger Pfennig ohne Jahr.
Die Schilde von Anhalt und Aschersleben an einer Schleife, darunter Münzzeichen O.
Silber 15 mm 0,30 g Foto 905/33–34/L Inv.-Nr. 632.
Lit. M. 31. Modes, Hess 2/26, 870.

74. Einseitiger Pfennig ohne Jahr.
Anhalter Schild und Bärenschild, darüber ✳ X ✳
Silber 13 mm 0,30 g Foto 905/35–36/L Inv.-Nr. 633.
Lit. M. 32. Luzern 4/38.

S. 30, T. 43

WOLFGANG VON KÖTHEN, 1508–1562,
JOHANN IV. VON ZERBST, 1516–1551,
GEORG III. VON PLÖTZKAU, 1516–1553
UND JOACHIM VON DESSAU, 1516–1561.

75. Guldengroschen 1539.

Vs. Zwei Brustbilder.
WOLFG: IOHANS GEORGI: IOACHI:
Rs. Zwei Brustbilder, darüber 39.
MONETA .NOVA.P RINCIP: AD.ANH:

Silber 40 mm 29,11 g
(Aus dem ersten Silber der Grube Birnbaum in Harzgerode.)
Foto 953/25–26/L Inv.-Nr. 634.
Lit. M. 33. Dav. 8909. A. Cahn 4/23, 236.

JOACHIM ERNST. 1570–1586,
ALLEINIGER REGENT.

76. Groschen 1572.

Vs. Behelmtes anhaltisches Wappen.
D:G:IO:ER:PRI:TN:AN.E:ASCA:
Münzzeichen MF = Modestinus Fachs, Münzmeister 1567–1573(?)
Rs. Reichsapfel über zwei Wappen, unter 7Z, darüber MF und ✳
FIAT⊙VOLVNTAS⊙TVA⊙DOMI

Silber 22 mm 1,72 g Foto 965/18–19/L Inv.-Nr. 635.
Lit. M. 68 var. H. S. Rosenberg 12/06.

77. Dreier 1572.

Vs. Wappen zwischen Punkten.
MF = Modestinus Fachs 1567–1573(?).
Rs. Reichsapfel zwischen MF und Rosette über Wappen zwischen 7 und Z.

Silber 15 mm 0,54 g Foto 965/20–21/L Inv.-Nr. 636.
Lit. M. 70c. Schwalbach, Rosenb. 10/13.

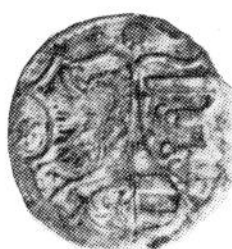

78. Dreier 1573.

Vs. Wappen, Rosette darüber und daneben.
MF = Münzmeister Modestinus Fachs, 1567–1573(?).
Rs. Reichsapfel über Wappen zwischen MF und 73, darunter Rosetten.

Silber 15 mm 0,56 g Foto 965/22–23/L Inv.-Nr. 637.
Lit. M. 71. Secker 8/07.

DOROTHEA MARIA,
TOCHTER JOACHIM ERNSTS, † 1617.

79. Achtel-Sterbetaler 1617.

Vs. ✠ D:G:IOH:ERN:I:D:S:IVL:CL:M:
CAET:Q:FR:
WA = Münzmeister Wolf(gang) Albrecht. 1604–1624, † 1634 in Saalfeld.
Rs. Sieben Zeilen Schrift über Jahreszahl und WA.
.MEM. DN:DOR:MAR VID:SAX:P:AN H:MAT:
NAT:Z. IVL:1574
BEAT .C.P. MOR:18.IVL:1617

Silber 27 mm 3,55 g Foto 953/27–28/L Inv.-Nr. 638.
Lit. M.-. Dassd. 2095. Riechmann 4/19.

80. Sterbegroschen 1617.

Vs. ✠ D:G:IOH:ERN:I:D:S:IV:C:M:CAE:FR:
WA = Münzmeister Wolf(gang) Albrecht. 1604–1624.
Rs. Sechs Zeilen Schrift über Jahreszahl und WA.
.MEM. DN:DOR:MAR V:S:P:A:MAT:
BEAT .C.F. MOR:18.IVL:

Silber 22 mm 1,56 g Foto 965/24–25/L Inv.-Nr. 639.
Lit. M. 101 Riechmann 8/16.

S. 30, T. 43

JOHANN GEORG I. VON DESSAU,
CHRISTIAN I. VON BERNBURG,
RUDOLF VON ZERBST
UND LUDWIG VON KÖTHEN.

81. Groschen 1615.
Vs. Vierfeldiges Wappen zwischen I und I = Johann Jacob, Münzmeister in Anhalt 1614–1618, †1635.
✳ ⚒ ✳ IOH:G:CRIST:AVG:RVD:LVDO
Rs. Reichsapfel mit Z4, daneben Jahreszahl.
✳ PRIN:ANHA:CO:ASC:FRA ✳
Silber 20 mm 1,53 g Foto 965/26–27/L Inv.-Nr. 640.
Lit. M. zu 134b. (a). Bernst. 9/09.

82. Groschen 1615.
Vs. Vierfeldiges Wappen zwischen zwei Punkten.
✳ ⚒ ✳ IO:G:CHRIS:AVG:RVD:LVDO.
Rs. Reichsapfel mit Z4, daneben Jahreszahl.
✳ PRIN:ANHA:CO:ASC:FRA.
Silber 21 mm 1,56 g Foto 965/28–29/L Inv.-Nr. 641.
Lit. M. 134d. (c2). Bernst. 9/09.

83. Groschen 1615.
Vs. Zweifeldiges Wappen unter Fürstenhut.
.IOHoGoCHRoAVoRVDoLVD.
Rs. Reichsapfel mit Z4, darüber 16 und 15.
PRINCoANoCOoASoFR. Zainhaken.
Silber 19 mm 1,55 g Foto 965/30–31/L Inv.-Nr. 642.
Lit. M. zu 134h (b3). Chaura 9/12.

84. Vs. oIOHoGoCHRoAVoLVDo
Rs. Ohne Zainhaken nach FRo
Silber 20 mm 1,44 g Foto 965/32–33/L Inv.-Nr. 643.
Lit. M. zu 134 l. (b2).

85. Vs. (.)IOH.GE.CHR.AV.RVD.LVD(.)
Rs. PRINC(.)ANH.CO.AS.CF
Silber 20 mm 1,54 g Foto 965/34–35/L Inv.-Nr. 644.
Lit. M. zu 134t. (a1). Bisier 5/09.

86. Vs. oIOHoGoCHRoAVoRVDoLVDo
Rs. Reichsapfel mit Z4, darüber ✳
PRINC.ANHALT.CO.AS.FRA
Jahreszahl neben dem Kreuz.
Silber 20 mm 1,44 g Foto 966/2–3/L Inv.-Nr. 646.
Lit. M. zu 134k. (c1). Hess 3/09.

87. Groschen 1615.
Vs. Zweifeldiges Wappen unter Lilie.
.IOH.G.CHR.AVG.RVD.LVDO.
Rs. Reichsapfel mit Z4, darüber ✳
.PRINC.ANH.CO.ASC.F.16 15
Silber 20 mm 1,57 g Foto 965/36 und 966/1/L Inv.-Nr. 645.
Lit. M. 134cc. (a2).

88. Groschen 1616.
Vs. Zweifeldiges Wappen unter Krone.
.IOH.G.CHR.AU.RU.LUD.
Rs. Reichsapfel mit Z4, Jahreszahl.
⊙PRINC⊙AN⊙CO⊙ASF⊙⚒⊙
Silber meist 19 mm ca. 1,28 g Foto 966/4–5/L Inv.-Nr. 647.
Lit. M. 136 zu ff. (a1). Bernst. 9/09.

89. Vs. ⊙IOH⊙G⊙CHR⊙AU⊙RU⊙LU⊙
Rs. .PRIN⊙AN⊙CO⊙AS⊙F⚒
Silber 19 mm 1,22 g Foto 966/6–7/L Inv.-Nr. 648.
Lit. M. 136 zu t und zu v. (a2). Weinmeister 5/06.

90. Vs. ⊙IO(..)G(.)CHR⊙AU⊙RUD⊙LUD(.)
Rs. ⊙PRINC⊙AN⊙CO⊙AS⊙F⊙⚒⊙
Silber 20 mm 1,61 g Foto 966/8–9/L Inv.-Nr. 649.
Lit. M. 136n. (a3). Gruß 1/09.

91. Vs. .IOH.G.CHR.AU.RUD.LUDO⊙
Rs. .PRINC.AN.COM.AS.FR.⚒.
Silber 20 mm 1,50 g Foto 966/10–11/L Inv.-Nr. 650.
Lit. M. 136z. (c1). Bernst. 9/09.

S. 30, T. 43

92. Vs. IO:G:CHR:AV:(....)LVD:
Rs. PRINC⊙AN⊙CO⊙A(....)R ohne Mzz.
Silber 19 mm 1,35 g Foto 966/12–13/L Inv.-Nr. 651.
Lit. M. zu 136. (b1). Bernst. 9/09.

93. Vs. ⊙IOH⊙G⊙CHR⊙AU⊙RUD⊙LUD⊙
Rs. ⊙PRINc⊙AN⊙COM⊙AS⊙FRA⊙
Münzzeichen Herz mit Zainhaken zwischen Blumen.
Silber 20 mm 1,36 g Foto 966/14–15/L Inv.-Nr. 652.
Lit. M.-. (zu kk). (c2).

94. Groschen 1617.
Vs. Zweifeldiges Wappen.
.IOH(.)G(.)CHR.AU.RU.LU.
Rs. Reichsapfel mit Z4, Jahreszahl.
⊙PRIN⊙AN⊙CO⊙AS⊙F ⚒
Silber 20 mm 1,38 g Foto 966/16–17/L Inv.Nr. 653.
Lit. M. 137a. Gruß 12/06.

95. Vs. Zweifeldiges Wappen in geradem Schild.
.IOH.G.CHR.AU.RU.LUD.
Rs. Reichsapfel mit Z4, Jahreszahl.
.PRIN(.)AN.CO.AS.F Zainhaken zwischen Punkten.
Silber 19 mm 1,51 g Foto 966/18–19/L Inv.-Nr. 654.
Lit. M. zu 137s. Gruß 12/06.

96. Vs. .IOH.G.CHR.AU.RU.LU.
Rs. .PRIN.AN.CO.AS.F Zainhaken zwischen Punkten.
Silber 19 mm 1,15 g Foto 966/20–21/L Inv.-Nr. 655.
Lit. M. 137k. Leo Hamburger 2/23.

97. Groschen 1618.
Vs. Zweifeldiges Wappen.
.IOH.G.CHR.AU.RULU.
Rs. Reichsapfel mit Z4, Jahreszahl.
PRIN.AN.CO.AS.F Zainhaken.
Silber 19 mm 1,24 g Foto 966/22–23/L Inv.-Nr. 656.
Lit. M. 139 l. (a). Bernst. 9/09.

98. Vs. IOH.G.CHR.AU.RU.LU
Rs. .PRIN.AN.CO.AS.F. Zainhaken zwischen Punkten.
Silber 20 mm 1,42 g Foto 966/24–25/L Inv.-Nr. 657.
Lit. M. 139 Vs.b Rs.f. (b1). Laufer 2/05.

99. Vs. IOH.G.CHR.AU.RU.LU
Rs. PRIN.AN.CO.AS.F
Erste 1 der Jahreszahl dicker.
Silber 19 mm 1,40 g Foto 966/26–27/L Inv.-Nr. 658.
M.- (zu 139). (b2). Weinm. 5/06.

100. Vs. .IOH.G.CHR.AU.RU.LU.
Rs. PRIN.AN.CO.AS.F Zainhaken.
Silber 18 mm 1,28 g Foto 966/28–29/L Inv.-Nr. 659.
Lit. M. 139a. (c1). Laufer 3/08.

101. Vs. .IOH.G.CHR.AU.RU.LU.
Rs. PRIN.AN.CO.AS.F Zainhaken.
Silber 19 mm 1,16 g Foto 966/30–31/L Inv.-Nr. 660.
Lit. M. 139 Vs.a Rs.n. (c2). Weinm. 5/06.

102. Groschen 1619.
Vs. Zweifeldiges Wappen, oben geschwungen.
.CH.AU.RU.LU.IO.CA.
Rs. Reichsapfel mit 24, Jahreszahl.
PR.AN.CO.AS.F.EP(..)
Silber 16 mm 0,78 g Foto 966/32–33/L Inv.-Nr. 661.
Lit. M. 157 zu r. (a). Gruß 12/06.

103. Vs. Wappen, oben Stiel.
IOH.G.CH.AU RU.LU
Rs. .PRIN.AN.CO.AS.F 16 19
Silber 18 mm 0,97 g Foto 966/34–37/L Inv.-Nr. 662.
Lit. M. zu 157a. (a1). Karge 7/09. Goetz 2678

S. 30, T. 43

104. Vs. Wappen, oben Stiel mit Voluten.
IOH.G.CHR.AU.RU.LU
Rs. .PRI.AN.CO.AS.F.Zainhaken und Punkt.
Silber 19 mm 1,29 g Foto 967/1–2/L Inv.-Nr. 663.
Lit. M. zu 157. (a2). Behrens 9/25.

105. Vs. IOHG.CH.AURU.LU
Rs. .PRIN.AN.CO.AS.F.Zainhaken.
Silber 19 mm 1,29 g Foto 967/3–4/L Inv.-Nr. 664.
Lit. M. zu 157. (a 3). Laufer 2/06.

106. Vs. IOH.G.CH.AU.RU.LU.
Rs. .PRIN.AN.CO.AS.F Zainhaken
Silber 19 mm 1,31 g Foto 967/5–6/L Inv.-Nr. 665.
Lit. M. zu 157. (b). Erbstein 10/09.

CHRISTIAN I. AUGUST, RUDOLF, LUDWIG UND JOHANN KASIMIR, 1596–1660.

107. Kupfer-Kipper-Zwölfer ohne Jahr.
Vs. Engel über Wappen.
.MO.NO.PRINCI.AN.CO.AS
Rs. Gekrönter Doppeladler auf Brust 1Z
FERDINAN II DGRISA
Fast Kupfer 22 mm 2,09 g Foto 967/9–10/L Inv.-Nr. 667.
Lit. M. 146d nach diesem Exemplar. Erbstein 10/09.

108. Kipper-Zwölfer 1621.
Vs. Wappen in Verzierungen.
Krone:MONET:PRINCIP:ANHALT: ✳ :
Rs. Drei Wappenschilde unter Reichsapfel, Jahreszahl.
.COM.ASC:DOM(12)SER.ET.BER.
Silber 25 mm 2,04 g Foto 1000/4–5/L Inv.-Nr. 668.
Lit. M. 147 nach diesem Exemplar. Erbstein 10/09.

109. Kipper-acht-Groschen 1621.
Vs. Wappen in Verzierungen.
Krone ✳ CHRI ✳ AUG ✳ RUD ✳
LUD ✳ IOH ✳ CAS ✳
Rs. Drei Wappen, dazwischen Jahreszahl.
.PRI.ANH.COM.(8)AS.FRA.ET.PA.
Silber 29 mm 4,49 g Foto 953/30–31/L Inv.-Nr. 666.
Lit. M. 144a. Helbing 12/13.

110. Kipper-vier-Groschen ohne Jahr.
Vs. Engel über Wappen.
.CHRI.AVG ✳ . .RV.LV.IOH.C.
Rs. Drei Wappen, im Feld zwei Sterne und 4.
P(...)AN.COM.AS.FRA.ET.PA.
Silber 26 mm 2,02 g Foto 1000/6–7/L Inv.-Nr. 669.
Lit. M. 149c. A. Riechmann 3/24, 109.

111. Kipper-vier-Groschen ohne Jahr.
Vs. Wappen in Verzierungen.
Krone .CHRI.AUG(.)RUD(.)LUD.IOH.CA.
Rs. Drei Wappen unter Reichsapfel, Wertzahl IIII.
PRIN.AN.CO(IIII)AS.FR.ET.PA
Silber 22 mm 3,51 g Foto 1000/8–9/L Inv.-Nr. 670.
Lit. M. zu 151u. (a). H. S. Rosenberg 12/06.

112. Kipper-vier-Groschen ohne Jahr.
Vs. Wappen unter Krone.
CHRI.AUG.RUD.LUD.IOHA.CA
Rs. Drei Wappen unter Reichsapfel, Wertzahl 4.
PRIN.AN.CO:(4)AS:FRA.ET.PA
Silber 26 mm 1,90 g Foto 1000/11–12/L Inv.-Nr. 671.
Lit. M. zu 151 l. (b). H. S. Rosenberg 12/06.

S. 30, T. 43

113. Kipper-vier-Groschen 1621.
Vs. Wappen in Verzierungen.
Krone CHRI.AUG.RUD.LUD.IOH.CA.
Rs. Ohne Wertangabe.
Drei Wappen unter Reichsapfel zw. Jahreszahl, unten HF
PRIN.ANH.CO.(.)AS.FRA.ET.PAT
Silber 25 mm 2,33 g Foto 1000/13–14/L Inv.-Nr. 672.
Lit. M. zu 153c. Erbstein 10/09.

114. Kipper-Doppelschilling 1620.
Vs. Wappen in Verzierung.
Krone.PRINCIPU.ANHAL(....)
Rs. DS verschlungen, oben und unten Jahreszahl.
.MONETA.NOU(.....)ENTE
Silber 21 mm 1,11 g Foto 967/11–12/L Inv.-Nr. 673.
Lit. M. 154e. Schwalbach 10/13.

115. Kipper-Doppelschilling ohne Jahr.
Vs. Geschwungenes Wappenschild.
Krone PRINCIP.ANHALTI
Rs. DS verschlungen.
Dreiblatt MON.NOU.ARGENTEA
Silber 20 mm 1,34 g Foto 967/13–14/L Inv.-Nr. 674.
Lit. M. 156d. (a). H. S. Rosenberg 12/06.

116. Vs. Glattes Wappenschild.
Krone .PRI.AN.C.SE.E.B.
Rs. DS verschlungen.
Punktrosette MON.NOV.ARGEN
Silber 20 mm 0,88 g Foto 967/15–16/L Inv.-Nr. 675.
Lit. M. 156g nach diesem Exemplar. Erbstein 10/09.

117. Kipper-Groschen 1619.
Vs. Geschwungenes Wappenschild.
CH.AU.RU.LU.IO.CA
Rs. Reichsapfel mit 24.
1+9.PR.AN.CO.AS.FEP
Silber 18 mm 0,96 g Foto 967/17–18/L Inv.-Nr. 676.
Lit. M. zu 157. (b). Thieme 4/06.

118. Vs. CH.AU.RU.LU.IOCA
Rs. (.)+(.)PR(.)AN.C.AS.F.E.P
Silber 16 mm 0,83 g Foto 967/19–20/L Inv.-Nr. 677.
Lit. M. zu 157. (b1). Erbstein 10/09.

119. Kipper-Groschen 1620.
Vs. Wappenschild.
Krone CH.AU.RU.LU.IO(.)C(.)
Rs. Reichsapfel mit 24.
2+OPR.AN.CO.AS.F.E.P
Silber 17 mm 0,99 g Foto 967/21–22/L Inv.-Nr. 678.
Lit. M. zu 159. (a1). Erbstein 10/09.

120. Vs. Krone CH.AURU.LU.IO.CA
Rs. 2+O.PR.AN.CO.AS.F.(..)P.
Silber 17 mm 0,74 g Foto 967/7–8/L Inv.-Nr. 679.
Lit. M. zu 159. (a2). Erbstein 10/09.

121. Vs. Krone.CH.AU.RU.LU.IO.CA.
Rs. 2+OPR.AN.CO.AS.F.EP
Silber 17 mm 0,76 g Foto 967/23–24/L Inv.-Nr. 680.
Lit. M. zu 159. (b1). Laufer 1/06.

122. Vs. Krone.CH.AU.RU.LU.IO.CA.
Rs.2+O PR.AN.CO.AS.F.E.P
Silber 18 mm 0,67 g Foto 967/25–26/L Inv.-Nr. 681.
Lit. M. zu 159. (b2). Erbstein 10/09.

S. 30, T. 43

123. Vs. Krone.CH.AU.RU.LU.IO.CA.
Rs. 2+O PR.AN.CO.AS.F.E.P.
Silber 17 mm 0,93 g Foto 967/27–28/L Inv.-Nr. 682.
Lit. M. zu 159. (b3). Erbstein 10/09.

124. Vs. Krone.CH.AU.RU.LU.IO.CA.
Rs. 20+.PR.AN.CO.AS.F.E.P.
Silber 17 mm 0,85 g Foto 967/29–30/L Inv.-Nr. 683.
Lit. M. zu 159. (c). Laufer 1/06.

125. Kipper-Groschen 1621.
Vs. Wappen: Bär auf Mauer.
PRI.AN.COM.AS(.)
Rs. Reichsapfel mit 24.
MO.NO.A(....)1.
Silber 16 mm 0,42 g Foto 967/31–32/L Inv.-Nr. 684.
Lit. M. zu 161b. (a). Laufer 1/06.

126. Vs. Geteiltes Wappen.
Krone MO.NO.ARGENT
Rs. Reichsapfel mit 24.
2+1 PR.AN.CO.AS(.)FEP
Silber 17 mm 0,55 g Foto 967/33–34/L Inv.-Nr. 685.
Lit. Men. zu 161a. (b). Thieme 4/06.

127. Vs. ✳ PRI.AN COM.AS
Rs. MO.NO.ARG 21
Silber 16 mm 0,95 g Foto 967/35–36/L Inv.-Nr. 686.
Lit. M. 161e. (c1). Laufer 2/05.

128. Vs. ✳ PRI.AN.(.....)S.
Rs. MO(..)RG.21
Silber 13 mm 0,47 Foto 968/1–2/L Inv.-Nr. 687.
Lit. M. zu 161c. (c2). Laufer 2/05.

129. Vs. (...)AU.RULU.IO.CA(.)
Rs. 2+1 P(......)S.F:E.P
Silber 18 mm 0,61 g Foto 968/3–4/L Inv.-Nr. 688.
Lit. M.-. (d). Weinmeister 12/07.

130. Vs. C.A.D.S.E.B
Rs. GPOS.PRI.A.1621
Kupfer 16 mm 0,71 g Foto 968/5–6/L Inv.-Nr. 689.
Lit. M.-. Unediert(e). Hess. 5/25.

131. Kipper-Kupfer-Dreier 1621.
Vs. Zweifeldiges Wappen, darüber Jahreszahl. 16(..)
Rs. Reichsapfel, darin 3, zwischen zwei Initialen des Münzmeisters. G (.)
Kupfer meist 17 mm 1,24 g Foto 968/7–8/L Inv.-Nr. 690.
Lit. zu M. 162. Tornau 5/18.

132. Vs. Zweifeldiges Wappen, darüber und daneben Jahreszahl. Links 1, oben 62, rechts 1.
Rs. S (.)
Unbekannte Initiale eines Münzmeisters, vielleicht SK.
Foto 968/9–10/L Inv.-Nr. 691.
Lit. zu M. 162c. Tornau 5/18.

133. Über und unter den Initialen eines unbekannten Münzmeisters S K Punkte.
Foto 968/37–38/L Inv.-Nr. 692.
Lit. M. 162d. Schwalbach, Rosenberg 10/13.

134. Vs. Zweifeldiges Wappen zwischen Punkten und Punktrosetten.
Rs. Reichsapfel, darin 3, zwischen Punkten und Punktrosetten.
Foto 968/11–12/L Inv.-Nr. 693.
Lit. M. 162h ähnlich. Tornau 5/18.

S. 30, T. 43

135. Zwitter-Dreier 1621.
Beiderseits 2 1
Foto 968/13–14/L Inv.-Nr. 694.
Lit. M.-. N.-. Tornau 5/18.

136. Vs. Zweifeldiges Wappen.
Rs. Reichsapfel zwischen 2 1 in Raute.
Foto 968/15–16/L Inv.-Nr. 695.
Lit. Vgl. M. 162i. Tornau 5/18.

137. Kipper-Zweipfennig 1621.
Vs. Wappen, darüber 21.
Rs. Wertangabe in drei Zeilen.
II PFEN GE
Kupfer 15 mm 0,92 g Foto 968/17–18/L Inv.-Nr. 696.
Lit. M. 178. Tornau 5/18.

138. Kipper-Pfennig 1621.
Vs. Zweifeldiges Wappen.
Rs. Wappenschild: Bär und Mauer, von Jahreszahl umgeben.
Kupfer 13 mm 0,59 g ausgebrochen.
Vgl. Kat. 158. Foto 968/19–20/L Inv.-Nr. 697.
Lit. M.-. Tornau 5/18.

139. Kipper-Heller ohne Jahr.
Vs. Zweifeldiges Wappen.
Rs. Wappenschild: Bär auf Mauer.
Kupfer 11 mm 0,22 g Foto 968/21–22/L Inv.-Nr. 698.
Lit. M. 164. Tornau 5/18.

140. Einseitiger Kipper-Heller ohne Jahr.
Zweifeldiges Wappen.
Adlerflügel mit acht Federn, darunter vier Punkte.
Kupfer 12 mm 0,69 g Foto 968/23–24/L Inv.-Nr. 699.
Lit. M. 166. Tornau 5/18.

141. Adlerflügel mit vier Federn, ohne Punkte darunter.
Foto 968/25/L Inv.-Nr. 700.
Lit. M. 166. Tornau 5/18.

142. Zweifeldiges Wappen zwischen Punkten, auf der Trennungslinie des Wappens Kreuzchen aus vier Punkten.
Kupfer 11 mm 0,31 g Foto 970/11/L Inv.-Nr. 701.
Lit. M. 167. Tornau 5/18.

143. Ohne Kreuzchen auf der Trennungslinie.
Foto 970/4/L Inv.-Nr. 704.
Lit. M. 167 var. Tornau 5/18.

144. Wappenschild gerade.
Foto 970/1/L Inv.-Nr. 702.
Lit. M.-. Tornau 5/18.

145. Einseitiger Kipper-Heller 1620?
Zweifeldiges Wappen zwischen 2 und ?
Kupfer 11 mm 0,28 g Foto 968/29/L Inv.-Nr. 703.
Lit. M.-. Auktion Düning 1578.
Tornau 5/18.

146. Kipper-Heller 1621.
Vs. Zweifeldiges Wappen.
Rs. Jahreszahl, darüber und darunter : ✳ :
Kupfer 13 mm 0,28 g ausgebrochen Foto 968/31–32/L Inv.-Nr. 705.
Lit. M. 175. Tornau 5/18.

S. 30, T. 43

147. Jahreszahl mit Punkten über jeder eins, darüber und darunter ✳.
Foto 968/33/L Inv.-Nr. 706.
Lit. M.-. Tornau 5/18.

148. Zwei Exemplare.
Jahreszahl mit Punkten über jeder eins, oben und unten : ✳ :
Foto 970/2–3/L Inv.-Nr. 707*. Foto 970/5–6/L Inv.-Nr. 709.
Lit. M. 176. Tornau 5/18.

149. Einseitiger Kipper-Heller 1621.
Zweifeldiges Wappen zwischen Z und I, darüber drei Punkte, auf der Trennungslinie des Wappens Kreuzchen.
Kupfer meist 12 mm ca. 0,50 g Zwei Exemplare
Foto 970/10/L Inv.-Nr. 711*, undeutlich
Lit. M. 168. Tornau 5/18.
Foto 968/30/L Inv.-Nr. 708.
Lit. ex Schönherr 1/20.

150. Über dem Wappen o größeres Kreuzchen.
Foto 970/9/L Inv.-Nr. 712.
Lit. M. 169. Tornau 5/18.

151. Kleines Kreuzchen rechts der Trennungslinie.
Zwei Exemplare
Foto 970/8/L Inv.-Nr. 713. Foto 970/13/L Inv.-Nr. 716.
Lit. M. 169 var. Tornau 5/18.

152. Zweifeldiges Wappen zwischen 2 und I oben Stiel, Kreuzchen auf der Trennungslinie.
Foto 970/7/L Inv.-Nr. 710.
Lit. M. 171. Weinmeister 5/06.

153. Über dem Wappen o und Kreuzchen links der Trennungslinie des Wappens.
Zwei Exemplare.
Foto 968/27/L Inv.-Nr. 714. Foto 970/12/L Inv.-Nr. 715.
Lit. M. 170. Tornau 5/18.

154. Kreuzchen rechts der Trennungslinie des Wappens.
Foto 970/14/L Inv.-Nr. 717.
Lit. M. 170 var. Tornau 5/18.

155. Kreuzchen auf der Trennungslinie des Wappens.
Foto 970/15/L Inv.-Nr. 718.
Lit. M. 170 var. Tornau 5/18.

156. Kein Zeichen über dem Wappen, Kreuzchen links der Trennungslinie des Wappens.
Foto 970/18–19/L Inv.-Nr. 720.
Lit. M.-. Tornau 5/18.

157. Fälschung.
Einseitiger Kipper-Heller 1621?
Zweifeldiges Wappen zwischen Jahreszahl, darüber SIS
Kupfer 13 mm 0,26 g Foto 970/20/L Inv.-Nr. 721.
Lit. M.-.

158. Kipper-Heller 1622? (oder Pfennig).
Vs. Zweifeldiges Wappen, oben Stiel.
Rs. Reichsapfel zwischen Jahreszahl.
Kupfer 12 mm 0,57 g ausgebrochen. Vgl. Kat. 138.
Foto 970/16–17/L Inv.-Nr.719.
Lit. M. 177a. Tornau 5/18.

S. 30, T. 43

CHRISTIAN I., AUGUST UND LUDWIG
(Söhne Joachim Ernsts 1570–1586),
JOHANN KASIMIR
(Sohn Georgs I. von Dessau) * 1596 † 1660,
GEORG ARIBERT
(Sohn Georgs I. von Dessau) * 1606 † 1643 und
JOHANN
(Sohn Rudolfs von Zerbst) * 1621 † 1667.

159. Reichstaler 1625.
Vs. Dreifach behelmtes Wappen.
.PRINC.ANHA.COMI.ASC.FRA.ET.PA
Münzzeichen EI = Münzmeister Erich Jäger 1624/5 in Anhalt.
Rs. Gekrönter Doppeladler mit Z4 im Reichsapfel, zwischen E und I Krone zwischen 16 und Z5
.MONETA ✳ NOUA ✳
ARGENTEA ✳ unten SER VES
Silber 42 mm 29,11 g Foto 953/32–34/L Inv.-Nr. 722.
Lit. M. 184b. Hess. 12/16.

160. Halber Reichstaler 1624.
Vs. Dreifach behelmtes Wappen.
.PRI.ANH.COM. .ASC.FRA.E.PAT
Münzzeichen HS = Heinrich Schultze, Münzmeister 1622–1624.
Rs. Gekrönter Doppeladler mit IZ im Reichsapfel, unten HS Krone zwischen 16 und Z4
.MONETA.NOVA..ARGENTEA.AN:
Silber 36 mm 14,43 g Foto 953/35–36/L Inv.-Nr. 723.
Lit. M. 188a Variante. Schwalbach, Rosenberg 10/13.

161. Kipper-Groschen 1622.
Vs. Behelmtes, anhaltisches Wappen.
GROS.PRINC. ANH.COM.AS C.
Rs. Reichsapfel zwischen 24, Jahreszahl in der Umschrift.
22.FER.II.DG.ROIM.S.A.16
Silber meist 24 mm 2,37 g Foto 1000/15–16/L Inv.-Nr. 724.
Lit. M. zu 193 (a1) Rosenberg 7/07.

162. Vs. GRO.PRIN. .ANH.C.AS
Rs. 22.FER II.D.G.RO.IM.SA.16
Foto 970/21–22/L Inv.-Nr. 725.
Lit. M. zu 193 (a2). Weinmeister 11/11.

163. Vs. GROS.PRINC. ANH.COM.AS
Rs. 22.FER.II.DG.RO.IM.SA.16
Foto 1114/35–36/L Inv.-Nr. 726.
Lit. M. zu 193 (a3). Ball 4/06.

S. 30, T. 43

164. Kipper-Groschen 1622.
Vs. Behelmtes Wappen.
GRO.PRIN. ANII.C.AS
Rs. Reichsapfel mit 24, Jahreszahl neben dem Reichsapfel.
.o.FERD.II.D.G.ROM.IM.SEM.AU
Foto 970/23–24/L Inv.-Nr. 727.
Lit. M. zu 193. (b2). Weinmeister 5/06.

165. Jahreszahl .16 22.
Foto 970/25–26/L Inv.-Nr. 728.
Lit. M. zu 193 (b3). Ball 4/06.

166. Kipper-Groschen 1622.
Vs. Behelmtes Wappen.
.CHR.AVGV. (.)LVD.IO.CA.
Rs. Reichsapfel mit 24,
Jahreszahl in veränderter Umschrift.
22.FRAT.ET.PAT.PR.ANHA.16
Foto 1000/17–18/L Inv.-Nr. 729.
Lit. M. 193b. (c). Ball 3/10.

167. Kipper-Groschen 1623.
Vs. Behelmtes Wappen
.GRO.PRI. .ANCOAS.
Rs. Reichsapfel mit Z4, Jahreszahl in Umschrift.
Z3.FER.II.D.G.RO.IM.SEAU.16
Silber 22 mm 1,73 g Foto 970/27–28/L Inv.-Nr. 730.
Lit. M. zu 196f. Weinmeister 12/07.

168. Kipper-Groschen 1622.
Vs. Rundes, zweifeldiges Wappen.
✳ MON:NOARGE
Rs. Reichsapfel mit Z4
ZZPRI.AFE.
Silber 16 mm 0,63 g Foto 970/29–30/L Inv.-Nr. 731.
Lit. M. zu 194. Riechmann 12/11.

169. Kipper-Groschen ohne Jahr.
Vs. Drei Wappen: Bär, Aschersleber Schachbrett und Ballenstedter Balken, im Feld zwei Kreuzchen.
+COM+AS(.)DOS+E+B(.)
Rs. Reichsapfel mit 24
GROS+PRI+ANH+
Silber 17 mm 0,43 g eingerissen. Foto 970/31–32/L Inv.-Nr. 732.
Lit. M. 198ii. Rosenberg 6/10.

170. Vs. Großes, rundes Wappenschild.
Krone.COM.ASCDO.SE.ET.BE.
Rs. Reichsapfel mit Z4
.GROS.PRINC.ANH.
Foto 971/1–2/L Inv.-Nr. 735.
Lit. M.- (zu 198). Cahn 4/09.

171. Vs. Kleines, rundes Wappenschild, im Wappen vier Punkte.
Krone COMASDOS.E.B.
Rs. Reichsapfel mit 24
PR.A.C.AS.D.SFB
Foto 970/33–34/L Inv.-Nr. 733.
Lit. M. zu 198. Laufer 9/09.

172. Vs. Krone.COAS.DOSE.EB
Rs. .GROS.PRI.AN
Foto 971/21–22/L Inv.-Nr. 746.
Lit. M. zu 198. Weinmeister 3/10.

173. Vs. Krone MO NO ARGEN
Rs. .PR.AN.CAS.FEP.
Foto 971/3–4/L Inv.-Nr. 736.
Lit. M. zu 198. Graba, Hess 2/10.

174. Vs. Krone MO NO ARGENT
Rs. PR.AN CO.AS.FEP.
Foto 971/9–10/L Inv.-Nr. 738.
Lit. M. zu 198. Weinmeister 3/10.

S. 30, T. 43

175. Vs. Krone MO NO ARGENTA
Rs. .PRAN.CO.AS.FEP.
Foto 971/13–14/L Inv.-Nr. 742.
Lit. M. zu 198. Laufer 9/09.

176. Vs. Krone MO.NO ARGENTEA
Rs. PRAN.CAS.FEP.
Foto 971/15–16/L Inv.-Nr. 743.
Lit. M. zu 198. Laufer 1/06.

177. Vs. Krone MO NO A(....)TEA
Rs. .PR.AN.CO.AS.FEP.
Foto 971/17–18/L Inv.-Nr. 744.
Lit. M. zu 198d. Graba, Hess 2/10.

178. Vs. Krone PR.AN.(..)AS.FE.
Rs. MO.NO.ARGET
Teilweise ausgebrochen. Foto 970/35–36/L Inv.-Nr. 734.
Lit. M.- (zu 198). Cahn.

179. Vs. Krone GROS.DOS.E B
Rs. GROS.PRI.AN
Foto 971/19–20/L Inv.-Nr. 745.
Lit. M.- (zu 198). Secker.

180. Vs. Krone COASDOSEB
Rs. GROS.PR.IA.N
Foto 971/23–24/L Inv.-Nr. 747.
Lit. M.- (zu 198). Karge 7/09.

181. Kipper-Groschen ohne Jahr.
Vs.Zweifeldiges geschwungenes Wappenschild.
Krone MO.NO.ARGENT
Rs. Reichsapfel mit 24.
.PR.AN.C.AS.F.E.P.
Silber 16 mm 0,71 g Foto 971/5–6/L Inv.-Nr. 737.
Lit. zu M. 198r. Schwalbach, Rosenberg 10/13.

182. Vs. Krone MO NO (..)GENT
Rs. PR.AN.CO:ASF.E.
Foto 971/7–8/L Inv.-Nr. 739.
Lit. M. zu 198. Hahn 8/16.

183. Vs. Krone MO.NO.ARGENT.
Rs. .PR.AN.C.AS.FEP
Foto 971/11–12/L Inv.-Nr. 740.
Lit. M. zu 198. Secker 2/07.

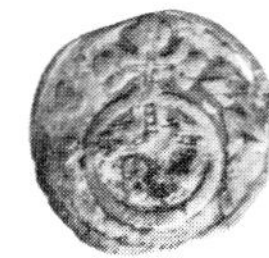

184. Kipper-Körtling 1622.
Vs. Zweifeldiges Wappen in Verzierungen.
Rs. Reichsapfel mit 84, darüber 16 ZZ
Silber 16 mm 0,39 g ausgebrochen Foto 971/25–26/L Inv.-Nr. 748.
Lit. M. zu 201.

185. Dreier 1622.
Vs. Zweifeldiges Wappen in Verzierungen.
Rs. Reichsapfel mit .3. darüber Jahreszahl o16 ZZo
Silber 17 mm 0,78 g Foto 971/27–28/L Inv.-Nr. 749.
Lit. M. 203b. Secker 9/07.

186. Kupfer-Dreier 1622.
Vs. Herzförmiges Wappenschild, mit Lilie, die zwischen 22, im Feld Punkte.
Rs. Reichsapfel mit 3 in Viereck, zwischen vier Punkten.
Kupfer meist 14 mm ca. 0,82 g Foto 971/29–30/L Inv.-Nr. 750.
Lit. M.- (vgl. 203u). Tornau 5/18.

187. Lilie zwischen .2. und .2.
Foto 971/31–32/L Inv.-Nr. 751.
Lit. M. 203v. Tornau 5/18.

S. 30, T. 43

188. Unter 3 im Reichsapfel ein Punkt, an jeder Viereckseite je zwei Punkte.
Foto 971/33–34/L Inv.-Nr. 752.
Lit. M.- (vgl. 203u/v). Tornau 5/18.

189. Lilie zwischen .2 und 2., an jeder Viereckseite ein Punkt. Neben dem Viereck Punkte oben und unten.
Foto 971/35–36/L Inv.-Nr. 753.
Lit. M.-. N.-. Tornau 5/18.

190. Vs. Zweifeldiges Wappen in geradem (deutschem) Schild mit Verzierungen.
Rs. Reichsapfel mit .3., oben 1 6 2 2 unten Fünfpunkte (:.:) zwischen Punkten.
Kupfer 16 mm 0,77 g Foto 972/1–2/L Inv.-Nr. 754.
Lit. M.-. N.-. Tornau 5/18.

191. Vs. Verzierungen am Wappen zwischen Punkten.
Rs. Reichsapfel mit 3, oben Jahreszahl unten Blätter und Punkte.
Kupfer 15 mm 0,69 g Foto 972/5–6/L Inv.-Nr. 756.
Lit. M. 203g. Tornau 5/18.

192. Vs. Zweifeldiges Wappen in eingebogenem Schild.
Rs. Reichsapfel mit 3, oben 22, darunter Punkt.
Kupfer 15 mm 0,69 g Foto 972/3–4/L Inv.-Nr. 755.
Lit. M. zu 203f. Schwalbach, Rosenberg 10/13.

193. Vs. Zweifeldiges Wappen in rundem Schild mit Verzierungen, oben und unten Punkte.
Rs. Reichsapfel mit 3, oben Z Z.
Kupfer 16 mm 0,63 g Foto 972/7–8/L Inv.-Nr. 757.
Lit. zu M. 203m. Schwalbach, Rosenberg 10/13. (Hess, 10/21).

JOHANN GEORG II. VON DESSAU
* 1627 † 1693,
VIKTOR AMADEUS VON BERNBURG
* 1634 †1718
(Sohn Christians II. v. Bernburg),
WILHELM VON BERNBURG * 1643 † 1709
(Sohn Friedrichs von Bernburg),
KARL WILHELM VON ZERBST
* 1652 † 1718 und
EMANUEL LEBRECHT VON KÖTHEN
* 1671 † 1704.

194. Gulden 1670.
Vs. Gekröntes Wappen.
MONETA.NOVA.PRINC.ANHALT
(ohne Münzmeister-Initialen).
Rs. Bär über Wertangabe, 2/3 unten Jahreszahl.
.IN.DOMINO.FIDUCIA.NOSTRA.
Silber 39 mm 19,21 g Foto 952/2–3/L Inv.-Nr. 758.
Lit. M. 207f. A. H. S. Rosenberg 5/12.

S. 30, T. 43

195. Sechszehn-Groschen 1684.
Vs. Gekröntes Wappen zwischen C und P = Christoph Pflug, Münzmeister 1674 bis nach 1690 († 17. 3. 1693).
Rs. Schrift in fünf Zeilen über Jahreszahl in Umschrift.
❀ XVI ❀ GROSCHEN FÜRSTL:ANH:
GESAMBT MÜNTZ. 1684 zwischen Rosetten und darunter Rosette.
❀ NACH DEM OBERSACHS(..)REYS SCHLUS
Silber 39 mm 18,84 g Foto 952/4–5/L Inv.-Nr. 759.
Lit. M. 209b. Schmideg 1/16.

196. Acht-gute-Groschen 1669.
Vs. Wappen von Verzierungen umgeben, zwischen I und A = Iohan Arendsberg der Jüngere, Münzmeister in Zerbst und Reinstein 1666–1676.
.MONETA.NOVA.PRINC.ANHALTINOR
Rs. Wertangabe in drei Zeilen über Jahreszahl.
❀ IN.DOMINO.FIDUCIA.NOSTRA
Silber 33 mm 9,45 g Foto 952/6–7/L Inv.-Nr. 760.
Lit. zu M. 213d. Erbstein, Rosenberg 10/09.

197. Drittel-Taler 1670, (oder halber Gulden).
Vs. Gekröntes Wappen.
MONETA.NOVA.PRINC.ANHALT
Rs. Bär über Wertangabe 1/3, unten Jahreszahl.
IN.DOMINO.FIDUCIA.NOSTRA
Silber 33 mm 9,47 g Foto 952/8–9/L Inv.-Nr. 761.
Lit. M. zu 216a. Kube 5/04.

198. Zwölftel-Reichstaler 1689.
Vs. Gekröntes Wappen zwischen Lorbeerzweigen und CP = Münzmeister Christoph Pflug.
Rs. Wertangabe über Jahreszahl.
×12× EINEN REICHS THALER ×1689×
✳ FÜRSTL:ANH:GESAMBT.LAND MÜNTZ
Silber 26 mm 3,41 g Foto 952/11–12/L Inv.-Nr. 762.
Lit. M. 220. Schwalbach, Rosenberg 10/13.

199. 1/24 Reichstaler 1683, (Groschen 1683).
Vs. Gekröntes Wappen zwischen C und P = Christoph Pflug, Münzmeister 1674 bis nach 1690. († 17. 3. 1693).
Rs. Wertangabe in vier Zeilen Schrift über Jahreszahl.
.24. EINEN REICHS THALER .1683.
.FURST.ANH:GESAMBT.LAND.M(.)
Silber 21 mm 1,76 g Foto 972/9–10/L Inv.-Nr. 763.
Lit. M. zu 221f. Hess. 6/13.

200. 1/24 Reichstaler 1684, (Groschen).
Vs. Gekröntes Wappen zwischen C und P = Christoph Pflug, Münzmeister 1674 bis nach 1690.
Rs. Wertangabe in vier Zeilen Schrift über Jahreszahl.
.2.4. EINEN REICHS THALER .16.84.
✳ FURSTL.ANH.GESAMBT:LAND. MUNTZ.
Silber 22 mm 1,53 g justiert Foto 972/11–12/L Inv.-Nr. 764.
Lit. M. zu 222. Laufer 2/05.

S. 30, T. 44

AUGUST. 1603–1653, als Vormund
für Johann von Zerbst * 1621 † 1667.

201. Kipper-Groschen 1622.
Vs. Behelmtes Wappen.
AU.D.G.PR. .AN. CO.AS
Rs. Reichsapfel mit Z4, zwischen P und S, oben gekreuzte Zainhaken zwischen 16 und ZZ
DO.(.).ET.BE.TU.D.IO(.)PR.A
Silber 21 mm 1,60 g Foto 972/24–25/L Inv.-Nr. 840.
Lit. M. zu 230c. Erbstein 10/09.

202. Jahreszahl 16 ZZ.
Ohne Zainhaken.
Foto 972/26–27/L Inv.-Nr. 841.
Lit. 230c. Erbstein 10/09.

203. .AU.D.G.PR. .A(......)S.
Foto 972/28–29/L Inv.-Nr. 842.
Lit. M. zu 230. Erbstein 10/09.

204. AU.(...).PR. AN.CO.ASC
Silber 22 mm 1,42 g ausgebrochen Foto 983/7–8/L Inv.-Nr. 843.
Lit. M. 230e. Secker 9/07.

205. Kipper-Dreier 1622.
Vs. Helm.
.A.F. .Z.A.
PS = Peter Schröder, Münzmeister in Köthen 1622.
Rs. Reichsapfel mit 3, oben Jahreszahl .1.6 ⚒ gekreuzte Zainhaken ZZ. zwischen P und S, unter denen je ein Punkt.
Silber 17 mm 0,93 g Foto 972/31–32/L Inv.-Nr. 844.
Lit. M. 456a. Erbstein 10/09.

206. Umschrift in Höhe der Helmzier.
Foto 972/33–34/L Inv.-Nr. 845.
Lit. M. 456a. Krage 7/09.

207. PS ohne Punkte, vor 3 im Reichsapfel Punkt.
Foto 972/35–36/L Inv.-Nr. 846.
Lit. M. zu 456c.

208. .o.1.6 .22.o.
Foto 973/2–3/L Inv.-Nr. 847.
Lit. M. zu 456d. Hess. 9/17.

209. Zwischen Helm und Buchstaben kein Fadenreif.
Silber 17 mm 0,80 g Foto 973/4–5/L Inv.-Nr. 848.

S. 30, T. 44

JOHANN. * 1621 † 1667.

210. Vierteltaler 1667, auf seinen Tod.
Vs. Brustbild rechts.
✳ IOAN.D.G.PR(.)ANH.COM.ASC.DN.
Rs. Gekröntes Wappen. Münzstätte Jever.
❀ NAT.24(.)MART.1621.OBIIT.
1667.4.IUL.Ao.REG.25.CONI.18.
Silber 32 mm 7,03 g Foto 953/5–6/L Inv.-Nr. 765.
Lit. M. 238. Erbstein 10/09.

211. Groschen 1663.
Vs. Behelmtes Wappen.
.IOH.DG.PRI. .ANH.COM.AS
Rs. Reichsapfel mit Z4, zwischen I und O = Iohan Otto (Münzmeister 1663), oben Jahreszahl.
I6 63.DOM.SER.PER.IEV. ET.KNIP
zwei gekreuzte Zainhaken.
Silber 23 mm 1,90 g Foto 972/13–14/L Inv.-Nr. 766.
Lit. M. 231. H. S. Rosenberg 12/06.

212. Groschen 1664.
Vs. Behelmtes Wappen.
IOH.DG.PRI. .ANH.COM.AS
Rs. Reichsapfel mit Z4, zwischen I und B = unbekannter Münzmeister, nur 1664 vorkommend.
Jahreszahl .16. .64.
.DOM:SER:BER:IEV:ET:KNIP.
Silber 24 mm 1,68 g Foto 1000/19–20/L Inv.-Nr. 767.
Lit. M. 232a. Hess 10/17.

213. .DOM.SER.BER.IEV.ET.KNIP.
Foto 972/15–16/L Inv.-Nr. 768.
Lit. M. 232b. H. S. Rosenberg 12/06.

214. Groschen 1667, auf seinen Tod.
Vs. Brustbild rechts.
✳ IOAN.D.G.PR.ANH.COM.AS.DN. S.B.I.ET.K.
Rs. Gekröntes Wappen. Münzstätte Jever.
.NAT.24.MART.1621.MORT.1667.
4.IUL.A.REG.25.CONI.18.
Silber 23 mm 2,13 g Foto 972/17–18/L Inv.-Nr. 769.
Lit. M. 240 (Rückseite zu 240a). Secker 1/07.

215. Dreier 1663.
Vs. Helm.
.I.F. .Z.A(.) Johann Fürst zu Anhalt.
Rs. Reichsapfel mit .3., zwischen IO = Johann Otto, Münzmeister 1663, oben 16 63
Silber 16 mm 0,46 g Foto 972/19–20/L Inv.-Nr. 770.
Lit. M. 233 var. Laufer 2/07.

216. Reichsapfel zwischen Punkten und Münzmeister Initialen IO, oben .16. .63.
Foto 972/21–22/L Inv.-Nr. 771.
Lit. M. 233a. Erbstein 10/09.

217. Einseitiger Pfennig 1663.
Zweifeldiges, geschwungenes Wappen zwischen IO = Münzmeister-Initialen, darüber Jahreszahl. 1663
Silber 12 mm 0,27 g Foto 972/23/L Inv.-Nr. 772.
Lit. M. 234c. Erbstein 10/09.

Anmerkung: Die unlesbaren Buchstaben, Zeichen oder Ziffern wurden als Punkte angegeben und in Klammern gesetzt.

S. 30, T. 44

KARL WILHELM. 1667–1718.

218. Halber Dukat ohne Jahr.
Vs. Brustbild rechts.
❀ CARL WILH:P.A.D.S.B.I.&.K.
Rs. Monogramm CW unter Krone.
IN DOM:FIDUC:NOSTRA.
Münzstätte Jever.
Gold 17 mm 1,72 g Foto 1003/1–2/L
Inv.-Nr. 773.
Lit. M. 241. Erbstein 10/09.

219. 2/3 Taler 1674, (Gulden).
Vs. Geharnischtes Brustbild rechts.
❀ CAROL.WILHELM
.P.A.C.A.D.S.B.I.ET.K
Rs. Gekröntes Wappen, unten ²/₃, zwischen 17C und 64P (senkrecht).
MON.NOV.ARG.PRIN
CIPU.ANH.
L.S.D.I.ET.K
C und P = Christoph Pflug, Münzmeister 1674 bis nach 1690.
Silber 37 mm 18,82 g Foto 953/7–8/L
Inv.-Nr. 774.
Lit. M. 248 g (vgl. den halben Gulden 1674 M. 254, Umschrift abgewandelt). Dav. 202.
A. Helbing 2/25, 26.

220. Vs. Geharnischtes Brustbild rechts.
❀ CAROL.WILHELM.P.A.C.A.
D.S.B.I.ET.K
Rs. Gekröntes Wappen, unten ²/₃, zwischen Verzierungen und CP = Münzmeister Christoph Pflug (1674–1690), oben 16 74
.MONET :NOV: ARGENTEA.
Silber 38 mm 18,87 g Foto 953/9–10/L
Inv.-Nr. 775.
Lit. M.- unediert. Schwalbach, Rosenberg 10/13.

221. 2/3 Taler 1675, (Gulden).
Vs. Geharnischtes Brustbild rechts.
CAR:WILH:D.G.PR.
A.C.A.D.S.B.I.E.(..)
Rs. Gekröntes Wappen, unten ²/₃, zwischen 16 75 und C P
MON.NOVA.ARG:PR.A.L.S.
D.I.E(...)
Silber 38 mm 18,98 g Foto 953/11–12/L
Inv-Nr. 776.
Lit. zu M. 249. Erbstein 10/09.

222. Vs. Geharnischtes Brustbild rechts (mit kleinerem Kopf).
CAR.WILH.D.G.PR.A.C.A.D.S.
B.I.E.K.
Rs. Gekröntes Wappen, unten ²/₃, zwischen CP = Münzmeister Christoph Pflug (1674–1690).
MON.NOV.ARG.PR.A.L.
S.D.I.E.K·1675.
Silber 37 mm 19,16 g Foto 953/13–14/L
Inv.-Nr. 777.
Lit. M. zu 249bb (Vorderseite) und 249cc (Rückseite). Auktion Leo Hamburger 9/26, 408.

S. 30, T. 44

223. 2/3 Taler 1676, (Gulden).
Vs. Geharnischtes Brustbild rechts (mit schmalerem Kopf).
CAR .WILH.D.G.PR.A.C.A.(...) .S.B.I.E.K.
Rs. Gekröntes Wappen unten $^{2}/_{3}$, zwischen C und P = Münzmeister Christoph Pflug (1674–1690) und senkrechter Jahreszahl 16 und 76
MON:NOV:ARG:
PR:A.L.S.D.I.E.K.
Silber meist 38 mm ca. 18,34 g Doppelschlag
Foto 953/15–16/L Inv.-Nr. 778.
Lit. M. zu 250. Rappaport 10/06.

224. Vs. CAR.WILH.D.G.PR.A. C.AD.S.B.E.K.
Rs. MON.NOV.ARG. PR.A.L.S.D.I.E.K.
Doppelschlag Foto 953/19–20/L Inv.-Nr. 780.
Lit. M. zu 250.

225. Vs. Geharnischtes Brustbild rechts (mit großem Kopf).
CAR.WILH.D.G.PR.A.C.A.D.S. B.I.E.K.
Rs. Gekröntes Wappen, unten $^{2}/_{3}$, zwischen 16 und 76 horizontal angeordnet und Münzmeister-Initialen CP = Christoph Pflug (1674–1690).
MON:NOV:ARG:
PR:A.L.S.D.I.E.K.
Silber 38 mm 15,48 g
Foto 953/17–18/L Inv.-Nr. 779.
Lit. M. zu 250.

226. Gekröntes Wappen, unten $^{2}/_{3}$, zwischen Jahreszahl 16 76 und Münzmeister-Initialen CP = Christian Pfahler.
CARL WILH: P.A.C.D.S.B.I.E.K.
IN DOMINO FIDUCIA NOSTRA
Münzstätte Jever.
Silber 39 mm 19,12 g
Foto 953/21–22/L Inv.-Nr. 781.
Lit. Dav. 204. Auktion Helbing 2/25, 29.

227. 2/3 Taler 1677, (Gulden).
Vs. Geharnischtes Brustbild rechts.
CAR.WILH.D.G.PR.A.C.A.D.S.B. I.E.K.
Rs. Gekröntes Wappen, unten $^{2}/_{3}$, zwischen Jahreszahl und Münzmeister-Initalen CP = Christoph Pflug (1674–1690).
MON.NOV.
ARG.PR.A.L.S.D.I.E.K.
Silber 37 mm 18,14 g
Foto 953/23–24/L Inv.-Nr. 782.
Lit. M. 251. Auktion Helbing 2/25, 30.

S. 30, T. 44

228. 2/3 Taler 1678, (Gulden).
Vs. Geharnischtes Brustbild rechts mit schmalem Kopf und Locken.
CAR WILH D.G PR.A.C.A.D. S.B.I.E.K
Rs. Gekröntes Wappen, unten $^2/_3$, zwischen Jahreszahl und Münzmeister-Initialen CP = Christoph Pflug (1674–1690).
MON.NOV.ARG. PR.A.L.S.D. I.E.K
Silber 36 mm 16,99 g justiert
Foto 956/21–22/L Inv.-Nr. 783.
Lit. M. zu 252. Rosenberg 12/11.

229. Vs. Geharnischtes Brustbild rechts mit schmalem Kopf und gescheiteltem Haar.
CAR.WILH.D.G.PR.A. C.A.D.S.B.I.E.K.
Rs. MON.NOV.ARG: PR.A.L.S.D.I.E.K
Silber 37 mm 17,27 g justiert
Foto 956/24–25/L Inv.-Nr. 784.
Lit. M. zu 252 k k. Aus dem Irmgauer Fund, Jenke 5/16.

230. Vs. Geharnischtes Brustbild rechts mit kleinem Kopf und Locken.
CAR.WILH.D.G.PR.A.C.A.D. S.B.I.E.K.
Rs. MON.NOV.ARG. PR.A.L.S. D.I.E.K.
Silber 37 mm 17,55 g Foto 956/26–27/L Inv.-Nr. 785.
Lit. M. zu 252. Laufer 9/07.

231. 2/3 Taler 1678, (Gulden).
Vs. Geharnischtes Brustbild rechts mit großem Kopf und langen Locken.
CAR..WILH.D.G(.)PR(.)ANH(.) C.A.DS.B.I.E.K.
Rs. Münzmeister-Initialen kleiner CP = Christoph Pflug (1674–1690)
MON.NOV.ARG. PR.A.L.S.D. I.E.K:.
Silber 39 mm 18,27 g
Foto 956/28–29/L Inv.-Nr. 786.
Lit. M. zu 252ccc. Fejér 7/09.

232. Vs. Geharnischtes Bustbild rechts mit kürzeren Locken.
CAR:WILH: DG.PR.AC.A.D.SB.IE.K
Rs. Münzmeister-Initialen nicht kleiner.
MON NOV ARG PR.A.L.S.D.I. EK✳
Silber 39 mm 16,27 g
Foto 756/30–31/L Inv.-Nr. 787.
Lit. M. zu 252e.

233. Vs. Geharnischtes Brustbild rechts mit kleinem Kopf und langen Locken.
CAR.WILH.D.G.PR.ANH C.A.D.S.B.I.E.K.
Rs. Gekröntes Wappen zwischen Zweigen und kleineren Münzmeister-Initialen.
MON:NOV:ARG: PR:A.L.S.D. I.E.K Blumenzweig
Silber 37 mm 17,85 g
Foto 956/32–33/L Inv.-Nr. 788.
Lit. M. zu 252. Jenke 9/14.

S. 30, T. 44

234. 2/3 Reichstaler 1679,
(Gulden).
Vs. Geharnischtes Brustbild rechts mit schmalem Kopf.
CAR.WILH.D.G.PR.A.C.A.
D.S.B.I.E.K.
Rs. Gekröntes Wappen zwischen Jahreszahl 16 und 79, über 1 ein Punkt, darunter Münzmeister Initialen CP = Christoph Pflug (1674–1690), unten 2/3.
MON.NOV.ARG.PR.A.L.S.D.L.E.K
Silber 36 mm 17,30 g
Foto 956/34–35/L Inv.-Nr. 789.
Lit. M. 253a. Laufer 9/07.

235. Vs. Geharnischtes Brustbild rechts mit breitem Kopf.
CAR:.WILH:D.G.P.R.A.C.A.
(Stempelfehler)D.S.B.I.EK.
Rs. Jahreszahl ohne Punkt über der ersten Ziffer.
MON:NOV:ARG.
PR.A.L.S.D.I.E.K✳
Silber 39 mm 16,87 g
Foto 956/36–37/L Inv.-Nr. 790.
Lit. M. zu 253i. Rosenberg 12/11.

236. 2/3 Reichstaler 1682,
(Gulden).
Vs. Geharnischtes Brustbild rechts mit gescheiteltem Haar über der Stirn.
.CARL WILH:P.A.
C.A.D.S.B.I.&.K.
Rs. Gekröntes Wappen zwischen Jahreszahl, darunter CP = Münzmeister Christian Pfahler, unten 2/3.
IN DOMINO FI DUCIA NOSTRA
Münzstätte Jever.
Silber 39 mm 16,41 g
Foto 953/1–2/L Inv.-Nr. 791.
Lit. Dav. 203. Auktion Helbing 2/25, 34.

237. Drittel Taler 1674,
(halber Gulden).
Vs. Geharnischtes Brustbild rechts in Kreislinie.
❀ CAROL.WILHELM.
P.A.C.A.D.S.B.I.ET.K
Rs. Gekröntes Wappen, unten 1/3, zwischen 1 7 C und 6 4 P jeweils senkrecht.
MON.NOV.A.PRIN.
CIPU.A.L.S.D.I.ET.K
Silber 34 mm 9,32 g Foto 953/3–4/L
Inv.-Nr. 792.
Lit. M. 254. Leo Hamburger 1/08.

238 Drittel Taler 1675,
(halber Gulden).
Vs. Geharnischtes Brustbild rechts.
CAR.WILH.DG
PR.ANH.C.A.D.SBIEK
Rs. Gekröntes Wappen, unten 1/3, zwischen Jahreszahl und CP = Christoph Pflug (1674–1690).
MONETA.NOVA.AR
GENT.A.L.S.D.I.E.K.)
Silber 33 mm 9,26 g Foto 955/29–30/L
Inv.-Nr. 793.
Lit. M. 255. Schwalbach, Rosenberg 10/13.

S. 30, T. 44

239. Sechzehntel Taler ohne Jahr.
Vs. Brustbild rechts.
×CARL WIL:P.A.C.A.D.S.B.I.&.K
Rs. Schrift in vier Zeilen.
XVI REICHS THAL .C(..)
✳ INDOM.FIDUCIA.NOSTRA
Münzstätte Jever. Münzzeichen .C. (P.) = Christian Pfahler.
Silber 20 mm 1,45 g Foto 973/6–7/L Inv.-Nr. 794.
Lit. M. zu 256. Rosenberg 11/18.

240. Groschen 1675.
Vs. Gekröntes Wappen.
CAR WILH.D.G.PR.ANH.C.A.D.S.B.I.E.K.
Rs. Reichsapfel mit 24, zwischen C und P = Christoph Pflug, Münzmeister 1674–1690, oben Jahreszahl.
MON:NOV:ARG:PR:ANH:L.S.D.I.ET.K.
Silber 23 mm 1,78 g Foto 973/8–9/L Inv.-Nr. 795.
Lit. M. 257a. Erbstein 10/09.

241. Groschen 1676.
Vs. Gekröntes Wappen.
CAR.WILH.D.G.PR.A.C.A.D.S.B.I.E.K
Rs. Reichsapfel mit 24, zwischen Jahreszahl und CP = Münzmeister Christoph Pflug (1674–1690).
Lilie MON.NOV.ARG.PR.A.L.S.D.I.EWT.K.
Silber 22 mm 2,12 g Foto 973/10–11/L Inv.-Nr. 796.
Lit. M.-(zu 258). Hess. 1/16.

242. Vs. CAR.WILH.D.G.PR.A.C.A.D.S.B.I.E.K.
Rs. Münzmeister-Initialen SD = Simon (Siegmund) Dannies, 1675–97 in Harzgerode und anderen Städten.
✳ MON.NOV.ARG.PR.ANH.L.S.D.I.E.K.
Silber 21 mm 1,76 g Foto 973/12–13/L Inv.-Nr. 797.
Lit. M. 258f var. Erbstein 10/09.

243. Groschen 1677.
Vs. Gekröntes Wappen.
CAR.WILH.D.G.PR.ANH.C.A.D.S.B.I.E.K.
Rs. Reichsapfel mit 24 zwischen Jahreszahl und SD = Simon (Siegmund) Dannies, Münzmeister 1675–1697 in Harzgerode und anderen Städten.
✳ MON.NOV.ARG:PR:ANH.L.S.D.I.E.K.
Silber 21 mm 1,79 g Foto 983/9–10/L Inv.-Nr. 799.
Lit. M. zu 259. Erbstein 10/09.

244. Dreier 1676.
Vs. Ovales, zweifeldiges Wappen, darüber F.A.L.M.
Rs. In Lorbeerkranz drei, umgeben von S 1 6 7 6 D Münzmeister Simon (Siegmund) Dannies, 1675–1697 in Harzgerode und anderen Städten.
Fast Kupfer 16 mm 0,63 g Foto 973/14–15/L Inv.-Nr. 800.
Lit. M. zu 260. Weinmeister 5/06.

245. .F.A.L.M.
Zwei Exemplare 0,77 g und 0,54 g Foto 973/16–17/L Inv.-Nr. 801*.
Foto 973/18–19/L Inv.-Nr. 802.
Lit. M. 260. Laufer 2/07.

246. Jahreszahl gerade.
Foto 973/20–21/L Inv.-Nr. 803.
Lit. M.-(zu 260). Hess 10/11.

Anmerkung: Die unlesbaren Buchstaben, Zeichen oder Ziffern wurden als Punkte angegeben und in Klammern gesetzt.

S. 30, T. 44

JOHANN AUGUST.
1718–1742.

247. 2/3 Taler 1728, (Gulden).
Vs. Gekröntes Wappen.
D.G.IOH.AVGVSTVS.I.PRIN.
ANHALT.DVX.SAX.1728.
Rs. Monogramm unter Krone,
im Abschnitt FEIN 2/3 SILB:
JJ zwei gekreuzte Zainhaken G.
PIETATE PRVDEN TIA ET
IVSTITIA.
Silber 36 mm 13,04 g Foto 955/31–33/L
Inv.-Nr. 804.
Lit. M. 332. Erbstein 10/09.

JOHANN LUDWIG
* 1688 † 1746 und
CHRISTIAN AUGUST
* 1690 † 1747.

248. Dukat 1742.
Vs. Zwei Brustbilder rechts.
✳ D.G.IOH.LVD.&
CHR.AVG.P.ANH.
D.S.A.&W.C.A.D.S.B.I.&K.
Rs. Gekröntes Wappen zwischen
Jahreszahl.
FRATRVM CONCORDIA
Gold 22 mm 3,47 g Foto 994/11–12/L
Inv.-Nr. 805.
Lit. M. 350. Soo. 879. Fr. 162.
Auktion Rosenberg 10/08.

249. 2/3 Taler 1742, (Gulden).
Vs. Zwei Brustbilder rechts.
❀ D.G.IOH.LVD.& CHR.AVG.P.
ANH.D.S.A.& W.C.A.D.S.B.I.& K.
Rs. Gekröntes Wappen zwischen
Jahreszahl, unten 2/3
FRATRUM CONCORDIA
Silber 35 mm 12,92 g Foto 955/34–35/L
Inv.-Nr. 806.
Lit. M. 352. Rosenberg 4/03.

250. 2/3 Taler 1745, (Gulden).
Vermählung Sophie Augustas, Tochter Christian Augusts, später Kaiserin Katharina II. von Russland.
Vs. Zwei Brustbilder rechts.
.D.G.IOAN.LVD.&.CHR.AVG.
PR.ANH.D.SAX. CONCORDIA
Rs. Gekröntes Wappen. Chronogramm.
serVVestana.DoMVs.LVCet.neXVq
VE.refVLget
Silber 36 mm 13,28 g Foto 955/36–37/L
Inv.-Nr. 807.
Lit. M. 354. Auktion Heidelberg 2/25, 40.

S. 30, T. 44

FRIEDRICH AUGUST * 1743 † 1793, UNTER VORMUNDSCHAFT SEINER MUTTER JOHANNA ELISABETH, 1747–1751.

251. Groschen 1749.
Vs. Monogramm unter Krone zwischen Palmzweigen.
J E F A
Rs. Wertangabe in drei Zeilen über Jahreszahl und H.C.R.F. = Heinrich Christian Rudolf Friese, Münzmeister 1744–1749.
24 zwischen Eicheln EINEN THALER
F.A.Z.L.M. NACH DEM LEIPZIGER FVS.
Silber 20 mm 1,79 g Foto 973/22–23/L Inv.-Nr. 808.
Lit. M. 357. Rappaport 4/06.

252. Sechs-Pfennig 1749.
Vs. Monogramm unter Krone zwischen Palmzweigen.
Rs. Schrift in fünf Zeilen. VI zwischen Eicheln
PFENNING F.A.Z.L.M. 1749.
H.C.R.F. = Heinrich Christian Rudolf Friese, Münzmeister 1744–1749.
Silber 18 mm 1,23 g Foto 973/24–25/L Inv.-Nr. 809.
Lit. M. 358. Rappaport 4/06.

253. Vier-Pfennig 1749.
Vs. Monogramm unter Krone.
Rs. Schrift in fünf Zeilen. IIII zwischen Eicheln PFENN F.A.Z.L.M. 1749.
H.C.R.F. = Heinrich Christian Rudolf Friese, Münzmeister 1744–1749.
Silber 15 mm 0,74 g Foto 973/26–27/L Inv.-Nr. 810.
Lit. M. 359. Rappaport 4/06.

254. Ohne Münzmeisterzeichen.
Silber 16 mm 0,73 g Foto 973/28–29/L Inv.-Nr. 811.
Lit. M. 359a. Auktion H. S. Rosenberg 5/12.

FRIEDRICH AUGUST. 1751–1793.

255. Konventions-Gulden 1763.
Vs. Brustbild rechts, unter zweizeiliger Umschrift.
D.G.FRIDERICVS.AVGVSTVS.ANHALTINVS.
D.S.A.E.W.C.A.D.S.B.I.E.K.
Rs. Mehrfach behelmtes Wappen von Bär und Löwen gehalten, im Abschnitt MDCCLXIII.
oben DEVS.ADIVVAT. (Gott hilft.)
Silber 35 mm 12,95 g Foto 956/1–3/L Inv.-Nr. 812.
Lit. M. 362. J.7. Hess 1/24.

256. Acht-Groschen 1758.
Vs. Kopf rechts.
FRID.A.D.G.PR.ANH.D.S.A.& W.
Rs. Wertangabe in drei Zeilen über Jahreszahl, unten B = Münzstättenzeichen für Breslau (fingiert), Gepräge des Münzmeisters Ephraim nach dem Breslauer Acht-Groschenstück Friedrichs des Großen von Preußen.
Acht zwischen Rosetten.
Silber 29 mm 6,59 g Stempelsprung Foto 956/4–5/L Inv.-Nr. 813.
Lit. M. 364. ex Auktion H. S. Rosenberg 6/21, 1211.

S. 30, T. 44

Nr. 257 und 258 nach Nr. 317 einordnen.

257. Sechstel Taler 1758.
Vs. Brustbild rechts.
V.FRIDERICVS.D.G.P.A.DVX.SA&W.CASC.D.B.&S.
Rs. Wertangabe in vier Zeilen über Jahreszahl, unten Rosette.
VI zwischen Rosetten REICHS THALER 17 58
Silber 26 mm 5,08 g Foto 1000/21–22/L Inv.-Nr. 814.
Lit. M. 629 d.

258. Endbuchstabe S der Umschrift auf dem Brustbild.
Silber 25 mm 4,49 g Foto 1000/23–24/L Inv.-Nr. 815.
Lit. M. 629 d.

259. Sechstel Konventionstaler 1766.
Vs. Monogramm FA unter Krone zwischen Lorbeerzweigen.
AD.NORMAM CONVENTIONIS
Rs. Wertangabe in drei Zeilen über Jahreszahl
VI zwischen Kreuzen
EINEN THALER +1766+
+LXXX.EINE.FEINE.MARCK.F.A.Z.L.M.
Silber 24 mm 5,19 g Foto 1000/25–26/L Inv.-Nr. 816.
Lit. M. 365. J. 12. Krakau 11/06. Auktion Leo Hamburger 9/26, 433.

260. Vier Groschen 1767.
Vs. Wertangabe in zwei Zeilen über F.A.Z.L.M. und Jahreszahl, oben F.A.F.A.Z.L.M
Rs. Fünf Zeilen Schrift, Münzfußangabe.
+LXXX+ E.F.MARCK AD.NORMAM
CONVENTI ONIS
Silber 24 mm 5,28 g Foto 1000/27–28/L Inv.-Nr. 817.
Lit. M. 366. J. 13. Weinmeister 3/10.

261. Kupferabschlag desselben Stempels.
Kupfer 24 mm 3,98 g Foto 1000/29–31/L Inv.-Nr. 818.
Lit. M. 366a. C.152. J.13. Hess 11/17.

262. Vs. Oben keine Schrift.
Rs. +LXXX+ I.F.MARCK
AD.NORMAM CONVENTIO NIS
Silber 23 mm 5,11 g Foto 1000/33–34/L Inv.-Nr. 819.
Lit. M. zu 366. J. 13. Auktion Leo Hamburger 9/26, 433.

263. Zwölftel Kriegstaler 1758.
Vs. Monogramm FA unter Krone, über Jahreszahl.
Rs. 12 zwischen Rosetten EINEN THALER F.A.Z.L.M.
Kupfer 24 mm 2,89 gelocht Foto 1020/1–2/L Inv.-Nr. 820.
Lit. M. 367. Buchenau 7/07.

264. Sechzehn Pfennig 1764,
(Fünf Kreuzer oder 4 Grote).
Vs. Geharnischtes Brustbild rechts von Kranz umgeben.
:D:G:FRID:AUG: . :P:ANHALT:1764:
Rs. Zweifeldiges Wappen zwischen Palmzweigen, unten dreifache Wertangabe 4. G. 16 P. 5. K.
AD.NOR:CONV:240:E:F:M
Silber 20 mm 2,40 g Foto 973/30–31/L Inv.-Nr. 821.
Lit. M. 372. J. 5. Auktion Rosenberg 4/26, 600.

265. Sechzehn Pfennig 1767.
Vs. Zweifeldiges Wappen.
✠ AD.NORMAM.CONVENTIONIS
Rs. Schrift in drei Zeilen über Jahreszahl, XVI zwischen Kreuzblumen, PFENN F.A.Z.L.M
✠ CCXL.EINE.FEINE.MARCK.
Silber 21 mm 2,76 g Foto 973/32–33/L Inv.-Nr. 822.
Lit. M. 376. J. 10. Auktion Leo Hamburger 9/26, 433.

S. 30, T. 44

266. Kupferabschlag.
Vs. Zwei Wertangaben neben dem Wappen 5K und 4G
Rs. Schlankere Buchstaben, besonders NN.
Kupfer 20 mm 2,22 g Foto 973/34–35/L Inv.-Nr. 823.
Lit. M. 374. J. 11. Hess 11/17.

267. Vier Pfennig 1767.
Vs. Zweifeldiges Wappen.
✳ AD.NORMAM.CONVENTIONIS
Rs. Schrift in drei Zeilen über Jahreszahl +IIII+ PFENN F.A.Z.L.M
✳ DCCCCLX.EINEFEINE.MARCK
Silber 16 mm 1,14 g Foto 973/36–37/L Inv.-Nr. 824.
Lit. zu M. 379b. J. 9b.
Erbstein 10/09. Auktion Leo Hamburger 9/26, 433.

268. ✳ AD.NORMAM.CONVENTIONIS.
Foto 974/1–2/L Inv.-Nr. 825.
Lit. M. zu 379 (Vorderseite b, Rückseite zu b). J. 9b.

269. Vs. Über zweifeldigem Wappen F.A.F.Z.A
Kreuzblume AD.NORMAM CONVENTIONIS
Rs. Kreuzblume DCCCCLX.EINE.FEINE.MARCK
Foto 974/3–4/L Inv.-Nr. 826.
Lit. M. 379. J.-. Erbstein 10/09.

270. Kupfer-Pfennig 1766.
Vs. Brustbild rechts, hinten über Locke Punkt.
D.G.F. A.P.A.
Rs. Zweifeldiges Wappen zwischen Jahreszahl, oben F.A.Z.L.M. unten 1.PFENNING
Kupfer meist 20 mm ca. 2,79 g Foto 974/5–6/L Inv.-Nr. 827.
Lit. M. 381b. N. 10758. J. 2b. Tornau 10/17.

271. Vs. Kein Punkt über der hinteren Locke.
Rs. Jahreszahl mit schlanker 66.
Zwei Exemplare
Foto 974/7–8/L Inv.-Nr. 828. Foto 974/9–10/L Inv.-Nr. 829.
Lit. M. 381b. N. 10758. J. 2b. Tornau 5/17.

272. Jahreszahl mit runder 66
Foto 974/11–12/L Inv.-Nr. 830.
Lit. M. 381. N. 10758. J. 2b. Weinmeister 5/06.

273. Über geschlossener Locke hinten ein Punkt.
Foto 974/13–14/L Inv.-Nr. 831.
Lit. M. 381. N. 10758. J. 2b.

274. Vs. D G.F A.P.A
Rs. Jahreszahl, 66 und F.A.Z.L.M (ohne Punkt)
Foto 974/15–16/L Inv.-Nr. 832.
Lit. M. 381d. N. 10761. J. 2b. Tornau 10/17.

275. Vs. D.G.F. A.P.A.
H am Armabschnitt
Rs. 1. PFENNING ohne Punkt.
Foto 974/17–18/L Inv.-Nr. 833.
Lit. M. 381e. N. 10759. J. 2b. Tornau 5/17.

276. 1. PFENNING.
Zwei Exemplare.
Foto 974/19–20/L Inv.-Nr. 834*. Foto 974/21–22/L Inv.-Nr. 835.
Lit. M. 381e. N. 10759. J. 2b.

277. Kupfer-Heller 1766.
Vs. Brustbild rechts.
D.G.F. A.P.A.
Rs. Zweifeldiges Wappen zwischen Jahreszahl, 66 schlank.
F.A.Z.L.M. unten 1. HELLER.
Kupfer meist 17 mm ca. 1,12 g Foto 974/23–24/L Inv.-Nr. 836.
Foto 974/25–26/L Inv.-Nr. 837. Zwei Exemplare.
Lit. M. 382. N. 10763. J. 1. Tornau 10/17.

278. Vs. Über hinterer Locke Punkt.
Rs. 66 der Jahreszahl rund, 1. HELLER ohne Punkt.
Kupfer meist 18 mm ca. 1,21 g. Zwei Exemplare.
Foto 974/27–28/L Inv.-Nr. 838*. Foto 974/29–30/L Inv.-Nr. 839.
Lit. M. 382. N. 10763. J. 1. Weinm. 5/06.

S. 30, T. 45

LUDWIG DER ÄLTERE. 1603–1653.

279. Taler 1625.

Tod seiner Gemahlin Amöna Amalia von Bentheim.
Vs. Gekröntes mehrfeldiges Wappen von Bentheim-Tecklenburg mit anhaltischem Mittelschild.
❀ Das.weib.so.fürchtet.Gott.nicht.werden.kan.zu.spot
Rs. Schrift in dreizehn Zeilen.

.LVDOVICVS.
D.G.PRIINCEPS.ANHALTIN.
COMES.ASCANIAE
D.BER.ET.SER.
.MEMORIAE.
ILLVS.T AMOENAE.AMALAE.
PRIN.ANHALT.COM BENTHEIM.
PIEN.CAST.DILEC.
ONIVG.NAT.Ao.
CHRI.M.D.XXCVI.MENS
.MART.DIE.
XIX.H.III.POM.OB.Ao.CHRI.MDC.
XXV.MEN.SEPT.D.V.III.POST.
VII.MAT.VIXI.ANNOS.
XXXIX.V.D.XXI.
.HOR.V.

Silber 47 mm 28,81 g Foto 956/6–7/L Inv.-Nr. 849.
Lit. M. 441 var. Dav. 6019. Erbstein 10/09.

LUDWIG WILHELM. 1650–1665.

280. Achtel Taler 1665, auf seinen Tod.
(Viertel Gulden).

Vs. Dreifach behelmtes mehrfeldiges Wappen zwischen HP und K sowie Jahreszahl. HPK = Hans Philipp Koburger, Münzmeister in Eisleben 1632–1665, von 1661 auch in Magdeburg und Zerbst.
Lehre mich dein wort Meiner Seelen Hort
Rs. Schrift in neun Zeilen.

WILHELMUS
LUDOVICUS D.G.P.
ANH.COM.ASC.etc.
NAT.III.AUG.M.D.C.
XXXIIX.DeN.XIII.APR.
HOR.III.MER.M.DC.
LXV.VIXIT AN.XX
VI.MeN.VIII.D.
XIII

Silber 30 mm 3,41 g Foto 956/10–12/L Inv.-Nr. 850.
Lit. M. 466 var. Schwalbach, Rosenberg 10/13.

S. 30, T. 45

AUGUST LUDWIG. 1728–1755.

281. Kupferabschlag vom Dukaten 1750.
Vs. Monogramm AL in Verzierung mit Elefantenorden unter Krone.
Rs. Wappenschild, Bär auf Mauer, unter Krone zwischen 17 und 50
RECTO. GRADU
Kupfer 21 mm 2,16 g Foto 974/31–32/L Inv.-Nr. 851.
Lit. M. zu 490. Erbstein 1/11.

282. 2/3 Taler 1747, (Gulden).
Vs. Wappen unter Krone von zwei Bären gehalten, im Abschnitt FEIN (2/3) SILB:
✳D.G.AVGVSTVS LVDOVICVS PRINCEPS ANHALT
Rs. Bär hält gekröntes Schild mit SENIOR DOMVS, im Abschnitt 17.I.I.G.47 Münzmeisterinitialen = Johann Jeremias Gründler, Stolberg'scher Münzmeister, 1710–1747, der auch für Anhalt arbeitete in Sangershausen 1747–1750.
✳ DVX.SAX.ANGR.ET WESTPH.COM.
ASCAN.DOM.B.ET.S
Silber 34 mm 13,06 g Foto 956/13–14/L Inv.-Nr. 852.
Lit. M. 495 var. Secker 7/09.

283. Drittel-Taler 1750, (Halber Gulden).
Vs. Wappen unter Krone, darunter FEIN (1/3) SILB:
✳D.G.AVGVST.LVDOVIC.P.
ANH.DVX.S.A.ET.W.C.ASC.D.B.ET.S.
Rs. Gekrönter Bär auf Mauer links, im Abschnitt 17.A.W.50. Münzmeister-Initialen von Alexius Wegelin, Münzmeister in Köthen, 1750–1751.
INVIA NVLLA.
Silber 27 mm 6,47 g Foto 1062/18–19/L Inv.-Nr. 853.
Lit. M. 497.

284. Zwölftel-Taler 1751.
Vs. Monogramm AL unter Krone.
✳FVRST.ANH.COTH. LAND MVNTZE
Rs. Wertangabe in drei Zeilen über Jahreszahl und A.W., von Zweigen umgeben. Initialen von Alexius Wegelin, Münzmeister in Köthen, 1750–1751.
✳NACH DEM LEIPZIGER FVS
Silber 24 mm 3,55 g Foto 1062/20–21/L Inv.-Nr. 854.
Lit. M. 499. Auktion Leo Hamburger 9/26, 457.

285. Auf der Rückseite keine Umschrift.
Silber 24 mm 3,54 g Foto 1062/22–23/L Inv.-Nr. 855.
Lit. M. 498. Auktion Leo Hamburger, 9/26, 457.

286. 1/24 Reichstaler 1751, (Groschen).
Vs. Monogramm AL unter Krone.
✳ FVRST.ANH.COTH. LAND MVNTZE
Rs. Wertangabe in drei Zeilen, über Jahreszahl und A.W. = Alexius Wegelin, Münzmeister in Köthen, 1750–1751.
✳ 24 EINEN REICHS THALER
Silber meist 21 mm ca. 1,94 g Foto 974/33–34/L Inv.-Nr. 856.
Lit. M. 500. Schwalbach, Rosenberg 10/13.

S. 30, T. 45

287. Vs. ✳ FVRSTL.ANH.COHT. ! LAND MVNTZE
Rs. Wertangabe, Jahreszahl und Münzmeister-Initialen von Kreislinien umgeben.
✳ NACH DEM LEIPZIGER FVS
Foto 974/35–36/L Inv.-Nr. 857.
Lit. M. 501. Schwalbach, Rosenberg 10/13.

288. Sechs Pfennig 1751.
Vs. Gekröntes zweifeldiges Wappen zwischen Zweigen.
Rs. Wertangabe über F.A.C.L.M. Jahreszahl und Münzmeister-Initialen A.W. = Alexius Wegelin, Münzmeister in Köthen, 1750–51.
Silber 17 mm 1,41 g Foto 976/1/L Inv.-Nr. 858.
Lit. M. 502. Schwalbach, Rosenberg 10/13.

289. Drei Pfennig 1751.
Vs. Gekröntes Wappen in Verzierungen.
F.A.C. L.M. unten A.W. Münzmeister-Initialen.
Rs. In Schild Reichsapfel mit 3 zwischen Jahreszahl.
Silber 16 mm 0,78 g Foto 976/2–3/L Inv.-Nr. 859.
Lit. M. 504. Schwalbach, Rosenberg 10/13.

HEINRICH. 1830–1847.

290. Doppeltaler 1840.
Vs. Kopf links, Münzstättenzeichen A = Berlin seit 1834.
HEINRICH HERZOG ZU ANHALT
Rs. Wappen auf Hermelinmantel.
✳2 THALER VII EINE F.MARK 3 1/2 GULDEN✳
VEREINS 1840 MÜNZE
Silber 41 mm 37,12 g Foto 956/15–16/L Inv.-Nr. 1100.
Lit. AKSt. 20. Dav. 507. Schw. 6. M. 513. BNZ 52. Pastor 4/38.

S. 30, T. 45

VIKTOR FRIEDRICH. 1721–1765.

291. Dukat 1733.
Vs. Gekröntes Wappen, das unten 17.I.I. und G.33 trennt.
✳ VICTOR.FRID.D.G.PR.ANH.DVX
S.A.E.VV.C.A.D.B&S
Rs. Gekrönter Bär auf Mauer links.
PERRVMPENDUM.
Münzmeister Johann Jeremias Gründler, 1710–1747.
Gold 22 mm, 3,44 g Foto 994/13–14/L Inv.-Nr. 861.
Lit. M. 578. Althaus 1/11. S. Anmerkung.

292. Dukat 1741.
Vs. Gekröntes Wappen, darunter 17.I.I.G.41
✳ VICTOR.FRID.D.G.PR.ANH.DVX.
S.A.E.W.C.A.D.B&S
Rs. Gekrönter Bär auf Mauer links.
PERRVM PENDVM.
Münzmeister Johann Jeremias Gründler, 1710–1747.
Gold 23 mm 3,43 g Foto 994/9–10/L Inv.-Nr. 860.
Lit. M. 579. Oppel 4/07.

293. Dukat 1761.
Vs. Gekröntes Wappen, darunter 17.I.G.S.61
VICTOR.FRID.D.G.P.ANH.DVX.
S.A.&W.C.A.D.B.&S.
I.G.S. = Münzmeister Johann Gottfried Siegel, 1752–1767.
Rs. Gekrönter Bär auf Mauer links.
PERRVM PENDVM auf Band.
Gold 21 mm 3,46 g Foto 994/15–16/L Inv.-Nr. 862.
Lit. M.- (vgl. 586). Erbstein 10/09.

294. 24 Mariengroschen 1727.
Vs. Schrift über Jahreszahl und I.I.G. = Münzmeister Johann Jeremias Gründler, 1710–1747.
✳ VICTOR.FRIDERICUS.D.G.P.A.
DVX.S.A.&W.C.ASC.D.B.&S
Rs. Gekrönter Bär links auf Mauer mit Tor.
PERRUMPENDUM auf Band.
Silber 37 mm 13,04 g Foto 955/1–2/L Inv.-Nr. 863.
Lit. M. 592b. Erbstein 10/09.

295. In der Mauer kein Tor.
Silber 36 mm 13,04 g Foto 955/3–4/L
Inv.-Nr. 864. Abbildung der Rückseite.
Lit. M. 592a. Erbstein 10/09.

Anmerkung:
Erste 3 der Jahreszahl teilweise im Wappen.

S. 30, T. 45

296. Gulden 1727.

Vs. Gekröntes Wappen zwischen Jahreszahl und Münzmeister-Initialen I. I. und G. = Johann Jeremias Gründler, 1710–1747 (1750), unten FEIN ²/₃ SILB:
✳VICTOR.FRIDERICUS.D.G.P.A.DUX.
S.A.&W.C.ASC.D.B.&.S
Rs. Bär auf Mauer links.
PERRUMPENDUM auf Band.

Silber 38 mm 12,93 g Foto 955/5–6/L Inv.-Nr. 865.
Lit. M. 593. Weinberg, Berlin 5/04.

297. Zwölf Mariengroschen 1727.

Vs. Schrift in vier Zeilen über Jahreszahl und Münzmeister-Initialen I. I. G. = Johann Jeremias Gründler, 1710–1747.
✳VICTOR.FRIDER:D.G.P.ANHALT.
DUX.S.A.&W.C.ASC.D.B.&.S
Rs. Gekrönter Bär auf Mauer mit Tor, oben PERRUMPENDUM

Silber 32 mm 6,45 g Foto 955/7–8/L Inv.-Nr. 866.
Lit. M. 602. Schwalbach, Rosenberg 10/13.

298. Drittel Taler 1742, (halber Gulden).

Vs. Gekröntes Wappen zwischen Jahreszahl und Münzmeister-Initialen I. I. und G. = Johann Jeremias Gründler, 1710-1747, unten FEIN ¹/₃ SILB:
✳ VICTOR.FRIDER.D.G.P.ANHALT.
DUX.S.A.&.W.C.ASC.D.B.&.S
Rs. Gekrönter Bär links auf Mauer mit Tor, oben PERRUMPENDUM

Silber 32 mm 6,43 g Foto 955/9–10/L Inv.-Nr. 867.
Lit. M. 606. Laufer 6/07.

299. Drittel Taler 1750, (halber Gulden).

Vs. Gekröntes Wappen zwischen Jahreszahl und Münzmeister-Initialen I. I. und G. = Johann Jeremias Gründler, 1710–1747, unten FEIN ¹/₃ SILB.
✳ VICT.FRID.D.G.P.ANH.DUX.S.A.&.
W.C.ASC.D.B.&.S.
Rs. Gekrönter Bär links auf Mauer mit Tor, oben Band mit PERRVMPENDVM

Silber 33 mm 6,76 g Foto 955/11–13/L Inv.-Nr. 868.
Lit. M. 610. Rosenberg 4/03.

S. 30, T. 45

300. Drittel Taler 1758, (halber Gulden), auf seinen 58. Geburtstag.
Vs. Monogramm VF unter Krone.
NATUS 20.SEPT.1700.TRADIT 20.SEPT.1758.
Rs. Gekrönter Bär links auf Mauer im Tor 1/3 F.S oben PERRVMPENDVM auf Band.
Silber 30 mm 8,31 g Foto 955/19–20/L Inv.-Nr. 869.
Lit. M. 611. Auktion Helbing 2/25, 77.

301. Drittel Taler 1759.
Vs. Kopf rechts.
V.FRID.D.G.P.A.DVX.S.A.&W.C.ASC.D.B&S
Rs. Wertangabe in Verzierungen über Jahreszahl.
Silber 30 mm 6,74 g Foto 995/16–17/L Inv.-Nr. 8524.
Lit. M. 612.

302. Acht gute Groschen 1758.
Vs. Kopf rechts.
V.FRID·G.P.A.DVX.S.A.&.W.C.ASC.D.B.&.S. (sic!)
Rs. Wertangabe in drei Zeilen über Jahreszahl und B zwischen kleinen fünfblättrigen Rosetten, kleine 8 zwischen Rosetten, GUTE GROSCHEN
Silber 28 mm 6,91 g Foto 994/6A+8/L Inv.-Nr. 870.
Lit. M. 613. Weinmeister 5/06.

303. Vs. V.FRID.D.G.P.A.DVX.S.A.&.W. C.ASC.D.B.&.S
Rs. Große 8, B zwischen Punkten.
Silber meist 30 mm ca. 8,03 g Foto 994/2A–3A/L Inv.-Nr. 872.
Lit. M. zu 613.

304. Vs. Kleine Umschrift.
Rs. B zwischen sechsstrahligen Stern.
Foto 995/20A–21A/L Inv.-Nr. 873.
Lit. M. 613e. Weinmeister 5/06.

305. Vs. Große Umschrift, Endbuchstabe S auf dem Halsabschnitt.
Rs. Kleine 8 zwischen Rosetten.
Foto 955/18A–19A/L Inv.-Nr. 874.
Lit. M. zu 613.

306. Vs. Kleine Umschrift, Endbuchstabe S auf dem Halsabschnitt.
Rs. Große 8 zwischen Rosetten.
Foto 995/14A–15A/L Inv.-Nr. 8521.
Lit. M. zu 613.

307. Vs. Große Umschrift.
Rs. Große 8 zwischen Kreuzen.
Foto 994/4A–5A/L Inv.-Nr. 871.
Lit. M. 613x. Rosenberg 4/21.

308. Sechzigstel Mark 1760, (1/6 Taler oder 8 Groschen).
Vs. Monogramm VF unter Krone.
D.G.P.A.DVX.S.A.&.W.C.ASC.D.B.&.S. zwischen Dreiblatt
Rs. Bär auf Mauer links, im Abschnitt Jahreszahl, oben 60 EINE MARCK FEIN
Silber 30 mm 8,23 g justiert Foto 1062/24–25/L Inv.-Nr. 875.
Lit. M. 616. Rosenberg, ex Erbstein, 3/10.

S. 30, T. 45

309. Sechs Mariengroschen 1727.
Vs. Schrift in vier Zeilen über Jahreszahl und I. I. G. = Münzmeister Johann Jeremias Gründler, 1710–1747.
✳ VICTOR.FRIDERICUS.D.G.P.A.DVX.S.A.&. W.C.D.B.&.S
Rs. Bär auf Mauer links, oben Band mit PERRVMPENDUM
Silber 24 mm 3,22 g Foto 1062/26–27/L Inv.-Nr. 876.
Lit. zu M. 617. Secker 1/07.

310. Sechstel Taler 1733,
(viertel Gulden, vier Groschen).
Vs. Gekröntes Wappen zwischen Jahreszahl und Münzmeister-Initialen I. I. G.
Rosette VICTOR.FRIDERICUS.D.G.P.A. DUX.S.A.&.W.C.ASC.D.B.&S.
Rs. Bär auf Mauer links, oben PERRVMPENDVM
Silber 24 mm 3,22 g Foto 1062/28–29/L Inv.-Nr. 877.
Lit. M. 620. Erbstein 10/09.

311. Sechstel Taler 1744,
(viertel Gulden, vier Groschen).
Vs. Gekröntes Wappen zwischen Jahreszahl und Münzmeister-Initialen I. H. und S.
✳ VICT.FRID.D.G.P.ANH.DVX.S.A.&.W. C.ASC.D.B.&.S
Rs. Bär auf Mauer links, auf Band PERRVMPENDVM
Silber 26 mm 5,74 g Foto 1062/30–31/L Inv.-Nr. 878.
Lit. M.622b. Cahn 2/21.

312. Sechstel Taler 1752,
(viertel Gulden, vier Groschen).
Vs. Gekröntes Wappen zwischen Jahreszahl und Münzmeister-Initialen I. H. und .S. = Johann Heinrich Siegel, 1744–1753.
✳ VICTOR.FRID.D.G.P.ANH.DUX.S.A.&.W. C.ASC.D.B&.S
Rs. Bär auf Mauer links, auf Band PERRVMPENDVM
Silber 24 mm 3,12 g Foto 1062/32–33/L Inv.-Nr. 879.
Lit. M. 625. Feith 9/08.

313. Sechstel Taler 1758,
(viertel Gulden, vier Groschen).
Vs. Kopf rechts.
V.FRID.D.G.P.A.DVX.S.A.&.W.C.ASC.D.B &.S
Rs. Wertangabe in vier Zeilen über ✳ L ✳ M ✳ und Jahreszahl.
VI zwischen Rosetten EINEN THALER LM (Land-Münze).
Silber meist 25 mm ca. 4,23 g Foto 1062/34–35/L Inv.-Nr. 880.
Lit. M. zu 628. Rosenberg 11/09.

314. Vs. Schrift beginnt am Nacken.
Punkte nicht zwischen den Buchstaben, sondern darunter.
VFRIDD.G.P.A.DVXS.A.&.W.C.ASC.D.B.&.S
Rs. Wertangabe in drei Zeilen über Jahreszahl, unten ✳ ohne LM
Foto 1063/2–3/L Inv.-Nr. 882.
Lit. M.-.

315. Vs. Schrift beginnt am Haar.
V.FRID.D.G.P.A.DVX.S.A.&.W.C.ASC.D.B.&.S
Rs. Wertangabe in drei Zeilen über Jahreszahl und .B.
Foto 1063/4–5/L Inv.-Nr. 883.
Lit. M. zu 628. Rosenberg 12/09.

316. Vs. Mit Punkt als Schluß.
Rs. Wertangabe in vier Zeilen .B. trennt Jahreszahl.
VI zwischen Rosetten EINEN REICHS THALER
Foto 1063/6–7/L Inv.-Nr. 884.
Lit. M.-. Weinmeister 5/06.

S. 30, T. 45

317. Sechstel Taler 1758,
(vier Groschen).
Vs. Geharnischtes Brustbild rechts.
VFRIDDGP.ADVX.SA&WCASCDB&S
Letztes S auf dem Brustabschnitt.
Rs. Wertangabe in vier Zeilen.
VI zwischen Rosetten
EINEN THALER ✳ L ✳ M✳ Jahreszahl.
(Land-Münze).
Silber 25 mm 3,73 g Foto 1063/1 + 1062/36/L Inv.-Nr. 881.
Lit. zu M. 629. Rosenberg 11/09.
Vgl. Nr. 257 und 258.

318. Vs. Monogramm VF unter Krone.
V.G.G. F.Z.A(.)
Rs. Wertangabe in vier Zeilen über L.M.
zwischen Kreuzen und Jahreszahl.
VI zwischen Kreuzen.
Silber 25 mm 4,65 g Foto 1063/8–9/L Inv.-Nr. 885.
Lit. M. 630.

319. ✳ L.M ✳
Foto 1063/10–11/L Inv.-Nr. 886.
Lit. M. 630c.

320. Sechstel Taler 1759, (vier Groschen).
Vs. Geharnischtes Brustbild rechts, Umschrift beginnt auf dem Brustabschnitt.
V.FRIDERICVS D.G.P.A DVX S.A& W.CAD.B&S
Rs. Wertangabe in vier Zeilen über Jahreszahl, die von Rosette geteilt wird.
VI zwischen Rosetten EINEN REICHS THALER
Silber 26 mm 4,32 g Foto 1063/12–13/L Inv.-Nr. 887.
Lit. M. zu 631b. Hess 11/17.

321. Zwölftel Taler 1746,
(zwei Groschen).
Vs. Wertangabe in vier Zeilen über Jahreszahl und H.C.R.F. = Münzmeister Heinrich Christian Rudolf Friese, 1744–1749.
F.A.B.L.M. NACH DEM LEIPZIGER FVS
Rs. Gekrönter Bär auf Mauer links,
oben PERRVMPENDVM
Silber 23 mm 3,53 g Foto 976/4–5/L Inv.-Nr. 888.
Lit. M. 634a. Schwalbach, Rosenberg, 10/13.

322. Zwölftel Taler 1750,
(zwei Groschen).
Vs. Wertangabe in vier Zeilen über Jahreszahl und .I.H.S.
12 zwischen Sternen.
F.A.B.L.M. NACH DEM LEIPZIGER FVS
IHS = Johann Heinrich Siegel, 1744–53.
Rs. Gekrönter Bär auf Mauer links,
oben auf Band PERRVMPENDUM
Silber meist 23 mm ca. 3,70 g Foto 976/6–7/L Inv.-Nr. 889.
Lit. M. 635. Erbstein 10/09.

323. Spruch ohne Band.
Foto 890/14–15/L Inv.-Nr. 890.
Lit. M. 635a. Erbstein 10/09.

324. Zwölftel Taler 1757,
(zwei Groschen).
Vs. Wertangabe in vier Zeilen über Jahreszahl und I.G.S. = Münzmeister Johann Gottfried Siegel, 1752–1767.
.12. .FVRSTL.ANHALT.BERNBVRG. LANDMVNTZ
Rs. Gekrönter Bär links auf Mauer,
oben PERRVMPENDVM
Silber 25 mm 3,52 g Foto 1063/16–17/L Inv.-Nr. 891.
Lit. M. 636. Erbstein 10/09.

325. Zwölftel Taler 1760,
(zwei Groschen).
Vs. Wertangabe in vier Zeilen
über ✳ L ✳ M ✳ und Jahreszahl.
✳ 12 ✳ EINEN REICHS THALER
Rs. Gekrönter Bär links auf Mauer,
oben PERRVMPENDVM
Silber 22 mm 2,78 g Foto 976/8–9/L Inv.-Nr. 892.
Lit. M. 637. Schwalbach, Rosenberg 10/13.

S. 30, T. 45

326. Mariengroschen 1744.
Vs. Wertangabe in drei Zeilen über Jahreszahl und I.H.S. = Münzmeister Johann Heinrich Siegel, 1744–1753.
F.A.B.M NACH DEM LEIPZIGER FVS.
Rs. Gekrönter Bär links auf Mauer.
Silber meist 19 mm ca. 1,14 g Foto 976/10–11/L Inv.-Nr. 893.
Lit. M. 638a.

327. Mariengroschen 1749.
Wertangabe in drei Zeilen.
✳ FURSTL.ANHALT.BERNB.LAND.MUNTZ
Foto 976/12–13/L Inv.-Nr. 894.
Lit. M. 640. Weinmeister 12/07.

328. Kupferabschlag des Mariengroschens 1761.
Vs. Gekrönter Bär auf Mauer.
Rs. Wertangabe in drei Zeilen über Jahreszahl, unten Stern.
Kupfer 19 mm 1,70 g Foto 976/14–15/L Inv.-Nr. 895.
Lit. Vgl. M. 642. Hahlo, Leo Hamburger 1/27/25.

329. Groschen 1744, (1/24 Taler).
Vs. Wertangabe in vier Zeilen über Jahreszahl und H.S. = Münzmeister Heinrich Siegel, 1744–1753.
F.A.B.L.M. NACH DEM LEIPZIGER FVS
Rs. Gekrönter Bär auf Mauer.
Silber 21 mm ca. 1,48 g Foto 976/16–17/L Inv.-Nr. 896.
Lit. M. 643. Fejér 7/14.

330. Groschen 1750, (1/24 Taler).
Vs. Wertangabe in vier Zeilen über Jahreszahl und I.H.S. = Johann Heinrich Siegel, 1744–1753.
✳ 24 ✳ EINEN REICHS THALER
.F·A·B.L.M. NACH DEM LEIPZIGER FVS
Rs. Gekrönter Bär links auf Mauer.
Foto 976/18–19/L Inv.-Nr. 897.
Lit. M. 645. Riechmann 8/16.

331. Groschen 1757, (1/24 Taler).
Vs. Münzmeister-Initialen IGS = Johann Gottfried Siegel, 1752–1767. 24 zwischen Punkten.
.FVRSTL.ANHALT.BERNBVRG.
LAND MVNTZ
Rs. Gekrönter Bär links auf Mauer.
Foto 976/20–21/L Inv.-Nr. 898.
Lit. M. 646. Steeger 11/09.

332. Groschen 1759, (1/24 Taler).
Vs. Bär auf Mauer links.
Rs. Wertangabe in vier Zeilen über Jahreszahl, unten Punkt.
Stempelfehler Foto 976/22–23/L Inv.-Nr. 899.
Lit. M. 648a. Riechmann 1/16.

333. Groschen 1760, (1/24 Taler).
Ohne „Reichs“, unten Stern.
Foto 976/24–25/L Inv.-Nr. 900.
Lit. M.- (vgl. zu 649). Schwalbach, Rosenberg 10/13.

334. Groschen 1761, (1/24 Taler).
Vs. B zwischen Vierblatt, Mittelpunkt, S Raute M und unten Vierblatt.
Rs.Wertangabe in drei Zeilen über Jahreszahl, unten I.D.(.) = I.D.B.? Johann David Biller (Münzmeister unter preußischer Verwaltung in Dresden, 1756–1760).
Foto 976/26–27/L Inv.-Nr. 901.
Lit. M.- (vgl. zu 650). Gruß 3/07.

S. 30, T. 45

335. Sechs Pfennig 1747.

Vs. Wertangabe VI zwischen Eicheln, PFENNING und F.A.B.L.M. über Jahreszahl und H.C.R.F. = Heinrich Christoph Rudolf Friese, Münzmeister 1734–1764, auch in Goslar und Berlin.
Rs. Gekrönter Bär links auf Mauer.
Silber meist 18 mm ca. 1,19 g Foto 976/28–29/L Inv.-Nr. 902.
Lit. M. 654. Auktion Leo Hamburger 9/26, 433.

336. Sechs Pfennig 1749.

Vs. ✳ VI ✳ und Münzmeister-Initialen IHS = Johann Heinrich Siegel, 1744–1753.
Rs. Gekrönter Bär links auf Mauer.
Foto 976/30–31/L Inv.-Nr. 903.
Lit. M. 655 a. Weinmeister 5/06.

337. Sechs Pfennig 1750.

Vs. .I.H.S. = Münzmeister Johann Heinrich Siegel, 1744–1753.
Rs. Gekrönter Bär links auf Mauer.
Foto 976/32–33/L Inv.-Nr. 904.
Lit. M. 656. Auktion H. S. Rosenberg 5/12.

338. Sechs Pfennig 1751.

Vs. I.H.S. = Münzmeister Johann Heinrich Siegel, 1744–1753.
Rs. Gekrönter Bär links auf Mauer.
Foto 976/34–35/L Inv.-Nr. 905.
Lit. M. 657. Auktion H. S. Rosenberg 5/12.

339. Sechs Pfennig 1752.

Vs. .I.H.S. = Münzmeister Johann Heinrich Siegel, 1744–1753.
Rs. Gekrönter Bär links auf Mauer.
Foto 976/36–37/L Inv.-Nr. 906.
Lit. M. 658. Auktion H. S. Rosenberg 5/12.

340. Sechs Pfennig 1753.

Vs. Ohne Münzmeister-Initialen.
Rs. Gekrönter Bär links auf Mauer.
Foto 983/12–13/L Inv.-Nr. 907.
Lit. M. 659 a. Auktion H. S. Rosenberg 5/12.

341. Sechs Pfennig 1753.

Vs. .I.H.S. = Münzmeister Johann Heinrich Siegel, 1744–1753.
Rs. Gekrönter Bär links auf Mauer.
Stempelsprung Foto 983/14–15/L Inv.-Nr. 908.
Lit. M. 659. Auktion H. S. Rosenberg 5/12.

342. Sechs Pfennig 1754.

Vs. Ohne Münzmeister-Initialen.
Rs. Gekrönter Bär links auf Mauer.
Foto 983/16–17/L Inv.-Nr. 909.
Lit. M. 660. Auktion H. S. Rosenberg 5/12.

343. Sechs Pfennig 1756.

Vs. Jahreszahl über drei Punkten.
Rs. Gekrönter Bär links auf Mauer.
Foto 983/18–19/L Inv.-Nr. 910.
Lit. M. 662 a. Weinmeister 12/07.

344. Sechs Pfennig 1757.

Vs. Wertangabe ✳ VI ✳ PFENNIG F.A.B.L.M. Jahreszahl, unten Punkt.
Rs. Gekrönter Bär links auf Mauer.
Foto 983/20–21/L Inv.-Nr. 911.
Lit. M. 663 c. Auktion H. S. Rosenberg 5/12.

345. Sechs Pfennig 1758.

Vs. Unter der Jahreszahl Dreiblatt.
Rs. Gekrönter Bär links auf Mauer.
Foto 983/22–23/L Inv.-Nr. 912.
Lit. M.- (vgl. M. 664). Auktion H. S. Rosenberg 5/12.

S. 30, T. 45

346. 1/48 Taler 1760, (Sechser).
Vs. Gekrönter Bär links auf Mauer, Tor umgeben von 9 Steinen.
Rs. Wertangabe in drei Zeilen über Jahreszahl und Stern.
Silber meist 16 mm ca. 1,11 g Foto 983/24–25/L Inv.-Nr. 913.
Lit. M. 665.

347. Tor von 11 Steinen umgeben.
Foto 983/26–27/L Inv.-Nr. 914.
Lit. M. zu 665.

348. 1/48 Taler 1761, (Sechser).
Tor von 10 Steinen umgeben.
Foto 983/28–29/L Inv.-Nr. 915.
Lit. M. 666. Molly 5/34.

349. Vier Pfennig 1745.
Vs. Monogramm VF unter Krone.
Rs. Wertangabe in zwei Zeilen über F.A.B.L.M. Jahreszahl.
Silber 16 mm 0,87 g Foto 983/30–31/L Inv.-Nr. 916.
Lit. M. 668. Secker 1/07.

350. Vier Pfennig 1748.
Vs. Gekrönter Bär links auf Mauer.
Rs. Wertangabe in drei Zeilen IIII zwischen Eicheln GVTE PFENN 1748 unten H.C.R.F. = Münzmeister Heinrich Christoph Rudolf Friese, 1734–1764.
Silber 15 mm 0,85 g Foto 983/32–33/L Inv.-Nr. 917.
Lit. M. 671. Auktion Leo Hamburger 9/26, 433.

351. Drei Pfennig 1745.
Vs. Monogramm VF unter Krone.
Rs. Wertangabe, F.A.B.L.M. über Jahreszahl.
Silber 14 mm 0,65 g Foto 983/34–35/L Inv.-Nr. 918.
Lit. M. 674. Secker 10/06.

352. Drei Pfennig 1749.
Vs. Gekrönter Bär links auf Mauer.
Rs. Wertangabe in drei Zeilen ✳ 3 ✳ GVTE PFENN Jahreszahl, .I.H.S. = Johann Heinrich Siegel, 1744–1753.
Silber 13 mm 0,68 g Foto 983/36–37/L Inv.-Nr. 919.
Lit. M. 675. Erbstein 10/09.

353. Zwei Pfennig 1745.
Vs. Monogramm VF unter Krone.
Rs. Schrift in drei Zeilen über Jahreszahl.
Silber 13 mm 0,66 g Foto 984/1–2/L Inv.-Nr. 920.
Lit. M. 677. Weinmeister 12/07.

354. Pfennig 1745.
Vs. Monogramm VF unter Krone.
Rs. Wertangabe in drei Zeilen über Jahreszahl.
Silber 12 mm 0,27 g Foto 984/3–4/L Inv.-Nr. 921.
Lit. M. 679. Secker 9/07.

355. Kupfer-drei-Pfennig 1753, (Dreier).
Vs. Gekrönter Bär links auf Mauer mit sechs hohen Zinnen, Mittelpunkt, Krone am zweiten R der Schrift PERRVMPENDVM
Rs. Wertangaben in zwei Zeilen über F.A.B.L.M. Jahreszahl und .✳.
Kupfer meist 24 mm ca. 7,63 g. Zwei Exemplare.
Foto 1063/18–19/L Inv.-Nr. 922. Foto 1063/20–21/L Inv.-Nr. 923.
Lit. N. 10703. M. 680. Weinmeister 5/06.

356. Ohne Mittelpunkt, Tor von 14 Steinen umgeben.
Foto 1063/22–23/L Inv.-Nr. 924.
Lit. N. zu 10703. M. zu 680.

S. 30, T. 45

357. Krone endet zwischen V und M der Schrift PERRVM....
Foto 1063/26–27/L Inv.-Nr. 926.
Lit. N.-. M. zu 680. Tornau 5/18.

358. Niedrige Zinnen, Krone endet am V von PERRVM...
Tor von 16 Steinen umgeben.
Foto 1063/24–25/L Inv.-Nr. 925.
Lit. N. 10702. M. zu 680. Tornau 5/18.

359. Kupfer-drei-Pfennig 1760, (Dreier).
Vs. Gekrönter Bär links auf Mauer, Haken am Tor offen.
Rs. Wertangabe über F.A.B.L.M Jahreszahl, unten .✳.
Kupfer meist 25 mm ca. 5,53 g Stempelfehler am Rand.
Zwei Exemplare.
Foto 1063/28–29/L Inv.-Nr. 927. Foto 1063/30–31/L Inv.-Nr. 928*.
Lit. N. 10704. M. 681. Weinm. 4/08.

360. Haken am Tor geschlossen.
Foto 1063/32–33/L Inv.-Nr. 929.
Lit. M. zu 681. Laufer 6/11.

361. Kupfer-1 1/2-Pfennig 1747.
Vs. Gekrönter Bär links auf Mauer.
Rs. Wertangabe in zwei Zeilen über F.A.B.L.M. über Jahreszahl und H.C.R.F. = Münzmeister Heinrich Christoph Rudolf Friese, 1734–1764.
Foto 1063/34–35/L Inv.-Nr. 930.
Lit. M. 682. Weinmeister 5/06.

362. Kupfer-Pfennig 1746.
Vs. Gekrönter Bär links auf Mauer.
Rs. Wertangabe in vier Zeilen über Jahreszahl und Münzmeister-Initialen H.C.R.F. = Heinrich Christoph Rudolf Friese, 1734–64.
I zwischen Eicheln PFENNING SCHEIDE MVNTZ
Kupfer meist 21 mm ca. 2,36 g
Zwei Exemplare.
Foto 984/5–6/L Inv.-Nr. 931. Foto 984/7–8/L Inv.-Nr. 932.
Lit. N. 10706. M. 683. Weinm. 5/06.

363. Kupfer-Pfennig 1748.
Vs. Gekrönter Bär links auf Mauer mit Mittelpunkt.
Rs. Wertangabe in vier Zeilen über Jahreszahl und Münzmeister-Initialen.
Stempelfehler am Rand. Foto 984/9–10/L Inv.-Nr. 933.
Lit. N. 10707. M. 684. Tornau 5/18.

364. Kupfer-Pfennig 1749.
Vs. Gekrönter Bär links auf Mauer, Mauer mit kleinem Tor, Mittelpunkt.
Rs. Wertangabe in vier Zeilen über Jahreszahl und Münzmeister-Initialen I.H.S. = Johann Heinrich Siegel, 1744–53.
✳ I ✳ PFENNING SCHEIDE MVNTZ
Foto 984/11–12/L Inv.-Nr. 934.
Lit. N. 10708. M.-. Weinmeister 4/08.

365. Vs. Mauer mit großem Tor und Mittelpunkt.
Rs. Geänderte Jahreszahl.
Foto 984/13–14/L Inv.-Nr. 935.
Lit. N. 10708 var. M.-.

366. Vs. Mauer mit großem Tor, aber ohne Mittelpunkt.
Rs. Münzmeister-Initiale 1. statt I. Stempelsprung zwischen zweitem Stern, NG und Rand.
Foto 984/15–16/L Inv.-Nr. 936.
Lit. Tornau 5/18.

S. 30, T. 45

367. Kupfer-Pfennig 1750.
Vs. Gekrönter Bär links auf Mauer.
Rs. Wertangabe in vier Zeilen über Jahreszahl und I.H.S. = Johann Heinrich Siegel, 1744–53.
Zwei Exemplare.
Foto 984/17–18/L Inv.-Nr. 937. Foto 984/19–20/L Inv.-Nr. 938.
Lit. N. 10709. M. 686a. Secker 10/06.

368. Kupfer-Pfennig 1751.
Vs. Gekrönter Bär links auf Mauer.
Große Jahreszahl.
Rs. Wertangabe in vier Zeilen über Jahreszahl und I.H.S. = Johann Heinrich Siegel, Münzmeister 1744–53.
Drei Exemplare.
Foto 984/23–24/L Inv.-Nr. 940. Foto 984/25–26/L Inv.-Nr. 941.
Foto 984/29–30/L Inv.-Nr. 943.
Lit. M. 687. N.-. Kessler 4/16.

369. Torbänder endigen dreiteilig. Kleine Jahreszahl.
Foto 984/21–22/L Inv.-Nr. 939.
Lit. M. zu 687. N.-.

370. Torbänder endigen als Dreiblatt. Mittelpunkt.
Foto 984/27–28/L Inv.-Nr. 942.
Lit. M. zu 687. N.-. Tornau 5/18.

371. Kupfer-Pfennig 1752.
Vs. Gekrönter Bär links auf Mauer.
Rs. Schrift in sechs Zeilen.
Foto 984/31–32/L Inv.-Nr. 944.
Lit. N. 10712. M. 688. Weinmeister 5/06.

372. Kupfer-Pfennig 1753.
Vs. Gekrönter Bär links auf Mauer, über dem Tor zwei glatte Steine, Torbänder endigen dreiteilig, Mittelpunkt.
Rs. Schrift in sechs Zeilen.
Foto 984/33–34/L Inv.-Nr. 945.
Lit. M. 689. Weinmeister 5/06.

373. Über dem Tor zwei behauene Steine.
Vier Exemplare.
Foto 985/42/L Inv.-Nr. 946. Foto 985/1–2/L Inv.-Nr. 947.
Foto 985/3–4/L Inv.-Nr. 948. Foto 985/7–8/L Inv.-Nr. 950.

374. Großes Tor.
Foto 985/5–6/L Inv.-Nr. 949.

375. Unter dem Bär zwei Punkte.
Foto 985/11–12/L Inv.-Nr. 952.

376. Torbänder endigen rund.
Foto 985/9–10/L Inv.-Nr. 951.

377. Kupfer-Pfennig 1754.
Vs. Gekrönter Bär links auf Mauer, Mittelpunkt.
Rs. Wertangabe in vier Zeilen über Jahreszahl und . ✳ .
Foto 985/13–14/L Inv.-Nr. 953.
Lit. N. 10716. M. 690a. Weinm. 4/08.

S. 30, T. 45

378. Kupfer-Pfennig 1755.
Vs. Gekrönter Bär links auf Mauer.
Rs. Schrift in vier Zeilen über Jahreszahl mit MVNTZ
Foto 985/15–16/L Inv.-Nr. 954.
Lit. N. 10717. M. 691. Tornau 5/18.

379. Vs. Mit Mittelpunkt.
Rs. ✳ I ✳ PFENNING SCHEIDE MUNTZ
Foto 985/17–18/L Inv.-Nr. 955.
Lit. N. 10718. M. 691b. Weinm. 1/07.

380. Kupfer-Pfennig 1757.
Vs. Gekrönter Bär links auf Mauer, Torbänder endigen geschlossen, Mittelpunkt.
Rs. Wertangabe in vier Zeilen über Jahreszahl
✳ I ✳ PFENNIG SCHEIDE MVNTZ
Foto 985/19–20/L Inv.-Nr.956.
Lit. N. 10719. M. 692d. Weinm. 5/06.

381. Vs. Über dem Tor glatte Steine, Torbänder endigen dreiteilig.
Rs. ✳ I ✳ PFENNING SCHEIDE MVNTZ
Breiter Schrötling, 22 mm Foto 985/21–22/L Inv.-Nr. 957.
Lit. N. 10719. M. 692a.

382. Vs. Mittelpunkt im Fell des Bären.
Rs. Unten Stern.
Kleiner Schrötling, 19 mm Foto 985/23–24/L Inv.-Nr. 958.
Lit. N. 10720. M. 692b. Tornau 5/18.

383. Kupfer-Pfennig 1758.
Vs. Gekrönter Bär links auf Mauer, ohne Mittelpunkt.
Rs. Wertangabe über Jahreszahl
✳ I ✳ PFENNIG SCHEIDE MUNTZ
Zwei Exemplare.
Foto 985/25–26/L Inv.-Nr. 959. Foto 985/27–28/L Inv.-Nr. 960.
Lit. N. 10723. M. 693b. Weinm. 5/06.

384. Vs. Mittelpunkt im Fell des Bären.
Rs. ✳ I✳ PFENNIG SCHEIDE MVNTZ
N
Stempelsprung Foto 985/29–30/L Inv.-Nr. 961.
Lit. N. 10724. M. 693. Tornau 5/18.

385. TZ von MVNTZ höher
Zwei Exemplare.
Foto 985/31–32/L Inv.-Nr. 962. Foto 985/33–34/L Inv.-Nr. 963.

386. Kupfer-Pfennig 1760.
Vs. Gekrönter Bär auf Mauer.
Rs. Wertangabe über Jahreszahl.
Drei Exemplare.
Foto 985/35–36/L Inv.-Nr. 964. Foto 986/1+42/L Inv.-Nr. 965.
Foto 986/6–7/L Inv.-Nr. 7887.
Lit. N. 10724. M. 694. Weinm. 5/06.

387. Wertzahl nachträglich vergrößert.
Foto 986/2–3/L Inv.-Nr. 966.
Lit. zu N. 10724. Zu M. 694. Tornau 5/18.

388. Wertzahl I zwischen Blättern.
Foto 986/4–5/L Inv.-Nr. 967.
Lit. N. 10725. M. 694b. Tornau 5/18.

S. 30, T. 45

FRIEDRICH ALBRECHT. 1765–1796.

389. Konventions-Taler 1794.
Vs. Brustbild links.
FRIED:ALBRECHT FURST ZU ANHALT BERNB:
Rs. Gekröntes Wappen von Girlande und Zweigen umgeben zwischen Jahreszahl,
X EINE FEINE MARCK
Silber 41 mm 27,11 g Foto 955/21–22/L Inv.-Nr. 7889.
Lit. M. 697 (Vs. 696). Dav. 1905. C. 46. J. 35.

390. 1/48 Taler 1793, (Sechser).
Vs. Monogramm FA unter Krone.
Rs. Wertangabe in drei Zeilen über Jahreszahl.
48. EINEN THALER.
Silber meist 18 mm ca. 1,33 g Foto 986/8–9/L Inv.-Nr. 968.
Lit. M. zu 701. C. 42. J. 33.

391. Große Schrift, 48. EINEN THALER
Foto 986/10–11/L Inv.-Nr. 969.
Lit. M. 701 var. C. 42. J. 33.

392. 1/48 Taler 1794, (Sechser).
Vs. Monogramm FA unter Krone.
Rs. Wertangabe in drei Zeilen über Jahreszahl.
L von THALER unter E von EINEN
Silber meist 17 mm ca. 1,19 g Foto 986/12–13/L Inv.-Nr. 970.
Lit. M. 702a. C. 42. J. 33. Weinmeister 3/10.

393. L von THALER unter NE von EINEN
Stempelsprung Foto 986/14–15/L Inv.-Nr. 971.
Lit. M.- (vgl. 702).C. 42. J. 33.

394. 1/48 Taler 1796, (Sechser).
Vs. Monogramm FA unter Krone.
Rs. Wertangabe in drei Zeilen über Jahreszahl.
Zwischenraum bei EIN EN
Silber meist 16 mm ca. 1,22 g Foto 986/16–17/L Inv.-Nr. 972.
Lit. M. 704. C. 42. J. 33. Weinmeister 5/06.

395. T von THALER halb unter E.
Foto 986/18–19/L Inv.-Nr. 973.
Lit. M. 704. C. 42. J. 33. Kessler 2/14.

396. L von THALER unter NE.
Foto 986/20–21/L Inv.-Nr. 974.
Lit. M 704. C. 42. J. 33.

397. Kupfer 1 1/2 Pfennig 1776.
Vs. Gekrönter Bär links auf Mauer.
Münzmeister-Initiale S.
Rs. Wertangabe über F.A.B.S.M. und Jahreszahl unten S, darunter Punkt.
Kupfer meist 22 mm ca. 3,97 g Foto 986/22–23/L Inv.-Nr. 975.
Lit. N. 38293. M. zu 705. C. 41. J. 32. Tornau 5/18.

S. 30, T. 46

398. Unter S ein Kleeblatt.
Foto 986/24–25/L Inv.-Nr. 976.
Lit. N. 10726. M. 705. C. 41. J. 32. Weinm. 5/06.

399. Kupfer-Pfennig 1776.
Vs. Gekrönter Bär links auf Mauer. Mittelpunkt.
Rs. Vier Zeilen Schrift.
I PFENNIG 1776 S
Kupfer meist 19 mm ca. 2,48 g Foto 986/26–27/L Inv.-Nr. 977.
Lit. N. 10728. M. 706. J. 31. Weinm. 5/06.

400. G von PFENNIG zwischen Kleeblatt.
Foto 986/28–29/L Inv.-Nr. 978.
Lit. N. 10728. M. 706. J. 31.

401. Kupfer-Pfennig 1777.
Vs. Gekrönter Bär links auf Mauer. Mittelpunkt.
Rs. Schrift in vier Zeilen.
Foto 986/30–31/L Inv.-Nr. 979.
Lit. M. 707. J. 31. Weinmeister 4/08.

402. Kupfer-Pfennig 1793.
Vs. Bär ohne Krone auf Mauer, viereckiges Tor.
Rs. Wertangabe und Jahreszahl in Verzierungen.
I zwischen Kreuzblumen.
Foto 986/32–33/L Inv.-Nr. 980.
Lit. N. 10731. M. 708. J. 31. Weinmeister 5/06.

403. Vs. Gekrönter Bär auf Mauer, Mauer mit großem Tor.
Rs. Wertangabe und Jahreszahl ohne Einfassung.
Foto 987/2–3/L Inv.-Nr. 981.
Lit. N. 10731. M. 708b. Weinmeister 4/08.

404. Kleines Tor in der Mauer.
Foto 986/36–37/L Inv.-Nr. 982.
Lit. M. zu 708b. J. 31. Weinmeister 4/08.

405. Kupfer-Pfennig 1794.
Vs. Gekrönter Bär links auf Mauer, Mauer mit hohen Zinnen, schmales Tor mit Beschlägen.
Rs. Wertangabe und Jahreszahl.
I PFENNIG· 1794 Eins der Jahreszahl unter E-Anfang.
Kupfer meist 19 mm ca. 2,16 g Foto 986/38+987/1/L Inv.-Nr. 983.
Lit. N. 10732. M. 709a. J. 31. Tornau 5/18.

406. Niedrige Zinnen und breites Tor in der Mauer.
Foto 986/34–35/L Inv.-Nr. 984.
Lit. N. 10732. M. 709a var. J. 31. Tornau 5/18.

407. I PFENNIG 1794
Eins der Jahreszahl unter Zwischenraum von FE.
Zwei Exemplare.
Foto 987/4–5/L Inv.-Nr. 985. Foto 987/10–11/L Inv.-Nr. 988.
Lit. N. 10732. M. 709b. Weinmeister 5/06.

408. Eins der Jahreszahl unter F-Ende.
Foto 987/6–7/L Inv.-Nr. 986.
Lit. N. 10732. M. zu 709b. J. 31.

409. Verlängerte I der Wertzahl.
Foto 987/8–9/L Inv.-Nr. 987.
Lit. N. 10732. M. zu 709b. J. 31.

410. Eins der Jahreszahl unter dem Lotstrich des E.
Foto 987/12–13/L Inv.-Nr. 989.
Lit. N. 10732. M. zu 709b. J. 31.

411. Tor ohne Beschläge.
Foto 987/14–15/L Inv.-Nr. 990.
Lit. N. 10732. M. zu 709b. J. 31. Weinmeister 1/07.

412. Wertzahl I schräg. Stempelsprung.
Foto 987/16–17/L Inv.-Nr. 991.
Lit. M. zu 709b. Tornau 5/18.

413. Kupfer-Pfennig 1795.
Vs. Gekrönter Bär links auf Mauer,
Mauer mit viereckigem Tor.
Rs. Wertangabe über Jahreszahl.
I PFENNIG. 17 95
Stempelsprung Foto 987/18–19/L Inv.-Nr. 992.
Lit. N. 10733. M. 710. J. 31. Tornau 5/18.

S. 30, T. 46

ALEXIUS FRIEDRICH CHRISTIAN. 1796–1834.

414. Taler 1806.
Vs. Wappen unter Krone auf Mantel.
H. S. = Münzmeister Hans Schlieder, 1795–1809.
Rs. Wertangabe über Jahreszahl und .H.S. von Lorbeerkranz umgeben.
X EINE FEINE MARK
Vierblatt ALEXIUS FRIEDRICH CHRISTIAN HERZOG ZU ANHALT&
Silber 38 mm 27,03 g Foto 955/23–24/L Inv.-Nr. 993.
Lit. M. 720. BNZ 3. Dav. 501. J. 51a. Hess 11/17.

415. 24 Mariengroschen 1797.
Vs. Wertangabe über Jahreszahl und Münzmeister-Initialen.
❀ ALEXIUS FRIEDRICH CHRISTIAN FURST ZU ANHALT
Rs. Gekrönter Bär links auf Mauer.
Silber 34 mm 12,93 g Foto 955/25–27/L Inv.-Nr. 994.
Lit. M. 723. J. 43. Schwalbach, Rosenberg 10/13.

416. Konv.-Gulden 1799, (Gulden).
Vs. Wertangabe über Jahreszahl und Münzmeister-Initialen.
❀ ALEXIUS FRIEDRICH CHRISTIAN FURST ZU ANHALT
Rs. Gekrönter Bär links auf Mauer. Münzmeister H.S.
Silber meis 33 mm ca. 14,10 g Foto 995/12A–13A/L Inv.-Nr. 995.
Lit. M. 724a. Hess. 1/16. J. 42.

417. Konventions-Gulden 1806, (Gulden).
Vs. Wertangabe über Jahreszahl und Münzmeister-Initialen.
XX EINE FEINE MARK
Vierblatt ALEXIUS FRIED.CHRISTIAN FURST ZU ANHALT
Rs. Gekrönter Bär links auf Mauer.
Foto 995/10A–11A/L Inv.-Nr. Nr. 996.
Lit. J. 50. M. 725. Buchenau 6/18.

418. XX EINE FEINE MARK. !
Foto 995/8A–9A/L Inv.-Nr. 997.

419. Konventions-Gulden 1809, (Gulden).
Vs. Wertangabe über Jahreszahl und Münzmeister-Initialen.
❀ ALEXIUS FRIED.CHRISTIAN HERZOG ZU ANHALT
Rs. Gekrönter Bär links auf Mauer.
Münzmeister Hans Schlieder, 1795–1809.
Silber 32 mm 13,93 g Foto 995/6A–7A/L Inv.-Nr. 998.
Lit. M. 727. J. 50.

S. 30, T. 46

420. Konventions-1/2 Gulden 1799.
Vs. Wertangabe über Jahreszahl
und Münzmeister-Initialen .H.S.
❀ ALEXIUS FRIEDRICH CHRISTIAN FURST ZU ANHALT
Rs. Gekrönter Bär links auf Mauer.
Silber 29 mm 7,00 g Foto 995/4A–5A/L Inv.-Nr. 999.
Lit. M. 728. J. 41b. Weinmeister 12/07.

421. Sechstel Taler 1799, (vier Groschen).
Vs. Wertangabe über Jahreszahl und Münzmeister-Initialen.
Vierblatt LXXX EINE FEINE MARK CONVENT.M.
Rs. Gekrönter Bär links auf Mauer.
H.S. = Münzmeister Hans Schlieder, 1795–1809.
Silber 24 mm 5,13 g Foto 995/1A–3A/L Inv.-Nr. 1000.
Lit. M. 729. J. 40.

422. Zwölftel Taler 1799, (zwei Groschen).
Vs. Wertangabe über Jahreszahl und Münzmeister-Initialen.
Vierblatt CLX EINE FEINE MARK CONVENT.M.
Rs. Gekrönter Bär links auf Mauer. H. S. = Münzmeister Hans Schlieder, 1795–1809.
Silber 21 mm 3,33 g Foto 987/20–21/L Inv.-Nr. 1001.
Lit. M. 730. J. 39.

423. 1/24 Taler 1822, (Groschen).
Vs. Wertangabe über Jahreszahl.
H ANH.BERNB.LANDES MUNZE
Rs. Gekrönter Bär links auf Mauer.
Silber meist 16 mm ca. 1,43 g Foto 987/22–23/L Inv.-Nr. 1002.
Lit. M. 731b. BNZ 7. J. 54a.

424. Bär mit etwas erhobener, hinterer Tatze.
Foto 987/24–25/L Inv.-Nr. 1003.
Lit. M. zu 731b. BNZ 7. J. 54a.

425. H.ANH.BERNB.LANDES MUNZE
Foto 987/26–27/L Inv.-Nr. 1004.
Lit. M. 731a. BNZ 7. J. 54a.

426. H:ANH:BERN:LANDES MUNZE
Foto 987/28–29/L Inv.-Nr. 1006.
Lit. M. 731. BNZ 7.

427. Bär mit etwas erhobener, hinterer Tatze.
Foto 987/30–31/L Inv.-Nr. 1005.
Lit. M. zu 731. BNZ 7. J. 54a.

428. 1/24 Taler 1823, (Groschen).
Vs. Wertangabe über Jahreszahl.
H.ANH.BERNB.LAN(..)S MÜNZE
Rs. Gekrönter Bär links auf Mauer.
Foto 987/32–33/L Inv.-Nr. 1007.
Lit. BNZ 8. M. 732. J. 54b. Molly 5/34.

429. 1/24 Taler 1827, (Groschen).
Vs. Wertangabe über Jahreszahl.
24 EINEN THALER 1827.
H.ANH.BERNB.LAND:MÜNZE.
Rs. Gekrönter Bär links auf Mauer.
Zwei Exemplare.
Foto 987/34–35/L Inv.-Nr. 1008*. Foto 988/2–3/L Inv.-Nr. 1009.
Lit. BNZ 9. M. 733a var. J. 54c. Weinmeister 12/07.

430. 1/24 Taler 1831, (Groschen).
Vs. Wertangabe über Jahreszahl, unten Z. = Münzmeister Johann Carl Ludwig Zinken, 1821–1848.
HZL.ANHALT BERNB.LANDES MUNZE
Rs. Gekrönter Bär links auf Mauer.
Foto 988/4–5/L Inv.-Nr. 1010.
Lit. BNZ 10. M. 734. J. 58. Meuss 9/08.

431. 1/48 Taler 1807, (Sechser).
Vs. Zweifeldiges Wappen unter Krone.
Rs. Wertangabe und Jahreszahl.
Silber 16 mm 1,00 g Foto 988/6–7/L Inv.-Nr. 1011.
Lit. BNZ. 10. M. 735. J. 49. Bruer 2/28.

S. 30, T. 46

432. Kupfer-vier-Pfennig 1822.
Vs. Gekröntes Monogramm AFC
Rs. Wertangabe über Jahreszahl.
H.ANH.BERNB.SCHEIDE MUNZE
Kupfer 25 mm 6,91 g Foto 979/10–11/L Inv.-Nr. 1012.
Lit. BNZ 12. M. 736. Tornau 5/18, J. 53a.

433. Kleine Jahreszahl.
Foto 979/8–9/L Inv.-Nr. 1013.
Lit. BNZ 12. M. zu 736. J. 53a. Weinmeister 5/06.

434. Kupfer-vier-Pfennig 1823.
Vs. Gekröntes Monogramm AFC
Rs. Wertangabe über Jahreszahl.
4 PFENNIGE 1823.
H:ANH:BERNB.SCHEID:MUNZE.
Umschrift beginnt oberhalb vom P(FENNIGE).
Kupfer meist 24 mm 6,96 g Foto 979/6–7/L Inv.-Nr. 1014.
Lit. BNZ 13. N. 10737. M. 737. Hess 10/17. J. 53b.

435. Umschrift beginnt am Fuß vom P(FENNIGE)
Foto 979/3–5/L Inv.-Nr. 1015.
Lit. BNZ 13. N. zu 10737. M. zu 737 Florange 3/11.

436. Ohne Punkt hinter der Jahreszahl.
Foto 979/1–2/L Inv.-Nr. 1016.
Lit. BNZ 13. N. zu 10737. M. 737a. Zu J. 53b. Hess. 10/17.

437. Kupfer-vier-Pfennig 1831.
Vs. Gekröntes Monogramm AFC
Rs. Wertangabe über Jahreszahl und Z. = Münzmeister J. C. L. Zinken, 1821–1848.
HZL.ANHALT BERNB. SCHEIDE MÜNZE
Kupfer 26 mm 8,23 g Foto 981/19A–20A/L Inv.-Nr. 1017.
Lit. BNZ 14. N. 10739. M. 738. J. 57. Redder 12/16.

438. Kupfer-Pfennig 1797.
Vs. Gekrönter Bär links auf Mauer.
Rs. Wertangabe über Jahreszahl.
✳ I ✳ PFENNIG SCHEIDE MÜNTZ.
Kupfer meist 19 mm ca. 2,33 g Foto 988/8–9/L Inv.-Nr. 1018.
Lit. Zu N. 10734. M. 741a. J. 38c. Weinmeister 5/06.

439. Vs. Gekröntes Monogramm.
✳ I ✳ PFENNIG SCHEIDE MUNTZ.
Foto 988/10–11/L Inv.-Nr. 1019.
Lit. N. 10734. M. 741b. J. 38d. Tornau 5/18.

440. Kupfer-Pfennig 1799.
Vs. Gekrönter Bär links auf Mauer.
Rs. Wertangabe über Jahreszahl.
✳ I ✳ PFENNIG SCHEIDE:MÜNTZ.
Foto 988/12–13/L Inv.-Nr. 1020.
Lit. N. 10735. M. 742a. J. 38c. Schönherr 1/20.

441. Kupfer-Pfennig 1807.
Vs. Monogramm AFC unter Krone.
Rs. Wertangabe über Jahreszahl.
I PFENNIG 1807
Drei Exemplare
Foto 988/14–15/L Inv.-Nr. 1021. Foto 988/16–17/L Inv.-Nr. 1022.
Foto 988/18–19/L Inv.-Nr. 1023.
Lit. J. 48a. BNZ 15. N. 10740. M. 743. Hess 10/17.

442. Kupfer-Pfennig 1808.
Vs. Monogramm AFC unter Krone.
Rs. Wertangabe über Jahreszahl.
I PFENNIG SCHEIDE MÜNTZ.
Kupfer meist 19 mm ca. 1,63 g Foto 988/20–21/L Inv.-Nr. 1024.
Lit. J. 48b. BNZ 16. M. 744. Tornau 5/18.

443. I PFENNIG SCHEIDE MÜNTZ ohne Punkt.
M von MÜNTZ unter SC von SCHEIDE
Foto 988/22–23/L Inv.-Nr. 1025.
Lit. J. 48b. BNZ 16. M. 744a. Walla 11/14.

S. 30, T. 46

444. M von MÜNTZ unter C von SCH
Zwei Exemplare
Foto 988/24–25/L Inv.-Nr. 1026*. Foto 988/26–27/L Inv.-Nr. 1027.
Lit. J. 48b. BNZ 16. Zu M. 744a.

445. Kupfer-Pfennig 1822.
Vs. Monogramm AFC unter Krone,
Abstand zwischen A-Anfang und C.
Rs. Wertangabe über Jahreszahl.
1 PFENNIG 1822
H.ANH.BERNB.SCHEIDE MÜNZE
Umschrift beginnt unterhalb von P(FENNIG).
Kupfer meist 18 mm ca. 1,83 g Foto 988/28–29/L Inv.-Nr. 1028.
Lit. J. 52a. BNZ 17. N. 10745. M. 745a. Tornau 5/18.

446. Vs. Kein Abstand zwischen A-Anfang und C.
Rs. Wertangabe mit spiegelbildlicher 1.
Umschrift beginnt knapp unterhalb von P(FENNIG).
Foto 988/4–5/L Inv.-Nr. 1029.
Lit. J. 52a. BNZ 17. N.-. M. 745b. Weinmeister 5/05.

447. Jahreszahl weit.
Foto 988/32–33/L Inv.-Nr. 1030.
Lit. Zu J 52a. Zu BNZ 17. Zu N. 10745. M. zu 745. Tornau 5/18.

448. Vs. Kleines Monogramm und Verbindung zwischen A-Anfang und C-Ende.
Rs. Jahreszahl mit Punkt 1822 und 2 unten gerade.
Umschrift beginnt unterhalb der Jahreszahl.
H:ANH:BERNB:SCHEIDE MUNZE.
Foto 989/8–9/L Inv.-Nr. 1031.
Lit. J. 52a. BNZ 17. N. 10746. Zu M. 745. Brill 3/10.

449. Großes Monogramm.
Foto 989/10–11/L Inv.-Nr. 1032.
Lit. J. 52a. BNZ 17. Zu N. 10746. Zu M. 745.

450. Kleines Monogramm.
Foto 989/12–13/L Inv.-Nr. 1033.
Lit. J. 52a. BNZ 17. Zu N. 10746. Zu M. 745.

451. Vs. Umschrift beginnt unterhalb von P(FENNIG).
Rs. H.ANH:BERNB: SCHEIDE MÜNZE.
Foto 989/14–15/L Inv.-Nr. 1034.
Lit. J. 52a. BNZ 17. Zu N. 10746. M. 745.

452. Schlanke Jahreszahl und 2 geschwungen.
Foto 989/16–17/L Inv.-Nr. 1035.
Lit. J. 52a. BNZ 17. Zu N. 10746. Zu M. 745.

453. Kleine Krone.
Foto 989/18–19/L Inv.-Nr. 1036.
Lit. J. 52a. BNZ 17. Zu N. 10746. Zu M. 745. Tornau 5/18.

454. Kupfer-Pfennig 1823.
Vs. Monogramm AFC unter Krone.
Rs. Wertangabe über Jahreszahl
I PFENNIG 1823.
Umschrift beginnt unterhalb der Jahreszahl.
H:ANH:BERNB:SCHEIDE MUNZE.
Zwei Exemplare
Foto 989/20–21/L Inv.-Nr. 1037.
Lit. M. zu 746a. Weinmeister 5/06.
Foto 989/22–23/L Inv.-Nr. 1038.
Lit. M. zu 746a. J. 52c. BNZ 18. Tornau 5/18.

455. Vs. Abstand zwischen A-Anfang und C-Ende.
Rs. Wertangabe mit arabischer Eins, Umschrift beginnt in Höhe der Jahreszahl, Jahreszahl sehr groß.
Foto 989/24–25/L Inv.-Nr. 1039.
Lit. M. 746a. J. 52c. BNZ 18. Weinmeister 5/06.

S. 30, T. 46

456. H:ANH:BERNB:SCHEID:MUNZ:
Foto 989/26–27/L Inv.-Nr. 1040.
Lit. Zu M. 746. J. 52c. BNZ 18. Tornau 5/18.

457. Ohne Abstand zwischen A-Anfang und C-Ende.
Foto 989/28–29/L Inv.-Nr. 1041.
Lit. Zu M. 746. J. 52c. BNZ 18. Schönherr 6/12.

458. Kupfer-Pfennig 1827.
Vs. Monogramm AFC unter Krone.
Rs. Wertangabe über Jahreszahl
I PFENNIG I827.
H:ANH:BERNB:SCHEID:MUNZE.
Großer Abstand zwischen Umschrift und Wertzahl.
Foto 989/30–31/L Inv.-Nr. 1042.
Lit. Zu N. 10751. M. 747a. J. 52c. BNZ 19. Kessler 4/16.

459. Kleiner Abstand zwischen Umschrift und Wertzahl.
Drei Exemplare
Foto 989/32–33/L Inv.-Nr. 1043. Foto 989/34–35/L Inv.-Nr. 1044.
Foto 1103/11–12/L Inv.-Nr. 1045*.
Lit. M. 747a. J. 52c. BNZ 19.

460. Kupfer-Pfennig 1831.
Vs. Monogramm AFC unter Krone.
Rs. Wertangabe über Jahreszahl und Z. = Münzmeister Johann Carl Ludwig Zinken, 1821–1848.
HZL.ANHALT BERNB. oben,
SCHEIDE MÜNZE unten.
Foto 1103/13–14/L Inv.-Nr. 1046.
Lit. N. 10752. M. 748. J. 56. BNZ 20. Rosenberg 11/09.

ALEXANDER KARL. 1834–1863.

461. Ausbeutetaler 1834.
Vs. Gekröntes mehrfeldiges Wappen auf Mantel.
✳ ALEXANDER CARL HERZOG ZU ANHALT
Rs. Schrift in drei Zeilen über Jahreszahl.
SEGEN DES ANHALT. BERGBAUES
unten gekreuzte Hammer und Schlägel.
EIN THALER XIV EINE FEINE MARK
Silber 34 mm 22,23 g Foto 979/20–21/L Inv.-Nr. 1047.
Lit. J. 59. Dav. 502. M. 758. Schw. 1. BNZ 24. Helbing 6/31.

462. Ausbeutetaler 1855.
Vs. Schrift in drei Zeilen über Jahreszahl
SEGEN DES ANHALT. BERGBAUES
Gekreuzte Hammer und Schlägel
ALEXANDER CARL HERZOG ZU ANHALT
Rs. Gekrönter Bär rechts auf Mauer.
EIN THALER unten A = Münzstätte Berlin.
Randschrift GOTT MIT UNS in Verzierungen.
Silber 34 mm 22,22 g Foto 979/18–19/L Inv.-Nr. 8522.
Lit. M. 761. Schw. 3 Dav. 504. J. 66. BNZ 27.

S. 30, T. 46

463. Ausbeutetaler 1861.
Vs. Schrift in drei Zeilen über Jahreszahl
SEGEN DES ANHALT. BERGBAUES
Gekreuzte Hammer und Schlägel
ALEXANDER CARL HERZOG ZU ANHALT
Rs. Gekrönter Bär auf Mauer.
EIN THALER XXX EIN PFUND FEIN
unten A = Münzstätte Berlin, seit 1834, nachdem Harzgerode 1831 geschlossen worden war.
Silber 33 mm 18,50 g Foto 979/16–17/L Inv.-Nr. 1048.
Lit. M. 763. Schw. 4. Dav. 506. C. 78. J. 73. BNZ 29.

464. Ausbeutetaler 1862.
Foto 979/12–13/L Inv.-Nr. 8523.
Lit. M. 764. Schw. 4. Dav. 506. J. 73. BNZ 30.

465. Sechstel Taler 1856, (vier Groschen).
Vs. Gekrönter Bär auf Mauer.
✳ HERZOGTHUM ANHALT-BERNBURG
Randschrift GOTT MIT UNS
Rs. Wertangabe über Jahreszahl und Münzstättenzeichen A = Berlin (seit 1834) im Lorbeerkranz.
LXXXIV EINE FEINE MARK
Silber meist 23 mm ca. 5,33 g Foto 981/17A–18A/L Inv.-Nr. 1049.
Lit. M. 765. Schw. 9. J. 65. BNZ 31. Weinmeister 3/10.

466. Sechstel Taler 1861, (vier Groschen).
CLXXX EIN PFUND FEIN
Randschrift GOTT SEGNE ANHALT
Foto 981/15A–16A/L Inv.-Nr. 1050.
Lit. M. 766. Schw. 10. C. 74. J. 71. BNZ 32. Laufer 9/06.

467. Sechstel Taler 1862, (vier Groschen).
Foto 981/13A–14A/L Inv.-Nr. 1051.
Lit. M. 767. Schw. 10. J. 71. Fejér 7/09.

468. Zweieinhalb Silbergroschen 1856.
Vs. Zweifeldiges Wappen unter Krone.
HERZOGTHUM ANHALT
Rs. Wertangabe über Jahreszahl
und A = Münzstättenzeichen für Berlin.
12 EINEN THALER SCHEIDE MÜNZE
Silber 21 mm 3,23 g Foto 1003/4–5/L Inv.-Nr. 1052.
Lit. M. 768. Schw. 6. J. 70. BNZ 33. Kessler.

469. Zweieinhalb Silbergroschen 1861.
Seit 1859 von geringfügig geändertem Schrot und Korn.
Silber 21 mm 3,13 g Foto 1003/6–7/L Inv.-Nr. 1055.
Lit. M. 770. Schw. 6. J. 70. BNZ 35. Schwalbach, Rosenberg 10/13.

470. Zweieinhalb Silbergroschen 1862.
Foto 1003/8–9/L Inv.-Nr. 1056.
Lit. M. 771. Schw. 6. J. 70. BNZ 36. Helbing 10/13.

471. Groschen 1839, (1/24 Taler).
Vs. Zweifeldiges Wappen unter Krone, unten Jahreszahl.
HRZGTH. ANHALT
Rs. Wertangabe 1 GROSCHEN
24 EINEN THALER SCHEIDEMÜNZE
Silber 18 mm 1,61 g Foto 1003/10–11/L Inv.-Nr. 1057.
Lit. M. 772. Schw. 1. J. 63. BNZ 37. Auktion Suchier 10/08.

472. Silbergroschen 1851, (1/30 Taler).
Vs. Zweifeldiges Wappen unter Krone.
HERZOGTHUM ANHALT
Rs. Wertangabe in drei Zeilen über Jahreszahl
und A = Münzstättenzeichen für Berlin.
30 EINEN THALER SCHEIDE MÜNZE
Silber meist 18 mm ca. 2,13 g Foto 1003/12–13/L Inv.-Nr. 1058.
Lit. M. 774. Schw. 5. J. 69. BNZ 37. Hess 11/17.

S. 30, T. 46

473. Groschen 1852, (1/30 Taler).
Foto 1003/15–16/L Inv.-Nr. 1059.
Lit. M. 775. Schw. 5. J. 69. BNZ 40. Weinmeister 11/11.

474. Groschen 1855, (1/30 Taler).
Foto 1003/17–18/L Inv.-Nr. 1060.
Lit. M. 776. Schw. 5. J. 69. BNZ 41. Laufer 9/06.

475. Groschen 1859, (1/30 Taler).
Seit 1859 von geringfügig geändertem Schrot und Korn.
Silber meist 18 mm ca. 2,22 g Foto 1003/19–20/L Inv.-Nr. 1061.
Lit. M. 777. Schw. 5. J. 69. BNZ 42. Riechmann 9/11.

476. Groschen 1862, (1/30 Taler).
Foto 1003/21–22/L Inv.-Nr. 1062.
Lit. M. 778. Schw. 5. J. 69. Auktion Suchier 10/08.

477. Sechs Pfennig 1840, (Sechser, 1/48 Taler).
Vs. Gekröntes zweifeldiges Wappen, unten Jahreszahl.
HRZGTH. ANHALT
Rs. Wertangabe 6 PFENNIGE
48 EINENTHALER SCHEIDEM.
Silber 15 mm 0,81 g Foto 1003/23–24/L Inv.-Nr. 1063.
Lit. M. 779. Schw. 2. J. 62. BNZ 44. Krakau 9/08.

478. Kupfer-drei-Pfennig 1839, (Dreier).
Vs. Gekröntes zweifeldiges Wappen unten Jahreszahl.
HRZGTH. ANHALT
Rs. Wertangabe 3 PFENNIGE
96 EINEN THALER SCHEIDEMÜNZE
Kupfer meist 24 mm ca. 4,90 g Foto 981/11A–12A/L Inv.-Nr. 1064.
Lit. M. 780. Schw. 3. J. 61. BNZ 45. Auktion Suchier 10/08.

479. Kupfer-drei-Pfennig 1840, (Dreier).
Foto 981/9A–10A/L Inv.-Nr. 1065.
Lit. M. 781. Schw. 3. J. 61. BNZ 46. Schüssler 12/17.

480. Kupfer-drei-Pfennig 1861, (Dreier).
Seit 1861 mit geringfügig verändertem Gewicht.
Rs. Wertangabe über Jahreszahl
und A = Münzstättenzeichen für Berlin.
Kupfer 24 mm 4,53 g Foto 981/7A–8A/L Inv.-Nr. 1066.
Lit. M. 782. Schw. 8. J. 68A. BNZ 47. Riechmann 9/11.

481. Kupfer-Pfennig 1839.
Vs. Gekröntes zweifeldiges Wappen, unten Jahreszahl.
HRZGTH. ANHALT
Rs. Wertangabe 1 PFENNIG
288 EINEN THALER SCHEIDEM.
Kupfer meist 17 mm ca. 1,63 g Zwei Exemplare
Foto 1003/25–26/L Inv.-Nr. 1067*. Foto 1003/27–28/L Inv.-Nr. 1068.
Lit. M. 783. Schw. 4. J. 60. BNZ 48. Hess 6/06.

482. Kupfer-Pfennig 1840.
H von ANHALT mit kaum sichtbarem Balken.
Zwei Exemplare
Foto 1003/29–30/L Inv.-Nr. 1069. Foto 1003/31–32/L Inv.-Nr. 1070.
Lit. M. 784. Schw. 4. J. 60. BNZ 49. Brill 3/10.

483. Kupfer-Pfennig 1856.
Vs. Gekröntes zweifeldiges Wappen.
HERZOGTHUM ANHALT
Rs. Wertangabe über Jahreszahl
und Münzstättenzeichen A = Berlin.
360 EINEN THALER SCHEIDE MÜNZE
Kupfer meist 17 mm ca. 1,52 g Zwei Exemplare
Foto 1003/33–34/L Inv.-Nr. 1071*. Foto 1003/35–36/L Inv.-Nr. 1072.
Lit. M. 785. Schw. 7. J. 67A. BNZ 50. Auktion Suchier 10/08.

484. Kupfer-Pfennig 1862.
Foto 1003/37–38/L Inv.-Nr. 1073.
Lit. M. 786. Schw. 7. J. 67A. BNZ 51. Brill 3/10.

S. 30, T. 46

WILHELM. 1670–1709.

485. 2/3 Taler ohne Jahr, (Gulden).
Vs. Geharnischtes, jugendliches Brustbild rechts.
WILHELM.D:G.PR.C.A.D.B.ET.S
zwei gekreuzte Werkzeuge.
Rs. Gekröntes Wappen, unten 2/3
MON.NOV.PR.AN HALT.
LI.BERNB

Silber 39 mm 17,83 g Stempelsprung
Foto 981/5A–6A/L Inv.-Nr. 1074.
Lit. M. 834b. Rosenberg 3/10.

486. 2/3 Taler 1675, (Gulden).
Vs. Geharnischtes Brustbild rechts mit älteren Zügen.
WILHELM:PR.ANH:
C.A.D.B.ET.S.
Rs. Gekröntes Wappen zwischen Jahreszahl und C P und 2/3, Münzmeister-Initialen von Christoph Pflug, † 1693 in Dessau.

Silber 38 mm 18,42 g Foto 981/3A–4A/L
Inv.-Nr. 1075.
Lit. M. 835n. Rosenberg 3/10.

487. 2/3 Taler 1676, (Gulden).
Vs. Geharnischtes Brustbild rechts mit großem Kopf.
WILH.D.G. PR.A.C.A.D.B et S.
Rs. Gekröntes Wappen zwischen Jahreszahl
und Münzmeister-Initialen.

Silber 37 mm 16,23 g Doppelschlag
Foto 981/1A–2A/L Inv.-Nr. 1076.
Lit. M. 836c. Jenke 12/14.

488. 2/3 Taler 1679, (Gulden).
Vs. Geharnischtes Brustbild rechts mit jüngeren Zügen.
WILHELM.D.G.PR.A.C.
AD.B.ET.S
Rs. Gekröntes Wappen zwischen Jahreszahl und Münzmeister-Initialen B und A = Bastian Altmann, 1679 in Plötzkau und Anhalt-Bernburg sowie anderen Städten.

Silber 37 mm 16,98 g Foto 980/19A–20A/L
Inv.-Nr. 1077.
Lit. M. 838h. Rosenberg 3/10.

S. 30, T. 46

KARL LUDWIG.
1772–1806.

489. Ausbeute-Koventions-Speziestaler 1774

der Grube Holzappel, Münzstätte Frankfurt a. M.
Vs. Schrift in fünf Zeilen über Jahreszahl und .B.(F).N. = Münzmeister Philipp Christian Bunsen, 1764–1790 in Frankfurt und Georg Neumeister, Wardein in Frankfurt, 1763–1789.

GOTT
SEGNE FERNER
DAS HOLZAPPELER
BERGWERCK
FEIN SILBER
1774

✳ CARL LUDWIG
FURST ZU ANHALT
SCHAUMBURG

Rs. Ansicht des Holzappeler Bergwerkes, darüber strahlende Sonne, unten .S. = Anton Schäfer, Stempelschneider in Mannheim, 1744–1799.
❀ AN GOTTES SEGEN
❀ IST ALLES GELEGEN
Der Bergbau wird ziemlich umfangreich dargestellt. Unten ist die an dem aufsteigenden Rauch kenntliche Hütte zu sehen.

Silber 39 mm 23,33 g Laubrand Foto 980/17A–18A/L Inv.-Nr. 1078.
Lit. M. 846. Vgl. Spruth, S. 140, Nr. 92. V. 391. Dav. 1907. J. u. F. 1967. J. 22.

490. Halber Ausbeute-Konventions-Speziestaler 1774,

der Grube Holzappel, Münzstätte Frankfurt am Main.
Vs. Schrift in fünf Zeilen über Jahreszahl und Münzmeister-Initialen.
Wie vorher.
Rs. Ansicht des Holzappeler Bergwerkes, darüber strahlende Sonne.
Wie vorher.

Silber 33 mm 11,53 g Laubrand
Foto 980/15A–16A/L Inv.-Nr. 1079.
Lit. M. 847. V. 382 . J. u. F. 1968. J. 21.
Spruth 93.

S. 30, T. 47

SOPHIE ELISABETH, † 1622, TOCHTER JOHANN GEORGS I. VON DESSAU.

491. Viertel-Taler 1622, (halber Gulden) auf ihren Tod.

Vs. Dreifach behelmtes Wappen, Jahreszahl 16 ZZ

Rs. Schrift in zwölf Zeilen.

NVM:ARG
IN SEP.
DNAE
SOPHIAE.ELISABETAE
PRINC.ANHALT
DVCISS.LIGIO:BREGE.
NATAE
AN:MDLXXXIX:M.F.
D:X.
MORT.LIG:A.MDCXXII
M.F.D.IX.H.IX.AM
CVSVS.

Silber 35 mm 6,60 g Foto 980/13A–14A/L
Inv.-Nr. 1080.
Lit. M. 853 var. Schwalbach, Rosenberg 10/13.

ELEONORE DOROTHEA, † 26. 12. 1664, TOCHTER JOHANN GEORGS I. VON DESSAU.

492. Dreier 1665, (Groschen) auf ihre Beisetzung.

Vs. Herz, darin JESUS mit .:. oben .E.D.H.Z.S. unten .G.F.Z.A.

Rs. Schrift in sechs Zeilen.

IST GEBOH:
DEN 6. FEB. 160Z
GESTORB:DEN(..).DE
1664 BEŸGESEZET
DEN 6. FEBR:
.1665.

Silber 19 mm 0,73 g Foto 992/2–3/L
Inv.-Nr. 1081.
Lit. M. 864a. Rosenberg 11/09.

JOHANN KASIMIR. 1618–1660.

493. Groschen 1660, auf seinen Tod.

Vs. Gekröntes Wappen zwischen AB ❁ D.G.IOHAN:CASIMIR:PRIN: ANH:COM:ASC:D.S et B.

AB = Dr. Adrian Becker, 1657–1664, Wardein in Berlin.

Rs. Schrift in zwölf Zeilen.

NATUS
VII.DEC:Ao
MDXCVI.OBIIT
XV.SEPT. Ao MDCLX
REGNAVIT.A.XLIII
VIXIT.ANNOS LXIII
MENSES.IX.
DIES.VIII.
HORAS.XII.
CONSTANTER
ET SINCE=
RE.

Silber 22 mm 1,83 g Foto 992/4–5/L
Inv.-Nr. 1082.
Lit. M. 879. Schwalbach, Rosenberg 10/13.

S. 30, T. 47

JOHANN GEORG II.
1660–1693.

494. 2/3 Taler 1674, (Gulden).
Vs. Brustbild rechts im Mantel.
IOH.GEORG.DG.PR.ANH.
C.A.D:S.E.B.
Rs. Gekröntes Wappen, zwischen AP und K, A ohne Balken, dann Jahreszahl, unten 2/3.
MONETA NOVA ARGENTEA
Silber 39 mm 19,53 g Foto 980/11A–12A/L
Inv.-Nr. 1083.
Lit. M. zu 882. Erbstein 10/09.

495. 2/3 Taler. 1674, (Gulden).
Vs. Brustbild rechts im Mantel.
IOH.GEORG.DG(.)R(.)ANHALT.
C.A.DS.E.B
Rs. Gekröntes Wappen zwischen Palmzweigen, unten 2/3 und A P K = Münzmeister-Initialen. Vielleicht Anton Bernhard Koburger, 1667–1680 in Eisleben Münzmeister.
MONETA NOVA
ARGENTEA.1674(.)
Silber 36 mm 19,53 g Foto 980/9A–10/L
Inv.-Nr. 1084.
Lit. M.- (vgl. 822v und w). Jenke 12/14.

496. 2/3 Taler. 1675, (Gulden).
Vs. Geharnischtes Brustbild rechts.
IOHAN.GEORG.DG.PR.
ANH:C.A.D.S.E.B.
FCV = Franz Carl Uhde, Münzmeister in Dessau, 1674–1676.
Rs. Gekröntes Wappen zwischen FC und V darüber und darunter je ein Punkt, unten 2/3
MONETA.NOVA.
ARGENTEA.1675
Silber 37 mm 19,43 g Foto 980/7A–8A/L
Inv.-Nr. 1085.
Lit. M.-. Auktion Helbing 2/25, 121.

497. 2/3 Taler 1676, (Gulden).
Vs. Brustbild rechts im Mantel.
IOHAN.GEORG.
DG.PR.A.C.A.D.S.ET B.
Rs. Gekröntes Wappen zwischen FC und V darunter je ✳, unten 2/3,
MONETA NOVA ARGENTEA 1676
Silber 37 mm 19,03 g Stempelfehler auf der Rückseite.
Foto 980/5A–6A/L Inv.-Nr. 1086.
Lit. M. zu 884. Auktion H. S. Rosenberg 5/12.

498. 2/3 Taler 1693, (Gulden).
Vs. Geharnischtes Brustbild rechts.
IOH.GEORG. D.G.PR.ANHALT.
Gegenstempel des fränkischen Kreises FC verschlungen, darüber 60 N.
Rs. Gekröntes Wappen über gekreuzten Zweigen, 2/3 und Punktrosette, zwischen Jahreszahl und Münzmeister-Initialen, IE und G. = Johann Ernst Graul, Münzmeister in Dessau 1692/93.
MON.NOVA.ARGENT.ANHALT.
Silber 37 mm 17,33 g Foto 980/3A–4A/L
Inv.-Nr. 1087.
Lit. M. zu 886a. Auktion H. S. Rosenberg 5/12.

S. 30, T. 47

499. Drittel Taler 1674, (halber Gulden).
Vs. Brustbild rechts im Mantel.
IOH:GEORG.D.G.PR.ANHALT. C.A.D.S.E.B
Rs. Gekröntes Wappen zwischen AP und K darunter Jahreszahl, unten 1/3
MONETA NOVA ARGENTEA
Münzmeister-Initialen APK = wohl Anton Bernhard Koburger, 1667–1680 in Eisleben.
Silber 33 mm 9,93 g Foto 980/1A–2A/L Inv.-Nr. 1088.
Lit. zu M. 887. Riechmann 1/16.

500. Zwölftel Reichstaler 1693, (zwei Groschen).
Vs. Gekröntes Wappen zwischen IE und G = Johann Ernst Graul, Münzmeister 1692/93 in Dessau.
IOH:GEORG.D.G.PR.ANHALT
Rs. Wertangabe in vier Zeilen über Jahreszahl.
❀ MONETA.NOVA.ARGENT.ANHALT
Silber 26 mm 3,63 g Foto 996/19–20/L Inv.-Nr. 1089.
Lit. M. 889 var. Schwalbach, Rosenberg 10/13.

501. Zwölftel Reichstaler 1693, (zwei Groschen).
Vs. Wappen unter Krone zwischen I. E und .G. = Münzmeister-Initialen von Johann Ernst Graul, 1692/93 in Dessau, mit Zweigen.
IOH.GEORG.D.G.PR.ANHALT
Rs. Wertangabe in vier Zeilen
.12. EINEN REICHS THAL. über Jahreszahl
❀ MONETA.NOVA.ARGENT.ANHALT.
Silber 26 mm 3,83 g Foto 996/17–18/L Inv.-Nr. 1090.
Lit. M. zu 889e. Erbstein 10/09.

LEOPOLD FRIEDRICH. 1817–1871.

502. Doppeltaler 1846, Vereinsmünze zu 2 Taler.
Vs. Kopf links, unten A Münzstättenzeichen von Berlin.
LEOPOLD FRIEDRICH HERZOG ZU ANHALT
Randschrift
GOTT+SEGNE+ANHALT+mit Verzierungen.
Rs. Wappen unter Krone auf Mantel.
✳ 2 THALER VII EINE F. MARK
3 1/2 GULDEN ✳ unten VEREINS 18 46 MÜNZE
Silber 41 mm 37,11 g Foto 996/13–16/L Inv.-Nr. 1091.
Lit. M. 925. Schw. 7. Dav. 508. J. 75. BNZ 55. Lejeune 7/37.

S. 30, T. 47

LEOPOLD FRIEDRICH. 1817–1871.

503. Vereinstaler 1863 auf die Wiedervereinigung aller Linien, Dessau und Bernburg.
Vs. Kopf links, unten A = Berlin.
LEOPOLD FRIEDRICH HERZOG VON ANHALT
Randschrift GOTT + SEGNE + ANHALT + Verzierungen.
Rs. Gekröntes Wappen zwischen Eichenzweigen, oben doppelte Umschrift
✳ HERZOGTHUM ANHALT ✳ und EIN THALER 30 EIN PF.F. unten GETHEILT 1603 VEREINT 1863
Silber 33 mm 18,52 g Foto 996/11–12/L Inv.-Nr. 1092.
Lit. M. 927. Schw. 9. Dav. 510. J. 77. BNZ 57.

504. Vereinstaler 1869.
Vs. Kopf links, unten A = Berlin.
LEOPOLD FRIEDRICH HERZOG VON ANHALT
Rs. Gekröntes Wappen von zwei Bären gehalten, unten Jahreszahl.
EIN VEREINSTHALER XXX EIN PFUND FEIN
Silber 33 mm 18,51 g Foto 996/7 + 9/L Inv.-Nr. 1093.
Lit. M. 929. Schw. 10. Dav. 509. J. 79. BNZ 59.
Auktion Rosenberg 3/11.

505. Sechstel Vereinstaler 1865, (fünf Groschen).
Vs. Kopf links, unten A = Berlin.
LEOPOLD FRIEDRICH HERZOG VON ANHALT
Randschrift GOTT + SEGNE + ANHALT + Verzierungen
Rs. Gekröntes Wappen, unten Jahreszahl
VI EINEN THALER CLXXX EIN PF.F.
Silber 23 mm 5,33 g Foto 996/5–6/L Inv.-Nr. 1094.
Lit. M. 930. Schw. 14. C. 123. J. 78. BNZ 60.

506. 2 1/2 Groschen 1864.
Vs. Gekröntes Wappen.
HERZOGTHUM ANHALT.
Rs. Wertangabe über Jahreszahl unten A = Berlin.
12 EINEN THALER SCHEIDE MÜNZE
Silber 21 mm 3,23 g Foto 992/6–7/L Inv.-Nr. 1095.
Lit. M. 931. Schw. 11. J. 70. BN7 61.

507. Kupfer-drei-Pfennig 1864.
Vs. Gekröntes Wappen.
HERZOGTHUM ANHALT
Rs. Wertangabe über Jahreszahl und A = Berlin.
120 EINEN THALER SCHEIDE MÜNZE
Kupfer 24 mm 4,43 g Foto 996/3–4/L Inv.-Nr. 1096.
Lit. M. 932. Schw. 12. J. 68 A. BNZ 62.

508. Kupfer-drei-Pfennig 1867.
Vs. Gekröntes Wappen.
HERZOGTHUM ANHALT.
Rs. Wertangabe über Jahreszahl
und B = Münzstättenzeichen Hannover.
Kupfer 24 mm 4,43 g Foto 996/1–2/L Inv.-Nr. 1097.
Lit. M. 933. Schw. 15. J. 68 B. BNZ 63. Brill 3/10.

509. Kupfer-Pfennig 1864.
Vs. Gekröntes Wappen.
HERZOGTHUM ANHALT
Rs. Wertangabe über Jahreszahl
und A = Münzstättenzeichen Berlin.
360 EINEN THALER SCHEIDE MÜNZE
Kupfer 17 mm 1,53 g Foto 992/8–9/L Inv.-Nr. 1098.
Lit. M. 934. Schw. 13. J. 67 A. BNZ 64. Weinmeister 5/06.

510. Kupfer-Pfennig 1867.
Vs. Gekröntes Wappen.
HERZOGTHUM ANHALT
Rs. Wertangabe über Jahreszahl und B = Hannover.
360 EINEN THALER SCHEIDE MÜNZE
Kupfer 17 mm 1,50 g Foto 992/10–11/L Inv.-Nr. 1099.
Lit. M. 935. Schw. 16. J. 67 B. BNZ 65. Cahn 7/09.

Literatur

AKSt	Paul Arnold, Harald Küthmann, Dirk Steinhilber, Großer Deutscher Münzkatalog, von 1800 bis heute, München 1970.
Baasdorf	Der Münzfund von Baasdorf, bearb. v. T. Stenzel in: Bl. f. Mzfr. 13. Jg. 1877, Nr. 59, Sp. 466ff. Ferner Jg. 14. 1878, Nr. 66, Sp. 537. Bearbeitet v. O. Eckstein in: Mitt. des Vereins f. Anhaltische Geschichte u. Altertumskunde. 1. Bd. Heft IX, S. 782ff.
Bahrfeldt	Sammlung Bahrfeldt, Auktion 171, Hess, Frankfurt, Juni 1924.
BNZ	Beilage der Berliner Numismatischen Zeitschrift, herausgegeb. v. Waldemar Wruck, Berlin 1949ff.
Borne	Fund von Borne, bearbeitet v. Emil Bahrfeld, Berlin 1915.
Cahn	Julius Cahn, Der Brakteatenfund von Freckleben in Anhalt. Neubearbeitung auf Grund des Bestandes im herzoglichen Münzkabinett zu Dessau, Auktion 70, Adolph E. Cahn, Frankfurt am Main 15. 7. 1931, Nr. 1–146, 607–703, 751–825.
Dassd.	K. W. Dassdorf, Numismatisch-historischer Leitfaden zur Übersicht sächsischer Geschichte. Dresden 1801.
Dav.	John S. Davenport, German Talers since 1800, Galesburg 1949. John S. Davenport, German Talers 1500–1600, Frankfurt am Main 1979. J. S. Davenport, Guldentalers – Silvergulden from the 16th Century to 1763 (2/3 Taler, 24 Mariengroschen, 16 Gute Groschen, 60 Kreuzer, etc.) 1982.
Elze	Th. Elze, Die Münzen Bernhards Grafen von Anhalt, Herzogs von Sachsen. Berlin 1870.
Fr.	Robert Friedberg, Gold Coins of the World. New York 1971.
Freckleben	Der Brakteatenfund von Freckleben im Herzogtum Anhalt, Bearbeitet von Theodor Stenzel, Berlin 1862.
Frbg.	Friedensburg Sammlung, A. E. Cahn, Auktion 52, Oktober 1924.
Gerbstedt	Fund von Gerbstedt, Mansfelder Seekreis, um 1620, bearbeitet von Th. Stenzel, Numismatische Studien, S. 28, Leipzig 1876.
Goetz	C. J. Goetz, Beiträge zum Groschen-Cabinet. 3 Bände. Dresden 1811. Deutschlands Kayser-Muenzen des Mittel-Alters. Dresden 1827.
Groß-Briesen	Der Brakteaten-Fund von Groß-Briesen, bearb. v. Fr. Bardt in: Zeitschrift für Numismatik. 11. Band, Berlin 1884, S. 212ff.
Häv.	Walter Hävernick, Die mittelalterlichen Münzfunde in Thüringen, Jena 1955.
J.	Kurt Jaeger, Mitteldeutsche Kleinstaaten, Basel 1972.
Jessen	Der Brakteatenfund von Jessen, Bearb. v. T. Stenzel in: Numismatische Studien. Leipzig 1876.
J. u. F.	Paul Joseph und Eduard Fellner, Die Münzen von Frankfurt am Main, 1. und 2. Suppl., Frankfurt am Main 1896, 1903 und 1920.
Kappelhoff	Anton Kappelhoff, Zweidritteltaler von Johann Ludwig und Christian August von Anhalt-Zerbst, in Numismatisches Nachrichtenblatt 3, 1974.
M.	J. Mann, Anhaltische Münzen und Medaillen vom Ende des 15. Jahrhunderts bis 1906, Hannover 1907.
N.	Josef Neumann, Beschreibung der bekanntesten Kupfermünzen, Prag 1858.

Piesdorf	Anhaltische Brakteaten aus dem Funde von Piesdorf, bearb. v. T. Stenzel, in: Archiv für Brakteatenkunde. II. Bd. S. 222. Wien 1890–93.
Schadeleben	Der Münzfund von Schadeleben, bearb. v. C. P. C. Schönemann, in: Zur väterländischen Münzkunde vom 12. bis 15. Jh. oder Grundzüge der Brakteatenkunde usw. Wolfenbüttel 1852.
Schönemann	C. Ph. Chr. Schönemann, Zur vaterländischen Münzkunde vom 12. bis 15. Jahrhundert, Wolfenbüttel 1852.
Schw.	C. Schwalbach, Die neueren deutschen Taler, Doppeltaler und Doppelgulden vor Einführung der Reichswährung, München 1915 und C. Schwalbach, Die neuesten deutschen Münzen unter Talergröße vor Einführung des Reichsgeldes, Leipzig 1895.
Spruth	Fritz Spruth, Die Bergbauprägungen der Territorien an Eder, Lahn und Sieg, Bochum 1974.
Stenzel	Th. Stenzel, Münzausprägung in Anhalt, Blätter für Münzfreunde, 18, 1882, S. 900–902.
T.	Heinz Thormann, Die anhaltischen Münzen des Mittelalters, Münster 1976. Heinz Thormann, Die Münzen der Herzöge von Sachsen aus dem Hause Anhalt, 1212–1422. 1982.
Tornau	Otto Tornau, Die Brakteaten der Grafen von Mansfeld, der edlen Herren von Friedeburg und der Herren von Schraplau, Grünberg 1940.
V.	Vogelsang, Sammlung von Ausbeute- und Bergwerks-Münzen und -Medaillen, Riechmann, Halle 1925.
Vogel	Sammlung Vogel (Chemnitz), I. Teil, Auktion 188, Hess, Frankfurt, November 1927.
Wolkenberg	Der Brakteatenfund von Wolkenberg bei Spremberg in der Niederlausitz, bearb. v. J. T. Erbstein, Görlitz 1846.

Die Herrschaft Anholt gelangte durch Erbschaft an die Herren von Gehmen und später gehörte sie den Grafen von Bronckhorst und Battenberg. Anfang des 15. Jahrhunderts prägte Gisbert I. von Bronckhorst-Battenberg (1408–1429) Halbgroschen (andernorts als Witten bezeichnet) und Denare als Nachahmung der aus dem Umland zirkulierenden Münzen von Aachen und Limburg. Der Halbgroschen (Nr. 1) zeigt auf der Vorderseite das Brustbild Karls des Großen über dem Aachener Adlerwappen (vgl. Aachen, Nr. 104–106). Selbst die Umschrift der Vorderseite beginnt wie bei dem Aachener Halbgroschen: S.KA (Sanctus Karolus) wird jedoch mit dem Namen des Münzherren fortgesetzt: GISEB (ert) DE BATE (nberg). Auch die Rückseite dieser Prägung kopiert die Aachener Münze mit dem Kreuz, Doppeladlern und Sternen in den Kreuzeswinkeln. Jedoch die Umschrift der Rückseite benennt die Münze als: Neues Geld von Anholt.

Ein Anholter Denar (Nr. 2) als Nachprägung der Limburger zeigt wie diese ein Hüftbild und auf der Rückseite die Limburger Rose (vgl. Grote, Bl. f. Münzfreunde III, S. 116). In der Umschrift wird der Anholter Münzherr und die Münzstätte benannt. Für den Geldumlauf war wichtig, daß das Gewicht der Silbermünzen durch das Münzbild garantiert wurde, zumal die Umschrift häufig nicht gelesen wurde.

Obwohl das Städtchen Anholt kein Münzrecht besaß, weisen die Prägungen Ende des 16. bis Mitte des 17. Jahrhunderts sich als städtisch aus: CIVITAS ANH (Nr. 3–7). Unter Dietrich V. von Bronckhorst (1585–1637) wurde der Kupfer-Deut ohne Jahr (Nr. 3–4) in Anlehnung an geldrisches Kupfergeld geschlagen. Nach dem Tod von Dietrichs Tochter, Maria Anna, im Jahre 1637, erbte ihr Gemahl, Fürst Leopold Philipp Karl zu Salm (1637–1663) die Grafschaft und schlug nach holländischem Vorbild Stüber mit dem Wappen der Rheingrafschaft, dem leopardierten Löwen (Nr. 5–7).

Nach dem Aufstand der Niederlande beanspruchten die Staaten von Geldern und Zütphen die Herrschaft über Anholt. Sie blieb jedoch auch nach dem Westfälischen Frieden beim Reich.

Vgl. Paul Joseph, Frankfurter Münzzeitung 1914, S. 297 und Joseph Weingärtner, Die Kupfermünzen Westfalens, 2. Teil, S. 395.

S. 5, T. 69 S. 6, T. 50

GISBERT I. VON BRONCKHORST-BATENBERG. 1408–1429.

1. 1/2-Groschen, (Nachprägung der Aachener).

Vs. Brustbild Karls des Großen mit Münster und Reichsapfel über Adlerschild.
.S.KA'GISEB' DE.BATE
Rs. Auf Kreuz Vierpass, im 1. und 4. Winkel Doppeladler, im 2. und 3. Winkel Sterne.
+MONETA.NOVA.DE.ANHOL'

Silber 20 mm 1,06 g Foto 906/1–2/L Inv.-Nr. 1101. Vgl. Nr. 104f
Lit. Unediert. Nachprägung des Aachener 1/2 Groschens von Reinhold von Jülich. Weweler, Hess 6/28, 850.

2. Denar, (Nachprägung der Limburger).

Vs. Hüftbild mit Schwert.
GISEBERTVS D(......)
Rs. Die Rose von Limburg.
+MO(..)TA(.)DE(..)HOLTEN

Silber 16 mm 0,73 g Foto 906/4–5/L Inv.-Nr. 1102.
Lit. A. Schuman 11/25.

DIETRICH V. VON BRONCKHORST. 1585–1637.

3. Kupfer-Deut ohne Jahr.

Vs. Löwenschild.
Rs. Drei Zeilen Schrift.
CI VITAS ANH

Kupfer 21 mm Foto 906/6–7/L Inv.-Nr. 1103.
Lit. W. N. 277b. Jos. Salm 234a. Bachus 4/11.

Literaturnachweis siehe Seite 170.

4. Kupfer-Deut ohne Jahr.

Vs. Löwenschild.
Rs. Zwei Zeilen Schrift.
.o. CVS ANH .o.

Kupfer 20 mm Foto 906/8–9/L Inv.-Nr. 1104.
Lit. Weygand, Hess 1/17, 3376.

LEOPOLD PHILIPP FÜRST VON SALM. 1637–1663.

5. Stüber ohne Jahr.

Vs. Kreuzblume.
MON ANH ARG CVS
Rs. Gekröntes Wappen.
LE.P.C.CO(.).L(....)LB

Silber 22 mm 1,36 g Foto 906/10–11/L Inv.-Nr. 1105.
Lit. Jos.-. Cahn 8/30.

6. Kupfer-Stüber ohne Jahr.

Vs. Kreuzblume.
(...) NOV ANH CVS
Rs. Gekröntes Wappen.
(...)PCCOSDPSL(.)

Kupfer 22 mm Foto 906/12–13/L Inv.-Nr. 1106.
Lit. Jos. 223. Cahn 8/30.

7. Stüber ohne Jahr.

Vs. Kreuzblume.
MON: ARG: CVS: AEN:
Rs. Gekröntes Wappen zwischen I S
LE.P.C.CO.(.).R.(.)S.LB

Silber 22 mm 1,61 g Foto 906/14–15/L Inv.-Nr. 1107.
Lit. Jos. 228. Joseph 2/13.

Die Münzprägung der pommerschen Stadt Anklam beginnt im ausgehenden 14. Jahrhundert und läßt sich mit Witten und Sechslingen belegen. Ab 1622 setzt die Stadt kleine Gegenstempel auf Dopplschillinge, besonders pommersche, die dadurch eine Neufestsetzung ihres Wertes erlangen.

Die Wittenprägung in Norddeutschland entstand in den Hansestädten in Anlehnung an niederländische und englische Münzsorten. Witten waren größere Kurrantmünzen als die Pfennige und sind zuerst etwa 1339/40 in Lübeck geprägt worden. Das Münzbild zeigt immer Wappen und Kreuz auf der Vorder- und Rückseite (vgl. auch die Halbgroschen von Aachen, Nr. 104 und Anholt, Nr. 1). Das Stadtwappen von Anklam, ein Strahl oder eine Pfeilspitze, ist von Schrift umgeben: MONETA TANGLIUM „Geld von Anklam" (Nr. 4). Das Kreuz auf der Rückseite weist kleine Zeichen in den Winkeln auf: Ringel (Nr. 1), Punkt (Nr. 2), Punkt auch im Kreis in der Mitte des Kreuzes (Nr. 3). Der Kreis auf dem Kreuz bleibt seit dem Münzrezeß von 1387 ohne Zeichen (Nr. 4). Nach der Art der Hamburger tragen die Witten von Anklam als Rückseitenumschrift einen christlichen Spruch:

BENEDICTUS DEUS (Nr. 1), der mit Kürzeln (Nr. 2) oder abgewandelt (Nr. 3–4) wiedergegeben wird.

Im Münzrezeß von 1411 werden die Anklamer Witten auf 3 Pfennige festgesetzt. In Lübeck, Hamburg und Wismar galt der Witten 4 Pfennige, bis er gänzlich durch den Sechsling verdrängt wurde. Der Wert des Sechslings war, wie sein Name sagt, auf 6 Pfennige festgesetzt, was dem halben Schilling entsprach. Um 1600 wurden auch in Anklam Sechslinge geprägt. Das Münzbild zeigt beidseitig ein Wappen (Nr. 5).

Im Jahre 1461 wurde von Lübeck, Hamburg, Wismar und Lüneburg beschlossen, Doppelschillinge zu prägen. Diese größere und schwerere Silbermünze wurde auch von Mecklenburg, Pommern, Holstein und Braunschweig herausgegeben. Es gab zwei Typen, die sich im wesentlichen durch die Rückseiten unterscheiden, da auf der Vorderseite meist die Wappendarstellung des Münzstandes (oder die Stadtansicht) gezeigt werden. Die Rückseite des ersten Typs hat die Anfangsbuchstaben der lateinischen Wertbezeichnung: Duplex Solidus, das DS ineinandergestellt (Nr. 6–9). Der zweite Typ trägt nach der Reichsmünzordnung von 1592 die 16 von 1/16 Reichstaler im Reichsapfel des gekrönten Doppeladlers (Nr. 10–11).

Seit Beginn des 17. Jahrhunderts setzt eine zunehmende Verringerung des Schrot und Korns der Doppelschillinge ein. Um die guten Doppelschillinge von den schlechten im Geldverkehr unterscheiden zu können, wurden Gegenstempelungen in den Städten durchgeführt. Erstmals setzte Hamburg ab 1619 sein Wappen, die dreitürmige Stadtburg, als kleinen, etwa 5 bis 6 mm im Durchmesser betragenden Gegenstempel auf die Rückseite von Doppelschillingen (Nr. 11). Diesem Beispiel folgten nach 1622 die Städte Anklam (Nr. 6–7, 9), Stralsund (Doppelschilling 1621, Ulrich von Pommern), Franzburg in Pommern (Doppelschilling 1620, Ernst III. von Holstein-Schauenburg, mit Gegenstempel zusätzlich von Anklam) und Greifswald (Doppelschilling 1621, Ulrich von Pommern; Doppelschilling 1629, Bogislaus XIV. von Pommern und Doppelschilling 1620, Ernst III. von Holstein-Schauenburg).

Für Anklam steht die Spitze des Pfeiles zwischen A und 3, was einer Abwertung auf 3 sundische Schillinge gleichkommt, während die nicht gestempelten Doppelschillinge nur nach Gewicht im Umlauf bleiben sollten oder vollkommen verboten wurden. So kommen auch mehrere Gegenstempel auf einem Doppelschilling vor (Nr. 11 und vgl. den Doppelschilling 1620 von Franzburg in Pommern).

Anklamer Gegenstempel kommen auf pommerschen und braunschweigischen (-mittlere Linie Lüneburg) Doppelschillingen von 1619 (Nr. 6), 1620 (Nr. 10–11) und 1621 (Nr. 7 und 9) vor. Die Jahreszahl ist durch den Gegenstempel (Nr. 7, Inv.-Nr. 1114) teilweise unleserlich, jedoch die letzte Ziffer rechts von dem verschlungenen DS noch sichtbar, so daß sich die Jahreszahl als 1621 ergänzen läßt, nicht wie mehrfach angegeben zu 1617 (vgl. Hildisch, S. 160; Auktion Cahn, September 1921, 803).

Da Doppelschillinge vor 1620 von Bogislaus XIV. von Pommern nicht bekannt sind, läßt sich auch bei dem einzigen Doppelschilling mit Gegenstempel auf der Vorderseite (Nr. 8) die verstempelte Jahreszahl, die Ziffer vor dem verschlungenen DS als 2, also 1628, deuten. Bei dieser späteren Kontermarkierung handelt es sich möglicherweise um eine Revalvation der Zahlungsmittel während des Dreißigjährigen Krieges und der schwedischen Besatzungsperiode seit 1627, zumal auch in Greifswald noch Doppelschillinge von 1629 gegengestempelt wurden. Die Kippermünzen des norddeutschen Raumes waren also Doppelschillinge.

Vgl. Friedrich von Schrötter, Wörterbuch der Münzkunde, Berlin und Leipzig 1930, S. 748 und S. 620.
Johannes Hildisch, Die Münzen der pommerschen Herzöge, Köln und Wien 1980.
Niklot Klüßendorf, Neue Forschungen zu gegengestempelten Doppelschillingen der Kipper- und Wipperzeit, in: Hamburger Beiträge zur Numismatik Heft 24–26, 1970–1972.

S. 5, T. 81 S. 30, T. 28

1. Witten ohne Jahr (vor 1381).
Vs. Pfeilspitze, darunter drei Punkte.
+MONETA · TANGLYN
Rs. Kreuz, in der Mitte Vierpaß, im rechten Oberwinkel Ringel.
+BENEDICTVSDEVS
Silber 18 mm 1,13 g Foto 906/16–17/L Inv.-Nr. 1108.
Lit. Dbg. 175. Ohm 8/21.

2. Witten ohne Jahr.
Vs. Pfeilspitze.
✳ MONETATANGLINE
Rs. Kreuz, im linken Oberwinkel Punkt.
:BENI(..):MONETAETVO
Silber 17 mm 0,82 g Umschrift mit Kürzeln
Foto 906/18–19/L Inv.-Nr. 1109.
Lit. Saurma, Weyl:4940.

3. Witten ohne Jahr.
Vs. Pfeilspitze mit Punkt.
MONETA:'TANG(....)
Rs. Kreuz, in der Mitte rund, darinnen ein Punkt.
:DEVSSICDOMINE.'TVO
Silber 17 mm 0,73 g teilweise undeutlich
Foto 906/20–21/L Inv.-Nr. 1110.
Lit. Dbg. 175/176.

4. Witten ohne Jahr.
Vs. Pfeilspitze, darunter Ringel.
:MONETA:TANGLIVM
Rs. Kreuz, in der Mitte rund.
:DEVS:IN:NOMINETV
Silber 18 mm 1,10 g Foto 906/22–23/L Inv.-Nr. 1111.
Lit. Keßler 2/12.

5. Sechsling ohne Jahr.
Vs. Pfeilspitze, darunter drei Kreuze.
IDEVS:IN:NOMINE TV
Rs. Greif links, vor ihm ein Kreuz.
✳ MONETA.:TANGLN
Silber 22 mm 1,32 g Foto 906/24–25/L Inv.-Nr. 1112.
Lit. Dbg. 182. Keßler 2/12.

POMMERSCHE GRUPPE
GEGENGESTEMPELT NACH DEM
LANDTAGSABSCHIED VON 1622.

6. Doppelschilling 1619. Münzstätte Stettin.
Franz von Pommern-Stettin. 1618–1620.
Vs. Gekrönter Greif links mit Schwert.
.FRANCIS I.D.G.DVX.S.P.
Rs. DS verschlungen (= Duplex Solidus).
+ADSIT AB ALTO.1.6.1.9
Wahlspruch: Alles zu seiner Zeit.
Gegenstempel: Pfeilspitze,
darüber sehr klein A und 3 = 3 sundische Schillinge.
Silber 23 mm 1,72 g Foto 999/2–3/L Inv.-Nr. 1116.
Lit. Fund Malchin 375. H. zu 123 var. Rappaport 5/14.

S. 5, T. 81 S. 30, T. 28

7. Doppelschilling 1621. Münzstätte Stettin.
Bogislaus XIV. von Pommern-Stettin. 1617–1637.
Vs. Gekrönter Greif links mit Schwert.
:BVGSLAVS D.G.DVX.S.P
Rs. DS verschlungen zwischen Endziffern der Jahreszahl.
Gekreuzte Zainhaken DEVS.ADIVTOR.MEVS:
Gegenstempel: Pfeilspitze,
darüber sehr klein A und 3 = 3 sundische Schillinge.
Silber 20 mm 1,33 g teilweise undeutlich
Foto 993/6–11/L Inv.-Nr. 1114.
Lit. H. 144 var. Auktion Cahn 9/21, 803.

8. Doppelschilling 1628. Münzstätte Stettin.
Bogislaus XIV. von Pommern-Stettin. 1617–1637.
Vs. Gekrönter Greif links mit Schwert.
✳ BVGSLAVS DG.DVX S.P.
Gegenstempel: Pfeilspitze,
darunter drei Ringel = Anklam.
Rs. DS verschlungen (= Duplex Solidus) zwischen Endziffern der Jahreszahl.
Gekreute Zainhaken DEVS ADIVTOR MEVS
Jahreszahl und Umschrift teilweise unleserlich.
Silber 22 mm 1,13 g. Drittes bisher bekanntes Exemplar (Auskunft Klüßendorf).
Foto 993/1–5/L Inv.-Nr. 1113.
Lit. Fried. 2. H. vgl. 366 und GS I. K. Seite 119. Friedrich, Hess 4/14.

9. Doppelschilling 1621.
Philipp Julius von Pommern-Wolgast. 1592–1625.
Vs. Vier pommersche Wappen im Schild zwischen Anfangs- und Endziffer der Jahreszahl, darüber 62.
.PHILIPPVS.IVL.H.Z.S.P.
Rs. DS verschlungen zwischen Sternen.
.RECTE.F.A.NEMETVAS Wahlspruch Metuas recte famae
Gegenstempel: Pfeilspitze, darüber sehr klein A und 3.
Silber 22 mm 1,53 g. Teilweise undeutlich.
Foto 993/12–15/L Inv.-Nr. 1115.
Lit. H. vgl. 194.

10. 1/16 Taler 1620, Doppelschilling.
Wilhelm zu Harburg von Braunschweig – Mittlere Linie Lüneburg. 1603–1642.
Vs. Gekröntes Wappen.
WILHEL.D.G.DVX(.)BE.L.
Gegenstempel: Pfeilspitze oben sehr klein A und 3
Rs. Gekrönter Doppeladler mit 16 im Reichsapfel.
FERDINAN.DB.R.IN S.A.6Z0
Silber 22 mm 1,43 g gelocht, Umschrift teilweise undeutlich
Foto 993/16–17/L Inv.-Nr. 1117.
Lit. Knyp. vgl. 419. Fi.-. Leo Hamburger 11/16.

11. 1/16 Taler 1620, Doppelschilling.
Wilhelm zu Harburg von Braunschweig – Mittlere Linie Lüneburg. 1603–1642.
Vs. Gekröntes Wappen.
WIL.DG.DVX.BR.ET.L.
Rs. Gekrönter Doppeladler mit 16 im Reichsapfel.
.FERDINA.D.G.R.IM.S.A.6Z0
Zwei Gegenstempel: Pfeilspitze, oben sehr klein A und 3; Hamburger Stadtburg.
Silber 20 mm 1,61 g Foto 993/20–23/L Inv.-Nr. 1118.
Lit. Knyp. vgl. 419. Fi.-. Schwalbach, H. S. Rosenberg 11/13.

Literaturnachweis siehe Seite 170.

Die etwa 100 Jahre dauernde Münzprägung der anfangs königlichen, später reichsstädtischen Münzstätte Annweiler-Trifels beginnt in der Zeit Friedrichs I. Barbarossa (1152–1190) und endet während der Regierungszeit Friedrichs II. (1215–1250).

Die Prägungen zeigen den Übergang von den einseitigen Dünnpfennigen (Halbbrakteaten) nach Speyerer Schlag (Nr. 1–4), deren Schrötling etwa 25 mm im Durchmesser beträgt mit einem Durchschnittsgewicht von 0,79 g, zu den einseitigen Denaren (Pfennigen) nach Elsäßer Schlag mit etwa 15 mm im Durchmesser und einem Durchschnittsgewicht von 0,29 g (Nr. 5–6).

Während der Stauferzeit befanden sich im Speyergau in Speyer selbst, in Annweiler-Trifels, Klingenmünster und Weißenburg, Selz an der Grenze des Speyergaus, Hagenau und der St. Petersabtei Schwarzbach in Baden (Stollenhofen) Münzstätten, außerdem münzten die Landvögte im Unterelsaß. Oft sind die Prägungen den einzelnen Münzstätten schwer zuzuweisen, da nur wenige Münzen mit Aufschriften versehen sind. Die teilweise verstümmelte Umschrift AN-..I..L (Nr. 2) rechtfertigt jedoch die Zuweisung der Prägung nach Annweiler-Trifels. Bei den Dünnpfennigen oder sog. Halbbrakteaten wurde der Schrötling bei der Größe von 25 mm im Durchmesser und dem Gewicht von 0,79 g so dünn, daß, anfangs noch doppelseitig geprägt, das Münzbild von der anderen Seite negativ sichtbar ist (Nr. 3). Dargestellt ist entweder das Brustbild des Königs von vorn, teilweise bis zur Gürtellinie (Nr. 3 und 4) oder ein Zinnenturm über einer Mauer (Nr. 2). In diesem Turm, dem Bergfried der Burg Annweiler-Trifels, waren 1125 (mit Unterbrechungen) bis 1298 die Krönungsinsignien der deutschen Könige aufbewahrt worden. 1153 ließ Friedrich I. die Gebäude erneuern und die Kirche weihen. Ein Grund, um auf dem Scharfenberg von Trifels Münzen prägen zu lassen, um den Bau, die Unterhaltung und die Verwaltung des Trifels durch eine eigene Münze zu finanzieren.

Gegen 1180–1190 ging die Halbbrakteatenprägung im Pfälzer Raum zu Ende. Die folgenden Prägungen werden kleiner – etwa 15 mm im Durchmesser – und sind schriftlos (Nr. 5–6). Die Schrötlinge wurden meist am Außenrand aufgehämmert, was den unterelsäßischen und lothringischen Geprägen entspricht.

Friedrich II. (1215–1250) erklärte „Annewillere“ 1219 zur Reichsstadt, so zählt dieser Ort zu den ersten Münzstätten, die ein städtischer Besitz waren und eigene städtische Selbstverwaltung hatte. Die Unterhaltung der Burg sollte durch Einnahmen aus der Münze bestritten werden. Diese Maßnahme setzte sich in der zweiten Hälfte des 13. Jahrhunderts weiterhin durch und führte schließlich zu maßgebendem Einfluß der Städte auf Münzprägung und Münzpolitik.

Da die Ausprägung der Münzen in den einzelnen Gebieten des Heiligen Römischen Reiches deutscher Nation sehr unterschiedlich war, besonders das Gewicht betreffend, besaßen sie nur örtliche Geltung. So wird münzgeschichtlich die Prägezeit als die des „regionalen Pfennigs“ bezeichnet. Von diesen Pfennigen (Halbbrakteaten) gingen seit der Zeit Karls des Großen (768–814) 240 Stück auf die libra hochfeinen Silbers.

Vgl. H. Buchenau, Königlicher Halbbrakteat des Speierer Umlaufgebietes, Bl. f. Mzfrde, Nr. 11, November 1913, S. 5428, Taf. 207.

W. Harster, Versuch einer Speierer Münzgeschichte, Speyer 1882.

Carl W. Scherer, Die Münzen von Annweiler-Trifels, neu herausgegeben von Helfried Ehrend mit einem Anhang von Günter Stein, Numismatische Gesellschaft Speyer e.V. 1974.

S. 5, T. 106

FRIEDRICH I. BARBAROSSA. 1152–1190.

1. Einseitiger Dünnpfennig ohne Jahr,
(Halbbrakteat nach Speyerer Schlag).
Gekröntes Brustbild mit Fahne und Kreuzstab.
+V N T D + E V .
Umschrift teilweise unleserlich, E spiegelbildlich.
Silber 24 mm 0,72 g Foto 999/4/L Inv.-Nr. 1124.
Lit. Sch. u. E. zu 4 (Vs.) „um 1155–1180". H. 48. Cahn 3/25.

2. Einseitiger Dünnpfennig ohne Jahr,
(um 1180–1210).
Halbbrakteat von Annweiler (Burg Trifels).
Breiter Zinnenturm zwischen zwei bedachten Türmen über Mauer, darüber drei Sterne.
A N (. . . .) I (. .) L ✳
Silber 26 mm 0,90 g Foto 999/5/L Inv.-Nr. 1119.
Lit. Sch. u. E. zu 4 (Rs.) Vgl. H. 48. Auktion Rosenberg 10/26, 388.

FRIEDRICH I. UND ULRICH I./II.

3. Einseitiger Dünnpfennig ohne Jahr.
Gekröntes Brustbild von vorn mit Szepter und Reichsapfel, im Feld Stern. Umschrift.
(Rs. Zinnenturm?).
Silber 26 mm 0,92 g Foto 999/6/L (Vs.) Inv.-Nr. 1120.
Lit. Sch. u. E. 8 „1155–1180". H. 50. Auktion Helbing 10/32, 844.

4. Einseitiger Dünnpfennig ohne Jahr,
(Halbbrakteat).
Brustbild von vorn mit Lilienszepter und Lilie, im Feld rechts ein Löwe. Umschrift.
Silber 24 mm 0,62 g Foto 999/7/L Inv.-Nr. 1121.
Lit. Sch. u. E. 10 (Vs.) H. 57. Bl. f. Mzfrde. T. 207, 22. Fund Ruderatshofen. Auktion Cahn 3/22, 226.

FRIEDRICH II. 1215–1250.

5. Denar, (einseitig).
Brustbild von vorn mit Kreuz und Knospenszepter.
Silber 16 mm 0,28 g Foto 906/26–27/L Inv.-Nr. 122.
Lit. Bl. f. Mzfrde. T 207, 23. Sch. u. E. 30 (Vs.) Jenke 9/12.

6. Denar, (einseitig).
Zinnenturm zwischen Kreuz und Ringel über Mauer.
Silber 15 mm 0,30 g Foto 906/28–29/L Inv.-Nr. 1123.
Lit. Sch. u. E. zu 40. Bl. f. Mzfrde. T. 207, 24. Rosenberg 1/19.

Literaturnachweis siehe Seite 170.

Literatur (Anholt)

Jos.	Paul Joseph, Die Medaillen und Münzen der Wild- und Rheingrafen Fürsten zu Salm, in: Frankurter Münzzeitung, 1912f., S. 507 ferner Über Reckheimer und Anholter Münzen, in: Frankfurter Münzzeitung, 1917, S. 269.
W. N.	Josef Weingärtner, Beschreibung der Kupfermünzen Westfalens, Paderborn 1881, 2. Teil Nachtrag.
Weweler	Sammlung Weweler, Westfalen und Nachbargebiete, A. Hess, Auktion 191, Juni 1928.
Weygand	Sammlung Weygand, Düsseldorf. A. Hess, Auktion 153, Januar 1917.
Roest	Th. M. Roest, Die Münzen der Herrschaft Anholt, Amsterdam 1895.

Literatur (Anklam)

Dbg.	Hermann Dannenberg, Münzgeschichte Pommerns im Mittelalter, Berlin 1893, Nachtrag 1896.
Fried.	K. Friedrich, Ein Beitrag zur Geschichte des Kontermarkenwesens, in: Jahrbuch des numismatischen Vereins zu Dresden, Dresden 1912.
H.	Johannes Hildisch, Die Münzen der Pommerschen Herzöge, Köln 1980.
HBN	Hamburger Beiträge für Numismatik.
K.	Niklot Klüßendorf, Neue Forschungen zu gegengestempelten Doppelschillingen der Kipper- und Wipperzeit, in: HBN Heft 24–26, 1970–1972.
Knyp.	Münz- und Medaillen-Kabinet des Grafen Karl zu Inn- und Knyphausen, Hannover 1872.
Malchin	sog. Fund von Malchin, veröffentlicht teilweise im Auktionskatalog E. Rappaport, Berlin, Mai 1914.
Saurma-Jeltsch	Die Saurmasche Münzsammlung deutscher, schweizer und polnischer Gepräge. A. Weyl. Berlin 1892.
Schmidt	R. Schmidt, Der Fund von Pasewalk, in: HBN 12/13, 1958/59.
Weise	A. C. Weise, Vollständiges Gulden-Cabinet. Nürnberg 1780–82.

Literatur (Annweiler-Trifels)

Bl. f. Mzfrde	H. Buchenau, Seltene und teils unbekannte Mittelaltermünzen, in: Blätter für Münzfreunde, Nr. 11, November 1913, Seite 5428.
H.	W. Harster, Versuch einer Speierer Münzgeschichte, Speier 1882.
Ruderatshofen	Fund Ruderatshofen.
Sch. u. E.	Carl W. Scherer, neu herausgegeben von Helfried Ehrend, mit einem Anhang von Günter Stein, Die Münzen von Annweiler-Trifels, Numismatische Gesellschaft Speyer e. V., 1974.

Eine Urkunde des Klosters Capellendorf aus dem Jahre 1276 nennt Apolda als Sitz einer Münzstätte und erwähnt den Münzmeister von Apolda: HER. (manus?) monetarius de Apolde als Zeugen.

Bevor Apolda Ende des 13. Jahrhunderts als Stadt Selbstverwaltung erhielt, war sie Sitz der mainzischen Ministerialen. Das Münzbild zeigt einen thronenden Geistlichen, kenntlich an dem Krummstab.

Die Buchstaben am Rand der Prägung: A und V könnten als Apolda und Vitzthum gedeutet werden. Möglicherweise stellte die in Apolda ansässige Familie Vitzthum den Ministerialen des obersten Münzherren, des Bischofs von Mainz.

Die Prägung ohne eindeutige Bezeichnung zählt zu den Brakteaten des Erfurter Umlaufsgebietes. In der Mitte Thüringens gelegen, spielte Erfurt in der Münzprägung des Mittelalters als erzbischöflich mainzische Prägestätte eine beherrschende Rolle. Hier lag eine der Wurzeln der Brakteatenprägung, aus der sich dann der für den thüringischen Raum maßgebende Erfurter Pfennig entwickelte.

Vgl. Carl Friedrich von Posern-Klett, Münzstätten und Münzen der Städte und geistlichen Stifter Sachsens im Mittelalter, Leipzig 1846, Seite 15–16.

S. 5, T. 93

1. Brakteat.

Thronender Infulierter mit Krummstab und Frucht (Granatapfel).

AoVoAoVo

Silber 22 mm 0,26 g Foto 999/8/L Inv.-Nr. 1125 ausgebrochen. Lit. Pos. Taf. 13, 17. Beischlag zu den Arnstädtern bzw. Erfurtern. Auch Buchenau legt dieses Stück nach Apolda. Statt des Granatapfels erkannten andere eine Mohnkapsel oder sogar eine Schafschere.

Literatur

Pos. Carl Friedrich von Posern-Klett, Münzstätten und Münzen der Städte und geistlichen Stifter Sachsens im Mittelalter, Leipzig 1846.

Die Prägungen von Arenberg sind hauptsächlich 1576 und 1676 herausgegeben worden, zu markanten Daten in der Geschichte Arenbergs. Im Jahre 1576 wurde Margaretha Gräfin von der Marck (1568–1599), Erbtochter von Arenberg, in den Fürstenstand erhoben. Dies zu dokumentieren ließ Margaretha in demselben Jahr Taler prägen. Im Jahre 1676 prägte ihr Ururenkel Karl Eugen Herzog von Arenberg (1676–1681) Gulden, wie diese seit 1667 überall in Deutschland üblich waren, um die Besitzergreifung seines Territoriums Arenberg zu bekräftigen und um der 100jährigen Münzgeschichte Arenbergs zu gedenken.

Alle Münzsorten (Nr. 1–9), auch die kleineren Werte (Nr. 2, 5–9), zeigen als Wappen von Arenberg die drei Rosen, obwohl das Geschlecht in männlicher Linie ausgestorben war. Im Heiratskontrakt der Erbtochter Margaretha mit Johann von Ligne wurde vereinbart, daß die Nachkommen den Namen der Mutter und das Wappen Arenberg führen sollten. Johann von Ligne gehörte, wie bereits der Vater Margarethas, zu den Anhängern Karls des V. (1484–1559). Ein Grund, ihn im Jahre 1549 in den Reichsgrafenstand zu erheben. In den Kämpfen zwischen Katholiken und Protestanten, zwischen den Anhängern der Krone und der Partei um Nassau-Oranien, fiel der Reichsgraf, und Margaretha war bemüht, weiterhin die Stellung des Hauses Arenberg zum kaiserlichen Hof zu festigen und sicherte das Erbe ihren beiden Söhnen. Die Reichsunmittelbarkeit bedeutete, allein dem Kaiser und Reich unterstellt zu sein. Margaretha gelang 1576 die Erhebung in den Reichsfürstenstand, was gleichzeitig Sitz auf dem Reichstag bedeutete. Damit hatte sie für die nächsten Jahrhunderte weiterhin Arenbergs Reichsunmittelbarkeit gesichert, und ihre Selbständigkeit konnte nicht von benachbarten Territorien bedroht werden, die ihre Herrschaftsrechte zum Staat ausgebildet hatten. Gegen diese Bedrohung erwiesen sich in diesem Fall Kaiser und Reich als Schutz.

Der hohen Stellung im Reichstag folgte die Gerichtshoheit im eigenen Territorium, das Bergregal und das Münzrecht als Zeichen der Souveränität. Arenberg gehörte zum (3.) niederrheinischen (Kur-) Kreis (siehe Seite 14).

Bereits 1570 prägte Margaretha einen halben Taler als Probe-Münze. Die Jahreszahl des Talers 1576 (Nr. 1) soll aus (15)73 vom Stempelschneider geändert worden sein. Demnach setzte die Prägung Margarethas erst ein, nachdem sie in den Fürstenstand durch Kaiser Maximilian (1564–1576) erhoben worden war – 1576. Vielleicht erfolgte die Prägung auch erst Ende des

Jahres 1576, als bereits Rudolf II. (1576–1612) die Nachfolge angetreten hatte, zumal der Sechs-Heller ohne Jahr auf der Rückseite den Titel Rudolfs II. trägt (Nr. 2).

Das Münzbild auf der Vorderseite des Talers 1576 (Nr. 1) zeigt das Jesuskind im strahlenden Sonnenball, in beiden Händen den Reichsapfel eilig herbeischleppend. Der Reichsapfel gilt als Symbol königlicher Macht und besagt in der Bildersprache, daß Arenberg ein Sonnenlehen sei. Eine Aufzeichnung des 16. Jahrhunderts beschreibt, wie der Herr von Arenberg die Herrschaft zu Lehen nahm: Unter einer Linde stehend, später im Schloßhof unter dem Baldachin, nahm er die Huldigung der Untertanen entgegen, nachdem er eine goldene Münze gegen die Sonne hingeworfen hatte. Mit dem Wurf der Münze kündigte der Herr an, daß er der Sonne huldigte, das heißt, daß er Arenberg von der Sonne zu Lehen nehme. Nach der Rechtssymbolik war er zu keiner Dienstleistung verpflichtet, z. B. auch nicht zur Leistung der Türkensteuer. Dennoch war die Anwendung gegenüber dem Kaiser unhaltbar, denn Margaretha wandte sich an ihn, um sich ein Privileg verleihen zu lassen und erkannte ihn damit als obersten Herren an. Dies beweist auch die Prägung der Sechs-Heller ohne Jahr (Nr. 2) mit der Rückseitenumschrift: RVDOL (phus) II RO(manorum) IM(perator) SEM(per) A(ugustus), obwohl diese Umschrift der Taler 1576 (Nr. 1) nicht trägt. Vielleicht war dieser Taler tatsächlich erheblich früher konzipiert worden als die Kleinmünzen (Sechs-Heller ohne Jahr, Nr. 2). In der Zwischenzeit hätte sich dann ein Wandel der Auffassung vollzogen. Andererseits sollte möglicherweise lediglich das Erscheinungsbild der Kleinmünzen (Nr. 2), die im wesentlichen den Markt beherrschten, dem übrigen Umlaufsgeld angepaßt werden (Vgl. Aachen, Nr. 211, Sechs-Heller 1582, bis Nr. 213, Sechs-Heller 1583; ferner die Sechs-Heller-Stükke von 1560 bis 1581, vom Herzog von Jülich-Kleve-Berg massenhaft geprägt). Auch der Taler 1576 (Nr. 1) präsentiert sich als Prägung nach dem geltenden Münzfuß des Reiches, aber mit dokumentarischem Charakter, zu einem besonderen Anlaß.

So sind unter Margarethas Regierung lediglich zwei Münzwerte geprägt worden, die nach der Reichsmünzordnung:

1 Reichstaler = 1296 Heller,
bzw. 1 Reichstaler = 216 Schillinge
(oder Sechs-Heller)

gerechnet wurden.

Es kann kein Zweifel darin bestehen, daß das Münzbild dem Stempelschneider von der Auftraggeberin Margaretha vorgeschrieben wurde. Sie ließ offensichtlich ihre Taler 1576 (Stempelvariante mit Kreuzchen vor PROTECTOR MEVS ES TV) von dem niederländischen Goldschmied und Münzmeister (Ägidius) Gilles von Siburg in Deutz prägen. Das Kreuzchen könnte sein Münzzeichen gewesen sein oder das der kurkölnischen Münzstätte in Deutz. Die technische Ausführung der Talerprägung spricht für Deutz, da dort mit einem Walzwerk geprägt wurde.

Der Sohn Margarethas, Karl (1599–1616), prägte anläßlich seiner Huldigung, nach dem Tod seiner Mutter, im Jahre 1599. Drei seiner Münzen können nachgewiesen werden, von denen jedoch nur noch ein Exemplar, ein Zwanzigstel-Taler 1601, aufgefunden werden konnte.

Der Erbe Karls war sein ältester Sohn Philipp (1616–1640). Zum alten Brauch der Huldigung ließ er 1616 wiederum eine Münze prägen, die jedoch nur durch eine Zeichnung seines Bruders, des Paters Karl, bekannt ist. Beide Brüder waren in die Wirren und Auseinandersetzungen zwischen den niederländischen Ständen und der spanischen Krone verstrickt. Philipp starb in spanischer Haft, weil die Adelsrebellion der Niederländer aufgedeckt wurde, während der Kapuzinerpater Karl nunmehr die Interessen des Hauses Arenberg vertrat. Er widmete sich der Erforschung seines Hauses. Das Amt des Kardinals lehnte er ab. Er veranlaßte den Bau der Festung auf dem Arenberg und verschaffte seinem Neffen, dem Sohn Philipps, Philipp Franz (1640–1674), 1644 den Herzogtitel. Auf seine Initiative geht sicherlich auch die Prägung der Breiten Taler 1641 zurück und der Entwurf für die Münze 1643, anläßlich der Huldigung und

Besitzergreifung des Territoriums Arenberg, wiederum mit der Darstellung des Jesuskindes in der Sonne. Da Philipp Franz keine Leibeserben hinterließ, ging das Herzogtum Arenberg nach seinem Tod auf seinen Bruder Karl Eugen (1674–1681) über.

Die Münzgeschichte Karl Eugens (1674–1681) hat besondere Bedeutung. Die Prägung des Jahres 1676 (Nr. 3–4) war sicherlich eine Erinnerungsausgabe für 100 Jahre Arenberger Münzgeschichte. Während dieses einen Jahres – 1676 – gibt es zwei verschiedene Münzbilder auf dem Gulden. Das eine, mit dem Porträt Karl Eugens auf der Vorderseite und dem Wappen von Arenberg auf der Rückseite (Nr. 3), sowie das andere, mit dem Wappen auf der Vorderseite und dem zur Sonne blickenden Adler als redendes Wappen auf der Rückseite (Nr. 4). Die Gründe, warum die Ausprägung des Gulden mit dem Porträt weitaus geringer ausfiel, sind nicht bekannt. Möglicherweise handelt es sich bei der Porträtmünze um die Huldigungsausgabe, während die Einheitlichkeit des zweiten Types (Nr. 4) den kleineren Münzwerten (Nr. 5–9) mit dem Wappen unter der Krone auf der Vorderseite verpflichtet war. Nur den häufigeren Typ bildet die „Erneuerte Münzordnung von 1693 des Rathes der Stadt Frankfurt am Main“ ab, obwohl von „Zwei Gattungen“ der Arenberger nicht beanstandeten Gulden gesprochen wird. Diese Ausgabe von Gulden (Nr. 4) und Zwei-Albus (Nr. 5–8) mag für Kosten zur Verteidigung bereitstehender Soldaten der Garnison auf dem Arenberg geprägt worden sein, damit der Ort nicht in die Hände der Franzosen falle. Wegen der hohen Eigenkosten befreite der Kaiser den Herzog von Arenberg von Einquartierung und Kontributionen.

Der Mangel an kleiner Münze veranlaßte den Herzog zur Ausgabe einer neuen Prägung von Acht-Heller-Stücken 1676 (Nr. 9). Die Acht-Heller waren am Rhein eine bekannte Münze, die auch den Namen Fettmännchen führen. Seit 1583 wurden die Acht-Heller in Jülich-Berg von Wilhelm V. (1539–1592) ohne Wertangabe geprägt (vgl. Noss 386), seit 1605 mit Wertangabe (vgl. Noss 422, 423) unter Johann Wilhelm I. von Jülich-Berg (1592–1609).

Im Jahre 1677 wurde die Prägung, ohne das Münzbild zu verändern, fortgesetzt (Nr. 8).

Als Münzstätte kommt für die Arenberger Prägungen Mülheim in Frage, da nach dem Münzmeisterzeichen, der gekreuzten Zainhaken zwischen N L, dort Nikolaus Longerich tätig war. Sohn des Kölner Münzmeisters Adam Longerich, war er bis 1668 als Münzmeister in Dortmund tätig, ging dann zur Essener Fürstäbtissin Anna Salome von Salm-Reifferscheid-Dyck. 1681 erscheint er als Münzmeister des Herzogs von Jülich-Berg in der Münzstätte Mülheim, wo er bis zur Stillegung 1691 tätig war; von 1691 bis 1699 war er Münzmeister bei der Stadt Köln, wo er 1700 gestorben ist. So sind offensichtlich alle Arenberger Münzen in der Münzstätte Mülheim von dem Münzmeister Nikolaus Longerich geprägt worden, zumal seine Prägungen – bis auf einen Typus (Nr. 6, Inv.-Nr. 1131 und 1133) – seine Initialen tragen (Nr. 3–5 und 7–9). Ob dieser Typus ohne Münzmeister-Initialen dem Münzmeister des Niederrheinisch-westfälischen Kreises, Jakob Leer, zuzuschreiben ist, kann allein aus stilistischen Vergleichen nicht entschieden werden.

Gerechnet wurden:

1 Reichstaler = 80 Albus (Köln)
$^{2}/_{3}$ Reichstaler (oder Gulden) = 52 Albus
1 Gulden = 26 Doppelalbus (Zwei-Albus)
1 Gulden = 864 Heller
oder 1 Gulden = 108 Acht-Heller

Mit diesen Prägungen fand die arenbergische Münzprägung für längere Zeit ein Ende.

Vgl. Heinrich Neu, Die Münzen und Medaillen des Herzogtums und des herzoglichen Hauses Arenberg, Bonn 1959, der auf Seite 59–60 weiterführende Literatur zitiert.
Ferner: Alfred Noss, Die Münzen der Erzbischöfe von Köln, 1547–1794, 3. Band, Köln 1925, S. 67 und 74.

S. 6, T. 8

MARGARETHA. 1568–1599.

1. Taler 1576.

Vs. Behelmtes Wappen Arenberg. .MARGARETA.D:G.PRIN. COM.AB. ARBVRGH

Rs. Jesuskind mit Reichsapfel in der Sonne eilend. PROTECTOR.MEVS.ES.TV.I576

Mein Beschützer bist du. Psalm 70, V 6.

Stempelschneider: Goldschmied Gilles von Siburg.

Silber 41 mm 29,11 g Foto 999/9–10/L
Inv.-Nr. 1126. Stempelfehler.
Lit. N. 5. Dav. 8916. Scheel, Schott 2/09.

2. Sechs-Heller ohne Jahr,
(um 1576–1582).

Vs. Wappen Arenberg. .MAR.D:G.PR.CO.AB.AR

Rs. Reichsapfel mit 6, darunter .HELR. RVDOL II.RO IM.SEM.A

Silber 18 mm 0,70 g Foto 906/30–31/L
Inv.-Nr. 1127.
Lit. N.- (zu 6). Auktion Hess 11/10.

KARL EUGEN. 1674–1681.

3. Gulden 1676,
(2/3 Reichstaler).

Vs. Brustbild des Herzogs rechts, darunter zwei gekreuzte Zainhaken zwischen NL = Münzmeister Nikolaus Longerich, † 1700. CARL:EVG: DG.DVX.ARENBERG

Rs. Gekröntes Wappen von Löwe und Greif gehalten, unten $(^{2}/_{3})$ DVX.ARSCHOT.PRINCEPS PORCEAN.et REBEC I676

Silber 38 mm 18,43 g Foto 999/11+13/L
Inv.-Nr. 1128.
Lit. N. 26 (Vorderseite eine Variante in der Punktierung). Weise 1580. Vogel 5, Leo Hamburger 1/26, 3048.

4. Gulden 1676,
(2/3 Reichstaler).

Vs. Gekröntes Wappen, unten $(^{2}/_{3})$ Rosette CAROLVS EVGENIVS D:G:DVX ARENBERGICVS

Rs. Adler auf Berg zur Sonne blikkend, oben gekreuzte Zainhaken zwischen NL = Münzmeister Nikolaus Longerich, † 1700.
SVO INTENTA SOLI. Ao 1676

Silber 38 mm 18,50 g Foto 999/14–15/L
Inv.-Nr. 1129.
Lit. N. 25. C. Sch. 4959. Schwalbach, Rosenberg 10/13.

S. 6, T. 8

5. Zwei-Albus kölnisch 1676.
Vs. Gekröntes Wappen Arenberg.
✻ CARL.EVG·D:G.DVX.ARENB
Rs. Wertangabe in drei Zeilen über Jahreszahl, oben gekreuzte Zainhaken zwischen NL = Münzmeister Nikolaus Longerich, † 1700.
✳ 2 ✳ ALBVS COLSCH
DVX.ARSCHOT.P.PORC.et REB:

Silber 20 mm 1,53 g Foto 906/32–33/L Inv.-Nr. 1130.
Lit. N. 27 Variante/27a (Unterschiede in der Punktierung). Walla 5/09.

6. Vs. ✳ CARL:EVG:D.G:DVX.(...)NB.
Rs. .DVX.ARSCHOT·PR:PORC(.)et REB

Silber 20 mm 1,66 g Zweites Exemplar Jahreszahl undeutlich Foto 906/34–35/L Inv.-Nr. 1131.
Lit. N.- (zu 27b). Helbing 3/14. 911/3–4/L Inv.-Nr. 1133*. Kirsch, Cahn 4/12.

7. Vs. ✳ CARLEVG:D:G.DVX.ARENB
Rs. NL unter der Jahreszahl,
Münzmeister Nikolaus Longerich, † 1700.
DVX.ARSCHOT.PR:PORC:et REB

Silber 20 mm 1,63 g Foto 911/1–2/L Inv.-Nr. 1132.
Lit. N. zu 27b. Auktion Gebert 10/08.

8. Zwei-Albus kölnisch 1677.
Vs. Gekröntes Wappen.
✳ CARL.EVG.D:G.DVX.ARENB
Rs. Wertangabe in drei Zeilen über Jahreszahl, oben gekreuzte Zainhaken zwischen NL = Münzmeister Nikolaus Longerich, † 1700.
✳ 2 ✳ ALBVS COLSCH
DVX.ARSCHOT.P.PORC.et.REB:

Silber 21 mm 1,65 g Foto 911/5–6/L Inv.-Nr. 1134.
Lit. N.- (zu 28ab). Kirsch, Cahn 4/12.

9. Acht-Heller 1676.
Vs. Gekröntes Wappen.
✳ CARL(:)EVG:D.G.DVX.ARENB
Rs. Wertzahl VIII, darunter N.L = Münzmeister Nikolaus Longerich, † 1700.
DVX.ARSCHOT.PR:P.etR 1676

Silber 15 mm 0,53 g ausgerissen Foto 911/7–8/L Inv.-Nr. 1135.
Lit. N. zu 29. Auktion Cahn 3/22, 1187.

Literaturnachweis siehe Seite 186.

Die Grafen von Arnsberg hatten ihren Sitz in Werl, nach dem sie sich auch benannten. Im Jahre 1079 schenkten sie ihr Stammgut den Erzbischöfen von Köln und legten sich von dem neu erbauten Schloß Arnsberg (Adlersberg) den Geschlechtsnamen zu. Die Nachricht über die Schenkung von 1079 wird jedoch nur als Übertragung von Erbansprüchen gedeutet. Die Übergabe der Stadt Werl an Köln, die die Teilung der Grafschaft Werl-Arnsberg mit sich führte, erfolgte erst im Jahre 1103.

Es ist das Verdienst Menadiers, erstmalig ein Gepräge des Grafen Konrad II. von Werl zu Arnsberg (1077–1092) nachgewiesen zu haben. Der Pfennig zeigt auf der Vorderseite das Brustbild eines weltlichen Herren mit Schwert und Lanze, die Rückseite ahmt das Soester Münzbild nach. Als Münzstätte dürfte sicherlich Werl in Betracht kommen, der Hauptort der bedeutendsten westfälischen Herrschaft des 11. Jahrhunderts.

Bei der Bedeutung des Werler Grafenhauses ist es nicht verwunderlich, daß dem Grafen Konrad II. eine größere Anzahl Münzen zugeteilt werden kann. Sie alle gehen auf Soester Münzbilder des Sancta-Colonia-Typs zurück und nennen den Namen CONRADVS, z. T. in entstellter Form (Nr. 1). Meist ist das Münzbild nicht selbständig geschaffen, sondern von Münzen bedeutender Münzstätten übernommen. Als Vorderseitenbild dient das Kreuz, in dessen Winkeln ursprünglich je eine Kugel steht. Der für Köln charakteristische Rückseitentyp ist der dreizeilig angeordnete Stadtname. Seine Entstehung läßt sich bis zum Ende des 9. Jahrhunderts zurückverfolgen. COLONIA wird durch die abgekürzten Zusätze S(ancta) und A(grippina) ergänzt (Vgl. Andernach, Nr. 5). Diese Münzbilder sind bis weit ins 11. Jahrhundert beibehalten worden und wurden durch verschiedene Zeichen in den Kreuzeswinkeln verändert, z. B. ein gerstenkornähnliches Gebilde, an der ersten Kugel hängend, wird als Soester Zeichen gedeutet. Insbesondere verändert sich bei dem Stadtnamen auf der Rückseite das CO von COLONIA, indem das C so groß wird, daß das O hineingeschoben werden kann. Die Rückseite gliedert zwei Haupttypen. Das A in der dritten Zeile steht zwischen einem Kreuz und einem G (Nr. 1), oder an Stelle des Kreuzes steht ein achtstrahliger Stern. Dieser Stern hat sich sechsstrahlig als Arnsberger Münzzeichen bis in die Zeit um 1300 gehalten, wie Arnsberger Nachprägungen Dortmunder Pfennige der Zeit um 1290 ausweisen.

Graf Konrad II. von Werl zu Arnsberg fiel im Jahre 1092 im Kampf gegen die Friesen.

Einer chronologischen Abfolge von fünf Münzen vorangestellt ist ein eindeutig Arnsberger Gepräge (Nr. 2). Die Rückseitenumschrift läßt sich, trotz der fehlenden Buchstaben A, B und E, zu ARNESBERG ergänzen; das Zwillingsfadenkreuz ist umwinkelt von Schräg-Kugelkreuzchen. Das Münzbild der Vorderseite zeigt den thronenden König mit Zepter und Reichsapfel. Die Umschrift der Vorderseite GOTFRIE kann sowohl für Gottfried II. (1185–1235), als auch für Gottfried III. (1235–1287) in Anspruch genommen werden. Die Ähnlichkeit mit Sterlingen Heinrichs II. (1002–1024) mit Zwillingsfadenkreuz läßt die Zuweisung an Gottfried II. – erste Hälfte des 13. Jahrhunderts – als wahrscheinlich erscheinen, denn später werden die Schräg-Kugelkreuzchen zu sechsblättrigen Röschen in den Kreuzeswinkeln umgewandelt.

Wenn auch keine urkundlichen Nachrichten darüber erhalten sind, daß der Erzbischof Konrad von Hochstaden (1238–1261) in Arnsberg münzte, so muß angenommen werden, daß ähnlich wie an anderen Orten auch hier der Kölner Erzbischof sich die Hälfte der Stadt Arnsberg hat abtreten lassen, als Gottfried III. (1235–1287) 1238 die bisher offene Siedlung Arnsberg befestigte und zur Stadt erhob (Vgl. Hävernick, S. 252, Denar, Nr. 1034, und Obol, Nr. 1035).

In Urkunden von 1261, 1267 und 1279 werden Münzmeister der Grafen namentlich erwähnt; zuerst Helmword und Thidericus in den beiden späteren Urkunden. Einem von ihnen wäre der Denar Gottfrieds III. (1235–1287) zuzuweisen

(Nr. 3). Das Münzbild der Vorderseite zeigt den thronenden Kaiser von vorn, in jeder Hand eine Fahne haltend. Nach den nur in den Unterlängen vorhandenen Buchstaben in der Umschrift ist zu lesen: GODEFRI DVSCOME, entgegen der Lesung COI endend. Das Rückseitenbild: Mauer, darüber Turm mit Kuppel, über welcher zwei kleine Türme, zwischen zwei Fahnen, meint, wie auch die Umschrift weiterhin erläutert, Arnsberg als Stadt: ARNESBERICH CIVITAS. Da 1238 Arnsberg Stadtrecht erhielt, kann auch die Prägung erst zu diesem Zeitpunkt ausgegeben worden sein. In dem Nachtrag zum Fund von Köln-Dünnwald wird ein Quadrans (Vierling) der Münzstätte Arnsberg mit 0,30 g verzeichnet. Der Quadrans zeigt ein ähnliches Münzbild wie der Denar (Nr. 3): Sitzender Graf von vorn mit zwei Kreuzfahnen, die Rückseite: Über einer Mauer mit drei Toren zweitürmiges Gebäude zwischen zwei Kreuzfahnen aber ohne Umschrift (Vgl. Hamburger Beiträge für Numismatik, Bd. II, Heft 6–8, 1952/54, S. 235, Nr. 39).

Das Halbstück des Denars, ein Obol (Nr. 4) auf Dortmunder Schlag, weist sich nach der Umschrift ebenfalls als eine Prägung Gottfrieds III. aus. Besonders reizvoll ist die Darstellung des thronenden Gekrönten mit Palmzweig und Reichsapfel in seiner Bewegtheit. Ihm fehlt die symmetrische Frontalität des bis in kleinste Einzelheiten angelegten Bildnisses des Denares (Nr. 3). Der gebogene Arm mit dem Palmzweig gibt dem Bildnis räumliche Tiefe, die bei den beiden folgenden Denaren von Ludwig (1287–1313) durch eine Kopfwendung weitergeführt wird.

Die Rückseite (Nr. 4) kopiert mit dem Kopf in Dreiecksumrandung irische Pfennige Johanns (König 1199–1216). Das auffallende Münzbild des Kopfes im Dreieck wurde eingeführt, um irische Pfennige von englischen zu unterscheiden, doch wurden sie auch auf dem europäischen Festland in Dortmund oder hier in Arnsberg als Rückseitenbild verwendet. Der Kopf ist von drei Röschen bekrönt. Unterhalb der Dreiecksumrandung steht ein kleiner vierstrahliger Stern.

In der Münzstätte Eversberg, ein einst zur Grafschaft Arnsberg gehörendes Städtchen, zwischen Arnsberg und Brilon gelegen, wurden Denare geprägt (Nr. 5) mit dem Bildnis des Grafen Ludwig (1287–1313). Die Vorderseiten- und Rückseitenumschrift LVDEVI CVS COME und EVERSBERG CIVITAS weist das aus. Der Graf, mit drei Röschen gekrönt, thront mit Schwert und Blumenzepter. Die Darstellung des Grafen mit der Vorderseitenumschrift COMITIS ARNESBS dagegen ist gröber gezeichnet. Das Wappenbild der Rückseite, der Adler, ist als Reichsadler zu deuten, den die Grafen als Reichs-Erzvorfechter zwischen Weser und Rhein als Anführer des Heerbanns in Westfalen führten. Der Adler war das erbliche Wappen höherer Reichsbeamter. Ein Graf von Arnsberg hatte als Kurfürst an der Wahl Kaiser Ottos IV. (1209–1218) teilgenommen.

Das abgewandelte Bild des Adlers zeigt der Denar (Nr. 7) Wilhelms (1313–1338). Das Wappentier steht in einem Schild, das auf einem gegitterten Grund liegt. Lesbar ist lediglich der Anfang der Umschrift. 1337 nahm Wilhelm am Kreuzzug teil.

So sind bereits für das 11. Jahrhundert Prägungen der Grafen von Werl zu Arnsberg bezeugt (Nr. 1), während eine fortlaufende Reihe Arnsberger Gepräge erst im 13. Jahrhundert beginnt und vor der Mitte des 14. Jahrhunderts endet (Nr. 2–7).

Vgl. J. Menadier, Ein Pfennig des Grafen Konrad II. von Arnsberg, Deutsche Münzen, Bd. 2, Berlin 1895, S. 166–169.
H. Grote, Münzstudien, 7. Bd., Seite 75, 172, 501.
Walter Hävernick, Die Münzen von Köln, Köln 1935, S. 252.
Walter Hävernick, Der Kölner Pfennig im 12. und 13. Jahrhundert, Stuttgart 1930, S. 81.
Peter Berghaus, Zur Münzkunde des 11. Jahrhunderts, in: Hamburger Beiträge zur Numismatik, Band II, Heft 6–8, 1952/54, Seite 222, der weiterführende Literatur angibt.
Wilhelmine Hagen, Nachtrag zum Denarfund von Köln-Dünnwald, vergraben um 1275/80, in: Hamburger Beiträge zur Numismatik, Bd. II, Heft 6–8, 1952/54, Seite 231–239.

S. 5, T. 71

KONRAD II., GRAF VON WERL ZU ARNSBERG. 1077–1092.

1. Denar.

Vs. Kreuz mit Soester Zeichen, zwei Kreuzen und Kugel.
++ CRONPMOADVS
Rs. Schrift in drei Zeilen.
S COLONII +AG
Silber 18 mm 1,23 g Foto 911/9–10/L Inv.-Nr. 1142.
Lit. H. 872. HBN 8, S. 222, 2. Hess 10/11.

GOTTFRIED II. 1185–1235.

2. Sterling.

Vs. Thronender König mit Szepter und Reichsapfel.
GOTFR IE(...)
Rs. Zwillingsfadenkreuz, in den Winkeln vier Kreuzchen.
+(..)RNES(..)RG
Silber 18 mm 1,33 g. Umschrift teilweise undeutlich. Foto 911/11–12/L
Inv.-Nr. 1136.
Lit. Grote 11. Weing. 105. Auktion Cahn 2/35, 1092.

GOTTFRIED III. 1235–1287.

3. Denar.

Vs. Thronender Gekrönter mit zwei Fahnen.
+GODEFRI DVS COME
Rs. Burg mit Turmgebäude und zwei Fahnen.
+ARNESBERICH CIVITAS
Silber 15 mm 1,21 g. Umschrift teilweise unleserlich. Foto 911/13–14/L
Inv.-Nr. 1137.
Lit. Grote 1e. Friedensburg, Cahn 10/24, 567.

Literaturnachweis siehe Seite 186.

4. Obol, auf Dortmunder Schlag.

Vs. Thronender Gekrönter mit Zweig und Reichsapfel.
(.)ODFRID (...)
Rs. Brustbild im Dreieck mit Verzierungen.
Silber 16 mm 0,83 g. Umschrift teilweise unleserlich. Foto 911/15–16/L
Inv.-Nr. 1138.
Lit. Weingärtner –. Auktion Cahn 2/35, 1096.

LUDWIG. 1287–1313.

5. Eversberger Denar.

Vs. Thronender Graf mit Schwert und Szepter.
+LVDEVI CVS COME
Rs. Adler.
+EVERSBERG.CIVITAS
Silber 17 mm 1,14 g. Umschrift teilweise unleserlich. Foto 911/17–18/L
Inv.-Nr. 1139.
Lit. Weingärtner 114. Grote zu 5, S. 503, Taf. 20. Pieper 8/18.

6. Eversberger Denar.

Vs. Thronender Graf mit Schwert und Szepter.
+COMITIS ARNESBS
Rs. Adler.
+EVERSBERG CIVITASS
Silber 18 mm 1,23 g. Umschrift teilweise unleserlich. Foto 911/19–20/L
Inv.-Nr. 1140.
Lit. Weingärtner 118. Pieper 8/18.

WILHELM. 1313–1338.

7. Denar.

Vs. Thronender Graf mit Schwert und Szepter.
+CONITIS ARNESB
Rs. Adlerschild auf gegittertem Grund.
+WILhEL
Silber 18 mm 1,33 g. Umschrift teilweise unleserlich. Foto 911/21–22/L
Inv.-Nr. 1141.
Lit. Grote 9a. Auktion Hess, Luzern 6/34, 728.

Die thüringische Stadt Arnstadt wechselte im Mittelalter mehrfach ihren Besitzer, was sich auch auf ihre Münzprägung auswirkte.

Diese alte Stadt war anfangs kaiserlicher Besitz, wo Denare des salischen Kaisers Heinrichs III. (1039–1056) geprägt wurden (Nr. 1). In der Umschrift der Vorderseite ist zu lesen HEINR (icus impera)T. Das Stück ähnelt Erfurter Denaren und zeigt auf der Vorderseite den gekrönten Kopf des Königs und auf der Rückseite ein Brustbild in einem zweitürmigen Portal. Nur die Rückseitenumschrift zeigt, daß es sich um eine andere Münzstätte als Erfurt handelt. Die erhaltenen Buchstaben lassen sich zu ARNIZTADE ergänzen.

Bereits vor 1130 gehörte die Münzstätte dem Kloster Hersfeld und die Äbte prägten in fast ununterbrochener Folge von etwa 1180 bis 1300 Brakteaten mit ihrem Bild und dem Attribut des Krummstabs. Die Prägung kann mit Beispielen bis 1239 hier belegt werden (Nr. 2–5).

Im Thüringer Raum spielte Erfurt in der Münzprägung des Mittelalters eine beherrschende Rolle. Hier lag eine der Wurzeln der Brakteatenprägung, aus der sich dann für den thüringischen Raum der maßgebende Erfurter Pfennig entwikkelte. Kennzeichnend für ihn wurde der große Durchmesser, der bis zu 50 mm betrug und alle anderen Brakteaten übertraf.

Wie eine Urkunde aus dem Jahre 1263 aussagt, hatten die Äbte von Hersfeld eine eigene Münzstätte. Das Münzbild .... Arnstadts. Der Turm soll offensichtlich die Liebfrauenkirche darstellen, deren romanisches Langhaus um 1200 erbaut wurde. Das Münzbild des Brakteaten Siegfrieds (1180–1200) zeigt den auf einer Mauer sitzenden Abt mit Kreuz- und Krummstab zwischen Adler und Turm (Nr. 2). Der Adler ist das noch heute verwendete Wappen Arnstadts. Eingegrenzt ist das Münzbild durch ein Band einzelner Buchstaben, die keinen Sinn ergeben und lediglich Trugschrift zeigen. Auffallend für diese Prägung ist die geringe Größe des Münzbildes im Verhältnis zum Schrötling, wodurch ein breiter leerer Rand zustande kommt.

Die auch in Arnstadt durchgeführte Münzverrufung zwang dazu, den eingebürgerten Typ immer wieder zu variieren, um die einzelnen Emissionen voneinander unterscheiden zu können (Nr. 3–5).

Die einzelnen Buchstaben auf dem das Münzbild umfassenden Rahmen sind in ihrer Reihenfolge verstellt (Nr. 4), was dem schreibunkundigen Münzmeister bei der Punzierung manchmal passieren konnte.

Eine abschließende Aufteilung einer Gruppe von Brakteaten mit sitzendem Geistlichen als Münzbild (Nr. 5) zwischen der erzbischöflich Mainzer Münzstätte Erfurt, Arnstadt (Hersfeld mit Schwarzburg), Cölleda bringt kein befriedigendes Ergebnis.

Ein Teil von Arnstadt gehört den Grafen von Käfernburg und war erblich, und zwar der Teil, der zur Vogtei gehörte.

Die Entfernung Arnstadts von der Mutterkirche in Hersfeld machte den Äbten eine Beaufsichtigung und Nutzung ihrer Rechte fast unmöglich. Aber die Vögte mit ihren Besitzungen in der Nähe von Arnstadt dehnten ihre Rechte zum Nachteil des Klosters aus. Besonders der Gewinn aus dem Markt- und Münzrecht brachte regelmäßige Einnahmen. Stadt- und Marktrechte hatte Arnstadt seit dem 13. Jahrhundert. Außerdem hatten die Grafen auf ihren Landgütern Münzstätten eingerichtet und ihr Geld kursierte auf dem Markt in Arnstadt, wo sie vielleicht sogar eine Wechselbank unterhielten.

Im Jahre 1273 schloß der Abt Heinrich V. (1270–1292) mit den beiden Grafen einen Vergleich. Zugestanden wurde den Grafen das Schloß von Arnstadt und die Hälfte des Ertrages der Münze. Übergriffe auf das Marktrecht sowie Prägungen in eigenen Münzstätten, mit Ausnahme von Ilmenau, sollten sie sich nicht mehr zu Schulden kommen lassen. Seit dieser Zeit war also die Münze in Arnstadt gemeinschaftlicher Besitz der Äbte und der Vögte, jedoch keiner konnte allein darüber verfügen. Diese gemeinschaftliche Münze zeigt zwei Brustbilder über einer Mauerbrüstung, einen Abt mit Inful und Krummstab und einen weltlichen Herren mit Barett und Zepter, als Münzbild. Der Rand ist mit Punkten verziert (vgl. Posern-Klett, S. 28, Nr. 81, Taf. XIII, 25).

Im Jahre 1303 erbten die Grafen von Orlamünde und von Hohenstein die Vogtei Arnstadt. Ihren neuen Besitz verkauften sie bereits 1306 an die Grafen von Schwarzburg, Heinrich X. zu Blankenburg († 1336), und Günther XII. zu Schwarzburg († 1308). Von den Grafen von Schwarzburg, sind sowohl Pfennige (Nr. 6) als auch Groschen bekannt. Als Wappenbild wurden Adler, Adlerköpfe (Nr. 6), Löwe und Löwenkopf verwandt. Er ist jetzt der alleinige Besitzer der Stadt.

Auf dem gehämmerten Rand erscheint die abgekürzte Umschrift ARNST‘ oder ARNSTET. Der Groschen Günthers XXXVI. (* 1439, regiert von 1488–1493, † 1503) trägt die Umschrift GROSSVS NOVVS ARNSTETENSIS.

Vgl. Carl Friedrich von Posern-Klett, Münzstätten und Münzen der Städte und geistlichen Stifter Sachsens im Mittelalter, Leipzig 1846, S. 16–29.

Hermann Dannenberg, Die Deutschen Münzen der sächsischen und fränkischen Kaiserzeit, 2. Bd., Berlin 1894, S.665.

H. Buchenau, Der Marburger Brakteatenfund (1922) in: Blätter für Münzfreunde, Nr.3, 5/6, 59.Jg., 1924, S.42, 85.

Max Wilberg, Regenten-Tabellen, Graz 1962, Seite 287, Nr. 439.

S. 5, T. 94

HEINRICH III. 1039–1056.

1. Denar.

Vs. Gekrönter bärtiger Kopf von vorn.
+HEINR(.....)T
Rs. Bärtiges Brustbild in zweitürmigem Portal.
+(.)A(....)ZTADA

Silber 21 mm 1,21 g. Umschrift teilweise undeutlich. Foto 999/16–17/L
Inv.-Nr. 1143.
Lit. Dbg. 1664 Taf. 83.

Literaturnachweis siehe Seite 186.

S. 5, T. 94

SIEGFRIED. 1180–1200.

2. Brakteat.

Auf Mauer sitzender Infulierter mit Kreuz- und Krummstab zwischen Adler und Turm.
Trugschrift: VOINOEVONIO usw.

Silber 46 mm 0,73 g Foto 999/18/L Inv.-Nr. 1144.
Lit. Seega 250. Auktion Hess 3/29, 29.

HEINRICH II. 1213–1216.

3. Brakteat.

Sitzender Abt mit Krummstab und Buch zwischen zwei Kirchen, im Feld ::
HEINRICV S.ABAS.

Silber 38 mm 0,63 g Foto 999/20/L Inv.-Nr. 1146.
Lit. Buchenau II, S. 122, 2. Pos. Kl. S. 22, Nr. 26, Taf. XII, 12. Cahn 1/27, vgl. Auktion 10/26, 1006.

LUDWIG I. 1217–1239.

4. Brakteat.

Sitzender Infulierter mit Krumm- und Kreuzstab.
NVTRSA

Silber 24 mm 0,23 g Foto 999/10/L Inv.-Nr. 1145.
Lit. Vgl. Pos. Kl. S. 26, Nr. 52, Taf. 21, 1, Heinrich VI. von Swinrode 1296–1300 zugeschrieben. Fiorino, Rosenberg 10/17, 2479.

5. Brakteat. 13. Jahrhundert.

Sitzender Abt mit Krummstab und Buch.

Silber 22 mm 0,43 g Foto 999/21/L Inv.-Nr. 7893.
Lit. Marburg 144 a Taf. 282.

Literaturnachweis siehe Seite 186.

S. 5, T. 94

6. Hohlpfennig. 13./14. Jahrhundert.
Zwei Adlerköpfe.
AR(..)T'
Silber 16 mm 0,37 g Foto 993/24–25/L Inv.-Nr. 1147.
Lit. Vgl. Pos. Kl. S. 90, Taf. XXI, 1d. F. 25 Fischer 11/10.

Literatur (Arenberg)

C. Sch.	Schulthess-Rechberg: Julius u. Albert Erbstein, Die Ritter-von Schulthess-Rechbergsche Münz- und Medaillensammlung, Als Anhang zum „Thaler-Cabinet“ des verstorbenen Herrn K. G. Ritter von Schulthess-Rechberg, 2. Abt., Dresden 1869.
Dav.	John S. Davenport, German Talers 1500–1600, Frankfurt am Main 1979.
Hess	Auktion November 1910.
Kirsch	Katalog der Münzensammlung des Reichstagsabgeordneten Geh.-Rat Dr. jur. Th. Kirsch, Düsseldorf, verst. am 15. 4. 1912; durch Adolph E. Cahn, Frankfurt am Main.
N.	Heinrich Neu, Die Münzen und Medaillen des Herzogtums und des herzoglichen Hauses Arenberg, Bonn 1959.
Vogel	Sammlung Vogel, Abt. V Rheinland, Versteigerung 1926 bei Leo Hamburger, Frankfurt am Main.

Literatur (Arnsberg)

Berghaus u. Korn	Peter Berghaus und H. E. Korn, Münzen, Wappen und Siegel der Stadt Arnsberg, Städtekundliche Schriftenreihe über die Stadt Arnsberg, Heft 7, Arnsberg 1971.
	Peter Berghaus, Der Münzfreund von Werl (Westfalen) 1955, vergraben um 1240, Centennial Publication of the American Numismatic Society, New York 1958, S. 89f.
	E. M. Besly. A New Pfennig of Arnsberg, C. 1230–40, in Hamburger Beiträge zur Numismatik, Heft 27–29, 1973–1975, S. 169, Taf. 20.
Grote	H. Grote, Münzstudien, Band 7, Leipzig 1871.
H.	Walter Hävernick, Die Münzen von Köln, Köln 1935.
HBN	Hamburger Beiträge für Numismatik (Bd. 8) Peter Berghaus, Zur Münzkunde des 11. Jahrhunderts, Hamburg 1954.
Weingärtner	Joseph Weingärtner, Die Silbermünzen des Kölnisch Herzogtum Westfalen, 1886.

Literatur (Arnstadt)

Dbg.	Hermann Dannenberg, Die Deutschen Münzen der sächsischen und Frankischen Kaiserzeit, Band 2, Berlin 1894.
F.	Ernst Fischer, Die Münzen des Hauses Schwarzburg, Heidelberg 1904.
Fiorino	Sammlung Fiorino, Auktion Rosenberg, Oktober 1917.
Marburg	Fund von Marburg, H. Buchenau, Der Marburger Brakteatenfund, in: Blätter für Münzfreunde, 1924, 59. Jg. Nr. 5/6.
Pos. Kl.	Carl Friedrich von Posern-Klett, Münzstätten und Münzen der Städte und geistlichen Stifter Sachsens im Mittelalter, Leipzig 1846.
Schwalbe	Sammlung Schwalbe, Werdau, A. Hess, Versteigerung 193, 18. März 1929.
Seega	Der Brakteatenfund von Seega, H. Buchenau. Marburg 1905.

Aus einer Reihe von 18 Brakteaten werden zwei Exemplare als besonders wichtig herausgestellt (Nr. 5 und 6), weil nach ihrer Umschrift und ihrem Wappenbild sowohl frühere (Nr. 1–4) als auch spätere (Nr. 7–18) Prägungen als Arnsteiner bestimmt werden können.

Diese beiden richtungsweisenden Brakteaten unterscheiden sich im Münzbild nur wenig voneinander. Abgesehen von einzelnen Beizeichen wie Punkte über oder unter Rosetten neben dem Adlerkopf, Quadrate von kleineren Quadraten oder Rosetten von Kugeln flankiert neben dem Schwanz des Wappentieres, lassen sich zwei verschiedene Stempel erkennen. Besonders aber schließen die Umschriften diesen Typ zusammen (Nr. 5 und 6): VVALDHERET ARSTEDE (Nr. 6) und WALTHERVS ADVOCATVS ARNSTET (Nr. 5). In Arnstein lebte ein Geschlecht, daß sich ursprünglich Herren von Arnstedt nannte. Sie erbauten südöstlich von Aschersleben 1135 die Burg Arnstein und nannten sich seit dem 13. Jahrhundert Grafen von Arnstein, deren Hauptlinie um 1296 erlosch. Burg und Herrschaft fiel an die benachbarten Grafen von Falkenstein, später an die Grafen von Mansfeld.

Merkmal dieser beiden Brakteaten (Nr. 5 und 6) ist das Wappenbild des Adlers (oder Aars) mit weitgeöffneten Schwingen, so daß sich ähnlich gezeichnete Wappentiere als Vorläufer (Nr. 4, 2 und 1), ebenfalls mit den Beizeichen neben dem Kopf des Adlers, einreihen lassen. Die frühen Arnsteiner Prägungen (Nr. 1–3) zeigen eine einheitliche Linienführung bei der Architekturgestaltung. Auch die summarische Innenzeichnung und das Schriftbild gehören in die erste Gruppe (Nr. 1–3). Kleine Unterschiede treten unterhalb des Rundbogens auf, wo sich ein Löwe (Nr. 1), ein Köpfchen (Nr. 2) oder ein Adler auf einem „Stein" = Arnstein (Nr. 3) befindet. In der gesamten Reihe (Nr. 1–18) kommt nur ein Stück mit einem Adler in Profilansicht und geschlossenen Schwingen vor. Dennoch sind diese drei Stücke in der Grundauffassung sehr ähnlich (Nr. 1–3). Die Unterschiede erklären sich durch jeweils neue Emissionsausgaben. Seit dem 12. Jahrhundert wurden Münzverrufe an Markttagen meist einmal im Jahr vollzogen.

Der Abstand von der Umschrift des richtungsweisenden Typs (Nr. 5 und 6) zu der Umschrift, die einen Münzmeister namentlich nennt (Nr. 4) ist nicht weit: ME FICID ERTHM VELMAR. Ein qualifizierter Münzmeister wurde eingestellt, weil der Kupferbergbau des nahegelegenen Hettstedt die Münzprägung beflügelte. Hier wurde vielleicht auch das nötige Silber für die Brakteaten gewonnen. So zählen zur zweiten Gruppe die Exemplare mit Schriftband um das Wappentier (Nr. 4–6).

Die dritte Gruppe wird bestimmt durch Porträtdarstellungen in Verbindung mit Gebäudeteilen (Nr. 7–8). Herr Walther und seine Gemahlin schauen, die Köpfe einander zugewandt, aus einem durch zwei Rundbögen gebildeten Fenster, das durch einen tragenden Pfeiler verbunden ist. Herr Walther war mit Gertrud, der Tochter des Markgrafen von Brandenburg aus askanischem Haus, verheiratet. Über der Burg schwebt der Adler (Nr. 7). Ein Unterscheidungsmittel der Emission ist hier das Brustbild des Herren mit Schwert und Fahne über der Burg und der Adler innerhalb des Rundbogens (Nr. 8).

Die vierte Gruppe zeigt den aus dem Zentrum des Münzbildes gerückten Adler und den Übergang vom Schriftband mit ungedeuteten Buchstaben zu einem gestrichelten Rand (Nr. 9–11). Die zahlenmäßig größte (fünfte) Gruppe stellt den Adler zwischen die Burgtürme (Nr. 12–18), unter (Nr. 12 und 13) oder über einen Rundbogen (Nr. 14–17). Besonders schön gestaltet ist das Exemplar mit dem Zinnenturm (Nr. 12), was auf Erweiterungsbauten an der Burg schließen läßt. Der zentrale Kuppelturm (Nr. 12–14, 17–18) läßt den Bau einer Kapelle vermuten.

Die Vielzahl der Münzbilder mit Variationsmöglichkeiten und Rückgriffe auf ältere Elemente läßt innerhalb der Reihe eine Chronologie entstehen. Die zeitlichen Grenzen, vor 1150 für die Stücke der ersten Gruppe (Nr. 1–3) und die zweite Hälfte des 12. Jahrhunderts der fünften Gruppe (besonders Nr. 18), bleiben unverrückbar. Der flache Rundbogen (Nr. 1) einerseits und der steile Rundbogen (Nr. 12) andererseits, schließlich durch zwei Beipässe erhöht (Nr. 18) sind Stilkriterien des 12. Jahrhunderts.

Bestechend ist die außerordentliche Schönheit einiger Stücke. Die große Fläche der Brakteaten (Nr. 1, 4, 6–9, 11, 12 und 14) gibt der Kunst des Stempelschneiders ausreichend Raum sich zu entfalten.

Vgl. Brakteaten der Stauferzeit 1138–1254, Aus der Münzensammlung der Deutschen Bundesbank, Joachim Weschke, Frankfurt 1977, Abb. 20 und 21.
Heinrich Philipp Cappe, Beschreibung der Münzen von Goslar, Dresden 1860, S. 36, Nr. 130, Taf. 11, 15 und 16; Taf. III, 20; Taf. VI, 58 und 59.
Stammtafeln zur Geschichte der europäischen Staaten, Bd. I und II. W. K. v. Isenburg und F. Freytag v. Loringhoven, Marburg 1965, I, 59 und I, 107.

S. 5, T. 89

WALTER II. 1135–ca. 1170.

1. Brakteat des frühen Stils.

Adler über Bogen, der zwei Türme verbindet, darunter Löwe links.
+S/Z'IANOoVEL+CVDAS

Silber 34 mm 0,80 g Foto 999/22/L Inv.-Nr. 1148.
Lit. Cappe, Goslar T. II, 11. Archiv II, S. 52, 1. Hadmersleben? Friedensburg, Cahn 10/24. 1755.

2. Brakteat des frühen Stils.

Adler über Bogen, der zwei Türme verbindet, darunter Kopf eines Weltlichen von vorn, im Feld zwei Sterne.
+S–ZRCA–ONIVDP–3

Silber 31 mm 0,83 g Foto 999/23/L Inv.-Nr. 1149.
Lit. Freckleben 91 a. H. S. Rosenberg 1/11.

3. Brakteat des frühen Stils.

Torbogen, darin Adler, darüber Turm mit Kreuz.
Trugschrift? A3OSPVTIXI6R

Silber 30 mm 0.83 g Foto 999/24/L Inv.-Nr. 1150.
Lit. Vgl. Cappe, Goslar Taf. VI, 59. 58. Buchenau 2/28. Auktion Cahn 3/28, 866.

4. Brakteat des Münzmeisters Erthmann Velmar.

Stilisierter romanischer Adler links blickend, neben dem Hals zwei Sterne, im Feld Punkte.
.ME FICID.ERTH.VELMAR

Silber 32 mm 0,87 g Foto 999/25/L Inv.-Nr. 1151.
Lit. Archiv II, S. 55. 5. Auktion Cahn 12/22, 705 ex Düning.

5. Brakteat.

Nach links blickender Adler.
+WALTHERVS+ADVOCATVS+ARNSTET

Silber 28 mm 0,80 g Foto 999/26/L Inv.-Nr. 1152.
Lit. Freckleben 76. Vogel, Hess 11/27, 2189. Auktion Ball 12/32.

6. Brakteat.

Nach links blickender Adler, neben dem Kopf zwei Sonnenzeichen.
+VVALDHERET.ARSTEDE

Silber 27 mm 0,76 g Foto 999/27/L Inv.-Nr. 1153.
Lit. Freckleben 77. Friedensburg, Cahn 10/24, 1757.

WALTER II. 1135–ca. 1170.

7. Brakteat.

Nach links blickender Adler über dem Dach eines zweitürmigen Gebäudes, in dessen Fenstern die Brustbilder des Herrn und seiner Gemahlin.

Silber 29 mm 0,82 g Foto 999/28/L Inv.-Nr. 1154.
Lit. Freckleben 90. Auktion Hess 12/19, 503.

8. Brakteat.

Brustbild mit Schwert und Fahne zwischen zwei Türmen über Bogen, darin Adler.

Silber 29 mm 0,83 g Foto 999/29/L Inv.-Nr. 1155.
Lit. Freckleben 83. Friedensburg, Cahn 10/24, 1759.

9. Brakteat.

Adler links blickend über stilisierter, vierblättriger Pflanze. 6IAPIQIVNAOMSI'

Silber 29 mm 0,82 g Foto 999/30/L Inv.-Nr. 1156.
Lit. Freckleben 88. Cahn 7/25.

10. Brakteat.

Unter einem, nach unten offenem, halbmondförmigem Bogen, der von einem Halbkreis umschlossen ist, der links blickende Adler.

Silber 28 mm 0,83 g Foto 999/31/L Inv.-Nr. 1157.
Lit. Freckleben 79. Auktion Cahn 3/28, 869.

11. Brakteat.

Nach links blickender Adler, neben dem Kopf zwei Sterne, um die Fänge gruppiert sechs Ringel.

Silber 26 mm 0,83 g Foto 999/32/L Inv.-Nr. 1158.
Lit. Freckleben 78. Bahrfeldt, Hess 6/21, 1586.

12. Brakteat.

Unter einem Bogen mit Türmchen und Zinnenmauer der links blickende Adler über verziertem Halbbogen zwischen zwei hohen Wachtürmen.

Silber 31 mm 0,83 g Foto 999/33/L Inv.-Nr. 1159.
Lit. Freckleben 81. Löbbecke, Riechmann 2/25, 215.

S. 5, T. 89

13. Brakteat.
Nach links blickender Adler im Portal einer mit drei Türmen besetzten Burg.
Silber 20 mm 0,73 g Foto 999/34/L Inv.-Nr. 1160.
Lit. Freckleben 80b. Redder 2/23.

14. Brakteat.
Über dem zinnengekrönten Bogen einer Burg, der zwei Wachtürme verbindet, der links blickende Adler.
Silber 28 mm 0,73 g Foto 999/35/L Inv.-Nr. 1161.
Lit. Freckleben 84. Friedensburg, Cahn 10/24, 1761.

15. Brakteat.
Nach rechts blickender Adler zwischen zwei hohen Kuppeltürmen, davor zwei verzierte Bogen mit Palmenornament.
Silber 28 mm 0,81 g Foto 999/36/L Inv.-Nr. 1162.
Lit. Freckleben 87. Auktion Cahn 3/28, 878.

16. Brakteat.
Nach links blickender Adler zwischen zwei Kuppeltürmen über verziertem Bogen, darunter Palmenornament.
Silber 29 mm 0,81 g Foto 999/37/L Inv.-Nr. 1163.
Lit. Freckleben 86. Löbbecke, Riechmann 2/25, 219.

17. Brakteat.
Nach links blickender Adler über verziertem Bogen, der zwei von zwei Kuppeltürmen überragte Gebäude verbindet, darunter breites Kuppelgebäude.
Silber 27 mm 0,73 g Foto 1001/2/L Inv.-Nr. 1164.
Lit. Freckleben 85. Cahn 12/22, 866.

WALTER III. 1166–1199.

18. Brakteat.
Nach links blickender Adler im Dreibogen eines dreitürmigen Gebäudes.
Silber 27 mm 0,63 g Foto 1001/3/L Inv.-Nr. 1165.
Lit. Freckleben Löbbecke, Riechmann 2/25, 224.

Literatur

Archiv — Archiv für Brakteatenkunde, herausgegeben von Rudolf von Höfken-Hattingsheim, Wien 1890–1893.
Cappe — Heinrich Philipp Cappe, Beschreibung der Münzen von Goslar, Dresden 1860.
Freckleben — Der Brakteatenfund von Freckleben im Herzogtum Anhalt, bearbeitet von Theodor Stenzel, Berlin 1862.
Friedensburg — Sammlung Friedensburg, Auktion Cahn, Oktober 1924.

Als um 1000 die Einheit des Deutschen Münzwesens, die noch ein Erbe der Karolinger war, zerfiel, bildeten sich im Westen des Reiches einzelne Münzumlaufsgebiete heraus. Ihre Abgrenzung war nicht durch Territorial- oder Diözesangrenzen bestimmt, sondern sie waren in sich geschlossene Verkehrsgebiete, deren wirtschaftlicher Hauptort in der Regel der Münzort war. Nur wenige Münzstätten besaßen ein solches Verbreitungsgebiet ihrer Erzeugnisse.
Zu Beginn des 12. Jahrhunderts liefen in Mittelhessen, dem Gebiet der Wetterau, Prägungen der benachbarten geistlichen Herren von Mainz und Fulda sowie westfälische Pfennige um, da keine einheimische Münzprägung vorhanden war. Seit der zweiten Hälfte des 12. Jahrhunderts wurde der Kölner Pfennig als Währung angesehen.

Neben diesem Kölner Geld, das auch an verschiedenen Orten der Wetterau nachgemünzt wurde, begann hier um 1165 die Prägung einer neuen, einheimischen Münzsorte, die im Münzfuß wie im Münzbild sich von dem Kölner Geld erheblich unterschied. Die Prägung begann wohl ohne Zweifel in der Reichsmünzstätte Frankfurt am Main. Wirtschaftliche und verkehrsmäßige Beziehungen zum Land um Fulda und Hersfeld (vgl. Arnstadt, Nr. 2–3) bis nach Nordhessen und Thüringen (vgl. Apolda, Nr. 1) dürften eine den Geprägen dieser Gegend angepaßte Münzsorte veranlaßt haben.

Die Technik und der Stempelschnitt der neuen Wetterauer Prägung lehnten sich eng an die Prägungen des hessisch-thüringischen Landes an. Für die Herstellung solcher Gepräge bietet die damals blühende Goldschmiedetechnik eine Parallele. Edelmetall wurde in Gesenken gepreßt, d. h. auf das in Eisen geschnittene Bild wird erst ein dünnes Silberblech, dann ein dickes Bleiplättchen gelegt, auf das der Schmied kräftig mit dem Hammer schlug, bis das Silber durch das Blei in das gravierte und gepunzte Eisengesenk getrieben wurde. Diese Technik ließ sich ohne Schwierigkeiten auf die Brakteatenprägung anwenden. Oft waren die Stempelschneider gleichzeitig Goldschmiede. Bemerkenswert ist, daß nur der südliche und östliche Teil der Wetterau mit den Münzstätten in Frankfurt, Münzenberg (?), Gelnhausen, Aschaffenburg (Nr. 1–12), Seligenstadt (?) sich an dieser Prägung beteiligte. Der nordwestliche Teil mit Wetzlar richtete sich anfangs weiterhin nach westfälischen, insbesondere Soester Vorbildern (vgl. Arnsberg, Nr. 1). Obwohl mehrere Münzstätten das Gebiet mit Umlaufsmitteln versorgten, machten sie ihre Gepräge nicht durch Bild oder Umschrift kenntlich. In Urkunden wird diese Münzsorte ganz allgemein als „Wetterauer" oder „leichter" Pfennig genannt. Die Schaffung eines einheitlichen Münzgebietes wird eine Leistung der Reichsmünzstätten Frankfurt, Friedberg und Gelnhausen gewesen sein, denen an einem geschlossenen Münzwesen liegen mußte.

Aschaffenburg gelangte um 1000 in den Besitz der Mainzer Kirche. So befanden sich die Hoheitsrechte in den Händen der Mainzer Erzbischöfe. Infolgedessen sind wohl die Brakteaten nach Wetterauer Schlag, einen Geistlichen darstellend, der erzbischöflichen Münzstätte Aschaffenburg zuzuschreiben, wenn auch auf keinem dieser Gepräge die Münzstätte genannt wird. Es liegen solche Prägungen (Nr. 1–12) mit dem Namen des Erzbischofs Christian von Buch (1165–1183) und des Erzbischofs Konrad von Wittelsbach (1183–1200) vor. Wenn auch nicht einmal bei manchen Geprägen die Namen der Münzherren genannt werden, dürften dennoch dem Münzbild und der Fabrik nach diese Gepräge (Nr. 2, 5 und 12) größtenteils in Aschaffenburg entstanden sein.

Die Reihe der Brakteaten des Erzbischofs Christian von Buch (Nr. 1–8) gliedert sich in vier Typen. Der erste Typ zeigt den Erzbischof in ganzer Gestalt von vorn sitzend mit Krummstab und segnender Gebärde (Nr. 1–2). Die einzelnen Buchstaben seines Namens stehen im Feld: CRIS TI ANV oder CR TI VI. Eine Variante ohne Namensnennung zeigt den Erzbischof mit Krummstab und Buch, darüber Kugel, zwischen Türmen thronend (Nr. 3).

Der zweite Typ gibt das Brustbild des Erzbischofs zwischen Türmen wieder (Nr. 4 und 5). Die Umschrift befindet sich auf dem Rand und läßt sich zu +CHRISTIANVS ARCHI ergänzen, während der Hälbling (Nr. 5) keine Umschrift trägt und nur wegen seines Münzbildes hier eingegliedert werden kann.

Wiederum die ganze Figur des Erzbischofs, aber diesmal in Seitenansicht vor einem Lesepult mit Buch sitzend, bringt der dritte Typ (Nr. 6 und 7). Bei den beiden Stücken variiert die Umschrift voneinander: CHRISTIANVS ARCHIERISCORVS (Nr. 6), statt des S erscheint ein Z (Nr. 7). Außerdem stehen die Finger der rechten Hand parallel zum Buch, und die Bänder der Mitra enden unterhalb der Schulter (Nr. 7), während bei dem anderen Stück (Nr. 6) die Bänder der Mitra in Höhe der Schulter enden, was auf zwei verschiedene Stempel hindeutet.

Den vierten Typ kennzeichnen zwei Brustbilder, dem Erzbischof zugewandt ist der heilige Martin. Er teilt mit einem Schwert seinen Mantel, nach dem ein Bettler, unter einem Mauerbogen kauernd, greift (Nr. 8). Die Darstellung bezieht sich auf den Patron des Bistums Mainz, der Soldat war, als er am Stadttor von Amiens mit dem frierenden Bettler seinen Mantel teilte und später vom Volk und Geistlichkeit zum Bischof von Tour (371) ernannt wurde. Der Name des Erzbischofs steht auf dem Mauerbogen, und wiederum wird ein Z (aber spiegelbildlich) statt des S geschrieben.

Bei der Betrachtung einer solchen Reihe von Brakteaten eines Erzbischofs (Nr. 1–8) wird deutlich, daß die Emissionen unverwechselbare Darstellungen des Erzbischofs zeigen sollten: Der von vorn Thronende (Nr. 1–3) wechselt zum Brustbild halb von vorn im Gebäude (Nr. 4 und 5), dem Lesenden im Profil (Nr. 6 und 7) folgen zwei Brustbilder über Gebäuden (Nr. 8). Diese Unterscheidungsmerkmale werden von den Geprägen des Erzbischofs Konrad von Wittelsbach (1183–1200) weitergeführt: Zwei Thronende von vorn (Nr. 9), Brustbild (Nr. 10) und der von vorn thronende Erzbischof wechseln als Münzbild ab (Nr. 11 und 12?). Die Umschrift schließt die drei Typen zusammen: CVNRADVS ARCHIE (Nr. 11) oder verfremdet (Nr. 9 und 10). Ein Geistlicher ohne Namensnennung (Nr. 12) könnte für mehrere Münzstätten der Wetterauer Gepräge in Frage kommen (Vgl. Arnstadt, Nr. 5).

Neben dieser Wetterauer Münzsorte des leichten Fußes wurde außerdem 1170 und 1220/35 noch nach dem Kölner Fuß und nach der in Köln üblichen Technik gemünzt. Zwei flache Münzstempel beprägten einen Silberschrötling beidseitig. Das gleiche Prägeverfahren weisen Pfennige aus Mainz, Frankfurt und Aschaffenburg auf, so daß angenommen werden kann, die Prägestempel zu allen dreien seien von demselben Münzmeister hergestellt worden.

Ein Hälbling des Erzbischofs Siegfried III. von Eppstein (1230–1249) benennt sowohl die Münzstätte: AFCNBVRG als auch den obersten Münzherrn: SIFRIDVS ARCHI (Nr. 13). AFCNBVRG = Aschaffenburg, SIFRIDVS ARCHI = Erzbischof Siegfried.

Die Aschaffenburger und Frankfurter Pfennige wurden zu den Kölner Pfennigen 2 auf 1 gerechnet, so daß vier Hälblinge (Nr. 13) auf den Kölner Pfennig gingen.

So kursierten in der Wetterau neben den Kölner Pfennigen auch die „leichten Wetterauer" Pfennige (Brakteaten), was die Verkehrsstellung der Wetterau zwischen dem rheinischen und dem thüringisch-hessischen Münzgebiet zeigt. Belegt wird dies besonders durch einen Fund von Denaren und Brakteaten in Groß-Krotzenburg, aus dem eine größere Anzahl Denare wissenschaftlich bearbeitet wurde, weil er erkennen läßt, welche Geldstücke um die Mitte des 12. Jahrhunderts in Frankfurt und Umgebung – der Wetterau – umliefen.

Gekürzt nach Walter Hävernick, Das ältere Münzwesen der Wetterau bis zum Ausgang des 13. Jahrhunderts, Marburg 1936, S. 1–3 und 30, 32–34, Nr. 20–22, Nr. 34, Taf. 2 und 3.

Brakteaten aus der Stauferzeit 1138–1254. Aus der Münzensammlung der Deutschen Bundesbank, Frankfurt am Main 1977, S. 30–32, Abb. 80.

Paul Joseph, Der Denar- und Brakteatenfund von Groß-Krotzenburg, in: Frankfurter Münzzeitung, Nr. 13, 1902, 2. Jahrgang, S. 188.

Max Wilberg, Regenten-Tabellen, Graz 1962, S. 235, Mainz 235.

S. 5, T. 1–3

CHRISTIAN VON BUCH. 1165–1183.

1. Brakteat, um 1180.

Thronender Erzbischof mit segnend erhobener Rechten und Krummstab.
CRIS TI ANV

Zwei Exemplare
Silber 30 mm 0,80 g Foto 1001/5/L Inv.-Nr. 1166*.
Lit. H. 20a. Fund Lichtenberg (um 1180)? Bl. f. Mzfrde. T. 242, 20. Auktion Cahn 3/28, 727.

Silber 30 mm 0,63 g aus abgeschliffenem Stempel. Foto 1020/3/L Inv.-Nr. 1167.
Lit. Auktion Leo Hamburger 11/20, 1266

2. Brakteat, um 1180.

Thronender Erzbischof mit segnend erhobener Rechten und Krummstab.
CR TI VI

Silber 29 mm 0,73 g Foto 1001/7/L Inv.-Nr. 1168.
Lit. H. 20b. Bl. f. Mzfrde. 242, 20. Fund Lichtenberg (um 1180) ? Auktion Leo Hamburger 11/20, 1270.

3. Brakteat, um 1180.

Thronender Erzbischof mit Krummstab und Buch auf einem von je zwei Türmen flankierten Bogen.

Silber 29 mm 0,88 g Foto 1001/6/L Inv.-Nr. 1169.
Lit. H. 21. Fund Lichtenberg. Auktion Leo Hamburger 11/21, 1273.

4. Brakteat, um 1180.

Mauerbogen zwischen Türmen, darin Brustbild des Erzbischofs mit Krummstab und Buch, darüber und darunter drei Türme.
Am Rand: (..)NV(...)ARC(...)
= +CHRISTIANVS ARCHI.
Umschrift teilweise undeutlich.

Silber 31 mm 0,83 g Foto 1001/8/L Inv.-Nr. 1170.
Lit. H. 34. Fund Lichtenberg.
Auktion Leo Hamburger 11/20, 1256.

5. Hälbling, um 1180.

Brustbild des Erzbischofs mit Krummstab zwischen zwei Türmen über Bogen, unter dem ein Turm.

Silber 24 mm 0,33 g Foto 1001/9/L Inv.-Nr. 1171.
Lit. H. 35. Fund Lichtenberg. Bl. f. Mzfrde. Taf. 242, 13. Auktion Leo Hamburger 11/20, 1257.

6. Brakteat, um 1180.

Seitlich von rechts sitzender Erzbischof mit segnend erhobener Rechten und Krummstab zwischen zwei Lesepulten, auf dem rechten Lesepult ein offenes Buch.
CRISTIANVS AR CHIERISCORVS

Silber 30 mm 0,81 g Foto 1001/10/L Inv.-Nr. 1172.
Lit. H. 36a. Fund Lichtenberg. Bl. f. Mzfrde. T. 242, 14v. Auktion Leo Hamburger 11/20, 1260.

S. 5, T. 2

7. Brakteat.
Seitlich von rechts sitzender Erzbischof mit segnend erhobener Rechten und Krummstab zwischen zwei Lesepulten, auf dem rechten Lesepult ein offenes Buch. Roher Stempelschnitt. Buchstabenähnliche Zeichen.
Silber 29 mm 0,73 g Foto 1001/11/L Inv.-Nr. 1173.
Lit. H. 37. Cahn 9/23.

8. Brakteat.
Brustbild des Heiligen Martin, mit dem Schwert seinen Mantel teilend, und des Erzbischofs mit Krummstab über einem Mauerbogen, auf dem CRISTI-ANVZMA, darunter zwischen zwei Kuppeltürmen ein aufwärts blickender Bettler.
Silber 33 mm 0,83 g Foto 1001/12/L Inv.-Nr. 1174.
Lit. H. 39. Fund Lichtenberg. Auktion Leo Hamburger 11/20, 1264.

KONRAD VON WITTELSBACH. 1183–1200.

9. Brakteat.
Der Heilige Martin und der Erzbischof nebeneinander thronend, zwischen ihnen unten ein Turm.
EVRNA ENARo oben N.
Silber 29 mm 0,83 g Foto 1001/13/L Inv.-Nr. 1175.
Lit. H. 78. J. u. F. 50a. Bl. f. Mzfrde. I 24, 310. Löbbecke, Riechmann 2/25, 863.

10. Brakteat.
Brustbild des Erzbischofs mit Krummstab und Buch über flachem Bogen, darunter drei Türme, zu beiden Seiten je ein Turm und ein Bogenstück, darauf je ein kleines Gebäude mit Turm.
EVRN ENARI
Silber 28 mm 0,70 g Foto 1001/14/L Inv.-Nr. 1177.
Lit. H. zu 86c. J. u. F. 53a. Graba, Hess 2/10.

11. Brakteat.
Thronender Erzbischof mit Krummstab und Palmwedel zwischen zwei Türmen.
CVNRADV SARCHIE
Silber 29 mm 0,73 g Foto 1001/15/L Inv.-Nr. 1178.
Lit. H. 101a. J. u. F. 52a. Graba, Hess 2/10.

S. 5, T. 2–3

12. Brakteat.

Thronender Geistlicher auf Faltstuhl mit Krummstab und Buch.

Silber 25 mm 0,71 g Foto 1001/16/L Inv.-Nr. 1179.
Lit. H. 132: Die Deutung auf Aschaffenburg ist, da Fundnachrichten nicht vorliegen, nicht ganz sicher. Dem Stempelschnitt nach könnte auch Fulda in Frage kommen. Auktion Cahn 4/21, 599.

SIEGFRIED III. VON EPPSTEIN. 1230–1249.

13. Hälbling des schweren Fußes.

Prägungen nach dem Kölner Fuß, unter dem Einfluß der Reichsmünzstätte Frankfurt.

Vs. Brustbild mit Kreuz und Krummstab.
+SIFRIDVS ARCHI
Rs. Tor in einem dreitürmigen Gebäude, darin Drache.
(....)AFCNBVRC

Silber 15 mm 0,71 g. Umschrift teilweise unleserlich. Foto 1020/4–5/L Inv.-Nr. 1176.
Lit. H. 269b. Frankf. Münzztg. 1902, S. 188. Joseph 2/13.

Literatur

Graba — Sammlung Graba, Dresden, A. Hess, Versteigerung 123, Februar 1910.

H. — Walter Hävernick, Das ältere Münzwesen der Wetterau bis zum Ausgang des 13. Jahrhunderts, Marburg 1932.

J. u. F. — Paul Joseph und Eduard Fellner, Die Münzen von Frankfurt am Main, 1. und 2. Suppl., Frankfurt am Main 1896, 1903, 1920.

Lichtenberg — Fund von Lichtenberg, Krs. Dieburg. Blätter für Münzfreunde, 1920, S. 73.

Löbbecke — Sammlung Löbbecke, Riechmann, Februar 1925.

Die Münzstätte Aschersleben gehört zu den alten Stammbesitzungen der Anhalter Grafen aus dem askanischen Geschlecht. Bernhard III. (* 1140 † 1212) war Graf von Anhalt und wurde 1180 Herzog von Sachsen. Er nannte sich Dux saxonie et comes in Aschersleve. Im Jahre 1315 erlosch die Linie und die Besitzungen fielen später an das Bistum Halberstadt.

Die Prägungen von Aschersleben, kenntlich an der Umschrift: ASCHERS oder lediglich ein A für Aschersleben, zeigen als Münzbild den heiligen Stefan und benennen und stellen ihn dar, als ersten Erzmärtyrer des Christentums: PRO (to) MARTIR(ium) (Nr. 2) oder entstellt: ORRO MARTIRA (Nr. 1). Hinter seinem zusammengesunkenen Körper liegen fünf Steine. Wegen seines Bekennermutes und erfüllt von der Wahrheit und Verkündigung des Evangeliums wurde er zur Steinigung verurteilt. Durch die Münzbilder weisen sich die Ascherslebener Prägungen als Beischläge zu den Halberstädter Stefansbrakteaten aus, die als Hauptthema in der zweiten Hälfte des 12. Jahrhunderts den Stiftsheiligen immer wieder in den einzelnen Leidenssituationen darstellen, so daß die Münzen eine Geschichte in Bildern ergeben: Der Heilige, zusammenbrechend unter der Wucht der Wurfgeschosse zweier Juden in mittelalterlicher Kleidung mit spitzen Hüten (vgl. Freckleben 30), die Verklärung des Heiligen, zwei Engel tragen sein Abbild gen Himmel, während sein Körper von Steinen bedeckt auf der Erde liegt (vgl. Freckleben 48). Die beiden Ascherslebener Brakteaten ergänzen seine Lebensgeschichte durch den Moment seines Zusammenbruchs (Nr. 1) und zeigen ihn als Diakon der Urgemeinde von Jerusalem. Er hält den Manipel, ein streifenförmiges Ornatstück der Meßbekleidung, in seinen Händen.

Um 1150/60 war die Fürstabtei Halberstadt unter Ulrich von Regenstein (1149–1160) ein Zentrum der Brakteatenprägung, nach der sich die Prägungen der Fürstabtei Quedlinburg und Helmstedt als geistliche Münzstätten, sowie der weltlichen, die Grafschaften Falkenstein mit der Münzstätte Ermsleben und Anhalt mit den Münzstätten Aschersleben (Nr. 1–2), Ballenstedt oder Wegeleben, ferner die Herrschaft Arnstein mit der Münzstätte Hettstedt (vgl. Arnstein, Nr. 1–18) ausrichteten.

Vgl. Brakteaten der Stauferzeit, 1138–1254. Aus der Münzensammlung der Deutschen Bundesbank, Frankfurt am Main 1977, Abb. 9 und 10, ferner die Karte der Münzstätten.
Carl Friedrich von Posern-Klett, Münzstätten und Münzen der Städte und geistlichen Stifter Sachsens im Mittelalter, Leipzig 1846, S. 29.
Julius Cahn, Der Brakteatenfund von Freckleben in Anhalt, Frankfurt am Main 1931.
Max Wilberg, Regenten-Tabellen, Graz 1962, Seite 265, Halberstadt 389.
Michael Buchberger, Lexikon für Theologie und Kirche, Band 7, Freiburg im Breisgau 1934, Spalte 851.
Jakob Torsy, Lexikon der Deutschen Heiligen, Köln 1959, Spalte 507.

S. 5, T. 77.

1. Brakteat, um 1160.
Knieender Heiliger Stephan, hinter ihm fünf Steine, Kopf zwischen SC = Sanctus Stephanus
ORROMAR TIRA = protomartir
A = Aschersleve
Silber 24 mm 0,83 g Foto 1001/18/L Inv.-Nr. 7888.
Lit. Freckleben 42a. Archiv. II. S. 79. Hess 1/16.

2. Brakteat, um 1160.
Stehender Heiliger Stephan mit Manipel über den ausgebreiteten Händen.
NVS.PR = St. Stephanus Proto
O MARTIR. = (Prot) omartir.
ASCHERS = Aschersleviy
IDIN = (Ascherslev) i Dinarius
Silber 28 mm 0,80 g Foto 1001/17/L Inv.-Nr. 1180.
Lit. Freckleben 43a. Archiv II S. 79, 10 Beischlag zu den Halberstädter Stephansbrakteaten. A. Cahn 3/22, 1062.

Literatur

Archiv	Archiv für Brakteatenkunde, Band 2, herausgegeben von Rudolf v. Höfken-Hattingsheim, Wien 1890–1893.
Freckleben	Der Brakteatenfund von Freckleben, bearbeitet von Theodor Stenzel, Berlin 1862.
Pos.-Klett	Carl Friedrich von Posern-Klett, Münzstätten und Münzen der Städte und geistlichen Stifter Sachsens im Mittelalter, Leipzig 1846.

Eine Reihe von Geprägen mit dem Münzbild eines thronenden Geistlichen auf der Vorderseite und einem Mauerturm auf der Rückseite (Nr. 1–8) scheinen auf den ersten Blick nach Köln zu gehören und die Erzbischöfe des 13. Jahrhunderts darzustellen. Jedoch unterscheiden sich diese Münzen durch eine kleine Besonderheit. Sie zeigen alle eine Mondsichel als Münzzeichen. Eine Mondsichel hält der Thronende in der Hand (Nr. 2), eine Mondsichel erscheint neben seinem Kopf (Nr. 4–6) oder auf der Rückseite im Torbogen des Mauerturmes (Nr. 3, 7–8). Eine Mondsichel findet sich ebenfalls im Bild des Stadtsiegels von Attendorn. So wurden diese Münzen vom Aussehen her wie Kölner Pfennige von den Kölner Erzbischöfen in Attendorn geprägt. Der Ort Attendorn war schon seit dem 11. Jahrhundert im Besitz der Kölner Erzbischöfe, doch erst im 13. Jahrhundert scheint hier eine Münzstätte errichtet worden zu sein. Die Prägungen in Attendorn beginnen unter Erzbischof Dietrich von Heinsberg (1208–1212) und enden fortlaufend mit einem Unikum (vgl. Hävernick 808) des Erzbischofs Wikbold von Holte (1297–1304). Nicht vertreten sind in der Reihe unseres Kataloges ein sehr seltener Denar (vgl. Hävernick 793) des Erzbischofs Engelbert I. (1216–1225), Denare (vgl. Hävernick 794 und 795) der Erzbischöfe Heinrich I. (1225–1238) und Wikbold (1297–1304). Die Attendorner Herkunft wird immer durch die Mondsichel einwandfrei gesichert.

Die Münzbilder Dietrichs von Heinsberg (1208–1212) zeigen mit geringen Abweichungen die kirchlichen Attribute, Krummstab und Kreuzfahne, statt gewöhnlich Krummstab und Buch, auf der Rückseite das Brustbild des heiligen Petrus mit Buch und Mondsichel. Die Umschriften weisen in diesem Fall weder den Erzbischof namentlich als obersten Münzherrn noch die Münzstätte aus. Wahrscheinlich sind die Umschriften: (M?) IVECETITE (T?) und (..E)TATE.V.C(I) durch Schriftunkundigkeit des Stempelschneiders so schlecht ausgefallen (Nr. 1).

Im Jahre 1222 versieht Erzbischof Engelbert I. (1216–1225) die Ansiedlung Attendorn mit Mauer und Graben und erhebt sie zur Stadt. Von diesem Zeitpunkt an steht nach der Ortsbezeichnung auf der Rückseite der Münzen der Zusatz: CIVITAS (Nr. 3–5, 6? und 7), wenn nicht dem Kölner oder Soester Vorbild entsprechend: SANCTA COLONIA geschrieben wurde. Die Münzstätte Attendorn steht völlig unter dem Einfluß der Münzstätten Köln und Soest, denn die Bilder der Attendorner Gepräge übernehmen fast stets Kölner oder Soester Vorbilder. Nur wenige Münzbilder im Stil der Kölner Fabrik sind in Attendorn neu geschaffen worden (Nr. 3 und 7).

Die meisten Emissionen konnten für Erzbischof Konrad von Hochstaden (1238–1261) registriert werden, zumal er anfangs mit dem Titel „MINISTER", wie die Umschrift ausweist (vgl. Hävernick 796) und ab 1244 – nach der Verleihung des Palliums (ein den Erzbischöfen im 13. und 14. Jahrhundert verliehener Mantel als Ehrengewand) – zwar als Erzbischof benannt, aber ohne Pallium dargestellt (vgl. Hävernick 797) wird. Der Attendorner Stempelschneider ist über den Ornat eines Ministers nicht orientiert gewesen, ausschlaggebend ist letztlich die Nennung des Titels in der Umschrift der Vorderseite. Häufig sind die Attendorner Denare nicht einmal durch die Ortsangabe in der Rückseitenumschrift kenntlich gemacht, sondern zeigen nur die Mondsichel, während die Umschrift „Sancta Colonia" lautet (Nr. 2); offensichtlich das erste Attendorner Gepräge, das in größerem Umfang geprägt zu sein scheint. Im Gegensatz zu der strengen Frontalansicht des thronenden Erzbischofs (Nr. 2) dürfte der Denar (Nr. 3) mit gewendetem Kopf der jüngste unter den in Attendorn geschlagenen Geprägen Erzbischof Konrads sein. Die Rückseite nennt die Münzstätte mit voll ausgeschriebenem Stadtnamen: ADDENDARRA CIVITAS und zeigt die Mondsichel im Torbogen des Mauerturmes.

Urkundlich erwähnt wird die Münzstätte Attendorn zweimal: In dem Schiedsspruch, der 1258 in dem Streit zwischen dem Erzbischof und der Stadt Köln gefällt wird; in der Klage der Stadt ist enthalten, daß der Erzbischof die verfälschte Ausmünzung in Attendorn, Wielberg, Siegen und anderen Orten nicht abgestellt habe. Leider äußert sich das Urteil nicht näher über die beanstandete Ausmünzung an den genannten Orten. Es schreibt nur vor, daß Kölner Münze nur in Köln geschlagen werden soll, und daß der Erzbischof nicht zugeben soll, daß sie verfälscht wird. Aus diesem Urteil dürfen wir entnehmen, daß die Ausprägung in Attendorn und den anderen Orten unter Kölner Bild stattgefunden hat, und daß die Attendorner Münzen als „denarii colonienses" umgelaufen sind. Münzstätten in dieser Zeit, deren Erzeugnisse auf Kölner Fuß und auf Kölner Schlag gemünzt wurden, waren: Angerfort (?), Attendorn, Berleburg (?), Bonn, Brilon, Schmallenberg, Soest (ab ca. 1215), Arnsberg, Siegen und Wielberg.

Nach der ersten Erwähnung einer Münztätigkeit in Attendorn (1258) schweigen die urkundlichen Quellen volle 50 Jahre. Erst in dem zwischen 1306/08 entstandenen Verzeichnis der Einnahmen des Kölnischen Marschallamtes in Westfalen wird an zwei Stellen von der Münzstätte Attendorn und dem Attendorner Pfennig gesprochen. Die eine Stelle lautet: Der Betrieb in der Münzstätte Attendorn ist also stark zurückgegangen, wie aus dem Rückgang der Einnahmen von 100 Mark auf kaum 8 Mark ersichtlich ist. Die Schuld daran wird den Bürgern gegeben, denen die Prägetätigkeit in Attendorn widerstrebte, da die ausgegebenen Denare minderwertig waren. Einer vollwertigen Ausmünzung zu widerstreben, lag gewiß kein Grund vor.

Weitere urkundliche Nachrichten über die Münzstätte Attendorn sind nicht bekannt, ebenso haben sich Münzmeister in den Urkunden nicht nachweisen lassen.

Für Erzbischof Engelbert II. von Falkenburg (1261–1274) sind drei Stempelvarianten herauszustellen, die sich durch die Vorderseitenumschrift: ENGELBERTV9ARC (Nr. 4) und ENGLEBERTV9 ARC (Nr. 5) abgrenzen. Auch der Stadtname zeigt deutliche Unterschiede in der Schreibweise: ADDENARRA CIVITAS (Nr. 4) und (AD)ENDORNA CIVITAS (Nr. 5). Der dritte Stempel ist etwa 1 mm kleiner, wobei der Schrötling etwa um das Doppelte dicker ausgefallen ist. Auch die Münzbilder unterscheiden sich voneinander; die Abstände zwischen Krummstab und Kopf des Erzbischofs variieren (Nr. 4–6). Der Denarfund von Köln-Dünnwald – vergraben 1270 – brachte Obole (Hälblinge) mit einem Durchschnittsgewicht von 0,41 g zutage und im Nachtrag des Fundes konnte ein Quadrans (Vierling) bestimmt werden (vgl. HBN 3, 1949, S. 20f, Nr. 296–299 und HBN 8, 1954, S. 231f, Nr. 29).

Zu den in Attendorn neu geschaffenen Münzbildern zählt die Vorderseite eines Denares (Nr. 7), auf dem die Namensnennung des Erzbischofs Siegfried von Westerburg (1275–1297) frei den Raum zwischen dem Thronenden und dem Perlkreis füllt: SIFR (links) IDVS (rechts). Nach obenhin umrahmen drei Bogen den gewendeten Kopf des Erzbischofs. Die Gebäudedarstellung auf der Rückseite ist den Kölner Ministergeprägen Erzbischofs Konrad von Hochstaden (vgl. Hävernick 659) nachgebildet.

Die Münzbilder eines seltenen Denars (Nr. 8) sind dem Soester Gepräge Erzbischofs Siegfried (vgl. Hävernick 1025) nachgebildet. Nur, daß bei dem Stück aus der Münzstätte Attendorn statt des Soester Zeichens die Mondsichel in dem Torbogen gesetzt wurde. Die Prägung ist flüchtig. Die Umschrift ist nur zum Teil lesbar, wie bei vergleichbaren Stücken bemerkt wurde, außerdem variieren sie erheblich bei den verschiedenen Stempeln.

Abschließend kann mit Bestimmtheit gesagt werden, daß in mehreren Münzstätten „denarii colonienses“ geschlagen worden sind, die im Laufe des 13. Jahrhunderts ihren Betrieb aufnahmen und ihre Erzeugnisse als „denarii colonienses“ in Umlauf brachten. Nach urkundlicher Bewertung und Berechnung können jedoch „denarii colonienses“ nicht mit Erzeugnissen der erzbischöflichen Münzstätte in Köln mit denen der anderen erzbischöflichen Münzstätten gleichgesetzt werden. Die Masse der im Umlauf befindlichen „denarii colonienses“ war vielleicht absichtlich etwas leichter und minderwertiger ausgebracht worden als die wirklich in Köln geschlagenen Denare. Der hierdurch beabsichtigte Gewinn kann wohl nicht der einzige Grund gewesen sein. Die Ausmünzung auf Kölner Schlag in anderen erzbischöflichen Münzstätten wird auch durch einen wirtschaftlich politischen Grund veranlaßt worden sein, dadurch nämlich, daß die Münzstätte Köln allein die große Nachfrage nach den beliebten und angesehenen „denarii colonienses“ wohl nicht mehr hat befriedigen können, und auch die anderen Städte aus verschiedenen Gründen Wert auf die Unterhaltung einer Münzstätte – auch Attendorn – legen mußten.

Gekürzt nach Walter Hävernick, Die Münzen von Köln. Die königlichen und erzbischöflichen Prägungen der Münzstätte Köln, sowie die Prägungen der Münzstätten des Erzstifts Köln, vom Beginn der Prägung bis 1304, Köln 1935, S. 187–194.

Walter Hävernick, Der Kölner Pfennig, Stuttgart 1930, S. 60–65, 95, 218 Tabelle B.

Albert Steilberg, Der Denarfund von Köln-Dünnwald, in Hamburger Beiträge für Numismatik, Heft 3, 1949, Seite 20, Nr. 296–299.

Wilhelmine Hagen, Nachtrag zum Denarfund von Köln-Dünnwald, vergraben 1275/80, in Hamburger Beiträge für Numismatik, Heft 8, S. 231f., Nr. 29.

Max Wilberg, Regenten-Tabellen, Graz 1962, S. 237, 348. Köln.

S. 5, T. 71.

DIETRICH. 1208–1212.

1. Denar.

Vs. Thronender Erzbischof mit Krummstab und Kreuzfahne.
(..)IVECECITE(..)
Rs. Kleeblattbogen mit Turm und zwei Kuppeltürmchen, darunter Brustbild eines Heiligen mit Buch und Halbmond.
+(....)TATE.V.C(..)

Silber 18 mm 1,33 g Foto 911/23–24/L Inv.-Nr. 1181.
Lit. H. 790a. A. Rosenberg 12/30, 323.

KONRAD VON HOCHSTADEN. 1238–1261.

2. Denar.

Vs. Thronender Erzbischof mit Krummstab und Mondsichel, über dieser eine Kugel.
+CONRA (...)ER
Rs. Gebäude mit Turm zwischen zwei Fahnen.
+SANCTA (...)ONA

Silber 16 mm 1,44 g Foto 911/25–26/L Inv.-Nr. 1182.
Lit. H. 799 var. Weing. 74. Friedensburg 10/24, 551.

3. Denar.

Vs. Thronender Erzbischof mit Buch und Krummstab.
+CONRADVS ARCHIEPC
Erzbischof Konrad
Rs. Mauer mit Tor, darin Mondsichel und Kugel; hoher Turm zwischen zwei Fahnen.
+ADDENDARR A CIVITAS
Stadt Attendorn

Silber 19 mm 1,19 g Foto 911/27–28/L Inv.-Nr. 1183.
Lit. H. 802. Weing. 73. M. 50. Hess 3/08. Weygand 2585.

ENGELBERT II. 1261–1274.

4. Denar.

Vs. Thronender Erzbischof mit Krummstab und Buch, im Feld Mondsichel.
+ENGELBE RTV9ARC
Rs. Mauer mit Tor, darüber das Brustbild eines Heiligen mit zwei Fahnen.
+ADDENARRA.CIVITAS

Silber 16 mm 1,26 g Foto 911/29–30/L Inv.-Nr. 1184.
Lit. H. 804 var. Weing. 70d. Weygand 2579. Weweler, Hess 6/28, 1066.

5. Denar.

Vs. Thronender Erzbischof mit Krummstab und Buch, im Feld Mondsichel.Aber
+ENGLEBE RTV9ARC
Rs. Mauer mit Tor, darüber das Brustbild eines Heiligen mit zwei Fahnen.
+(...)ENDORNA.CIVITAS

Silber 17 mm 1,23 g Foto 911/31–32/L Inv.-Nr. 1185.
Lit. H. (vgl. 804). Cp. zu 547. Kirsch, Cahn 4/12, 732.

6. Obol.

Vs. Thronender Erzbischof mit Krummstab und Buch, im Feld Mondsichel. Aber
+(.......) RT9ARC
Rs. Mauer mit Tor, darüber Brustbild eines Heiligen mit zwei Fahnen.
+ADDEN(....)

Silber 14 mm 1,09 g Foto 911/35–36/L Inv.-Nr. 1186.
Lit. H.- (vgl. 805). A. Helbing 10/32, 76.

S. 5, T. 71.

SIEGFRIED. 1275–1297.

7. Denar.
Vs. Thronender Erzbischof mit Krummstab und Buch unter Kleeblattbogen.
SIFR IDVS
Rs. Gebäude mit Turm und zwei Fahnen auf drei Arkaden, Mondsichel.
+ATTEN(..)RRE.CIVITA
Silber 20 mm 1,32 g Foto 911/37–38/L Inv.-Nr. 1187.
Lit. H. 806b. Cahn 11/24.

8. Denar.
Vs. Thronender Erzbischof mit Krummstab und Buch.
+SIFRIDV SEPISCO
Rs. Breites Gebäude mit Giebel, darin Mondsichel; Kuppelturm zwischen Fahnen und kleineren Türmen.
(.) SA(...) (.......)
Silber 18 mm 1,35 g Foto 909/1–2/L Inv.-Nr. 1188.
Lit. H. 807b. Weing-.Weweler, Hess 6/28, 1076.

Literatur

Cp.	H. Ph. Cappe, Beschreibung der kölnischen Münzen des Mittelalters, 1853.
Friedensburg	Sammlung Friedensburg, A. E. Cahn, Versteigerung 52, Oktober 1924.
H.	Walter Hävernick, Die Münzen von Köln, Köln 1935.
Kirsch	Sammlung Kirsch, Düsseldorf, A. E. Cahn, Versteigerung April 1912.
M.	J. Menadier, Die Münzen der Grafschaft Mark; in Festschrift „Die Grafschaft Mark", herausg. v. A. Meister, 1909.
Weing.	Joseph Weingärtner, Die Silbermünzen des Kölnisch Herzogtum Westfalen, 1886.
Weweler	Sammlung Weweler, A. Hess. Versteigerung 191, Juni 1928.
Weygand	Sammlung Weygand, Düsseldorf, A. Hess. Versteigerung 153, Januar 1917.

Um eine Übersicht der Münzgeschichte Augsburgs zu geben, lassen sich über 600 Zeugnisse aus fast 9 Jahrhunderten – von etwa 955 an bis 1805 – heranziehen (Nr. 1–611).

Augsburg war anfangs bischöfliche Münzstätte. Es prägte hier außer dem Bischof von Augsburg auch der König oder Kaiser. Selbst Münzen der schwäbischen Stammesherzöge sind nachweisbar. Im wesentlichen jedoch besaß im Mittelalter der Bischof das Recht der Münzprägung. Lediglich bei der Ernennung des Münzmeisters hatte die Stadtbevölkerung ein Mitspracherecht. Im Jahre 1272 verpfändete der Bischof aus Geldnot an die Bürger das Recht der Münzung. Die offizielle Verleihung des Münzrechts an die Reichsstadt Augsburg erfolgte 1521, nachdem auf Grund eines kaiserlichen Erlasses die Münzstätte des Grafen von Königstein von Basel nach Augsburg verlegt worden war und hier der Graf als Reichspfandinhaber auch Münzen prägen ließ. Die Ausprägungen der Stadt Augsburg waren nicht nur sehr groß, sondern auch vorbildlich in bezug auf Feingehalt und Gewicht. Die Probationstage der drei Reichskreise – Franken, Bayern und Schwaben – fanden oft in Augsburg statt. In einem Privileg von 1522 wurde der Stadt Augsburg die Auflage gemacht, den Bischof von Augsburg nicht in seiner Münzfreiheit zu behindern. Dennoch ruhte die bischöfliche Münze über 100 Jahre. Erst im 17. und 18. Jahrhundert wurde nochmals vom Augsburger Bischof gemünzt. Mit der Säkularisierung ging die fast 900jährige bischöfliche Münzprägung zu Ende.

Im Jahre 1753 trat der schwäbische Kreis und damit auch Augsburg der österreichbayerischen Münzkonvention bei. Anfang des 19. Jahrhunderts erlosch die Augsburger Münzprägung und ging in der bayerischen Währung auf.

Die ältesten Zeugnisse einer Augsburger Münzprägung (Nr. 1) sind Silberpfennige (Denare), die auf der einen Seite ein Kreuz, umgeben von Schrift, zeigen, mit dem Namen und Titel des Münzherrn, und auf der anderen Seite einen Kirchengiebel und durch die Umschrift die Münzstätte benennen. Bischof Ulrich (923–973) hatte von König Otto I. (936–973) das Münzrecht erhalten, so daß Augsburg eine autonome bischöfliche Münzstätte war. Die Verleihung des Münzrechts war eine Bestätigung der Machtstellung des Bischofs und seiner Politik. Wahrscheinlich erfolgte sie nach der Schlacht auf dem Lechfeld – 955 –, als Bischof Ulrich erfolgreich Augsburg gegen die Ungarn verteidigt hatte. Mit diesem Recht prägten auch die nachfolgenden Bischöfe (Nr. 2–3). Unterhalb des Kirchengiebels befindet sich der abgekürzte Name des Münzmeisters. Von Bischof Bruno (1006–1029) sind drei verschiedene Münztypen bekannt. Zunächst münzte er in herkömmlicher Art (vgl. Steinhilber, Nr. 11), ließ dann zum erstenmal in Augsburg auf eine Münze ein Brustbild prägen (vgl. Steinhilber, Nr. 12) und, nach dem gleichzeitigen Regensburger Vorbild, zeigt eine andere Prägung ein breites, mit seinem Namen beschriftetes Kreuz (Nr. 4). Ursprünglich war die Regensburger Münze im 9. Jahrhundert noch die einzige im Südosten des Reiches. Als aber im 10. Jahrhundert neue Münzstätten entstanden, wie Augsburg und Salzburg, richteten diese ihre Prägung nach der Regensburger Münze, so daß die Augsburger Münze der bayerischen zuzurechnen ist.

Königliche oder kaiserliche Münzstätte war Augsburg nicht. Der König oder Kaiser münzte überall, wo er sich aufhielt, selbst dort, wo er das Münzrecht – wie in Augsburg an den Bischof – bereits verliehen hatte. So ging bischöfliche und königliche Münzung zeitweise in Augsburg nebeneinanderher, denn der König war oberster Münzherr (Nr. 6). Bischof Eberhard (1029–1047) ließ außer seinem Namen auch den des Königs, Konrad II., auf die Münze setzen (Nr. 5).

Herzogliche Münzen (vgl. Steinhilber, Nr. 34) sind für Augsburg ebenfalls nachweisbar. Die Stammesherzöge nehmen für sich das Münzrecht in Anspruch, obwohl Urkunden über die Verleihung des Münzrechts nicht bekannt sind.

Der Übergang von der Denarprägung zur Brakteatenprägung des 13. Jahrhunderts wird durch die Dünne des Silberbleches deutlich, die kein scharfes zweiseitiges Gepräge mehr zuläßt (Nr. 11). Außerdem deutet sich bereits die bei der Augsburger Brakteatenprägung übliche Randausschmückung an (Nr. 10). In dieser Zeit des Wandels der Wirtschaft und ihrer gewaltigen Entwicklung ist es erklärlich, daß die Münzung in einer Stadt wie Augsburg noch gesteigert und weitergestaltet wird.

Die Brakteatenprägung erwies sich in der Herstellung und im Geldverkehr als praktisch. Die Brakteaten des Augsburger Schlages im Lechgebiet unterscheiden sich von anderen Brakteatenprägungen durch ihre Randverzierungen mit Bogen („Halbmonden") und durch schwereres Gewicht (Nr. 13–33). Die Brakteaten des Augsburger Schlages werden seit dem letzten Jahrzehnt des 12. Jahrhunderts ausgebracht. Sie sind ohne jede Schrift und deshalb schwer, bestimmten Münzstätten innerhalb ihres Gebietes zuzuweisen. Eine einwandfreie Zuweisung der verschiedenen Münzen an bestimmte Bischöfe oder Könige ist bis jetzt noch ebensowenig möglich. Die Gepräge zeigen vorwiegend Brustbilder. Gewicht und Durchmesser werden im Verlauf von 150 Jahren immer geringer. Stilistisch zeichnen sich die älteren Gepräge durch ein flaches Relief aus. Der Bogenrand nimmt einen verhältnismäßig großen Raum ein und wird sorgfältig ausgestattet mit Lilien (Nr. 14), Sternen (Nr. 15), Kreuzchen (Nr. 16), Punkten (Nr. 17) und anderen Verzierungen (Nr. 13). Die späteren Münzen bekommen einen einfacheren Bogenrand (Nr. 23), schmaler und nach außen verdrängt (Nr. 31–33).

Die königliche Münzprägung ist mit Ende der Stauferzeit (1254) als beendet anzusehen.

Das Recht der Münzprägung und ihr Nutzen besaß der Bischof als Stadtherr, also nicht die Stadt selbst. Bedeutsam ist jedoch die Mitwirkung der Stadtbevölkerung bei der Ernennung des Münzmeisters.

Nach einer Urkunde aus dem Jahre 1272 überließ der Bischof aus Geldnot finanzkräftigen Bürgern auf drei Jahre die Münzung. In der Folgezeit wurden die Pfandverträge mehrmals verlängert. Zum ersten Mal erscheint das Wappenzeichen der Pyr (oder die Zirbelnuß) auf einer Münze (vgl. Steinhilber, Nr. 90). Er ist das Attribut der Märtyrerin Afra, die um 304 unter dem römischen Kaiser Diocletian (284–305) als Christin zum Feuertod verurteilt worden war. Augsburg, als ihre Reliquienstätte, hatte wohl dazu beigetragen, daß der Ort schon im frühen Mittelalter Bischofssitz geworden ist. Seit 1272 ist der Pyr als Wappenbild auf städtischen Münzen verwendet worden.

Seit der zweiten Hälfte des 13. Jahrhunderts hatte eine neue Münze aus der Reichsmünzstätte Schwäbisch Hall ihr Umlaufsgebiet bis Augsburg erweitert. 1356/7 erhielt der Bischof vom Kaiser das Recht, Münzen nach diesem Haller Vorbild in Dillingen zu schlagen. Die Haller- oder Hellermünzen wurden mit dem Münzzeichen: D für Dillingen – im Münzbild der Vorderseite – versehen (Nr. 35–36).

In dem Abkommen von 1396 hat sich der Bischof mit benachbarten Münzherren und Städten geeinigt, die Hellermünze und eine große Münze, den Schilling (vgl. Steinhilber, Nr. 156), ausprägen zu lassen.

Die bischöflich-städtische Gemeinschaftsmünze zeigt auf der Vorderseite den Kopf des Bischofs und daneben den Pyr und auf der Rückseite die Initialen oder das Münzzeichen des Münzbeamten (Nr. 38–42). In der Zeit etwa von 1402 bis 1515, als die „Gemeinschaftspfennige" von dem Bischof und der Stadt geprägt wurden, verteilte sich der Schlagschatz zu $^{2}/_{3}$ auf den Bischof und zu $^{1}/_{3}$ auf die Stadt.

Eine Verordnung des Augsburger Rats von 1429 verfügt, daß die guten Prager Groschen mit einem Stempel der Stadt zu versehen sind, um sie von dem „eingeschlichenen verfälschten böhmischen Geld" zu sondern und, um sie damit sozusagen als kursfähig zu kennzeichnen (Nr. 103–106).

Schon um die Mitte des 15. Jahrhunderts reichten die Pfennigprägungen nicht mehr aus, um den Geldbedarf vom Handel, vor allem von der seit dem 14. Jahrhundert aufblühenden Stadt, ausreichend zu decken. Eine eigene Groschenprägung ist jedoch für Augsburg nicht nachweisbar. Auf dem Markt wurden Heller (Nr. 107–109), Pfennige (Nr. 110–111) und sogar Hälblinge (Nr. 112) benutzt. Das Münzbild zeigt das Stadtwappen oder ein A als Abkürzung für Augusta (Augsburg). In dieser Zeit handelt es sich bei dem Heller um eine geringhaltige Silbermünze. Größere Zahlungen – besonders im Fernhandel – wurden überwiegend mit Goldgulden (Nr. 113–118) getätigt, die sich aus Süd- und Westeuropa eingebürgert hatten. Bei der Goldguldenprägung sollte sich die Stadt nach den rheinischen Goldgulden richten.

In einem Brief von 1512 schreibt der Kaiser, Maximilian I. (1493–1519), daß 1509 die Münzstätte des Grafen von Königstein von Basel nach Augsburg verlegt worden sei. Er ermahnt die Stadt Augsburg, die Grafen, Eberhard IV. (1515–1535) und Ludwig II. (1535–1574), auf Grund des Beschlusses auf dem Frankfurter Reichstag in Augsburg münzen zu lassen. Schließlich erklärt sich 1514 die Stadt bereit, den Münzmeister Jörg Prügel prägen zu lassen und dem Reichspfandinhaber, dem Grafen, die Errichtung einer Münze zu gestatten.

Von 1515 sind Augsburger Gold- und Silbermünzen der Grafen in Übereinstimmung mit der Urkunde zu belegen (Nr. 70–102 und 592–611). Die Goldgulden 1515 und 1530 (Nr. 70–71) wurden nach Vorzeichnungen des Malers Hans Burgkmair hergestellt. Ferner sind Batzen 1515 bis 1533 (Nr. 72–95) und Halbbatzen 1515 bis 1531 (Nr. 96–102) nachzuweisen. Die Ausmünzung der Goldgulden in großen Mengen dauerte bis 1522/23, denn 1521 erhielt die Stadt Augsburg vom Kaiser, Karl V. (1519–1556) das Münzrecht, von dem sie schon bald Gebrauch machte.

Um eine mittlere Münze zwischen den Pfennigen und den Goldgulden zu haben, wurden Batzen 1522 bis 1533 (Nr. 224–231) von der Stadt Augsburg ausgebracht, die wegen ihrer Anpassung an die Marktpreise und ihrer vorteilhaften Herstellung aus den feinhaltigen fremden Groschen immer häufiger geprägt wurden.

Die Grafen von Königstein scheinen von 1522/23 nur noch von Zeit zu Zeit geprägt zu haben. Unter Ludwig II. (1535–1574) grenzen sich zwei Prägezeiten ab. In der Zeit von 1544 bis 1548 wurden Reichstaler (Nr. 594–596) und halbe Reichstaler (Nr. 598–599) geprägt, während in der Zeit von 1554 bis 1560 Goldgulden (Nr. 592), Reichsguldiner (Nr. 597), halbe Reichsguldiner (Nr. 600), drittel Reichsguldiner (Nr. 601) und, an kleiner Münze, drei- und zwei-Kreuzerstücke (Nr. 603–609 und 610–611) geprägt wurden.

Das von Kaiser Karl V. (1519–1556) erlangte Münzrecht der Stadt Augsburg verdeutlichen die Rückseitenumschriften der Goldgulden (Nr. 113–114), der Zehn-Kreuzer (Nr. 201–204), der Batzen (Nr. 224–231) und Halbbatzen (Nr. 237). Obwohl die Reichstage 1522 und 1524 sich gegen die Batzen ausgesprochen hatten, prägte die Stadt Augsburg diese Münze bis in die dreißiger Jahre – 1533 (Nr. 231) –. Erst durch die Reichsmünzordnung von 1559 wurde die Batzenprägung eingedämmt. Den unruhigen Zeiten Ende des 16. Jahrhunderts kam für die Forderungen der Heere solche geringhaltige Scheidemünze gelegen, so daß die Halbbatzen die Hauptvorläufer der Kippermünzen wurden.

So hatte das 16. Jahrhundert große Veränderungen im Münzwesen geschaffen. Die Stadt und das Bistum Augsburg gehören seit 1521 zum 6. schwäbischen Kreis. Guldengroschen oder Guldiner zu 60 Kreuzern waren nun das Äquivalent des Goldgulden (Nr. 114–117) in Silber, weil nicht ausreichend Gold vorhanden war. Das Münzbild der Rückseiten zeigt die Wertzahl im Reichsapfel des Guldiner 1574 (Nr. 161) und des 1/2 Guldiner 1563 (Nr. 173) mit 60 oder 30 Kreuzern. Kreuzer (Nr. 284–287) sowie Pfennige (Nr. 318–319 und 321–323) sind das Kleingeld dieser Zeitspanne.

Während der Kipper- und Wipperzeit (1619–1622) prägte Augsburg im Vergleich zu anderen Münzständen wenig. Kleinere Münzwerte werden von der Stadt (Nr. 185, 200, 219–220, 326, 333 und 337) und vom Bistum (Nr. 44–52) ausgegeben. Durch fortwährende Verschlechterung des Münzfußes kommen Münzen in Umlauf, die erstmals ganz aus Kupfer bestanden. Oft werden Namen, Wappen, Wertangabe oder Jahreszahl nicht angegeben. Die vollgewichtigen Reichsmünzen wurden eingeschmolzen und in kleine Werte umgeprägt.

1623 veranlaßte der Kurfürst Maximilian von Bayern (1597–1651) eine Zusammenkunft der Münzkreise in Augsburg. Der neue Reichstaler wurde mit 90 Kreuzern (1 1/2 Gulden) bewertet. Außerdem wurde festgesetzt, daß aus dem Münzgrundgewicht in Silber, der Kölner Mark mit 234 g, 300 Kreuzer geprägt werden sollten. Die Bewertung des Goldes wurde ebenfalls bestimmt und alle bisherigen Kupfermünzen wurden auf ein Viertel ihres Nennwertes herabgesetzt.

Die ersten vollwertigen Münzen wurden in Augsburg im gleichen Jahr – 1623 – als Teilstücke des Reichstalers ausgegeben: 1/2 Reichstaler 1623 (Nr. 164), 1/4 Reichstaler 1623 (Nr. 177), 1/6 Reichstaler 1623 (Nr. 191) und 1/9 Reichstaler 1623 (Nr. 221–212). Das Münzbild zeigt den Pyr in Verzierungen auf der Vorderseite und den Reichsadler mit der Wertzahl im Reichsapfel auf der Rückseite.

Auf dem Probationstag im folgenden Jahr – 1624 – in Regensburg konnte festgestellt werden, daß die meisten süddeutschen Münzstände nach den neuen Normen prägten. Augsburg gibt seine bekannte Emission mit der Stadtansicht auf der Vorderseite und dem Reichsadler auf der Rückseite heraus, Reichstaler 1625 und 1627 (Nr. 151 und 152), sogar den mehrfachen Wert eines Talers 1627 (Nr. 149) und Teilstücke des Talers (Nr. 197–198, 215–216 und 174–175). Zur Unterscheidung der Emissionen wechselt das Münzbild zum Stadtwappen (Nr. 153 und 199). Seit 1638 setzt sich auf der Rückseite statt des Reichsadlers das Porträt des jeweiligen Kaisers durch (Nr. 154), so daß ein Wechsel der Grundtypen auch bei den Dukaten (Nr. 122–143) zu beobachten ist. Selbst die Besetzung der Stadt durch den Schwedenkönig Gustav Adolf – 1632 – zeigt sich auf Dukaten (Nr. 120) und Talern.

Die kleinen Münzwerte des 17. Jahrhunderts sind die Kreuzer (Nr. 288), zu denen die Halbbatzen als zwei Kreuzerstücke gehören (Nr. 245). Im wesentlichen lassen sich vier Prägeperioden eingrenzen: 1620 bis 1625 (Nr. 245–256), 1635 bis 1637 (Nr. 263–272), 1660 bis 1665 (Nr. 273–277) und 1680 bis 1694 (Nr. 279–283). Die letzten beiden Jahre 1694 und 1695 werden auch Batzen, vier Kreuzerstücke, ausgegeben (Nr. 232–233), die wie der Halbbatzen 1625 (Nr. 257–258) den reichverzierten Pyr zeigen. Gewöhnlich zeigt das Münzbild auf der Vorderseite lediglich den Pyr zwischen Jahreszahl und auf der Rückseite den Reichsadler mit der Wertzahl 2 (zwei Kreuzer) im Reichsapfel. Eine jährliche Ausmünzung der Kreuzer weist die Reihe von 1640 bis 1645 nach (Nr. 289–298). In den Jahren 1695 bis 1697 sind sowohl Batzen (Nr. 232–233) als auch Halbbatzen und ein seltenes Halbkreuzerstück 1697 (Nr. 317) geprägt worden (Nr. 257–258).

Der kleinste Münzwert ist der Heller (Nr. 430–478), der sich mit kurzen Prägeunterbrechungen von 1608 (Nr. 430) bis 1805 (Nr. 590) erhalten hat. Mit dem ersten Augsburger Heller aus dem 14. Jahrhundert (Nr. 35), der in Silber ausgeprägt wurde, hat jedoch der Heller des 17. und 18. Jahrhunderts nur noch den Namen gemeinsam. Außerdem war jetzt sein Geltungsbereich auf die Stadt selbst beschränkt.

Seit 1608 werden die Hellermünzen, abgesehen von einigen Probeprägungen in Gold (Nr. 147 und 148) und Silber (Nr. 490, 500, 501, 503, 510, 514, 517, 519, 529, 534, 540, 547, 565, 567 und 578), fast ausschließlich aus Kupfer bestehend, ausgegeben. Die Heller ab 1608 bis 1622 (Nr. 430–445) werden wie auch die spätesten Emissionen (Nr. 560–591) von 1780 bis 1805 wie kleine Münzen, rund, ausgeprägt. In der Zwischenzeit 1624 (Nr. 446) bis 1776 (Nr. 559) werden sie viereckig, wie kleine Klippen gemünzt und haben abgekantete Ecken. Das Münzbild der Vorderseite zeigt über 200 Jahre das Stadtwappen mit kleinen Veränderungen. Die Rückseitenbilder unterscheiden deutlich die wichtigsten Prägezeiten: 1608 bis 1622 mit Wertangabe (Nr. 430–445), 1624 bis 1776 (Nr. 446–481) mit einem abgewandelten Kreuz im Vierpaß, auch ein Blumenkreuz (Nr. 482) oder Malteserkreuz (Nr. 505) und wiederum mit einer Wertangabe (Nr. 561) seit 1780. Die Vielzahl von Varianten und damit der Stempel beweist, daß die Heller wohl die in der größten Stückzahl ausgeprägten Münzen gewesen sind, und als Stückelung des Kreuzers (Nr. 313) als Stadtmünze in Umlauf war.

Nach Einführung der österreichisch-bayerischen Münzkonvention von 1754 wurde anfangs der 20-Guldenfuß beschlossen. Bald jedoch war der 24-Guldenfuß verbindlich, d. h. der Konventionstaler 1760 (Nr. 159) ist 2 Gulden 24 Kreuzer = 144 Kreuzer wert, da ein Gulden zu 60 Kreuzern gerechnet wurde. 1761 kamen die Kreise zu einem Münz-Probationstag wiederum in Augsburg zusammen. Von den Teilstücken zum Konventionstaler sind 20-Konventionskreuzer 1761 bis 1765 (Nr. 186–190) und 10-Konventionskreuzer 1761 bis 1765 (Nr. 208–210) ausgegeben worden. Nach der bayerischen Tarifierung wurden die 10-Konventionskreuzer auch Zwölfer genannt.

Eine geschlossene Emissionsreihe von Konventionsmünzen gibt der Augsburger Bischof, Clemens Wenzel, Prinz von Sachsen, König von Polen (1768–1803) im Jahre 1773 heraus: 20-Konventionskreuzer 1773 (Nr. 59), 10-Konventionskreuzer 1773 (Nr. 60), $^1/_{24}$ Konventionstaler 1773 (Nr. 63), $^1/_{48}$ Konventionstaler (Nr. 64), Konventionskreuzer 1773 (Nr. 65), Kupfer-$^1/_2$-Konventionskreuzer 1773 (Nr. 67), Kupfer $^1/_4$-Konventionskreuzer 1773 (Nr. 68) und Kupfer-Heller 1773 (Nr. 69). Die späteste, hier belegbare Münze des Bistums Augsburg ist der Kupfer-Heller 1774 (Nr. 66).

Vom Jahr 1767 an werden in Augsburg – abgesehen von den kleinen, innerstädtischen Heller-Klippen, statt der Kreuzermünzen in Kupfer nur noch Zwei-Pfennige geprägt. Drei Phasen beginnen jeweils 1758 (Nr. 341 und 359), 1765 (Nr. 352 und 374) und 1780 (Nr. 358 und 377). Den Abschluß der Städtischen Münzprägung in Augsburg bildet der Kupferpfennig 1805 (Nr. 427–429). So war Augsburgs Prägetätigkeit – sowohl des Bistums als auch der Stadt – mit dem Verlust der Reichsfreiheit 1802 beendet.

Gekürzt nach Dirk Steinhilber, Geld- und Münzgeschichte Augsburgs im Mittelalter, in: Jahrbuch für Numismatik und Geldgeschichte, Bd. 5 und 6, Jahrgang 1954/55, S. 6–142, Taf. I–IX.

Hans Herzfelder, Die Reichsmünzstätten Nördlingen und Augsburg unter den Häusern Weinsberg und Königstein, in: Mitteilungen der Bayerischen Numismatischen Gesellschaft, Bd. 42, Jahrg. 1924, S. 70.

Hans Krusy, Gegenstempel auf Münzen des Spätmittelalters, Frankfurt 1974, S. 47.

Walter Grasser, Bayerische Münzen, vom Silberpfennig zum Golddukaten, Nördlingen 1980, S. 124.

Brakteaten der Stauferzeit, 1138–1254, Aus der Sammlung der Deutschen Bundesbank, Frankfurt 1977, Abb. 81 und 82.

Wolfgang Schulten, Deutsche Münzen aus der Zeit Karls V., Frankfurt 1974, S. 16–20.

Max Wilberg, Regenten-Tabellen, Graz 1962, S. 246, 361. Augsburg.

Jakob Torsy, Lexikon der deutschen Heiligen, Köln 1959, S. 534.

S. 5, T. 116

ULRICH GRAF VON DILLINGEN. 923–973.

1. Denar.

Vs. Kreuz, im ersten, zweiten und vierten Winkel je eine Kugel.
·OVDALRICVSEPS Bischof Ulrich.
Rs. Kirchengiebel mit AZ·ZO = Münzmeister-Initialen.
AVG CIVITAZ

Silber 22 mm 1,52 g Foto 909/3–4/L Inv.-Nr. 1189.
Lit. St. 4, Vs.e, Rs.–. Dbg. 1019. Hess, Luzern 4/39.

LIUTOLF GRAF V. HOHENLOHE. 987–996.

2. Denar.

Vs. Kreuz mit Kugeln im ersten und dritten Winkel, Ringel im zweiten Winkel.
+ LITOLFVSEP.S (S spiegelbildlich)
Rs. Kirchengiebel mit VVI = Münzmeister-Initialen.
AVGVSTACIV

Silber 23 mm 1,52 g Foto 1115/34–35/L Inv.-Nr. 1190.
Lit. St. 9 b. Dbg. 1023e var. Auktion Cahn 9/20, 978.

SIEGFRIED I. 1000–1006.

3. Denar.

Vs. Kreuz, in den Winkeln Keil, Ringel, Keil, drei Kugeln.
: SICEFRIPSEPS
Rs. Kirchengiebel mit VVI = Münzmeister-Initialen.
AVGVSTACIVI

Silber 22 mm 1,43 g Foto 909/7–8/L Inv.-Nr. 1191.
Lit. St. 10c var. Dbg. 1024. Bahrfeldt, Hess 6/21, 3990b.

BRUNO HERZOG VON BAYERN. 1006–1029.
Bruder Kaiser Heinrichs II.

4. Denar.

Vs. Schrift in Kreuzform
BRVNO XE SX (N spiegelbildlich)
Rs. Kirchengiebel mit IMMO=Münzmeister-Initialen.
AV (O von IMMO) GSTA.CIV

Silber 20 mm 1,02 g Foto 909/9–10/L Inv.-Nr. 1192.
Lit. St. 14b. Dbg. 1027a. Rollin 3, 12.

EBERHARD I. VON DILLINGEN. 1029–1047.

5. Denar.

Vs. Kreuz in den Winkeln KVON
EPERHART EPS
Rs. Kirche.
AVCSTACIV

Silber 20 mm 1,20 g Foto 909/11–12/L Inv.-Nr. 1193.
Lit. St. 16h/g. Dbg. 1029, Buchenau.

Kaisermünzen

KÖNIG HEINRICH II. 1002–1024.

6. Denar.

Vs. Gekröntes Brustbild rechts.
HE NI RIC RE X
Rs. Kreuz, in den Winkeln Ringel, drei Kugeln, Keil und drei Kugeln.
+oZICA.USITAL

Silber 21 mm 1,53 g Foto 909/13–14/L Inv.-Nr. 7894.
Lit. St. 27 var. Dbg. 1032 var.

S. 5, T. 116

7. Denar.
Vs. Gekröntes Brustbild
H IN RI RX
Rs. Kreuz, in den Winkeln Ringel, drei Kugeln, Keil und drei Kugeln.
.AVGSTA.CIV
Silber 20 mm 1,31 g Foto 909/15–16/L Inv.-Nr. 1194.
Lit. St. 27p/o. Dbg. zu 1032. Cahn 2/13.

Bischofsmünzen.

KONRAD VON HIRSCHECK. 1150–1167,
HARTWIG I. VON LIERHEIM. 1167–1184.

8. Denar.
Vs. Thronender Bischof mit Stab und Buch.
Trugschrift: TN(..) TN(..)
Rs. Dreitürmige Kirche.
.+NTVN(...)X
Silber 23 mm 0,72 g Schrift teilweise undeutlich. Foto 958/2–3/L Inv.-Nr. 1195.
Lit. St. 42 var. Bayr. Mitt. 18, Taf. 2, 13. Fund Unterbaar. Auktion Cahn 3/22, 445.

9. Denar, (Dünnpfennig).
Vs. Stehender Bischof zwischen zwei Knieenden.
(.....)X.EPISCOPVS.
Rs. Brustbild über zweitürmigem Tor, darin Kopf.
.AVGVSTA(.......)
Silber 23 mm 0,73 g. Schrift teilweise undeutlich. Foto 1001/19–20/L Inv.-Nr. 1260.
Lit. St. 40. Bayr. Mitt. 18 Taf. 1, 10. Oberm. 56. Fund Unterbaar. Jenke.

HARTWIG I. VON LIERHEIM. 1167–1184.

10. Denar, (Dünnpfennig).
Vs. Doppelring umgeben von zehn Zacken.
N N N N N mehrmals.
Rs. Doppelring incus, überprägt ein Brustbild mit Krummstab.
Silber 24 mm 0,83 g Foto 1001/21/L und 1109/3/L Inv.-Nr. 1196.
Lit. St. 46. Bayr. Mitt. 1909, Taf. 5, 8. Auktion Cahn 3/33, 455.

11. Denar, (Dünnpfennig, Halbbrakteat).
Vs. Engelsbrustbild mit Krummstab im Zackenkreis.
Rs. Gebäude mit drei Türmen. Zackenkreis inscus.
Silber 21 mm 0,63 g Foto 958/4–5/L Inv.-Nr. 1197.
Lit. St. 49. Bayr. Mitt. 1909, Taf. 181, 4. Fund Wollishausen. Auktion Cahn 3/22, 458.

12. Einseitiger Hälbling, (Halbbrakteat, Obol).
Engelsbrustbild mit Kreuzstab im Zackenkreis.
Silber 16 mm 0,23 g Foto 958/6/L Inv.-Nr. 1198.
Lit. St. 49a. Fund Ellenbrunn. Auktion Cahn 3/22, 459.

S. 5, T. 116

UDALSCHALK GRAF VON ESCHENLOHE. 1184–1202.

13. Denar, (Halbbrakteat).
Vs. Brustbild des Bischofs mit bebänderter Mitra, oben Ringel.
Rs. Drei Türme über Bogen (undeutlich).
Silber 22 mm 0,73 g Foto 1001/22/L Inv.-Nr. 1199.
Lit. St. 51. Bl. f. Mzfrde. Sp. 4284, 8b. Fund Wollishausen. Auktion Cahn 3/22, 462.

14. Einseitiger Hälbling, (Obol).
Brustbild des Bischofs mit bebänderter Mitra.
Silber 18 mm 0,31 g Foto 958/7/L Inv.-Nr. 1200.
Lit. St.-. Fund Wollishausen 9. Auktion 6/34, 162. Beschnitten.

15. Brakteat, (Denar).
Brustbild des Bischofs mit bebänderter Mitra, oben Stern.
Silber 25 mm 0,82 g Foto 1001/23/L Inv.-Nr. 1201.
Lit. St. 52. Bl. f. Mzfrde. T. 181, 9. Fund Wollishausen 9.
Auktion Cahn 3/22, 463.

16. Brakteat, (Denar).
Brustbild des Bischofs mit Krummstab und Buch.
Außen zehn Halbmonde mit Kreuzen.
Silber 27 mm 0,73 g Foto 1001/25/L Inv.-Nr. 1203.
Lit. St. 58. Fund Wollishausen 10 a. Auktion Cahn 3/22, 467.

17. Brakteat, (Denar).
Brustbild des Bischofs zwischen zwei Ringeln, umgeben von neun Zacken. Außen Halbmonde und Punkte.
Zwei Exemplare.
Silber 24 mm 0,73 g Foto 1001/26 und 27/L Inv.-Nr. 1204, 1205*.
Lit. St. 59. Bl. f. Mzfrde. T. 181, 11 Fund Wollishausen.

18. Brakteat, (Denar).
Brustbild des Bischofs mit Kelch und Kreuz.
Außen zwölf Halbmonde mit Ringeln.
Silber 26 mm 0,73 g Foto 1001/28/L Inv.-Nr. 1206.
Lit. St. 60. Fund Wollishausen 12. Auktion Cahn 3/22, 469.

19. Brakteakt, (Denar).
Thronender Bischof mit Krummstab und Buch.
Außen elfmal oHo
Silber 24 mm 0,83 g Foto 1001/24/L Inv.-Nr. 1202.
Lit. St. 56. Bl. f. Mzfrde. T. 181, 3b. Fund Wollishausen 3.
Auktion Cahn 3/22, 464. Zuweisung zweifelhaft.

S. 5, T. 116

UDALSCHALK GRAF VON ESCHENLOHE. 1184–1202, HARTWICH II. VON HÜRNHEIM. 1202–1208.

20. Brakteat, (Denar).

Brustbild des Bischofs mit erhobenen Händen, auf dem Gewand vertiefte Ringel.

Silber 22 mm 0,73 g Foto 993/26/L Inv.-Nr. 1207.
Lit. St. 61. Fund Wollishausen 6. Arch. Taf. 57, 4.
Auktion Cahn 3/22, 471.

21. Brakteat, (Denar).

Brustbild des Bischofs mit Krummstab und Kreuz.

Silber 21 mm 0,60 g Foto 993/28/L Inv.-Nr. 1209.
Lit. St. vgl. 62. Fund Wollishausen 5 e. Arch. Taf. 48, 5.
Leo Hamburger 11/31.

22. Brakteat, (Denar).

Brustbild des Bischofs mit Krummstab und Kreuz, aber faltiges Gewand.

Silber 22 mm 0,63 g Foto 993/27/L Inv.-Nr. 1208.
Lit. St. 62. Fund Wollishausen 5 c. Arch. Taf. 48, 5.
Auktion Cahn 3/22, 470.

SIBOTO VON SEEFELD. 1227–1249.

23. Brakteat, (Denar).

Brustbild des Bischofs mit Krummstab und Palmwedel.

Silber 18 mm 0,72 g Foto 958/8/L Inv.-Nr. 1210.
Lit. St. 73. Arch. Taf. 57, 17. Fund Ellenbrunn. Buchenau 11/18; Auktion Cahn 3/22, 472.

24. Brakteat, (Denar).

Brustbild des Bischofs mit Lilie (Pyr) und Turm.

Silber 22 mm 0,73 g Foto 958/9/L Inv.-Nr. 1211.
Lit. St. 75. Beyschlag Taf. 5, 18. Fund Füssen 29. Buchenau 12/19.

HARTMANN GRAF VON DILLINGEN. 1250–1286.

25. Brakteat, (Denar).

Geflügelte Bischofsfigur links mit beiden Händen den Krummstab haltend.

Silber 21 mm 0,63 g Foto 958/10/L Inv.-Nr. 1212.
Lit. St. 78. Archiv I. S. 153, 4. Fund Bliensbach. Auktion Cahn 3/22, 479.

26. Brakteat, (Denar).

Thronender Bischof mit Kreuz- und Krummstab.

Silber 21 mm 0,83 g Foto 958/14/L Inv.-Nr. 1216.
Lit. St. 83. Archiv I. S. 151, 1. Auktion Cahn 3/22, 478. Fund Bliensbach.

S. 5, T. 116

27. Brakteat, (Denar).
Brustbild des Bischofs mit segnend erhobenen Händen zwischen Rosette und Mondsichel.
Silber 21 mm 0,53 g Foto 958/16/L Inv.-Nr. 1218.
Lit. St. 89. Arch. I. Taf. 3, 4. Auktion Cahn 1/29, 1647.

28. Brakteat, (Denar).
Brustbild des Bischofs mit zwei Ciborien.
Silber 20 mm 0,63 g Foto 958/15/L Inv.-Nr. 1217.
Lit. NZ Wien 1870 T. 4, 14. Auktion Cahn 3/22, 480. Fund Füssen.

29. Brakteat, (Denar).
Brustbild des Bischofs zwischen zwei halbmondartigen Bogen und zwei Ringeln. Zwei Exemplare.
Silber 19 und 21 mm 0,53 g und 0,62 g Foto 958/17 und 18/L
Inv.-Nr. 1219* und 7895.
Lit. St. 91. Pieper 1/20.

30. Brakteat, (Denar).
Kopf des Bischofs von Ranken umgeben.
Silber 22 mm 0,63 g Foto 958/11/L Inv.-Nr. 1213.
Lit. St. 81. Zu Fund Wollishausen 11 b. Birken 6/12;
Auktion Cahn 3/22, 468.

31. Brakteat, (Denar).
Brustbild des Bischofs zwischen zwei Krummstäben unter Dreibogen, aber veränderte Mitra.
Zwei Exemplare.
Silber 22 mm und 21 mm 0,73 g und 0,71 g Foto 958/12 und 13/L
Inv.-Nr. 1214* und 1215.
Lit. St. 82. Arch. I S. 153, 5. Buchenau 11/25.

Ende 13. – Erste Hälfte 14. Jahrhunderts.

32. Brakteat, (Denar).
Brustbild des Bischofs mit Krummstab und Buch, Mita mit fünf Perlen.
Silber meist 21 mm 0,63 g; 0,61 g; 0,53 g Foto 958/21, 22, 24/L
Inv.-Nr. 7896, 7897*, 7898. Drei Exemplare.
Lit. St. 94.

33. Brakteat, (Denar).
Brustbild des Bischofs mit Krummstab und Buch, Mitra mit sechs Perlen.
Silber 19 bis 22 mm 0,43 g bis 0,63 g Foto 958/18 A, 20, 23, 25, 26, 27/L
Inv.-Nr. 1220*, 7900, 7899, 7901, 7902, 7903. Sechs Exemplare.
Lit. St. 94.

MARQUARD I. VON RANDECK. 1348–1365.

34. Brakteat, (Denar).
Brustbild des Bischofs mit Krummstab und Schilfkolben.
Silber 16 mm 0,43 g Foto 958/28/L Inv.-Nr. 1221.
Lit. St. 96. Archiv. T. 9, 17. Beyschlag II, 35. Auktion Cahn 3/22, 486.

S. 5, T. 116

MARQUARD I. VON RANDECK. 1348–1365 UND BURKHARD VON ELLENBACH. 1373–1404.

Dillingen.

35. Heller ohne Jahr.

Vs. Hand mit D auf der Handfläche.
Rs. Gabelkreuz mit vier D in den Gabeln.

Silber 17 mm 0,53 g Foto 958/20–23/L Inv.-Nr. 1223.
Lit. St. 148. Cat. Saurma 974. Schiffers 2/08.

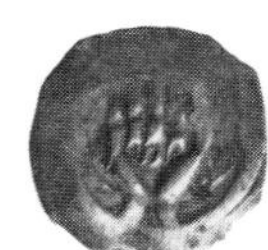

36. Heller ohne Jahr.

Vs. Hand mit D auf der Handfläche.
Rs. Gabelkreuz mit vier Punkten in den Gabeln.

Silber 16 mm 0,53 g Foto 958/31–32/L Inv.-Nr. 1222.
Lit. St. 149.

BURKHARD VON ELLENBACH. 1373–1404.

37. Heller ohne Jahr (nach der Konvention 1396).

Vs. Augsburger Stiftsschild
Rs. Gabelkreuz. Vierschlag.

Silber 16 mm 0,32 g Foto 958/33–34/L Inv.-Nr. 1224, gelocht.
Lit. St. 153. Beyschlag –. Auktion Cahn 4/21, 426.

PETER GRAF VON SCHAUENBURG. 1424–1469.

38. Pfennig.

Vs. Kopf des Bischofs im Ring zwischen Krummstab und Pyr. Vierschlag
Rs. B = Münzmeister-Initiale des Franz Bäsinger, erste Hälfte 1441.

Silber 15 mm 0,33 g Zwei Exemplare Foto 958/35–36/L Inv.-Nr. 1225*. Foto 958/37–38/L Inv.-Nr. 1226.
Lit. St. 177. Noss 18. Keßler 2/12.

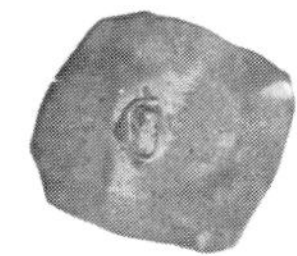

39. Pfennig.

Vs. Kopf des Bischofs im Ring zwischen Krummstab und Pyr.
Rs. Gotisches G =Münzmeister-Initiale des Johann Stephan Gräßlin, zweite Hälfte 1441. Vierschlag.

Silber 17 mm 0,43 g Foto 993/29–30/L Inv.-Nr. 1227.
Lit. St. 180. Noss 21. Grossh. 89. Jenke 9/16.

JOHANN II. GRAF VON WERDENBERG. 1469–1486. FRIEDRICH III. GRAF VON HOHENZOLLERN. 1486–1505.

40. Pfennig.

Vs. Kopf des Bischofs zwischen Krummstab und Pyr.
Rs. MB im Ring zwischen zwei Punkten. = Münzmeister-Initialen des Mathias Bäsinger, 1472–1494.

Silber 16 × 14 mm 0,43 g Foto 993/31–32/L Inv.-Nr. 1228. Vierschlag.
Lit. St. 181b. Grossh. 90. Schönherr 7/11.

41. Dickabschlag des Pfennigs.

Vs. Kopf des Bischofs zwischen Krummstab und Pyr.
Rs. MB im Ring = Münzmeister-Initialen des Mathias Bäsinger, 1472–1494.

Silber 14 mm 2,53 g Foto 993/33–34/L Inv.-Nr. 1229.
Lit. St. –.

S. 5, T. 116. S. 6, Taf. 134.

FRIEDRICH III. GRAF VON HOHENZOLLERN. 1486–1505, HEINRICH IV. VON LICHTENAU. 1505–1517.

42. Pfennig.
Vs. Kopf des Bischofs zwischen Krummstab und Pyr.
Rs. M im Ring =Münzmeister Hieronymus Müller, 1494–1515.
Silber 16 × 15 mm 0,23 g Foto 993/35–36/L Inv.-Nr. 1230. Vierschlag.
Lit. St. zu 182. Grossh. 91. Jenke 9/16.

43. Heller.
Vs. Hand zwischen Krummstab und Pyr in Ring.
Rs. Gabelkreuz. Achteckiger Schrötling.
Silber 12 × 12 mm 0,23 g Foto 1004/3–4/L Inv.-Nr. 1231.
Lit. St. 185 var.

HEINRICH V. VON KNÖRRINGEN. 1598–1646.

44. Kipper-24-Kreuzer 1622.
Vs. Wappen.
+MONETA+NO(.....)+6+22
Rs. Doppeladler mit 24.
(.)FERDINANDVS‡ II‡ DG‡ ROM(...)
Silber 28 mm 2,81 g, teilweise undeutlich, ungleicher Schrötling, gelocht. Foto 969/35–36/L Inv.-Nr. 1232.
Lit. Grossh. 104. Cahn 12/06.

Anmerkung: Die unlesbaren Buchstaben, Zeichen oder Ziffern wurden in Klammern gesetzt.

45. Einseitiger 1/2 Kipper-Kreuzer 1623.
Wappen zwischen Sternen und Jahreszahl, oben Wert.
Silber 14 mm 0,43 g Foto 957/31/L Inv.-Nr. 1233.
Lit. Pressel 6/14.

46. Kupfer einseitiger Kipper-Kreuzer 1621.
Monogramm über Wappen zwischen 1 und 20.
Kupfer 16 mm 0,63 g Foto 957/32/L Inv.-Nr. 1234.
Lit. N. 6577. Leo Hamburger 4/31.

47. Kupfer einseitiger Kipper-Kreuzer 1621.
Wappen zwischen Jahreszahl, darüber .H.E.A.
Kupfer 16 mm 1,03 g
Zwei Exemplare. Foto 957/33 und 34/L Inv.-Nr. 1235*; 1236.
Lit. Schwalbach, Rosenberg 12/09. Tornau 5/18 Stempelfehler.

48. Kupfer einseitiger Kipper-Kreuzer 1622.
Wappen zwischen Jahreszahl, darüber .H.E.A.
Kupfer 17 mm 0,63 g Foto 957/35/L Inv.-Nr. 1237.
Lit. Rosenberg 2/14.

49. Kupfer-Kipper-Kreuzer 1622.
Vs. Ovales Wappen, darüber Jahreszahl.
Rs. Wertangabe in drei Zeilen
+I+ KREIT ZER unten +
Kupfer 16 mm 0,93 g Foto 957/37–38/L Inv.-Nr. 1238.
Lit. Cahn 1/06.

S. 6, T. 134/135.

50. Kupfer-Kipper-Kreuzer 1622.
Vs. Geschwungenes Wappen mit Doppellinien, darüber 16ZZ.
Rs. Wertangabe in drei Zeilen.
Kupfer 17 mm 0,83 g, Doppelschlag. Foto 965/1/L Inv.-Nr. 1239.
Lit. Schwalbach, Rosenberg 12/09.

51. Kupfer-Kipper-Kreuzer 1622.
Vs. Geschwungenes Wappen mit Doppellinien, darüber 1622
Rs. Wertangabe in drei Zeilen.
Kupfer 18 mm 1,02 g Foto 965/2–3/L Inv.-Nr. 1240.
Lit. Secker 2/07.

52. Kupfer-Kipper-Kreuzer 1622.
Vs. Geschwungenes, großes Wappen, aber einfache Linien, darüber 1622.
Rs. Wertangabe in drei Zeilen.
Kupfer 16 mm 1,12 g Foto 965/4–5/L Inv.-Nr. 1241.
Lit. Riechmann 9/11.

JOHANN CHRISTOPH VON FREYBERG. 1665–1690.

53. Zwei Kreuzer 1681.
Vs. Zwei Wappen, darüber Jahreszahl.
✳ IO.CHRISTOPH.DG.EPISC.AVG.S.R.I.PR
Rs. Doppeladler, im Reichsapfel 2
LEOPOLDVS.1.ROM.(....)F.S.AVG:
Silber 19 mm 1,18 g teilweise undeutlich Foto 965/6–7/L Inv.-Nr. 1242.
Lit. Walla 5/09.

ALEXANDER SIGISMUND VON PFALZ-NEUBURG. 1690–1737.

54. Reichstaler 1694.
Vs. Brustbild rechts, darunter P H M.
ALEX.SIG.D.G. ✳ EPISC.AVGVST.
Rs. Zwei Wappen unter Krone; unten zwischen Jahreszahl Verzierung darin Pyr und zwei Hufeisen = Münzmeisterzeichen des Johann Christoph Holeisen, 1668–1697.
.COM.PAL.RH.BA.IV.CL.ET.MONT.DVX&
Silber 41 mm 29,03 g Foto 969/25–26/L Inv.-Nr. 1243.
Lit. F. 398. Dav. 5010. Rosenberg 4/31.

55. Halber Reichstaler 1694.
Vs. Brustbild rechts, darunter P H M = Philipp Heinrich Müller, 1654–1719.
ALEX.SIG.D.G. ✳ EPISC.AVGVST.
Rs. Zwei Wappen unter Krone; unten zwischen Jahreszahl Verzierung mit Pyr und Münzmeisterzeichen zwei Hufeisen = Johann Christoph Holeisen, 1668–1697.
COM.PAL.RH.BA.IV.CL.ET.MONT.DVX&
Silber 34 mm 14,43 g Foto 969/29–30/L Inv.-Nr. 1244.
Lit. F. 399. Merzbacher 3/07.

56. Zwei Kreuzer 1694, Halbbatzen.
Vs. Gekröntes Wappen.
A.S.C.P.R.I.B.C.E.M.D.C.V.S.M. R.E.M.D.R.
Rs. Ovales Schild mit 2, darüber Mitra.
AVGVSTANVS.16 94.EPISCOPVS
Pyr zwischen zwei Hufeisen = Münzmeister Johann Christoph Holeisen, 1668–1697.
Silber 17 mm 1,11 g Foto 965/8–9/L Inv.-Nr. 1245.
Lit. F. 400. Cahn 1/06.

S. 6, T. 135.

JOSEF LANDGRAF
VON HESSEN-DARMSTADT.
1740–1768.

57. Halber Reichstaler 1744.

Vs. Brustbild rechts, darunter .M.
IOSEPH.D.G.EP.AUGUST.S.R.I.PR.LANDG.HASS
Münzmeisterzeichen des Philipp Heinrich Müller, 1654–1719.
Rs. Zwei gekrönte Wappen und Mitra.
+NON FECIT PROXIMO MALUM.+ unten 17 44

Silber 35 mm 14,67 g Foto 969/31–32/L Inv.-Nr. 1246.
Lit. F. 404. Sch. R. 4063. Rosenberg 4/07.

58. Viertel Reichstaler 1744.

Vs. Brustbild rechts, darunter .M.
IOSEPH.D.G.EP.AUGUST.S.R·I.PR.LANDGR. HASS.
Münzmeister Philipp Heinrich Müller, 1654–1719.
Rs. Zwei gekrönte Wappen und Mitra.
+URGET PLEBIS AMOR.
unten 17 44 + über dem Orden 1/4

Silber 30 mm 7,33 g Foto 969/33–34/L Inv.-Nr. 1247.
Lit. F. 405. Secker 3/07.

CLEMENS WENZEL PRINZ VON SACHSEN
(KÖNIG VON POLEN) 1768–1803.

59. Zwanzig Konventionskreuzer 1773.

Vs. Brustbild rechts von Lorbeerkranz umgeben.
CLEM.WENC.D.G.A.EP.TREV.S.R.I.A.C.&.EL.
Rs. Gekröntes Wappen, darunter 20
60.EIN MARK.F
EPISC.AUG.A.P.P. COAD.ELVAN.
Jahreszahl, unten kleines G

Silber 28 mm 6,51 g Foto 1008/26–27/L Inv.-Nr. 1248.
Lit. F.-. Erbstein 1/09.

60. Zehn Konventionskreuzer 1773.

Vs. Brustbild rechts von Lorbeerkranz umgeben.
CLEM.WENC.D:G.A.EP.TREV.S.R.I.A.C.&.EL.
Rs. Gekröntes Wappen, darunter 10
zwischen 120.EIN MARK.F.
EPISC.AUG.A.P.P. COAD.ELVAN.1773
unten kleines G

Silber meist 25 mm ca. 3,83 g justiert Foto 1008/28–29/L Inv.-Nr. 1249.
Lit. F.-. Erbstein 1/09.

61. Zehn Konventionskreuzer 1774.

Foto 1008/34–35/L Inv.-Nr. 1250.
Lit. F.-. Secker 4/07.

62. Zehn Konventionskreuzer 1775.

Foto 1109/1–2/L Inv.-Nr. 1251.

S. 6, T. 135

63. 1/24 Konventionstaler 1773.
Vs. Gekröntes Wappen.
CLEM.WEN.D:G.A.E.TREV.
S.R.I.A.C.&.E.E.AUG.A.C.ELV.
Rs. Wertangabe in drei Zeilen über Jahreszahl, unten kleines G
24 EIN CONVEN. THALER
Silber 24 mm 2,22 g Foto 965/10–11/L Inv.-Nr. 1252.
Lit. F.-. Secker 4/07.

64. 1/48 Konventionstaler 1773.
Vs. Gekröntes Wappen.
CLEM.WEN.D:G.A.E.TREV.
S.R.I.A.C.&.E.E.AUG.A.C.ELV.
Rs. Wertangabe in drei Zeilen über Jahreszahl, unten großes G
Silber 19 mm 1,33 g Foto 965/12–13/L Inv.-Nr. 1253.
Lit. F.-. Krakau 9/08.

65. Kupfer-Kreuzer 1773.
Vs. Gekröntes Wappen. CLEM. WEN. D: G. AE. TREV. S.R.I.A.C.&.E.E.AUG.A.C.ELV.
Rs. Wertangabe in zwei Zeilen über Jahreszahl, unten G
EIN KREUTZER
Kupfer meist 23 mm ca. 7,94 g Foto 965/14–15/L Inv.-Nr. 1254.
Lit. N. 6001. Secker 4/07.

66. Kupfer-Kreuzer 1774.
Foto 965/16–17/L Inv.-Nr. 1255.
Lit. N. 6002. Riechmann 9/13.

67. Kupfer-halber Kreuzer 1773.
Vs. Gekröntes Wappen. CLEM. WE. D: G.A.E.TREV. S.R.I.A.C.&.E.E.AUG.A.C.E.
Rs. Wertangabe in zwei Zeilen über Jahreszahl, unten G
Kupfer 19 mm 3,60 g Foto 951/36–37/L Inv-Nr. 1256.
Lit. N. 6000. Secker 4/07.

68. Kupfer-viertel Kreuzer 1773.
Vs. Gekröntes Wappen. CLEM. WE.D: G.A.E.TREV. S.R.I.A.C.&.E.E.AUG.C.ELV.
Rs. Wertangabe und Jahreszahl über G
Kupfer 17 mm 1,94 g Foto 951/34–35/L Inv-Nr. 1257.
Lit. N. 5997.

69. Kupfer-Heller 1773.
Vs. Gekröntes Wappen.
Rs. Wertangabe und Jahreszahl über G
Kupfer 16 mm 1,01 g Foto 951/32–33/L Inv.-Nr. 1258.
Lit. N. 5997. Tornau 3/18.

S. 5, T. 116.

UNTER VERWALTUNG DES GRAFEN EBERHARD IV. VON KÖNIGSTEIN.

70. Goldgulden 1515.

Vs. Heiliger Ulrich von vorn sitzend einen Fisch und das Pedum haltend, unten Wappenschild von Eppstein-Minzenberg.
ooAVGVSTA✳VI ИDELICORVM
Rs. Reichsapfel im Vierpass, unten Wappenschild mit Stadtpyr.
oIMP✳CAE'✳MAXI MILI'✳AVG'✳M.D.XVo
Gold 22 mm 3,13 g Foto 1004/5–6/L Inv.-Nr. 1261.
Lit. H. 117. F. 331.

71. Goldgulden 1520.

Vs. Heiliger Ulrich von vorn sitzend, unten Wappenschild.
AVGVSTA✳VI NDELICORVM
Rs. Reichsapfel im Vierpass, unten Wappenschild mit Stadtpyr.
✳IMP✳CAE✳KARO LVS✳AVG✳1520✳
Gold 23 mm 3,22 g Foto 1004/7–8/L Inv.-Nr. 1262.
Lit. H. 124. F. 340. Merzbacher 10/05.

72. Batzen 1515.

Vs. Zwei Wappen, darüber Jahreszahl .M.D.XV. unten ✳A✳
+EBERHARD9✳CVM✳IИ✳KVИIGSTEI'
Rs. Gekröntes Brustbild Maximilians rechts, unten Wappenschild mit Pyr.
CA'MAXIMILI' VR✳AVGV✳DEF'
Silber 26 mm 3,84 g Foto 1109/4–5/L Inv.-Nr. 1263.
Lit. H. 118a/b.

73. Batzen 1516.

Vs. Zwei Wappen, darüber Jahreszahl M.D.XVI unten ✳A✳
+EBERHARD'⁑COM⁑IИ⁑KVИGSTEIИ
Rs. Reichsadler über Wappenschild mit Stadtpyr.
+CAE'(.)MAXIMILI' VRB'⁑AVG'⁑DEFE'
Silber 27 mm 3,70 g Foto 1109/6–7/L Inv.-Nr. 1264.
Lit. H. 120. C. Saurma 982. Hess 11/03.

74. Batzen 1517.

Vs. Zwei Wappen, darüber Jahreszahl M.D.XVİİ unten ✳A✳
+EBERHARD'⁑COM⁑IИ⁑KVИGSTEIИ
Rs. Reichsadler über Wappenschild.
+CAE⁑MAXIMIL' VRB⁑AVG⁑DEFE'
Silber 28 mm 3,74 g Foto 1109/8–9/L Inv.-Nr. 1265.
Lit. H. zu 121. Fejér 7/09.

75. Batzen 1518.

Vs. Zwei Wappen, darüber M.D.XVİİİ unten ✳A✳
Rs. Reichsadler über Wappenschild.
+CAE'⁑MAXIMILI VRB'⁑AVG⁑DEFE'
Silber 27 mm 3,73 g Foto 1109/10–11/L Inv.-Nr. 1266.
Lit. H. zu 122. C. Saurma -.Hess 11/03.

76. Batzen 1519.

Vs. Zwei Wappen darüber M.D.XIX
Rs. Reichsadler über Stadtwappen.
Silber 26 mm 3,74 g Foto 1109/12–13/L Inv.-Nr. 1267.
Lit. H. 123c. Hess 11/03.

S. 5, T. 116

UNTER VERWALTUNG DES GRAFEN EBERHARD IV. VON KÖNIGSTEIN.

77. Vs. +EBERHARD'⁑COM'⁑IN⁑KVNGSTEI
Rs. +CAE'⁑MAXIMILI' VRB⁑AVG⁑DEFE'
Silber 27 mm 3,83 g Foto 1109/14–15/L Inv.-Nr. 1268.
Lit. H. zu 123 c. Hess. 11/03.

78. Batzen 1520.
Vs. Zwei Wappen darüber ✳ 1520 ✳
+EBERHARD'⁑COM(.) ✳ IИ⁑KVИGSTEIИ
Rs. Reichsadler über Stadtwappen.
+CAE'⁑KAROLVS VRB(.)⁑AVG'⁑DEFE'
Silber 27 mm 3,74 g Foto 1109/16–17/L Inv.-Nr. 1269.
Lit. H. 125 a. Krage 7/09.

79. Batzen 1521.
Vs. Zwei Wappen darüber .1521.
unten .A.
+EBERHARD.COM.IN.KVNGSTEIN
Rs. Reichsadler über Stadtwappen.
+CAE⁑KAROLVS VRB'⁑AVG'⁑DEFE
Silber 27 mm 3,74 g Foto 1109/18–19/L Inv.-Nr. 1270.
Lit. H. 128 b/d. Weinmeister 11/11.

80. +CAE.KAROLVS VRB.AVG.DEFE
Foto 1109/20–21/L Inv.-Nr. 7904.
Lit. H. 128 a/zu b.

81. +EBERHARD.KVM(...)KVNGSEIN
Foto 1109/22–23/L Inv.-Nr. 1271.
Lit. H. zu 128. Hess 11/03.

82. Batzen 1521.
Vs. Zwei Wappen, darüber ✳ 1521 ✳
unten ✳ A ✳
+EBERHARD⁑COM⁑IN⁑KVИGSTEIИ
Rs. Reichsadler über Stadtwappen.
+CAE.KAROLVS VRB.AVG.DEFE
Zwei Exemplare
Silber meist 26 mm ca. 3,94 g Foto 1109/24–25/L Inv.-Nr. 1272; 1274.
Foto 1109/26–27/L
Lit. H. 128 a. Hess 11/03.

83. +CAE⁑KAROLVS VRB⁑AVG⁑DEFE
Foto 1109/28–29/L Inv.-Nr. 1273.
Lit. H. 128 d. Hess 11/03.

84. Batzen 1522.
Vs. Zwei Wappen, darüber .1522.
unten .A.
+EBERHARD.COM.IN.KVNGSTEIN
Rs. Reichsadler über Stadtwappen.
+CAE.KAROLVS VRB.AVG.DEFE
Silber 27 mm 3,63 g Foto 1109/30–31/L Inv.-Nr. 1275.
Lit. H. zu 130 a/b. Saurma 983. Hess 11/03.

85. Batzen 1523.
Vs. Zwei Wappen, darüber ✳ 1523 ✳
unten ✳ A ✳
+EBERHARD⁑COM⁑IN⁑KVNGSTEIN
Rs. Reichsadler mit Zunge nach oben.
+CAE⁑KAROLVS VRB⁑AVG⁑DEFE
Silber meist 28 mm ca. 3,87 g Foto 1109/32–33/L Inv.-Nr. 1276.
Lit. H. 132 a. Hess 11/03.

86. Reichsadler mit Zunge nach unten.
Foto 1109/34–35/L Inv.-Nr. 1277.
Lit. H. 132 a. Hess 11/03.

S. 5, T. 116

UNTER VERWALTUNG DES GRAFEN EBERHARD IV. VON KÖNIGSTEIN.

87. Batzen 1531.
Vs. Zwei Wappen, darüber ✳ 1531✳
unten ✳ A ✳
+EBERHARD9 ✳ COM9 ✳ IN ✳KVNGSTE
Rs. Reichsadler über Stadtwappen.
+CAES ✳ KAROLV S ✳ VRB ✳ AVG ✳ DE:
Silber meist 26 mm ca. 3,02 g Foto 1109/36–37/L 1110/2–3/L
Inv.-Nr. 1278. Probe?
Lit. H. 135 a. Saurma -. Goetz -. Hess 11/03.

88. +EBERHARD9 ✳ COM9 ✳ IN ✳ KVNGSTEI
Foto 1110/4–5/L Inv.-Nr. 1279.
Lit. zu H. 135. Chaura 5/09.

89. Batzen 1532.
Vs. Zwei Wappen darüber ✳ 1532 ✳
unten ✳ A ✳
+EBERHARD9⁑C⁑IN⁑KVNGSTE
Rs. Reichsadler über Stadtwappen.
+CAE⁑KAROLV S⁑VRB⁑AV⁑DE
Silber meist 26 mm ca. 3,11 g Foto 1110/6–7/L Inv.-Nr. 1280.
Lit. H.-. (vgl. 136b korrigiert; dieses Exemplar)

90. Vs. +EBERHARD9⁑C⁑I⁑KVNGSTEI
Rs. +CAE⁑KAROLV S⁑VRB⁑AV⁑D:
Foto 1110/8–9/L Inv.-Nr. 1281.
Lit. H. zu 136 a/-. Saurma -. Goetz -. Hess 11/03.

91. Vs +EBERHARD9⁑C⁑I⁑KVNGSTEI
Rs. Rosette CAE⁑KAROL VS⁑VRB⁑A.⁑D:
Adlerschwanz zwischen Doppelpunkt.
Zwei Exemplare Foto 1110/10–11 und 18–19/L Inv.-Nr. 1282; 7905.
Lit. H. 136 var. Saurma-, Goetz -. Hess 11/03. KAROLV

92. O.CAE.KAROL VS. VRB.AV.D.
Foto 1110/12–13/L Inv.-Nr. 1283.
Lit. H. 136. Hess 11/03

93. Vs. ✳ CAE:KAROLV S:VRB:AV:D:
Rs. Adlerschwanz zwischen Punkten.
Foto 1110/14–15/L Inv.-Nr. 1284.
Lit. H. - . Hess 11/03. Henkelspur.

94. +CAE.KAROLVS VRB.AVG.DEFE
Foto 1110/16–17/L Inv.-Nr. 1285.
Lit. H.-. Schwalbach, Rosenberg 3/22.

95. Batzen 1533.
Vs. Zwei Wappen, darüber .1533. unten .A.
+EBERHARD9.C.I.KVNGSTEIN
Rs. Reichsadler über Stadtwappen.
O:CAE.KAROL VS(.)VRB.AV.D:
Silber 25 mm 3,23 g Foto 1110/21–22/L Inv.-Nr. 1286.
Lit. H.137 b.

S. 5, T. 116

UNTER VERWALTUNG DES GRAFEN EBERHARD IV. VON KÖNIGSTEIN.

96. Halbbatzen 1515.
Vs. Wappen, darüber M.D.XV
+AVGVSTA ✳ VIИDELICORVM
Rs. Gekröntes Brustbild Maximilians über Stadtwappen.
MAXIMILIA AVG ✳ CAES
Silber 22 mm 2,23 g Foto 1004/9–10/L Inv.-Nr. 1287.
Lit. H. 119 a. Saurma 983. Hess 11/03.

97. Reichsadler über Stadtwappen.
+CAE(..)MAXIMI LIAN ✳ AVGVST
Silber 27 mm 1,73 g Foto 1004/11–12/L Inv.-Nr. 1288.
Lit. H. 119 b. Laufer 6/07.

98. Halbbatzen 1520.
Vs. Wappen zwischen Rosetten, darüber 1520
+AVGVSTA ✳ VINDELICORVM
Rs. Reichsadler über Stadtwappen.
+CAE' ✳ KAROL VS ✳ AVGVSTA
Silber 22 mm 1,62 g Foto 1004/13–14/L Inv.-Nr. 1289.
Lit. H. 126 a. Rosenberg 6/13.

99. Halbbatzen 1521.
Vs. Wappen zwischen Rosetten, darüber 1521
+AVGVSTA ✳ VINDELICORVM
Rs. Reichsadler über Stadtwappen.
+CAE ✳ KAROL VS ✳ AVGVSTA
Silber 22 mm 1,64 g Foto 1004/15–16/L Inv.-Nr. 1290.
Lit. H. zu 129. Laufer 6/07.

100. Halbbatzen 1522.
Vs. Ovales Wappen, darüber 2 2
+AVGVSTA.VINDELICORVM
Rs. Reichsadler über Stadtwappen.
+CAE.KAROL VS.AVGVSTA
A von AVGVSTA über ursprünglich V
Silber 22 mm 1,91 g Foto 1004/17–18/L Inv.-Nr. 1291.
Lit. H. 131. Hess 2/06.

101. +CAE ✳ KAROL VS ✳ AVGVSTA
Silber 22 mm 1,53 g Foto 1004/19–20/L Inv.-Nr. 1292.
Lit. H.-. Sammlung Belli, Cahn.

102. Halbbatzen 1531.
Vs. Wappen, darüber 1531
+EBERHARD9 ✳ CO ✳ IN ✳ KVNG
Rs. Reichsadler über Stadtwappen.
+CAE ✳ KAROL VS ✳ VRB ✳ A ✳ D
Silber 22 mm 1,61 g Foto 1004/21–22/L Inv.-Nr. 1293.
Lit. H.-. Hess 2/06.

LUDWIG II. 1535–1574.

siehe Nachtrag Seite 277, Katalog-Nr. 592–611, Inv.-Nr. 8304–8324.

Anmerkung: Die unlesbaren Buchstaben, Zeichen oder Ziffern wurden in Klammern gesetzt.

S. 5, T. 116

103. Prager Groschen Wenzels IV. (III). 1378–1419.
Vs. Krone von doppelter Umschrift umgeben, mit Gegenstempel von Augsburg auf der Vorderseite.
Rs. Doppelschwänziger böhmischer Löwe.
Silber 27 mm 2,12 g Foto 1001/29–30/L Inv.-Nr. 1294.
Lit. St. 188. C. 16. Katz 131. K. A6, 2c. Buchenau 6/18.

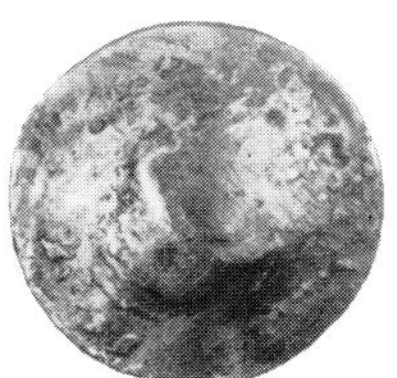

104. Prager Groschen
mit Gegenstempeln auf der Rückseite von Ulm und Augsburg.
Silber 25 mm 1,83 g Foto 1001/31+36/L Inv.-Nr. 1295.
Lit. St. 188. C. zu 16. Katz 131 und 106. Fried. 8. K. A, 6, 1 o. Riechmann 6/17.

105. Prager Groschen
mit zwei Gegenstempeln auf der Vorderseite und Rückseite.
Augsburger Gegenstempel.
Rs. Ulmer Gegenstempel.
Silber 26 mm 2,10 g Foto 1001/32–33/L Inv.-Nr. 1296.
Lit. St. 188. C. 18. Katz 132. K. A6, 3.

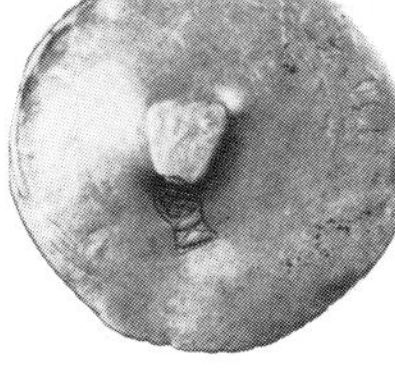
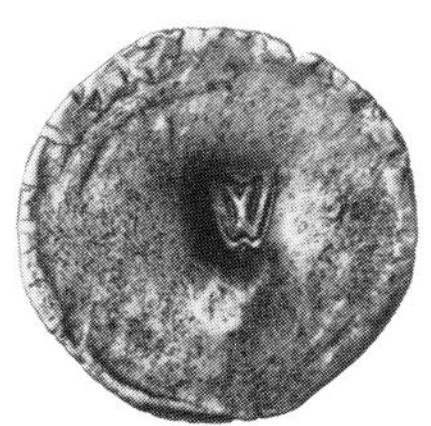

106. Prager Groschen
mit zwei Gegenstempeln auf der Vorderseite und Rückseite.
Augsburger Gegenstempel.
Rs. Donauwörther Gegenstempel.
Silber 26 mm 2,53 g Foto 1001/34–35/L Inv.-Nr. 1814.
Lit. St. 188. C. 18 und 227, auch 29 Katz 131 und 20. K. A6, 3 und W5, 1.

107. Handheller.
Vs. A auf der Handfläche.
Rs. Gabelkreuz.
Silber 15 mm 0,33 g viereckiger Schrötling Foto 909/17–18/L Inv.-Nr. 1297. Zuweisung fraglich.
Lit. F.-. Schiffers.

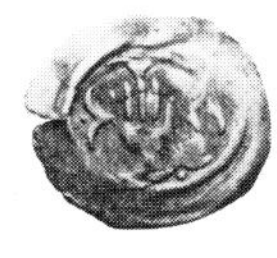
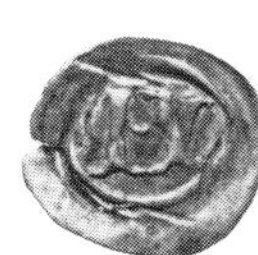

108. Handheller.
Vs. Hand auf Kreuz in Vierpaß.
Rs. A in der Mitte ein kleines Herz.
Silber meist 16 mm ca. 0,34 g viereckiger Schrötling Foto 909/19–20/L Inv.-Nr. 1298. Zuweisung fraglich.
Lit. F.-. Auktion Cahn 3/07.

109. A mit gebrochenem Balken.
Foto 909/21–22/L Inv.-Nr. 1299. Zuweisung fraglich.
Lit. F.-.

S. 5, T. 116. S. 6, T. 135.

110. Pfennig.
Vs. Pyr in Kreis und Quadrat.
Rs. .A. von Kreislinie umgeben.
Silber 12 × 14 mm 0,24 g viereckiger Schrötling
Foto 909/23–24/L Inv.-Nr. 1300.
Lit. F.-.

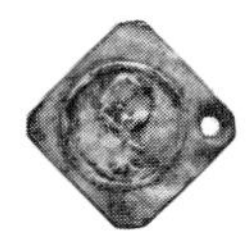

111. Pfennig.
Vs. Pyr von Kreislinie umgeben.
Rs. Kreuz von Kreislinie umgeben.
Silber 13 × 13,5 mm 0,24 g viereckiger Schrötling, gelocht
Foto 909/25–26/L Inv.-Nr. 1301.
Lit. F. 10.

112. Hälbling.
Vs. Pyr zwischen Punkten in Kreis.
Rs. Kreuz von Kreislinie umgeben.
Silber 9 × 9 mm 0,13 g viereckiger Schrötling
Foto 909/27–28/L Inv.-Nr. 1303.
Lit. F. zu 10, 2. Auktion Cahn 6/32, 537 a.

113. Goldgulden ohne Jahr.
Vs. Wappen in verziertem Schild.
✳ AVGVSTA.VINDELICORVM
Rs. Gekrönter Doppeladler.
IMP.CAES.CAROLI.AVG.V.MVNVS
Gold 24 mm 3,23 Foto 954/8–9/L und 941/12–13/L Inv.-Nr. 1304.
Lit. F. 3. Rosenberg 6/02.

114. Goldgulden 1527.
Vs. Wappen, darüber Jahreszahl.
+AVGVSTA ✳ VINDELICORVM
Rs. Brustbild Karls V. rechts.
+IMP.CAES.CAROLI.AVG.V.MVNVS
Gold 22 mm 3,51 g Foto 950/5–6/L Inv.-Nr. 1305.
Lit. F. 14. Auktion Helbing 6/32, 1566.

115. Goldgulden 1563.
Vs. Stadtpyr.
.AVGVSTA+VINDELICORVM.1563
Rs. Gekrönter Doppeladler.
IMP.CAES.FERDINANDI AVG.P.F.DECR
Gold 23 mm 3,20 g Foto 941/10–11/L und 954/21–22/L Inv.-Nr. 1306.
Lit. F. 58. Merzbacher 3/07.

116. Goldgulden 1566.
Vs. Stadtpyr in Schild.
.AVGVSTA.VINDELICORVM.1566
Rs. Gekröntes Brustbild rechts.
.MAXIM.II.ROM.IMP.SEMP.AVG.
Gold 23 mm 3,21 g Foto 941/7+9/L; 954/19–20/L Inv.-Nr. 1307.
Lit. F. 69. Auktion Hess 5/11.

S. 6, T. 135.

117. Goldgulden 1609.
Vs. Stadtpyr, unten .MDCIX.
.AVGVSTA.VINDELIC.
Rs. Gekrönter Doppeladler.
.RVDOLPHVS.II. ROM.IMP.P.F.AVG.
Gold 23 mm 3,13 g Foto 941/6+9/L; 954/17–18/L Inv.-Nr. 1308.
Lit. F. 93. Auktion Helbing 12/17.

118. Goldgulden 1613.
Vs. Sitzende Augusta mit Pyr und Lanze, unten .MDCXIII.
AVGVSTA VINDELIC
Rs. Gekrönter Doppeladler.
✳ MATTHIAS.ROM.IMP.P.F.AV ✳
Gold 22 mm 3,23 g Foto 950/7–8/L Inv.-Nr. 1309.
Lit. F. 100.

119. Dukat 1630.
Vs. Stehende St.Afra.
AVGVSTAE.VINDEL:.S.AFRA PROTECT
Rs. Gekrönter Doppeladler. B S in den Schwanzfedern = Balthasar Schmidt, † 1638.
.FERDINAND:II.D:G.ROM.IMP.S.AVG.P.F. 1630
Gold 22 mm 3,64 g gehenkelt Foto 950/9–10/L Inv.-Nr. 1310.
Lit. F. 231. Buchen 2/18.

120. Dukat 1634.
Vs. Brustbild Gustav Adolfs rechts.
.GVSTAV.ADOLPH.D:G.SVECO:
GOTHO:VANDALO:REX.MAG
Rs. Wappen unter Krone, 16 34
PRINC:FINLAND:DVX Hufeisen = Johann Bartholomäus Holeisen, 1638–1668.
ETHO:ET.CAR.DOM.ING
PRINC:FINLAND:DVX
Gold 22 mm 3,43 g Foto 950/11–12/L Inv.-Nr. 1311.
Lit. F. 248. Fund Klaus 5/05.

121. Dukat 1635.
Vs. Stehende St.Afra.
AVGVSTA.VINDEL.S.AFRA.PROTECT
Rs. Gekrönter Doppeladler. B S = Balthasar Schmidt.
FERDINAND:II.D:G.ROM.IMP:S.AVG. P.F. 1635
Gold 22 mm 3,44 g Foto 950/13–14/L Inv.-Nr. 1312.
Lit. F. 253.

122. Dukat 1638.
Vs. Wappen unter Jahreszahl. Hufeisen.
AVGVSTA.VIN DELICORVM.
Rs. Brustbild rechts mit Lorbeerkranz.
.FERDINAND.III.D:G.R.I.S.A.P.F
Gold 22 mm 3,44 g Foto 950/15–16/L Inv.-Nr. 1313.
Lit. F. 270. Riechmann 6/14.

S. 6, T. 135.

123. Dukat 1639.

Vs. Wappen unter Jahreszahl, unten drei Hufeisen = Münzmeisterzeichen des Johann Bartholomäus Holeisen, 1639–1668.
Rs. Brustbild fast von vorn.
FERDINAND.III.D:G.R.I.S.A.P.F.

Gold 21 mm 3,48 g Foto 950/17–18/L Inv.-Nr. 1314.
Lit. F. 275. Auktion Hess 6/11.

124. Dukat 1645.

Vs. Wappen unter .16.45.
AVGVSTA.VIN DELICORVM.
unten drei Hufeisen = Münzmeisterzeichen des Johann Bartholomäus Holeisen, 1639–1668.
Rs. Brustbild rechts mit Lorbeerkranz.
.FERDINAND:III.D:G.R.I.S.A.P.F.

Gold meist 22 mm ca. 3,43 g Foto 950/19–20/L Inv.-Nr. 1315.
Lit. F. 305. Auktion Hess 6/11.

125. Dukat 1647.

Vs. Wappen unter .16 47.
AVGVSTA.VIN DELICORVM.
unten drei Hufeisen = Münzmeisterzeichen des Johann Bartholomäus Holeisen, 1639–1668.
Rs. Brustbild rechts mit Lorbeerkranz.
FERDINAND:III.D.G.R.I.S.A.P.F.

Gold 22 mm 3,43 g Foto 950/21–22/L Inv.-Nr. 1316.
Lit. F. 310. Hess 10/02.

126. Dukat 1648.

Vs. Wappen unter Jahreszahl.
.AVGVSTA.VIN DELICORVM.
Münzmeisterzeichen drei Hufeisen.
Rs. Brustbild rechts mit Lorbeerkranz.
.FERDINAND.III.D.G.R.I.S.A.P.F.

Gold 22 mm 3,43 g Foto 950/23–24/L Inv.-Nr. 1317.
Lit. F. 312. Buchen 2/18.

127. Dukat 1649.

Vs. Wappen unter 16.49.
AVGVSTA VIN DELICQRVM Q statt O, unten Münzzeichen drei Hufeisen.
Rs. Brustbild rechts mit Lorbeerkranz.
.FERDINAND.III.D.G.R.I.S.A.P.F.

Gold 22 mm 3,43 g Foto 950/25–26/L Inv.-Nr. 1318.
Lit. zu F. 314. Auktion Rosenberg, Schwabe 11/18, 1117.

128. Dukat 1651.

Vs. Wappen unter Jahreszahl. Drei Hufeisen.
.AVGVSTA.VIN DELICORVM.
Rs. Brustbild rechts mit Lorbeerkranz.
.FERDINAND:III.D.G.R.I.S.A.P.F.

Gold 22 mm Foto 950/27–28/L Inv.-Nr. 1319. Henkelspur.
Lit. F. 317. Ball 9/10.

129. Dukat 1654.

Vs. Stadtwappen unter 1.6.54.
AVGVSTA.VIN DELICORVM.
Münzzeichen drei Hufeisen.
Rs. Brustbild rechts mit Lorbeerkranz.
.FERDINAND:III.D.G.R.I.S.A.P.F.

Gold 22 mm 3,43 g Foto 950/29–30/L Inv.-Nr. 1320.
Lit. F. 325. Schwabe, Rosenberg 11/18, 1113.

130. Dukat 1656.

Vs. Stadtwappen unter .16.56.
AVGVSTA.VIND ELICORVM
Münzzeichen:Drei Hufeisen.
Rs. Brustbild rechts mit Lorbeerkranz.
.FERDINAND:III.D.G.R.I.S.A.P.F.

Gold 22 mm 3,43 g Foto 950/31-32/L Inv.-Nr. 1321.
Lit. F.327. Pogge 12/03.

Anmerkung
Münzzeichen:Drei Hufeisen = Münzmeister Johann Bartholomäus Holeisen, 1638–1668. Ein Hufeisen bedeutet vielleicht, daß er noch nicht Münzmeister war, aber mit der Verwaltung der Münze betraut.

S. 6, T. 135.

131. Dukat 1677.
Vs. Stadtwappen unter .16 77.
AVGVSTA.VIN DELICORVM
Münzzeichen: Drei Hufeisen.
Rs. Brustbild rechts mit Lorbeerkranz.
✳ LEOPOLDVS.D.G.R.I.S.A.P.F ✳
Gold 22 mm 3,43 g Foto 950/33–34/L Inv.-Nr. 1322.
Lit. F.360. Rosenberg 7/01.

132. Dukat 1688.
Vs. Stadtwappen unter .1688.
AVGVSTA VIN DELICORVM
Münzzeichen: Zwei Hufeisen.
Rs. Brustbild rechts mit Lorbeerkranz.
LEOPOLDVS.D.G.R.I.S.A.P.F.
unter A Stempelfehler: zwei Punkte.
Gold 22 mm 3,43 g Stempelsprung Foto 950/35–36/L Inv.-Nr. 1323.
Lit. F.381. Cahn 2/11

133. Dukat 1692.
Vs. Stadtwappen unter .1692.
AVGVSTA VIN DELICORVM
Münzzeichen: Zwei Hufeisen.
Rs. Brustbild rechts mit Lorbeerkranz.
LEOPOLDVS D.G.R.I.S.A.P.F.
Stempelsprung am P.
Gold 22 mm 3,45 g Foto 951/1/L Inv.-Nr. 1324.
Lit. F. 395. Hess 3/18.

134. Dukat 1699.
Vs. Stadtpyr zwischen Flußgöttern, unten Stern und zwei Hufeisen zwischen 16 und 99
AVGVSTA VINDELICOR9.
Rs. Brustbild rechts mit Lorbeerkranz.
LEOPOLDVS D.G.R.I.S.A.P.F.
Gold 22 mm 3,43 g Foto 951/2–3/L Inv.-Nr. 1325.
Lit. F.427. Rosenberg 2/11.

135. Dukat 1702.
Vs. Sitzende Augusta mit Pyr und Freiheitsstab, im Abschnitt MDCCII. über Stern zwischen zwei Hufeisen.
Rs. Brustbild rechts mit Lorbeerkranz, darunter Stern.
LEOPOLD9 D.G.R.I.S.A.P.F.
Gold 22 mm 3,43 g Foto 951/4–5/L Inv.-Nr. 1326.
Lit. F.437. Rosenberg 5/02.

136. Dukat 1705.
Vs. Sitzende Augusta mit Stadtpyr und Freiheitsstab, im Abschnitt MDCCV über Stern und zwei Hufeisen.
AVGVSTA VINDELICORVM
Rs. Brustbild rechts mit Lorbeerkranz.
IOSEPH9.D. G.R.I.S.A.P.F.
Gold 23 mm 3,43 g Foto 951/6–7/L Inv.-Nr. 1327.
Lit. F. 444. Cahn 4/11.

137. Dukat 1707.
Vs. Sitzende Augusta mit Stadtpyr und Freiheitsstab, im Abschnitt M DCCVII über Stern und zwei Hufeisen.
AVGVSTA VIN DELICOR.
Rs. Brustbild rechts mit Lorbeerkranz.
IOSEPH.I.D. G.R.I.S.A.P.F.
Gold 23 mm 3,43 g Foto 951/8–9/L Inv.-Nr. 1328.
Lit. F. 451. Schwabe, Auktion Rosenberg 11/18, 1126.

Anmerkung
Münzzeichen Stern = Münzmeister Philipp Heinrich Müller, 1677–1718.

S. 6, T. 135.

138. Dukat 1708.
Vs. Stadtpyr zwischen Flußgöttern unter gekröntem Doppeladler, im Abschnitt zwei Hufeisen und Stern zwischen 17 und 08
Rs. Brustbild rechts mit Lorbeerkranz.
IOSEPHVS.D. G.ROM.IMP.S.A.
Gold 21 mm 3,43 g Foto 951/10–11/L Inv.-Nr. 1329.
Lit. Zu F. 453. Auktion Rappaport 10/10.

139. Dukat 1711 auf die Krönung Karls VI.
Vs. Brustbild rechts mit Lorbeerkranz.
CAROL.VI.D.G.R.I.S.A.G.H.H.& B.REX.
Rs. Auffliegender Adler zur Sonne.
VIRTUTE PATRUM.
Im Abschnitt Stadtpyr zwischen zwei Hufeisen und 17 11
Gold 21 mm 3,43 g Foto 951/12–13/L Inv.-Nr. 1330.
Lit. F. I, 92. J. u. F. 1917. Rappaport 10/10.

140. Dukat 1737.
Vs. Stadtpyr zwischen Flußgöttern, im Abschnitt zwei Hufeisen zwischen 17 und 37
AVGVSTA VINDELICORVM
Rs. Brustbild rechts mit Lorbeerkranz.
CAROL.VI.D.G. R.I.S.A.G.H.H.xB.R. Am Armabschnitt M = Stempelschneider Christian Müller, 1714–1741.
Gold 23 mm 3,43 g Foto 951/14–15/L Inv.-Nr. 1331.
Lit. F. 504. Rosenberg 11/01.

141. Dukat 1738.
Vs. Stadtpyr zwischen Flußgöttern, im Abschnitt zwei Hufeisen zwischen 17 und 38
AVGVSTA VINDELIC:
Rs. Belorbeertes Brustbild rechts.
CAROL.VI.D. G.ROM.IMP.S.A. am Armabschnitt B = Stempelschneider Conrad Börer 1711–1756.
Gold 21 mm 3,43 g Foto 951/16–17/L Inv.-Nr. 1332.
Lit. F. 510. Rosenberg 12/02.

142. Dukat 1763.
Vs. Stadtpyr auf Säule, am Fuß 1763 unten F.A.H. = Münzwardein Frings, Augsburg und Holeisen als Münzmeister.
Rs. Belorbeerter Kopf rechts, darunter T = Stempelschneider Jonas Peter Thiebaud, †1769.
FRANC.I.D.G.R.I.S.A.GER.IER.REX
L.B.M.H.D. Rosette.
Gold 21 mm 3,43 g Foto 951/18–19/L Inv.-Nr. 1333.
Lit. F. 629. Hess 10/02.

143. Dukat 1767.
Vs. Stadtpyr in Tor, unten Jahreszahl.
AVGVSTA VINDELIC.
Rs. Belorbeertes Brustbild rechts, darunter T
IOSEPHUS II. D.G.RO.IMP.S.A.
Gold 21 mm 3,43 g Foto 951/20–21/L Inv.-Nr. 1334.
Lit. F. 673. Auktion Hess 10/02.

S. 6, T. 135.

144. Silberabschlag des Dukaten 1730
auf die Augsburger Konfession.
Vs. Stadtansicht, zwei Engel halten ein Band mit CONF.A. unten Stadtpyr über Jahreszahl, zwischen der zwei Hufeisen.
Rs. Sechs Zeilen Schrift mit Chronogramm (fehlerhaft).

LAETA
ET PRIMA
VRBIS AVGVSTAE
DE CONFESSIONE
SVA
IVBILLA

Silber 22 mm 2,40 g Foto 951/22–23/L Inv.-Nr. 1335.
Lit. F. I, Seite 17, zu 106. Cahn 10/09.

145. Silberabschlag des Dukaten 1730
auf die Augsburger Konfession.
Vs. Tisch, darauf Buch von Personen umgeben, im Abschnitt D.25 IVN.1730
GEDENCKET AN DIESEN TAG.EX.13.3.
Rs. Sechs Zeilen Schrift über zwei Hufeisen zwischen Sternen.

SCHAEME
DICH NICHT
DES ZEUGNISSES
UNSERS HERRN
NOCH MEINER
2.TIM. 1.8.

Silber 21 mm 2,42 g Foto 951/24–25/L Inv.-Nr. 1336.
Lit. F. I, Seite 17, 107. Fejér 6/09.

146. Silberabschlag des 1/2 Dukaten 1750
auf die Mitte des 18. Jahrhunderts.
Vs. Janusbüste auf Podest mit Stadtpyr, unten zwei Hufeisen.
MEMORIA SEMI SECVLARIS.
Rs. Zwei Wappen, in Verzierung, der beiden Stadtpfleger Sulzer und Imhof, darüber MDCCL.
Silber 15 mm 0,83 g Foto 951/26–27/L Inv.-Nr. 1337.
Lit. F. I, Seite 20, 121. Cahn 10/99.

147. Goldabschlag des Kupfer-Hellers 1608.
Vs. Stadtpyr zwischen Jahreszahl.
Rs. In zwei Zeilen CCCC XX mit Mittelpunkt.
Gold 13 mm 1,13 g Foto 951/28–29/L Inv.-Nr. 1640.
Lit. F. 91. Auktion Hess 10/29, 291.

148. Goldabschlag des Kupfer-Hellers 1757.
Vs. Stadtpyr zwischen Zweigen.
Rs. Kreuz zwischen Jahreszahl, oben Girlande.
Gold 12 mm 0,83 g. Vierschlag. Foto 951/30–31/L Inv.-Nr. 1756.
Lit. F.- (zu 595). Hess 10/02.

Anmerkung
Münzzeichen: Zwei Hufeisen = Münzmeister Johann Christoph Holeisen, 1668–1697. Der Anlaß für den Wechsel von drei und zwei Hufeisen kann nicht festgestellt werden; er kommt auch später wieder vor. Möglicherweise haben Mitglieder der Münzmeister-Familie Holeisen nebeneinander signiert. Es kam wiederholt vor, daß der Sohn als Gehilfe oder Vertreter des Vaters tätig war.

S. 6, T. 135.

149. Doppel-Reichstaler 1627.
Vs. Stadtansicht über MDCXXVII und drei Kornähren = Münzmeister Balthasar Schmidt, bis 1638.
Rosette AVGVSTA . VIN DELICORVM
Rs. Gekrönter Doppeladler.
.IMP:CAES:FERD:II.P.F.GER: HVN:BOH:REX.
Silber 47 mm 58,63 g Foto 99/1–2/L
Inv.-Nr. 1338.
Lit. F. 197. Dav. 5025.
Auktion Hess 10/29, 293.

150. Doppel-Reichstaler 1740.
Vs. Stadtwappen zwischen Flußgöttern, unten drei Hufeisen = Münzmeister-Familie Holeisen.
LIB:S:R::CIVIT: AUGUSTA VINDEL:
Rs. Gekrönter Doppeladler, unten .1740. und I T in Verzierung Stempelschneider Jonas Peter Thiebaud, †1769.
D:G:CAROLUS VI: ROM:IMP: S:AUGUSTUS ✳
Silber 46 mm 58,58 g Foto 969/3–4/L
Inv.-Nr. 1339.
Lit. F. 519. Rosenberg 7/07.

151. Reichstaler 1625.
Vs. Stadtansicht unter Stadtpyr, unten Jahreszahl über drei Kornähren = Münzmeister Balthasar Schmidt, bis 1638.
Rosette AVGVSTA.VIN DELICORVM.
Rs. Gekrönter Reichsadler.
.IMP:CAES:FERD:II.P.F.GER: HVN:BOH:REX.
Jahreszahl aus MDCXXIV geändert.
Silber 44 mm 29,13 g Foto 969/27–28/L
Inv.-Nr. 7906.
Lit. F. 166. Dav. 5017. Schulman 7/98.

S. 6, T. 135.

152. Reichstaler 1627.

Vs. Stadtansicht unter Stadtpyr, unten Jahreszahl über drei Kornähren = Münzmeister Balthasar Schmidt, bis 1638.
✳ .AVGVSTA.VIN DELICORVM.
Rs. Gekrönter Doppeladler.
.IMP:CAES:FERD:P.F.
GER:HVN:BOH:REX.

Silber 43 mm 28,72 g Foto 969/7–8/L
Inv.-Nr. 7907.
Lit. F. 200. Dav. 5028.

153. Reichstaler 1629.

Vs. Stadtpyr von Zweigen umgeben, unten Hufeisen = Münzmeister-Familie Holeisen.
AVGVSTA . VIN DELICORVM
Rs. Gekrönter Doppeladler, oben Jahreszahl 1629.
IMP:CAES:FERD:II.P.F.
GER:HVN:BOH:REX

Silber 43 mm 29,21 g Foto 969/5–6/L
Inv.-Nr. 1340.
Lit. F. 226. Dav. 5035.
Auktion Rosenberg 11/28, 1542.

154. Reichstaler 1639.

Vs. Stadtansicht und Stadtpyr über Jahreszahl und drei Hufeisen = Münzmeister-Familie Holeisen.
AVGVSTA.VIN DELICORVM
Rs. Belorbeertes Brustbild fast von vorn.
✳ IMP:CAES:FERD:III.P.F.GER:
HVN:BOH:REX

Silber 44 mm 28,22 g Foto 969/9–10/L
Inv.-Nr. 1341.
Lit. F. 277. Dav. 5038.
Auktion Rosenberg 11/31, 1419.

S. 6, T. 135.

155. Reichstaler 1641.

Vs. Stadtansicht und Stadtpyr über Jahreszahl und drei Hufeisen = Münzmeister-Familie Holeisen.
.AVGVSTA.VIN DELICORVM.
Rs. Belorbeertes Brustbild rechts.
IMP:CAES:FERD:III.P.F.
GER:HVN:BOH:REX.

Silber 44 mm 28,94 g Foto 969/11–12/L
Inv.-Nr. 1342.
Lit. F. 286. Dav. 5039. Winter 4/22.

156. Reichstaler 1658.

Vs. Stadtansicht und Stadtpyr über Jahreszahl und drei Hufeisen = Münzmeister-Familie Holeisen.
.AVGVSTA.VIN DELICORVM.
Rs. Belorbeertes Brustbild rechts.
✳IMP:CAES:LEOPOLD:P.F.GER:
HVN:BOH:REX.

Silber 43 mm 28,84 g Foto 969/15–16/L
Inv.-Nr. 1343.
Lit. F. 332. Dav. 5040.
Auktion Hess 10/29, 313.

157. Reichstaler 1694.

Vs. Stadtpyr in Verzierung über Stern und zwei Hufeisen = Münzmeister Philipp Heinrich Müller, 1677–1718, und Münzmeister-Familie Holeisen.
oben ✳MDC XCIV✳
AVGVSTA VIN DELICORVM
Rs. Gekrönter Doppeladler.
LEOPOLDVS D.G.
ROM.IMP.S.AVG.

Silber 43 mm 28,84 g Foto 969/17–18/L
Inv.-Nr. 7908. Beschnitten.
Lit. F. 403. Dav. 5049.

S. 6, T. 135 und 136.

158. Reichstaler 1744.

Vs. Stadtansicht über Jahreszahl und zwei Hufeisen = Münzmeister Familie Holeisen.
✳MDCC.XLIV.✳
AUGUSTA VINDELICORUM
Rs. Belorbeertes Brustbild rechts, CAROLUS VII.D G.ROM.IMP. S.A. Rosette unten I T = Stempelschneider Jonas Peter Thiebaud, bis 1769.

Silber 43 mm 29,22 g, leicht justiert, Foto 969/18A–20/L Inv.-Nr. 1344.
Lit. F. 543. Dav. 1924.
Auktion Rosenberg 12/32, 811.

159. Konventionstaler 1760.

Vs. Gekrönter Doppeladler.
AUGUSTA VINDELIC.
AD NORM.CONVENT.
unten zwei Hufeisen zwischen Jahreszahl.
Rs. Belorbeertes Brustbild rechts.
FRANCISCUS I.D.
G.ROM.IMP.SEMP.AUG.

Silber 41 mm 28,13 g Foto 969/13–14/L Inv.-Nr. X 21928.
Lit. F. 609. Dav. 1926.

160. Konventionstaler 1765.

Vs. Stadtpyr unter Mauerkrone, unten A und F. H. = Münzwardein Frings und Münzmeister Holeisen.
X.EINE FEINE MARCK
AUGUSTA
VNDELICOR.AD
NORM. CONVENT. 1765
Rs. Belorbeerter Kopf rechts, unten Vierblatt zwischen I. und T. = Stempelschneider Jonas Peter Thiebaud, bis 1769.
FRANCISCUS I.D.G.
ROM.IMP.SEM.AUG.

Silber 42 mm 27,64 g Foto 969/21–22/L Inv.-Nr. 7909.
Lit. F. 655. Dav. 1930.

S. 6, T. 135.

161. Reichsguldiner 1574.
Stadtpyr in verziertem Schild.
+AVGVSTA:VINDELICORVM+M:D:LXXIIII
Rs. Gekrönter Doppeladler mit 60 (60 Kreuzer)
MAXIMILIAN:II:IMP:AVG:P:F:DECRETO:
Silber 38 mm 24,60 g Foto 969/23–24/L Inv.-Nr. 1345.
Lit. F. 81 Auktion Rosenberg 10/11.

162. 2/3 Reichstaler 1627, (Gulden).
Vs. Stadtansicht unter Stadtpyr, unten Jahreszahl und drei Kornähren = Münzmeister Balthasar Schmidt, bis 1638.
MDCXXVII ✳ AVGVSTA.VIN DELICORVM. ✳
Rs. Gekrönter Adler mit 2/3 auf der Brust über Reichsapfel.
.IMP:CAES:FERD:II.P. .F.GER:HVN:BOH:REX.
Silber 36 mm 19,12 g Foto 952/16–17/L Inv.-Nr. 1346.
Lit. F. 203. Joseph, Hamburger 1/09.

163. 2/3 Reichstaler 1627, (Gulden).

Vs. Stadtpyr unter Jahreszahl
MDCXXVII Hufeisen=Johann Bartholomäus Holeisen, bis 1668. AVGVSTA.
VIN DELICORVM.
Rs. Gekrönter Adler mit 2/3 auf der Brust in den Fängen Schwert und Szepter und rechts Reichsapfel.
.IMP:CAES:FERD:II.P.
.F.GER:HVN:BOH:REX.
Silber 36 mm 19,33 g Foto 952/18–19/L Inv.-Nr. 1347.
Lit. F.204. Auktion Rosenberg 11/31, 1426.

164. 1/2 Reichstaler 1623.
Vs. Stadtpyr zwischen Flußgöttern über Jahreszahl
MDCXXIII
✳AVGVSTA.VIN DELICORVM
Rs. Brustbild Ferdinands II. über Adler.
.IMP:CAES:FERD:II.P. F. .GER.
HVN.BOH.REX.
Silber 36 mm 14,33 g Foto 952/20–21/L Inv.-Nr. 1348.
Lit. F.129. Rosenberg 5/02.

165. 1/2 Reichstaler 1627.
Vs. Stadtansicht unter Stadtpyr, unten MDCXXVII und drei Kornähren=Balthasar Schmidt, bis 1638.
✳ AVGVSTA.VIN DELICORVM
Rs. Gekrönter Reichsadler.
.IMP:CAES:FERD:II.P.F.GER:
HVN:BOH:REX.
Silber 34 mm 14,60 g Stempelsprung Foto 952/22–23/L Inv.Nr. 1349.
Lit. F.205.Rosenberg 1/97.

S. 6, T. 135.

166. 1/2 Reichstaler 1641.

Vs. Stadtansicht über Stadtpyr, Jahreszahl und drei Hufeisen = Münzmeister-Familie Holeisen.
AVGVSTA.VIN DELICORVM.
Rs. Belorbeertes Brustbild rechts.
.IMP:CAES:FERD:III.P.F.GER:HVN:BOH:REX.
Silber 36 mm 14,44 g Schrötlingsfehler Foto 952/24–25/L Inv.-Nr. 1350.
Lit. F. 287. Auktion Rosenberg 2/10.

167. 1/2 Reichstaler 1694.

Vs. Stadtpyr unter Engelskopf, unten Stern mit Sichel und zwei Hufeisen = Stempelschneider Müller und Münzmeister-Familie Holeisen.
oben +MDC XCIV+ AVGVSTA VIN DELICORVM
Rs. Gekrönter Doppeladler.
LEOPOLDVS D.G. ROM. IMP .S.AVG.
Silber 36 mm 14,23 g Foto 952/26–27/L Inv.-Nr. 1351.
Lit. F.406.Auktion Rosenberg 2/10.

168. 1/2 Reichstaler 1708.

Vs. Stadtpyr unter gekröntem Doppeladler, im Abschnitt zwei Hufeisen und Stern zwischen 17 und 08
AVGVSTA VIN DELICORVM.
Münzmeister-Familie Holeisen, 1668–1774, und Stempelschneider Philipp Heinrich Müller, 1677–1718.
Rs. Belorbeertes Brustbild rechts.
IOSEPHVS.D. G.ROM.IMP.S.AVG.
Stern unter dem Brustbild = Stempelschneider Philipp Heinrich Müller, 1677–1718.
Silber 34 mm 14,54 g Foto 952/28–29/L Inv.-Nr. 1352.
Lit. F. 455. Modes, Hess 2/26, 4167.

169. 1/2 Reichstaler 1713.

Vs. Stadtpyr unter gekröntem Doppeladler, im Abschnitt ✳ 17 zwei Hufeisen und Stern ✳ 13 ✳
Münzmeister-Familie Holeisen und Stempelschneider P. H. Müller.
AVGVSTA VIN DELICORVM.
Rs. Belorbeertes Brustbild rechts.
CAROL.VI.D.G.R. I.S.A.G.H.H.B.REX.
Silber 34 mm 14,53 g Foto 952/30–32/L Inv.-Nr. 1353.
Lit. F. 463. Auktion Hess 7/24, 626.

170. 1/2 Reichstaler 1745.

Vs. Stadtpyr zwischen zweizeiliger Schrift in Verzierungen unter Mauerkrone, unten zwei Hufeisen = Münzmeister-Familie Holeisen, 1668–1774. AUGUSTA VINDEL.
Rs. Gekrönter Doppeladler.
FRANCISCUSI.D.G.ROM.IMP.SEMP.AUGUSTUS.
Silber 35 mm 14,54 g Foto 952/34–35/L Inv.-Nr. 1354.
Lit. F. zu 558. Auktion Rosenberg 2/10.

S. 6, T. 135.

171. 1/2 Konventionstaler 1760.
Vs. Stadtpyr in Verzierungen, unten XX 1.FM und zwei Hufeisen = Münzmeister-Familie Holeisen, 1668–1774.
AVGVSTA.VINDEL.AD NORM.CONVENT.1760.
Rs. Belorbeerter Kopf rechts, darunter T. Stempelschneider Jonas Peter Thiebaud, † 1769.
✳ FRANCISCVS.I.D.G.R.I.S.A.
GER.IER.REX.L.B.M.H.D.
Silber 35 mm 14,01 g Foto 954/2–3/L Inv.-Nr. 1355.
Lit. F. 613. L. und L. Hamburger 11/95.

172. 1/2 Konventionstaler 1763
auf den Hubertusburger Frieden.
Vs. Stehende Augusta an Altar, im Abschnitt MDCC.LXIII unten T = Stempelschneider Thiebaud.
AVGVSTA VINDELICORVM ✳
Rs. Belorbeerter Kopf rechts, darunter T.
FRANCISCVS I.D.G.R.I.S. A.GER.IER.REX.L.B.M.H.D.
Silber 35 mm 13,94 g Laubrand, Probe? Foto 954/4–5/L Inv.-Nr. 1356.
Lit. zu F. 632. Auktion Rappaport 10/08.

173. 1/2 Reichsguldiner 1563, (1/2 Guldentaler).
Vs. Stadtpyr.
✳AVGVSTA.VINDELICORVM.M.D.LX.III
Rs. Gekrönter Doppeladler mit 30 auf der Brust.
FERDINAND I.IMP.AVG.P.F.DECRETO
Silber 34 mm 12,14 g Foto 954/6–7/L Inv.-Nr. 1357.
Lit. F. 61. L. und L. Hamburger 4/95.

174. 1/3 Reichstaler 1626, (halber Gulden).
Vs. Stadtansicht, darüber Stadtpyr, unten Jahreszahl und drei Kornähren = Münzmeister Balthasar Schmidt, bis 1638.
.AVGVSTA.VIN DELICORVM✳
Rs. Gekrönter Adler mit 1/3 auf der Brust, unten Reichsapfel.
.IMP:CAES:FERD:II.P. .F.GER:HVN:BOH:REX.
Silber 32 mm 9,64 g Foto 942/10–11/L Inv.-Nr. 1358.
Lit. F. 187. Cahn 10/95.

175. 1/3 Reichstaler 1628, (halber Gulden).
Vs. Stadtansicht, darüber Stadtpyr, unten Jahreszahl und drei Kornähren = Münzmeister Balthasar Schmidt, bis 1638.
.AVGVSTA.VIN DELICORVM.
Rs. Gekrönter Doppeladler, unten 1/3
.IMP:CAES:FERD:II.P .F.GER:HVN:BOH:REX.
Silber 31,5 mm 9,64 g Foto 942/12–13/L Inv.-Nr. 1359.
Lit. F. 218 var. Hess 6/28.

S. 6, T. 135.

176. 1/3 Reichstaler 1643, (halber Gulden).
Vs. Stadtansicht, darüber Stadtpyr, unten 1648 und drei Hufeisen = Münzmeister-Familie Holeisen, 1639–1668.
✳AVGVSTA.VIN DELICORVM✳
Rs. Gekrönter Doppeladler mit 1/3 auf der Brust, unten Reichsapfel.
.IMP:CAES:FERD:III.P F:GER:HVN:BOH:REX
Silber 32 mm 9,54 g Foto 942/14–15/L Inv.-Nr. 1360.
Lit. F. 300. Walla 5/06.

177. 1/4 Reichstaler 1623.
Vs. Stadtpyr in Verzierungen.
✳AVGVSTA.VINDEL
ICORVM. M.DCXXIII
Rs. Gekrönter Doppeladler mit 1/4 auf der Brust.
.FERDINANDVS.II.D:G:ROM:IMP:S.AVG:P.F.
Silber 28 mm 7,14 g Foto 942/17–18/L Inv.-Nr. 1361.
Lit. F. 130. Rappaport 3/02.

178. 1/4 Reichstaler 1623.
Vs. Stadtpyr in Verzierungen, unten drei Kornähren = Münzmeister Balthasar Schmidt, bis 1638.
✳AVGVSTA.VINDEL ICORVM. MCDXXIII.
Rs. Gekrönter Doppeladler mit 1/4 auf der Brust.
.FERDINANDVS.II.D.G:ROM:IMP:S:AVG:
P.F. (oder R.F. oder B.F.)
Silber 30 mm 7,24 g, Stempelfehler, Stempelsprung, Foto 942/20–21/L Inv.-Nr. 1362.
Lit. F. zu 133. Auktion Helbing 3/22, 1959.

179. 1/4 Reichtstaler 1694.
Vs. Stadtpyr in verziertem Schild, unten Stern und zwei Hufeisen = Stempelschneider Philipp Heinrich Müller, 1677–1718, und Münzmeister-Familie Holeisen, 1668–1697.
Oben Jahreszahl +MDCXCIV+
AVGVSTA VIN DELICORVM
Rs. Gekrönter Doppeladler mit 1/4 im Reichsapfel auf der Brust.
LEOPOLDVS.D.G.ROM.IMP.S.AVG.
Silber 31 mm 7,23 g Foto 942/23–24/L Inv.-Nr. 1363.
Lit. F. 409 var. Merzbacher 10/97.

180. 1/4 Reichstaler 1700.
Vs. Stadtpyr zwischen Flußgöttern. Im Abschnitt .1700.
Zwei Hufeisen = Münzmeister-Familie Holeisen, bis 1774.
✳ AVGVSTA VINDELICOR.
Rs. Belorbeertes Brustbild rechts.
LEOPOLDVS D.G.R.I.S.A.P.F.
Silber 26 mm 7,14 g justiert Foto 942/25–26/L Inv.-Nr. 1364.
Lit. F. 431 var. Auktion Cahn 6/32, 534.

S. 6, T. 136.

181. 1/4 Reichstaler 1708.
Vs. Stadtpyr zwischen Flußgöttern, im Abschnitt Jahreszahl +1708+ über zwei Hufeisen und Stern = Münzmeister-Familie Holeisen, bis 1774, und Stempelschneider Philipp Heinrich Müller, 1677–1718.
AVGVSTA VINDELICORVM
Rs. Belorbeertes Brustbild rechts, darunter Stern als Stempelschneider-Zeichen.
IOSEPH9.I. D.G.R.I.S.A.P.F.
Silber 27 mm 7,14 g Foto 942/27–28/L Inv.-Nr. 1365.
Lit. F. 456. Auktion Rosenberg 2/10.

182. 1/4 Reichstaler 1713.
Vs. Gekrönter Doppeladler mit Stadtpyr auf der Brust, unten 1/4 zwischen Hufeisen = Münzmeister-Familie Holeisen, bis 1774, oben Jahreszahl.
✳ AVGVSTA VIN DELICORVM ✳
Rs. Belorbeertes Brustbild rechts.
CAROL.VI.D.G.R.I.S.A.G.H.H.&B.REX.
Silber 27 mm 7,24 g Foto 942/29–30/L Inv.-Nr. 1366.
Lit. F. 464. Rosenberg 7/01.

183. 1/4 Reichstaler 1745.
Vs. Stadtansicht über Jahreszahl.
AUGUSTA VINDELICORUM
Rs. Belorbeertes Brustbild rechts, unten T = Stempelschneider Jonas Peter Thiebaud, bis 1769.
FRANCISCUS.I. D.G.ROM.IMP.S.A.
Silber 29 mm 7,31 g Laubrand Foto 942/32–33/L Inv.-Nr. 1367.
Lit. F. 559. Rosenberg 12/97.

184. 1/4 Reichstaler 1745.
Vs. Stadtpyr in Verzierungen, unten zwei Hufeisen = Münzmeister-Familie Holeisen, bis 1774.
AUGUSTAVIN DELICORUM✳
Jahreszahl MDCC XLV.
Rs. Belorbeertes Brustbild rechts, darunter T = Stempelschneider Jonas Peter Thiebaud, bis 1769.
FRANCISCUS.I. D.G.ROM.IMP.S.A.
Silber 29 mm 7,24 g Foto 942/34–35/L Inv.-Nr. 1368.
Lit. F. 560. L. und L. Hamburger 2/96.

185. Kipper 30 Kreuzer 1622.
Vs. Stadtpyr zwischen Jahreszahl.
Rs. Schrift in drei Zeilen.
XXX STADT MINTZ
Silber 34 mm 3,33 g Foto 942/36–37/L Inv.-Nr. 1369.
Lit. F. 118. Auktion Rosenberg 2/10.

186. 20 Konventionskreuzer 1761.
Vs. Stadtpyr zwischen Zweigen, auf Podest 20 (Kreuzer) über F.(A)H. = Münzwardein Frings und Münzmeister Holeisen.
.LX.ST.EINE FEINE MARCK. 1761.
Rs. Doppeladler unter Krone.
✳FRANCISCVS.D.G.RO.IMP.S.A.
GE.IER.REX.LO.B.M.H.DVX.
Silber 29 mm 6,64 g Foto 940/2–3/L Inv.-Nr. 1370.
Lit. F. 621. Rosenberg 12/10.

S. 6, T. 136.

187. 20 Konventionskreuzer 1763.
Vs. Stadtpyr über F und H
dazwischen A
Rs. Doppeladler unter Krone.
Silber 29 mm 6,44 g Foto 940/5–6/L Inv.-Nr. 1371.
Lit. F. 634 var.

188. 20 Konventionskreuzer 1764.
Vs. Stadtpyr über F. und H.
dazwischen A
LX.ST.EINE FEINE MARCK.1764.✳
Rs. Doppeladler unter Krone.
✳FRANCISCVS.D.G.RO.IMP.S.A.
GE.IER.REX.LO.B.M.H.DUX
Silber meist 29 mm ca. 6,64 g Foto 940/7–8/L Inv.-Nr. 1372.
Lit. F. 643. Fischer 9/99.

189. Vs. ✳LX.ST.EINE FEINE MARCK 1764.
Rs. FRANC.D.G.RO.IMP.S.A.
GE.IE.REX.LO.B.M.H.DUX. Rosette
Foto 940/10–11/L Inv.-Nr. 1373.
Lit. F. 644. Laufer 11/09.

190. 20 Konventionskreuzer 1765.
Vs. Stadtpyr über F. und H.
dazwischen A
LX.EINE FEINE MARCK ✳1765.
Rs. Doppeladler unter Krone.
FRANC.D.G.RO.IMP.S.A.
GE.IE.REX.LO.B.M.H.DUX Rosette
Silber 28 mm 6,64 g. Justiert. Foto 940/12–13/L Inv.-Nr. 1374.
Lit. F. 658. Hess 10/21.

191. 1/6 Reichstaler 1623.
Vs. Stadtpyr zwischen Zweigen, unten drei gekreuzte Kornähren = Münzmeister Balthasar Schmidt, bis 1638.
+AVGVSTA.VINDEL ICORVM.
MCDXXIII Stempelfehler
Rs. Doppeladler unter Krone auf der Brust 1/6
.FERDINANDVS.II.D:G:ROM:IM:S:AV:P.F.
Silber 25 mm 4,64 g. Stempelsprung. Foto 940/15–16/L Inv.-Nr. 1375.
Lit. F. 135. L. und L. Hamburger 7/98.

192. 1/6 Reichstaler 1623.
Vs. Stadtpyr zwischen Zweigen, unten drei Kornähren = Münzmeister Balthasar Schmidt, bis 1638.
.AVGVSTA.VINDEL ICORVM. M.D.C.XXIII
Rs. Doppeladler unter Krone mit 1/6 auf der Brust.
FERDINANDVS:II.D:G:ROM:IMP:S:AVG:P:F:
Silber 27 mm 4,64 g Foto 940/17–18/L Inv.-Nr. 1376.
Lit. F. 136.

193. 1/6 Reichstaler 1623.
Vs. Stadtpyr zwischen Zweigen. Hufeisen = Münzmeister-Familie Holeisen.
AVGVSTA VINDELICORVM.MDCXXIII
Rs. Doppeladler unter Krone mit 1/6
FERDINANDVS.II.D:G:ROM:IMP:S.AVG:P.F.
Silber 27 mm 5,12 g Foto 940/19–20/L Inv.-Nr. 1377.
Lit. F. 137. Seligman 7/98.

194. 1/6 Reichstaler 1624.
Vs. Stadtpyr zwischen Zweigen, unten drei Kornähren = Münzmeister Balthasar Schmidt, bis 1638.
Rosette AVGVSTA ✳ VINDEL
ICORVM ✳ M.D.C.XXIV
Rs. Doppeladler unter Krone mit 1/6
FERDINANDVS.II.D.G.ROM:IMP:S:AVG:P:F
Silber 26 mm 4,81 g Foto 940/22–23/L Inv.-Nr. 1378.
Lit. F. 154 var. Laufer 12/13.

S. 6, T. 136.

195. 1/6 Reichstaler 1625.
Vs. Stadtpyr zwischen Zweigen, unten drei Kornähren = Münzmeister Balthasar Schmidt, bis 1638.
Rosette AVGVSTA.VINDEL
ICORVM.M.D.C.XXV
Rs. Doppeladler unter Krone mit 1/6
FERDINANDVS.II.D.G.ROM:IMP:S.:AVG:P:F
Silber 26 mm 4,83 g justiert Foto 940/24–25/L Inv.-Nr. 1379.
Lit. F. 170. Rosenberg 12/97.

196. 1/6 Reichstaler 1626.
Vs. Stadtpyr in ovaler Umrandung, unten Hufeisen = Münzmeister-Familie Holeisen.
AVGVSTA.VIN DELICORVM 16 26
Rs. Gekrönter Reichsadler über 1/6
FERDINAND.II.D:G
.ROM.IMP.S.AVG.P.F.
Silber 24 mm 4,80 g Foto 940/26–27/L Inv.-Nr. 1380.
Lit. F. 192. Secker 2/11.

197. 1/6 Reichstaler 1627.
Vs. Stadtansicht, darüber Stadtpyr, unten Jahreszahl und drei Kornähren = Münzmeister Balthasar Schmidt, bis 1638. MDCXXVII
.AVGVSTA.VIN DELICORVM
Rs. Gekrönter Reichsadler mit 1/6 auf der Brust über Reichsapfel.
.IMP:CAES:FERD:II.P.
.F.GER:HVN:BOH.REX.
Silber 28 mm 4,74 g Foto 940/28–29/L Inv.-Nr. 1381.
Lit. F. 207. Auktion Helbing 3/22, 1968.

198. 1/6 Reichstaler 1628.
Vs. Stadtansicht, darüber Stadtpyr, unten Jahreszahl und drei Kornähren = Münzmeister Balthasar Schmidt, bis 1638. MDCXXVIII
.AVGVSTA.VIN DELICORVM.
Rs. Doppeladler unter Krone über 1/6
.IMP:CAES:FERD:II.P. .F.GER:HVN:BOH:REX.
Silber 27 mm 4,74 g Foto 940/30–31/L Inv.-Nr. 1382.
Lit. F. 219. Seitz 8/99.

199. 1/6 Reichstaler 1628.
Vs. Stadtpyr in Strahlen, unten Hufeisen = Münzmeister-Familie Holeisen.
AVGVSTA.VIND ELICORVM.1628.
Rs. Doppeladler unter Krone über 1/6
.IMP:CAES:FERD:II.P. .F.GER:HVN:BOH:REX.
Silber 26 mm 4,80 g Foto 940/32–33/L Inv.-Nr. 1383.
Lit. F. 220. Cahn 6/01.

200. Kipper 15 Kreuzer 1622.
Vs. Stadtpyr zwischen Jahreszahl von Verzierungen umgeben.
Rs. Wertangabe in drei Zeilen.
XV.K STADT MINTZ
Silber 25 mm 3,31 g Foto 940/34–35/L Inv.-Nr. 1384.
Lit. F. 120. Neust. 11/99.

S. 6, T. 136.

201. Zehn Kreuzer 1527, (Zehner).
Vs. Doppeladler über Wappenschild.
CI.AVGVSTA VINDELICOR
Rs. Hüftbild Karls V. rechts, über 1527
+IMP.CAES CAROL.AVG.V.
Silber 28 mm 5,60 g Foto 940/36–37/L Inv.-Nr. 1385.
Lit. F. 15 var.

202. Zehn Kreuzer 1528, (Zehner).
Vs. Doppeladler über Wappenschild.
CI.AVGVSTA VINDELICOR
Rs. Hüftbild Karls V. rechts, über .1528.
+IMP.CAES CAROL.AVG.V
Silber 29 mm 5,64 g Foto 943/1–2/L Inv.-Nr. 1386.
Lit. F. 16 var.

203. Zehn Kreuzer 1530, (Zehner).
Vs. Doppeladler über Wappenschild.
CI.AVGVSTA VINDELICOR
Rs. Hüftbild Karls V. rechts, über 1530
+IMP.CAES. CAROL.AVG.V.
Silber 29 mm 5,43 g Foto 943/3–4/L Inv.-Nr. 1387.
Lit. F. 17. L. u. L. Hamburger 2/98.

204. Zehn Kreuzer 1531, (Zehner).
Vs. Doppeladler über Wappenschild.
CI.AVGVSTA. VINDELICOR
Rs. Hüftbild Karls V. rechts, über 1531
+IMP.CAES. CAROL.AVG.V.
Silber 29 mm 5,62 g Foto 943/5–6/L Inv.-Nr. 1388.
Lit. F. 20.

205. Zehn Kreuzer 1560, (Zehner).
Vs. Stadtpyr.
.AVGVSTA.VINDELICORVM.M.D.LX
Rs. Doppeladler mit 10 im Reichsapfel.
FERDINANDI.IMP.AVG.P.F.DECRETO
Silber 28 mm 4,04 g. Stempelsprung. Foto 943/7–8/L Inv.-Nr. 1389.
Lit. F. 39. Thieme 1/05.

206. Zehn Kreuzer 1562, (Zehner).
Vs. Stadtpyr.
.AVGVSTA.VINDELICORVM.M.D.LXII
Rs. Doppeladler mit 10 im Reichsapfel.
FERDINANDI.IMP.AVG.P.F.DECRETO
Silber 29 mm 4,00 g Foto 943/9–10/L Inv.-Nr. 1390.
Lit. F. 55. L. und L. Hamburger 2/98.

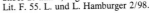

207. Zehn Kreuzer 1572, (Zehner).
Vs. Stadtpyr in Verzierungen.
Viereck als Trennzeichen (=).
.AVGVSTA.VINDELICORVM.M.D.LXXII
Rs. Doppeladler mit 10 im Reichsapfel.
MAXIMILIANI.IMP.AVG.P.F.DECRETO
Silber 27 mm 3,84 g Foto 943/11–12/L Inv.-Nr. 1391.
Lit. F. 76. Chaura 9/12.

208. Zehn Konventionskreuzer 1761, (Zwölfer).
Vs. Stadtpyr auf Postament mit 10 über A, F. H. = Münzwardein Frings und Münzmeister Holeisen.
CXX.ST.EINE FEINE MARCK ✳1761✳ (klein)
dahinter kleines T = Stempelschneider Jonas Peter Thiebaud, † 1769.
Rs. Gekrönter Doppeladler.
✳FRANCISCVS.D.G.R.I.S.A.
GE.IER.REX.LO.B.M.H.DVX
Silber 25 mm 3,90 g Foto 943/13–14/L Inv.-Nr. 1392.
Lit. F. 622 var. (ungenau). Hess 9/21.

S. 6, T. 136.

209. Zehn Konventionskreuzer 1763, (Zwölfer).
Vs. Stadtpyr auf Postament mit 10 über A und FH = Münzwardein Frings und Münzmeister Holeisen.
CXX.ST.EINE FEINE MARCK ✳1763✳
Rs. Gekrönter Doppeladler.
✳FRANCISCVS.D.G.R.I.S.A.
GE.IER.REX.LO.B.M.H.DVX Kerbrand.
Silber 26 mm 3,84 g Foto 943/15–16/L Inv.-Nr. 1393.
Lit. F. 635. Meuss 1/14.

210. Zehn Konventionskreuzer 1765, (Zwölfer).
Vs. Stadtpyr auf Postamt mit 10 über A und F.H = Münzwardein Frings und Münzmeister Holeisen.
CXX.ST.EINE FEINE MARCK ✳1765.
Jahreszahl aus 1764 korrigiert.
Rs. Gekrönter Doppeladler.
✳FRANC.D.G.R.I.S.A.GE.IE.REX.LO.B.M.H.DVX
Silber 25 mm 3,82 g, justiert, Foto 943/17–18/L Inv.-Nr. 1394.
Lit. F.- (zu 659).

211. Neuntel Reichstaler 1623.
Vs. Stadtpyr in Verzierung.
.AVGVSTA.VINDELICORVM.M.DCXXIII
Rs. Gekrönter Doppeladler mit 1/9.
FERDINANDVS.II.D.G.ROM:IMP:S.AVG.P.F.
Silber 23 mm 3,20 g. Schrötlingsriß. Foto 943/19–21/L Inv.-Nr. 1395.
Lit. F. 138. Z. u. K. 6/98.

212. Neuntel Reichstaler 1623.
Vs. Stadtpyr in Verzierung über drei Kornähren = Münzmeister Balthasar Schmidt, bis 1638.
✳AVGVSTA.VINDEL ICORVM.M.DCXXIII
Rs. Gekrönter Doppeladler mit 1/9.
.FERDINANDVS.II.D:G:ROM:IM:S:A:P:F.
Schlußpunkt in der Krone.
Silber 22 mm 3,22 g Foto 943/22–24/L Inv.-Nr. 1396.
Lit. F. 139. Secker 2/11.

213. Neuntel Reichstaler 1625.
Vs. Stadtpyr in Verzierung über drei Kornähren = Münzmeister Balthasar Schmidt, bis 1638.
Verzierung AVGVSTA.VINDEL ICORVM.MDCXXV
Rs. Gekrönter Doppeladler mit 1/9.
FERDINANDVS.II.D.G.ROM:IMP:S:A:PF
Silber 23 mm 3,22 g Foto 943/25–26/L Inv.-Nr. 1397.
Lit. F. zu 171. Auktion Rosenberg 2/10.

214. Neuntel Reichstaler 1626.
Vs. Stadtpyr in Verzierung über Hufeisen = Münzmeister-Familie Holeisen, bis 1668.
Oben Jahreszahl 16 26
AVGVSTA.VIN DELICORVM
Rs. Reichsadler unter Krone über 1/9.
FERDINAND.II.D:G.ROM.IMP.S.AVG.P.F.
Silber 22 mm 3,20 g Foto 957/3–4/L Inv.-Nr. 1398.
Lit. F. 194. Auktion Helbing 3/22, 1978.

215. Neuntel Reichtstaler 1627.
Vs. Stadtansicht über Jahreszahl und drei Kornähren = Münzmeister Balthasar Schmidt, bis 1638, oben Stadtpyr.
AVGVSTA. VIN DELICORVM.
Stempelfehler zwischen V und I
Rs. Reichsadler unter Krone mit 1/9.
.IMP:CAES:FERD:II.P F.GER:HVN:BOH:REX.
Silber 26 mm 3,10 g Foto 1110/22A–23A/L Inv.-Nr. 1399.
Lit. F. 209. Schwalbach 12/09.

S. 6, T. 136.

216. Neuntel Reichstaler 1628.
Vs. Stadtansicht über Jahreszahl und drei Kornähren = Münzmeister Balthasar Schmidt, bis 1638, oben Stadtpyr.
.AVGVSTA.VIN DELICORVM.
Rs. Gekrönter Doppeladler über 1/9.
.IMP:CAES:FERD:II.P
.F.GER.HVN.BOH.REX.
Silber 24 mm 3,10 g Foto 1110/24A-25A/L Inv.-Nr. 1400.
Lit. F. 221. Z. u. K. 3/98.

217. 1/16 Reichstaler 1715.
Vs. Stadtpyr zwischen Jahreszahl, unten zwei Hufeisen = Münzmeister-Familie Holeisen.
✳ XVI . EINEN REICHS THAL.
Rs. Gekrönter Doppeladler.
Silber 20 mm 1,81 g Foto 957/5–6/L Inv.-Nr. 1401.
Lit. F. 470. Auktion Rosenberg 2/10.

218. Sieben Kreuzer 1759.
Vs. Stadtpyr zwischen SW und Jahreszahl über VII ✳ K ✳ und zwei Hufeisen = Münzmeister-Familie Holeisen.
✳ AUGUSTA ✳ VINDEL ✳
Rs. Gekrönter Doppeladler, Schwanzfedern zwischen R und W unten ✳ 5 ✳ K ✳
FRANC.I.D.G. ROM.IMP.S.A
Silber 21 mm 2,23 g Foto 957/7–8/L Inv.-Nr. 1402.
Lit. F. 602. Hirsch 7/98.

219. Kipper sechs Kreuzer 1620.
Vs. Stadtpyr zwischen Zweigen.
✳ AVGVSTA.VINDELICORVM.M.DC.XX
Rs. Gekrönter Doppeladler mit VI
.FERDINANDVS.II.ROM.IMP.S.AV:
Silber 23 mm 1,90 g Foto 957/9–10/L Inv.-Nr. 1403.
Lit. F. 107. Erbstein 1/11.

220. Kipper sechs Kreuzer 1622.
Vs. Wappen in Verzierung zwischen Jahreszahl.
Rs. Wertangabe in drei Zeilen.
VI.K STADT MINTZ
Silber 22 mm 1,78 g Foto 957/11–12/L Inv.-Nr. 1404.
Lit. F. 122. Helbing 9/15.

221. Fünf Konventionskreuzer 1766, (Sechser).
Vs. Stadtpyr in Verzierung, oben Wertangabe.
.V ✳ K. unten F ✳ H
AUGUSTA VINDEL.
Rs. Wertangabe in drei Zeilen über Jahreszahl von Verzierung umgeben.
CCXL EINE FEINE MARCK
Silber 22 mm 2,20 g Foto 957/13-14/L Inv.-Nr. 1405.
Lit. F. 666.

S. 6, T. 136.

222. 3 1/2 Kreuzer 1758, (Groschen).
Vs. Stadtpyr zwischen SW und Jahreszahl, unten Wertangabe über zwei Hufeisen = Münzmeister-Familie Holeisen.
III 1/2.K. AUGUSTA VINDEL.
Rs. Gekrönter Doppeladler über .2 1/2.K.FRANC.I.D.G ROM.IMP.S.A
Silber 18 mm 1,14 g Foto 957/15–16/L Inv.-Nr. 1406.
Lit. F. 598.

223. 1/32 Taler 1715.
Vs. Stadtpyr zwischen Jahreszahl.
✳ XXXII.EINEN REICHS THAL.
unten zwei Hufeisen = Münzmeister-Familie Holeisen.
Rs. Gekrönter Doppeladler.
Silber 12 mm 0,94 g Foto 957/17–18/L Inv.-Nr. 1407.
Lit. F. 471. Auktion Rosenberg 2/10.

224. Batzen 1522.
Vs. Stadtpyr unter Jahreszahl.
+.AVGVSTA.VINDELICORVM. (. = Dreieck)
Rs. Gekrönter Doppeladler.
IMP.CAES.CAROLI.AVG.V.MVNVS
Silber 26 mm 3,93 g Foto 1110/26A–27A/L Inv.-Nr. 1408.
Lit. F. 11. Riechmann 2/12.

225. Vs. +AVGVSTA.VINDELICORVM.
Rs. IMP.CAES.CAROLVS.AVGVMVNV
Silber 25 mm 3,75 g. Doppelschlag. Foto 1110/28A–29A/L.
Inv.-Nr. 1409.
Lit. F.-. Secker 12/07.

226. Batzen 1523.
Vs. Stadtpyr unter Jahreszahl.
+AVGVSTA.VINDELICORVM
Rs. Gekrönter Doppeladler.
IMP.CAES.CAROLI.AVG.V.MVNVS
Silber 26 mm 3,74 g Foto 1110/30A–31A/L Inv.-Nr. 1410.
Lit. F. 12. Hess 10/22.

227. Batzen 1524.
Vs. Stadtpyr unter Jahreszahl.
+AVGVSTA.VINDELICORVM
Rs. Gekrönter Doppeladler.
IMP.CAES.CAROLI.AVG.V.MVNVS
Silber 26 mm 3,40 g Foto 1110/35–36/L Inv.-Nr. 1411.
Lit. F. 13. Leo Hamburger 1/25.

228. Batzen 1531.
Vs. Stadtpyr unter Jahreszahl.
+AVGVSTA.VINDELICORVM
Rs. Gekrönter Doppeladler.
IMP.CAES.CAROLI.AVG.V.MVNVS
Silber 26 mm 3,23 g. Schrötlingssprung. Foto 1114/31–32/L.
Inv.-Nr. 1412.
Lit. F. 21.

229. Batzen 1532.
Vs. Stadtpyr unter Jahreszahl.
AVGVSTA.VINDELICORVM
Rs. Gekrönter Doppeladler.
IMP.CAES.CAROLI.AVG.V.MVN
Silber 26 mm 3,34 g Foto 1114/29–30/L Inv.-Nr. 1413.
Lit. F. zu 23. Redder 9/12.

230. Batzen 1533.
Vs. Stadtpyr unter Jahreszahl.
✳AVGVSTA.VINDELICORVM
Rs. Gekrönter Doppeladler.
IMP.CAES.CAROLI.AVG.V.MVNV
Silber 26 mm 3,16 g Foto 1114/29–30/L Inv.-Nr. 1414.
F. 26. Hirsch 7/98.

231. IMP.CAES.CAROLI.AVG.V.MVNVS
Foto 1110/32A–33A/L Inv.-Nr. 1415.
Lit. F. zu 26.

S. 6, T. 136.

232. Batzen 1694.
Vs. Stadtpyr in Verzierung, links punktiertes Wappenfeld, oben 16✳94 unten zwei Hufeisen = Münzmeister Johann Christoph Holeisen.
AVGVSTAVIN DELICORVM
Rs. Gekrönter Doppeladler mit 4 im Reichsapfel.
LEOPOLDVS D.G.ROM.IMP.S.AVG.
Silber meist 21 mm 2,34 g Foto 957/19–20/L Inv.-Nr. 1416.
Lit. F. 412. Laufer 2/07.

233. LEOPOLDVS.D.G.ROM.IMP.S.AVG.
Foto 957/25–26/L Inv.-Nr. 1419.

234. Vs. AVGVSTAVIN DELICORVM.
Rs. LEOPOLDVS D.G.ROM.IMP.S.AVG.
Foto 957/21–22/L Inv.-Nr. 1417.
Lit. F. 412 var. Rosenberg 1/98.

235. Vs. Links gestreiftes Wappenfeld.
Rs. LEOPOLDVS.D.G.ROM.IMP.S.AVG
Foto 957/23–24/L Inv.-Nr. 1418.
Lit. F. 412 var.

236. Batzen 1695.
Vs. Stadtpyr in Verzierung.
AVGVSTA VIN DELICORVM
Rs. Gekrönter Doppeladler mit 4.
LEOPOLDVS D.G.ROM.IMP.S.AVG
Foto 957/27–28/L Inv.-Nr. 1420.
Lit. F. zu 416. Roseberg 10/11.

237. Zwei Kreuzer ohne Jahr, (Halbbatzen).
Vs. Stadtpyr in Schild.
+AVGVSTA.VINDELICORVM
Rs. Gekrönter Doppeladler.
CAES.CAROLVS.AVG.V
Silber 22 mm 1,83 g Foto 957/29–30/L Inv.-Nr. 1421.
Lit. F. 9 var. Gruss 1/99.

238. Zwei Kreuzer 1561, (Halbbatzen).
Vs. Stadtpyr.
AVGVSTA VINDELICORVM.I56I
Rs. Gekrönter Doppeladler mit Z
.FERDI.IMP.AGV.P.F.DECRE. Stempelfehler.
Silber 20 mm 1,40 g Foto 909/29–30/L Inv.-Nr. 1422.
Lit. F. 46. Fischer 5/03.

239. Zwei Kreuzer 1562, (Halbbatzen).
Vs. Stadtpyr.
✳AVGVSTA.VINDELICORVM.I56Z
Rs. Gekrönter Doppeladler mit Z
FERDI.IMP.AGV.P.F.DECRE. Stempelfehler.
Silber 20,5 mm 1,44 g. Foto 1004/23–24/L und 909/31–32/L Inv.-Nr. 1423.
Lit. F. 56. Fischer 5/03.

240. Zwei Kreuzer 1562, (Halbbatzen).
Vs. Stadtpyr.
✳AVGVSTA.VINDELICORVM.156Z
Rs. Gekrönter Doppeladler mit Z
FERDI.IMP.AVG.PF.DECRE
Stempelfehler: AVG und V im G
Silber 20 mm 1,44 g Foto 909/33–34/L Inv.-Nr. 1424.
Lit. F.- (zu 56). Fischer 5/03.

241. Zwei Kreuzer 1563, (Halbbatzen).
Vs. Stadtpyr.
.AVGVSTA.VINDELICORVM.1563
Rs. Gekrönter Doppeladler mit Z
.FERDI.IMP(.)AGV.PF.DECRE.
Silber 20 mm 1,30 g Foto 909/35–36/L Inv.-Nr. 1425.
Lit. F. zu 62. Walla 5/09.

S. 6, T. 136.

242. Zwei Kreuzer 1564, (Halbbatzen).
Vs. Stadtpyr.
.AVGVSTA.VINDELICORVM.I564
Rs. Gekrönter Doppeladler mit Z
FERDI.IMP.AVG.P.F.DECRE
Silber meist 20 mm ca. 1,34 g Foto 1004/25–26/L Inv.-Nr. 1426.
Lit. F. 67 var. Gruss 12/06.

243. FERDI.IMP.AVG.P.F.DECRETO
Foto 1004/27–28/L Inv.-Nr. 1427.
Lit. F. 67. Laufer 6/04.

244. Zwei Kreuzer 1572, (Halbbatzen).
Vs. Stadtpyr.
+AVGVSTA:VINDELICORVM
Rs. Gekrönter Doppeladler mit Z
MAXIMIL.II.IMP.AVG.P.F.DECR:
Silber 20 mm 1,54 g Foto 1004/29–30/L Inv.-Nr. 1428.
Lit. F.-. Neumann 3/03.

245. Zwei Kreuzer 1620, (Halbbatzen).
Vs. Stadtpyr zwischen Jahreszahl.
+.AVGVSTA.VINDELICORVM.
Rs. Gekrönter Doppeladler mit II
..FERDINAND:II.ROM.IMP.S.A.
Silber 17 mm 1,22 g Foto 1004/31–32/L Inv.-Nr. 1429.
Lit. F. 109. Secker 12/07.

246. Zwei Kreuzer 1623, (Halbbatzen).
Vs. Stadtpyr zwischen Jahreszahl, unten drei Kornähren = Münzmeister Balthasar Schmidt, bis 1638.
✳AVGVSTA.VIN DELICORVM
Rs. Gekrönter Doppeladler mit 2 im Reichsapfel.
FERDINAN:II:ROM:IMP:S:AVG:
Silber meist 19 mm ca. 0,93 g Foto 1004/33–34/L Inv.-Nr. 1430.
Lit. F. 141 var.

247. FERDINANDVS:II.ROM:IMP:S:AV
Zwei Exemplare
Foto 1004/35–36/L Inv.-Nr. 1431.
Foto 1005/2A–3A/L Inv.-Nr. 1433*.

248. Vs. AVGVSTA.VIN DELICORVM:
Rs. FERDINAN:II:ROM:IMP:S:AVG:
Foto 1005/1–1A/L Inv.-Nr. 1432.
Lit. F. 141. Hirsch 7/98.

249. Vs. Münzzeichen Hufeisen = Münzmeister-Familie Holeisen.
.AVGVSTA VINDELICORVM.
Rs. FERDINANDVS.II.ROM.IMP.SE.AVG.
Foto 1005/4A–5A/L Inv.-Nr. 1434.
Lit. F. 142. Gruß 12/06.

S. 6, T. 136.

250. Zwei Kreuzer 1624, (Halbbatzen).
Vs. Stadtpyr zwischen Jahreszahl, unten drei Kornähren = Münzmeister Balthasar Schmidt, bis 1638.
✳AVGVSTA.VIN DELICORVM
Rs. Gekrönter Doppeladler mit 2 im Reichsapfel.
FERDINANDVS II.ROM:IMP:S:A
Silber meist 19 mm ca. 1,14 g. Stempelfehler: unter E.
Foto 1005/6A–7A/L Inv.-Nr. 1435.
Lit. F. 157 var.

251. FERDINANDVS.II.ROM:IMP:S:A
Foto 1005/8A–9A/L Inv.-Nr. 1436.
Lit. F. 157 var.

252. FERDINANDVS.II.ROM:IMP:S:AV:
Foto 1005/10A–11A/L Inv.-Nr. 1437.
Lit. F. 157 var.

253. FERDINANDVS:II.ROM:IMP:S:AVG
Foto 1005/12A–13A/L Inv.-Nr. 1438.
Lit. F. 157. Weinmeister 12/07.

254. Vs. Münzzeichen Hufeisen = Münzmeister-Familie Holeisen, bis 1668.
AVGVSTA.VINDELICORVM
Rs. .FERDINANDVS.II.ROM.IMP.S.AVG.
Foto 908/27–28/L Inv.-Nr. 1439.
Lit. F. 158. Weinmeister 12/07.

255. FERDINANDVS.II ROM.IMP.S.AVG
Foto 908/29–30/L Inv.-Nr. 1440.
Lit. F. 158 var.

256. FERDINANDVS.II.ROM.IMP.S.AV:
Foto 908/31–32/L Inv.-Nr. 1441.
Lit. F. 158 var. Fejér 7/09.

257. Zwei Kreuzer 1625, (Halbbatzen).
Vs. Stadtpyr in Verzierung zwischen Jahreszahl, unten drei Kornähren = Münzmeister Balthasar Schmidt, bis 1638.
✳AVGVSTA.VIN DELICORVM
Rs. Gekrönter Doppeladler mit 2 im Reichsapfel.
FERDINANDVS.II.ROM:IMP:S:AVG
Silber meist 20 mm ca. 1,04 g Foto 908/33–34/L Inv.-Nr. 1442.
Lit. F. 172. Weinmeister 12/07.

258. FERDINANDVS.II.ROM:IMP:S:AV
Foto 908/35–36/L Inv.-Nr. 1443.
Lit. F. zu 172.

259. Vs. Stadtpyr zwischen Jahreszahl, oben Hufeisen = Münzmeister-Familie Holeisen, bis 1668.
AVGVSTAVINDELICORVM
Rs. Gekrönter Doppeladler mit 2
.FERDINAND.II.ROM.IMP.S.AVG
Stempelfehler zwischen G und Krone.
Foto 907/2 + 908/37/L Inv.-Nr. 1444.
Lit. F. 173 var.

260. .FERDINANDVS.II.ROM.IMP.S.AVG.
Foto 907/3–4/L Inv.-Nr. 1445.
Lit. F. 173. Neumann 3/03.

261. .FERDINAND.II.D:G.ROM.IMP.S.AVG
Stempelfehler bei 6 der Jahreszahl.
Foto 907/5–6/L Inv.-Nr. 1446.
Lit. F. zu 173. Karge 7/09.

262. Kopfschein des Doppeladlers trifft F von FERDINAND
Foto 908/7–8/L Inv.-Nr. 1447.
Lit. F. zu 173.

S. 6, T. 136.

263. Zwei Kreuzer 1635, (Halbbatzen).
Vs. Stadtpyr zwischen Jahreszahl, oben Hufeisen = Münzmeister-Familie Holeisen, bis 1668.
AVGVSTA.VINDELICORVM
Rs. Gekrönter Doppeladler mit 2
FERDINAND:II.D:G.ROM.IMP.S.AVG
Silber meist 18 mm ca. 1,03 g, zwei Exemplare. Foto 907/9–10/L Inv.-Nr. 1448*. Foto 907/11–12/L Inv.-Nr. 7910.
Lit. F. 255. Fejér 7/09.

264. Zwei Kreuzer 1636, (Halbbatzen).
Vs. Stadtpyr auf einfachem Kapitell zwischen Jahreszahl, oben Hufeisen = Münzmeister-Familie Holeisen, bis 1668.
AVGVSTA.VINDELICORVM
Rs. Gekrönter Doppeladler mit 2
.FERDINAND.II.D:G:ROM.IMP.S.AVG
Silber meist 18 mm 1,24 g Foto 907/13–14/L Inv.-Nr. 1449.
Lit. F. 262 var. Neust. 11/01.

265. Kapitell mit Blume. Stempelfehler zwischen 36.
Foto 907/15–16/L Inv.-Nr. 1450.
Lit. F. zu 262.

266. FERDINAND:II.D.G.ROM.IMP.S.AVG
Foto 907/17–18/L Inv.-Nr. 1451.
Lit. F. 262 var.

267. Vs. Erste 6 der Jahreszahl berührt Stadtpyr.
Rs. FERDINAND:II.D:G.ROM.IMP.S.AVG
Foto 907/19–20/L Inv.-Nr. 1452.
Lit. F. 262 var.

268. Jahreszahl mit kleiner 3.
Foto 1005/14A–15A/L Inv.-Nr. 7911.

269. Zwei Kreuzer 1637, (Halbbatzen).
Vs. Stadtpyr auf Kapitell zwischen Jahreszahl, oben Hufeisen = Münzmeister-Familie Holeisen, bis 1668.
AVGVSTA.VINDELICORVM
Rs. Gekrönter Doppeladler mit 2
FERDINAND.II.D:G.ROM.IMP.S.AV G
Silber meist 18 mm ca. 1,30 g Foto 907/23–24/L Inv.-Nr. 1453.
Lit. F. 267 var.

270. Spitze des Stadtpyr und 7 der Jahreszahl durchbrechen den Kreis.
Foto 907/25–26/L Inv.-Nr. 1454.
Lit. F. 267 var.

271. FERDINAND.III.D:G.ROM.IMP.S.AVG
Foto 1005/16A–17A/L Inv.-Nr. 1455. (Stempelfehler: III)
Lit. F. 268. Secker 12/07.

272. Kapitell durchbricht Kreis.
Foto 1005/18A–19A/L Inv.-Nr. 1456.
Lit. F. 268.

273. Zwei Kreuzer 1660, (Halbbatzen).
Vs. Stadtpyr zwischen Jahreszahl, unten drei Hufeisen = Münzmeister-Familie Holeisen, bis 1668.
.+AVGVSTA.VINDELICORVM.
Rs. Gekrönter Doppeladler mit 2
LEOPOLDVS:D.G.ROM.IMP:S.AVG.
Silber meist 20 mm ca. 1,04 g Foto 907/31–32/L Inv.-Nr. 1457.
Lit. F. 336 var. Z. & K. 6/98.

S. 6, T. 136.

274. ✳AVGVSTA.VINDELICORVM
Foto 1005/20A–21A/L Inv.-Nr. 1458.
Lit. F.- (zu 336). Krakau 6/98.

275. Zwei Kreuzer 1661, (Halbbatzen).
Vs. Kleiner Stadtpyr, unten drei Hufeisen = Münzmeister-Familie Holeisen, bis 1668.
+AVGVSTA.VIN DELICORVM.
Rs. Gekrönter Doppeladler mit 2
LEOPOLDVS.D.G.ROM.IMP.S.AVG.
Silber meist 20 mm ca. 1,21 g Foto 907/35–36/L Inv.-Nr. 1459.
Lit. F. 338. Hirsch 7/98.

276. Vs. Großer Stadtpyr.
Rs. .LEOPOLDVS.D.G.ROM.IMP.S.AVG
Foto 907/37–38/L Inv.-Nr. 1460.
Lit. F. zu 338 var.

277. Zwei Kreuzer 1665, (Halbbatzen).
Vs. Stadtpyr zwischen Jahreszahl, unten drei Hufeisen = Münzmeister-Familie Holeisen, bis 1668.
+AVGVSTA.VIN DELICORVM
Rs. Gekrönter Doppeladler mit 2 im Reichsapfel.
.LEOPOLDVS.D.G.ROM.IMP.S.AV.
Silber meist 18 mm ca. 1,01 g Foto 910/2–3/L Inv.-Nr. 1461.
Lit. 343 var.

278. Vs. Fünf der Jahreszahl Z (spiegelbildlich).
Rs. .LEOPOLDVS.D.G.ROM.IMP.S.AVG
Foto 910/4–5/L Inv.-Nr. 1462. Lit. F. 343.

279. Zwei Kreuzer 1680, (Halbbatzen).
Vs. Stadtpyr zwischen Jahreszahl, unten drei Hufeisen = Münzmeister-Familie Holeisen.
✳AVGVSTAVIN DELICORVM
Rs. Gekrönter Doppeladler mit 2
.LEOPOLD9.D:G:ROM:IMP:SAVG:
Silber meist 18 mm ca. 1,20 g Foto 910/6–7/L Inv.-Nr. 1463.
Lit. F. 366. Hess.

280. Vs. Großer Stadtpyr.
.AVGVSTA.VIN DELICORVM
Rs. .LEOPOLD9.D.G.ROM.IMP.S.AVG.
Foto 910/8–9/L Inv.-Nr. 1464.
Lit. F.- (zu 366 var.)

281. Zwei Kreuzer 1681, (Halbbatzen).
Vs. Stadtpyr zwischen Jahreszahl, unten drei Hufeisen = Münzmeister-Familie Holeisen.
.AVGVSTA.VIN DELICORVM Ranke
Rs. Gekrönter Doppeladler mit 2
LEOPOLDVS.D.G.ROM.IMP.S.AVG.
Silber 18 mm 1,10 g Foto 910/10–11/L Inv.-Nr. 1465.
Lit. F. 369. Hirsch 7/98.

282. Zwei Kreuzer 1694, (Halbbatzen).
Vs. Stadtpyr zwischen Jahreszahl, unten zwei Hufeisen = Münzmeister-Familie Holeisen, bis 1697.
✳AVGVSTA VIN DELICORVM
Rs. Gekrönter Doppeladler mit 2
LEOPOLDVS D.G.ROM.IMP.S.AVG.
Silber meist 18 mm ca. 1,20 g Foto 910/12–13/L Inv.-Nr. 1466.
Lit. F. zu 413. Schulman 7/98.

S. 6, T. 136.

283. Vs. ✳AVGVSTA VIN DELICORVM. Dreieck.
Rs. LEOPOLDVS.D.G.ROM.IMP.S.AVG.
Foto 910/14–15/L Inv.-Nr. 1467.
Lit. F.- (zu 413). Birken 12/12.

284. Kreuzer 1560.
Vs. Stadtpyr zwischen Jahreszahl.
(.)AVGVSTA(.)VIИDELICORVM
Rs. Gekrönter Doppeladler mit I
FERDI.IMP.AVG.P.F.DECR.
Silber 17 mm 0,64 g Jahreszahl und Umschrift undeutlich. Foto 910/16–17/L Inv.-Nr. 1468.
Lit. F. zu 41.

285. Kreuzer 1561.
Vs. Stadtpyr zwischen Jahreszahl.
+AVGVSTA.VINDELICORVM
Rs. Gekrönter Doppeladler mit I
FERDI.IMP.AVG.P.F.DECR.
Silber meist 17 mm ca. 0,81 g Foto 910/18–19/L Inv.-Nr. 1469.
Lit. F. 47.Gruss 3/03.

286. Vs. Jahreszahl: 1Z 61
Rs. FERDI.IMP.AVG.P.F.DECR
Schrötlingsriß. Foto 910/20–21/L Inv.-Nr. 1470.
Lit. F.-(zu 47).

287. Jahreszahl: 1P 61 in unterschiedlicher Höhe.
Foto 910/22–23/L Inv.-Nr. 1471. Fehlerhafte Jahreszahl.
Lit. F.-(zu 47).

288. Kreuzer 1624.
Vs. Stadtpyr zwischen Jahreszahl.
✳ AVGVSTA ✳ VIN DELICORVM
unten drei Kornähren (durch Loch unkenntlich) = Münzmeister Balthasar Schmidt, bis 1638.
Rs. Gekrönter Doppeladler mit I
FERDINANDVS.I(..)ROM:IMP:S:A
Silber 15 mm 0,90 g gelocht. Foto 910/24–25/L Inv.-Nr. 1472.
Lit. F. 159 var. Gruss 3/03.

289. Kreuzer 1640.
Vs. Stadtpyr zwischen Jahreszahl,
unten drei Hufeisen = Münzmeister-Familie
Holeisen, bis 1668.
.AVGVSTA.VIN DELICORVM
Rs. Gekrönter Doppeladler mit I
FERDINAND:III.ROM.IMP.S.AVG
Silber 15 mm 0,61 g Foto 910/27–28/L Inv.-Nr. 1473.
Lit. F.zu 282. Laufer 12/04.

290. Kreuzer 1641.
Vs. Stadtpyr zwischen Jahreszahl, unten drei Hufeisen = Münzmeister-Familie Holeisen, bis 1668.
.AVGVSTA.VIN DELICORVM
Gekrönter Doppeladler mit I
FERDINAND: III. ROM.IMP.S.AVG
Silber 16 mm 0,64 g Foto 910/30–31/L Inv.-Nr. 1474.
Lit. F. 288. Karge 7/09.

291. Kreuzer 1642.
Vs. Stadtpyr zwischen Jahreszahl, unten zwei Hufeisen = Münzmeister-Familie Holeisen, bis 1668.
✳AVGVSTA. VIN DELICORVM.
Rs. Gekrönter Doppeladler mit I
FERDINAND:III.ROM.IMP.S.AVG
Silber meist 15 mm ca. 0,68 g Foto 910/32–33/L Inv.-Nr. 1475.
Lit. F. 293. Leo Hamburger 4/06.

292. Vs. ✳AVGVSTA VIN DELICORVM
Foto 910/34–35/L Inv.-Nr. 1476.
Lit. F. 294. Rosenberg 6/07.

S. 6, T. 136.

293. Kreuzer 1643.
Vs. Stadtpyr zwischen Jahreszahl, unten drei Hufeisen = Münzmeister Johann Bartholomäus Holeisen, bis 1668.
✳AVGVSTA.VIN DELICORVM
Rs. Gekrönter Doppeladler mit I
FERDINAND:III.ROM.IMP.S.AVG
Silber 16 mm 0,61 g Foto 910/36–37/L Inv.-Nr. 1477.
Lit. F. 301.

294. Vier der Jahreszahl nicht lotrecht, Stempelfehler über der drei.
Foto 1005/22A–23A/L Inv.-Nr. 1478.
Lit. F.- (zu 301).

295. Stadtpyr berührt nicht die Kreislinie.
Foto 903/3–4/L Inv.-Nr. 1479.
Lit. F.- (zu 301).

296. Kreuzer 1644.
Vs. Stadtpyr zwischen Jahreszahl, unten drei Hufeisen = Münzmeister-Familie Holeisen, bis 1668.
✳AVGVSTA.VIN DELICORVM
Rs. Gekrönter Doppeladler mit I
FERDINAND:III.ROM.IMP.S.AVG
Silber 15 mm 0,63 g Foto 903/5–6/L Inv.-Nr. 1480.
Lit. F. 303. Keßler 12/16.

297. Kreuzer 1645.
Vs. Stadtpyr zwischen Jahreszahl, unten drei Hufeisen = Münzmeister Johann Bartholomäus Holeisen, bis 1668.
✳AVGVSTA.VIN DELICORVM
Rs. Gekrönter Doppeladler mit I
FERDINAND:III.ROM.IMP.S.AVG
Silber meist 15 mm ca. 0,64 g Foto 903/7–8/L Inv.-Nr. 1481.
Lit. F. 307.

298. Vs. .AVGVSTA.VIN DELICORVM
Rs. FERDINAND:III.ROM.IMP.S.AVG.
Foto 903/9–10/L Inv.-Nr. 1482.
Lit. F.- (zu 307).

299. Kreuzer 1695.
Vs. Stadtpyr zwischen Jahreszahl, unten zwei Hufeisen = Münzmeister-Familie Holeisen, bis 1697.
✳AVGVSTA VIN DELICORVM
Rs. Gekrönter Doppeladler mit 1
LEOPOLDVS D.G.ROM.IMP.S.AVG
Silber meist 15 mm ca. 0,64 g Foto 903/11–12/L Inv.-Nr. 1483.
Lit. F. 418 var. Leo Hamburger 4/06.

300. Vs. ✳AVGVSTA VIN DELICORVM.
Rs. LEOPOLDVS D.G(.)ROM.IMP.S.AVG.
Foto 903/13–14/L Inv.-Nr. 1484, gelocht.
Lit. F.- (zu 418). Cholodk. 5/09.

301. LEOPOLDVS.D.G.ROM.IMP.S.AVG.
Foto 903/15–16/L Inv.-Nr. 1485.
Lit. F.- (zu 418). Thieme 1/05.

302. Schmale Krone.
Foto 903/17–18/L Inv.-Nr. 1486.
Lit. 418 var.

303. Vs. Belorbeertes Brustbild rechts.
LEOPOLD9D.G.R.I.S.A.GE.HV.BO.REX.
Rs. Gekrönter Doppeladler mit 1, unten zwei Hufeisen = Münzmeister-Familie Holeisen, bis 1697.
Foto 1005/24A–25A/L Inv.-Nr. 1487.
Lit. F.-. Fejér 12/06.

S. 6, T. 136.

304. Kreuzer 1696.
Vs. Stadtpyr zwischen Jahreszahl.
✳AVGVTSAVIN DELICORVM. (TS!)
unten zwei Hufeisen = Münzmeister Johann Christoph Holeisen, bis 1697.
Rs. Gekrönter Doppeladler mit 1
LEOPOLDVS.D.G.ROM.IMP.S.AVG
Silber 15 mm 0,73 g Foto 903/21–22/L Inv.-Nr. 1488.
Lit. F. 420. Jenke 9/14.

305. Vs. Ohne Stempelfehler.
LEOPOLDVS.D.G.ROM.IMP.S.AVG.
Foto 903/23–24/L Inv.-Nr. 1489.
Lit. F.- (zu 420).

306. Kreuzer 1697.
Vs. Stadtpyr zwischen Jahreszahl.
✳AVGVSTA VIN DELICORVM
unten zwei Hufeisen = Münzmeister Johann Christoph Holeisen, bis 1697.
Rs. Gekrönter Doppeladler mit 1
LEOPOLDVS DG.ROM.IMP.S.AVG.
Silber 15 mm 0,65 g Foto 903/25–26/L Inv.-Nr. 1490.
Lit. F. 424.

307. Kreuzer 1702.
Vs. Stadtpyr zwischen Jahreszahl.
✳AVGVSTA VIN DELICORVM
unten zwei Hufeisen = Münzmeister-Familie Holeisen.
Rs. Gekrönter Doppeladler mit 1
LEOPOLD9D.G.ROM.IMP.S.A.
Silber 15 mm 0,58 g Foto 903/27–28/L Inv.-Nr. 1491.
Lit. F. 438. Secker 12/07.

308. Kreuzer 1703.
Vs. Stadtpyr zwischen Jahreszahl.
✳AVGVSTA VIN DELICORVM
unten zwei Hufeisen = Münzmeister-Familie Holeisen.
Rs. Gekrönter Doppeladler mit 1
LEOPOLD9D.G.ROM.IMP.S.A.
Silber 14 mm 0,66 g Foto 903/29–30/L Inv.-Nr. 1492.
Lit. F. 440. Weinmeister 4/08.

309. Kreuzer 1706.
Vs. Stadtpyr zwischen Jahreszahl.
✳AVGVSTA VIN DELICORVM
unten zwei Hufeisen = Münzmeister Johann Christoph Holeisen.
Rs. Gekrönter Doppeladler mit 1
IOSEPH9.D.G.ROM.IMP.S.A.
Silber 15 mm 0,59 g Foto 1005/26A–27A/L Inv.-Nr. 1493.
Lit. F. 448.

310. Kreuzer 1726.
Vs. Stadtpyr zwischen Jahreszahl.
✳ AVGVSTA VIN DELICORVM .
unten Münzzeichen zwei Hufeisen.
Rs. Gekrönter Doppeladler mit 1, ohne Kreis.
CAROLVS VI.D.G.ROM.IMP.S.AVG.
Silber meist 15 mm ca. 0,81 g Foto 903/33–34/L Inv.-Nr. 1494.
Lit. F.487. Roth 1/13.

311. Vs. ✳AVGVSTA VIN DELICORVM
Rs. CAROLVS.VID.G.ROM.IMP.S.AVG.
Foto 903/35–36/L Inv.-Nr.1495.
Lit. F.487 var.

312. CAROLVS.D.G.ROM.IMP.S.AVG.
Stempelfehler: vom linken Adlerflügel zu S.
Foto 903/37+904/2/L. Inv.-Nr. 1496.
Lit. F.488 var. Gebert 5/09.

S. 6, T. 136, 137.

313. Kreuzer 1766.
Vs. Stadtpyr in Verzierung.
Rs. Wertangabe über Jahreszahl und F.H = Münzwardein Frings und Münzmeister Johann Christian Holeisen.
1 KR 1766 F.H
Silber 15 mm 0,76 g Foto 904/3–4/L Inv.-Nr. 1497.
Lit. F. 667. Gebert 5/09.

314. Einseitiger 1/2 Kreuzer 1624.
Stadtpyr zwischen Wertangabe in Dreipass oben 2 und 4, unten Hufeisen = Münzmeister Johann Bartholomäus Holeisen, bis 1668.
Silber meist 15 mm ca. 0,33 g Foto 904/5–6/L Inv.-Nr. 1498.
Lit. F. 160.

315. Einseitiger 1/2 Kreuzer 1626.
Foto 904/7–8/L Inv.-Nr. 1499.
Lit. F. 195, Fejér 7/09.

316. Einseitiger 1/2 Kreuzer 1651.
Vs. Stadtpyr zwischen Jahreszahl in Verzierung oben zwei Sterne, unten drei Hufeisen = Münzmeisterzeichen.
Silber 15 mm 0,43 g Foto 904/9–10/L Inv.-Nr. 1500.
Lit. F. 320. Hess 11/29.

317. Einseitiger 1/2 Kreuzer 1697.
Vs. Stadtpyr zwischen Jahreszahl und Zweigen, unten zwei Hufeisen = Münzmeister-Familie Holeisen, bis 1697.
Silber 13 mm 0,42 g Foto 904/11–12/L Inv.-Nr. 1501.
Lit. F. 425.

318. Pfennig 1548.
Vs. Stadtpyr zwischen Endziffern der Jahreszahl im Viereck.
Rs. A zwischen Dreieck im Kreis.
Silber 14 × 15 mm 0,26 g Foto 904/13–14/L Inv.-Nr. 1502. Vierschlag.
Lit. F.-. Rappaport 9/08.

319. Pfennig 1555.
Silber 17 × 17 mm 0,40 g Vierschlag Foto 904/15–16/L Inv.-Nr. 1503.
Lit. F. 30.

320. Pfennig 156(1?).
Silber 13 × 13 mm 0,35g Vierschlag Foto 904/17–18/L Inv.-Nr. 1504.
Lit. F. 30.

321. Pfennig 1579.
Vs. A zwischen Punkten.
Rs. Jahreszahl.
Silber meist 13 × 13 mm ca. 0,26 g Vierschlag. Foto 904/19–20/L Inv.-Nr. 1505.
Lit. F. 85.

322. Vs. Kleineres A zwischen Punkten.
Rs. Stempelfehler zwischen 9 und Kreis.
Foto 904/21–22/L Inv.-Nr. 1506.
Lit. F. 85.

323. Über und unter Jahreszahl Punkt.
Foto 904/23–24/L Inv.-Nr. 1507.
Lit. F. 85.

S. 6, T. 136.

324. Pfennig 1623.
16.23
Schrötlingsriß. Foto 904/25–26/L Inv.-Nr. 1508.
Lit. F.-(zu 145). Buchenau 10/18.

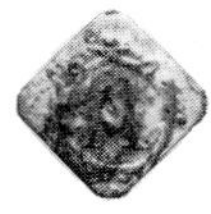

325. Pfennig 1624.
Vs. Stadtpyr über Jahreszahl unten drei Kornähren =Münzmeister Balthasar Schmidt, bis 1638.
Rs. A in Verzierung.
Silber 12 × 12 mm 0,24 g Foto 904/27–28/L Inv.-Nr. 1509.
Lit. F. 161. Buchenau 10/18.

326. Kupfer-Kipper-Kreuzer 1622.
Vs. Stadtpyr zwischen Jahreszahl von Kranz umgeben.
Rs. Wertangabe in drei Zeilen von Kranz umgeben.
.I. KREI= ZER
Kupfer meit 15 mm ca. 1,13 g Stempelsprung Foto 904/29–30/L Inv.-Nr. 1510.
Lit. F. 123. N. 6663. Schwalbach 12/09.

327. .I. KR.EI= ZER Z höher als ER
Zwei Exemplare Foto 904/31–32/L Inv.-Nr. 1511*.
Lit. F. 123. N. 6663.
Foto 904/35/L Inv.-Nr. 1513.

328. Ohne Mittelpunkt. Stempelsprung von K bis I.
Foto 904/36–37/L Inv.-Nr. 1514.

329. Mittelpunkt auf R.
Foto 904/33–34/L Inv.-Nr. 1512.

330. Stadtpyr berührt Kranz.
Foto 1005/28A–29A/L Inv.-Nr. 1515.

331. Stadtpyr oben rund.
Foto 1005/30A–31A/L Inv.-Nr. 1516.

332. .I. KREI= .ZER
Foto 1005/32–33A/L Inv.-Nr. 1517.
Lit. F. 123. N. 6663.

333. Kupfer-1/2-Kreuzer 1621.
Vs. Stadtpyr zwischen Jahreszahl in Kranz.
Rs. Wertangabe in drei Zeilen in Kranz.
HALB KREITZ= ✳ ER ✳ Mittelpunkt.
Kupfer meist 15 mm ca. 1,00 g
Zwei Exemplare
Foto 1005/34A–35A/L Inv.-Nr. 1518*. Foto 1005/3–4/L Inv.-Nr. 1520.
Lit. F. 115. N. 6661. Schwalbach 12/09.

334. Eins von 21 tiefer.
Foto 1005/36A–37A/L Inv.-Nr. 1519.

S. 6, T. 136.

335. HALB KREITZ= +ER+
Foto 1006/5–6/L Inv.-Nr. 1521.

336. Vs. Stadtpyr zwischen Jahreszahl in Kranz.
Rs. Wertangabe in zwei Zeilen in Kranz.
HALB KREITZER
Foto 1006/7–8/L Inv.-Nr. 1522.
Lit. F. 116. N. 6662. Schwalbach 12/09.

337. Kupfer-zwei-Heller 1621,
(1/210 Gulden, Doppelheller).
Vs. A zwischen Jahreszahl in Kreis, kleiner Mittelpunkt.
Rs. Wertangabe in zwei Zeilen, kleiner Mittelpunkt.
C C X
Kupfer meist 13 × 12 mm ca. 1,21 g Vierschlag
Foto 1006/9–10/L Inv.-Nr. 1523.
Lit. F. 113. N.-. Schwalbach 12/09.

338. Großer Mittelpunkt.
Foto 1006/11–12/L Inv.-Nr. 1524.

339. Kupfer-zwei-Heller 1622, (1/210 Gulden).
Vs. A zwischen Jahreszahl in Kreis.
Rs. Wertangabe in zwei Zeilen, Mittelpunkt. CC X
Foto 1006/13–14/L Inv.-Nr. 1525.
Lit. F. 124. N. 6660. Tornau 5/18.

340. Kupfer-Heller . . . (eradiert 1621 oder 1622),
(1/210 Gulden).
Foto 1006/15–16/L Inv.-Nr. 1526.
Lit. F.-. N.-. Tornau 5/18.

341. Kupfer-zwei-Pfennig 1758.
Vs. Stadtpyr zwischen Zweigen, unten zwei Hufeisen = Münzmeister Joh. Christoph Holeisen.
Rs. Wertangabe in drei Zeilen über Jahreszahl und Ranke, unten .F.T. = Münzwardein Frings und Stempelschneider Jonas Peter Thiebaud, bis 1769.
Mittelpunkt. II. PFENNING
STADT, MYNZ 1758.
Kupfer meist 21 mm ca. 4,10 g Foto 923/16–17/L Inv.-Nr. 1527.
Lit. F. 599. N. 6735. Weinmeister 1/07.

342. Vs. Gerade Standfläche des Kapitells.
Rs. Ohne Mittelpunkt.
Foto 923/18–19/L Inv.-Nr. 1528.

343. Farbig gefaßt.
Foto 923/21–22/L Inv.-Nr. 1529.

344. Kupfer-zwei-Pfennig 1759.
Vs. Stadtpyr zwischen Zweigen, unten zwei Hufeisen = Münzmeister Holeisen.
Rs. Wertangabe in drei Zeilen über Jahreszahl und gekreuzten Zweigen.
.II. PFENNING STADT.MYNZ 1759.
Kupfer meist 22 mm ca. 3,61 g Foto 923/23–24/L Inv.-Nr. 1530.
Lit. F. 603. N. 6737.

345. Vs. Stadtpyr in Verzierung.
Rs. Wertzahl zwischen Rosetten.
Foto 923/25–27/L Inv.-Nr. 1531.
F. 604. N. 6739. Tornau 5/18.

S. 6, T. 136, 137.

346. Kupfer-zwei-Pfennig 1762.

Vs. Stadtpyr in Verzierung, unten zwei Hufeisen = Münzmeister Holeisen.
Rs. Wertangabe in drei Zeilen über Jahreszahl und gekreuzten Zweigen.
✳II✳ PFENNING STADT MYNZ 1762
Kupfer meist 21 mm ca. 3,31 g Foto 923/28–29/L Inv.-Nr. 1532.
Lit. F. 626. N. 6740. Schwalbach 12/09.

347. Jahreszahl: 1762.
Foto 923/30–31/L Inv.-Nr. 1533.
Lit. F. 627. N. 6741. Tornau 5/18.

348. Kupfer-zwei-Pfennig 1763.

Vs. Stadtpyr in Verzierung, unten zwei Hufeisen = Münzmeister-Familie Holeisen.
Rs. Wertangabe in drei Zeilen über Jahreszahl und Zweigen mit je drei Verästelungen.
✳II✳ PFENNING STADT MYNZ 1763.
Kupfer meist 22 mm ca. 3,16 g Foto 923/32–33/L Inv.-Nr. 1534.
Lit. F. 636. N. 6741. Tornau 5/18.

349. STADT MINZ
Jeder Zweig mit vier Verästelungen.
Foto 923/34–36/L Inv.-Nr. 1535.
Lit. F. 637. N. 6742. Tornau 5/18.

350. Unter den Zweigen Rosette?
Foto 926/4–5/L Inv.-Nr. 1536.
Lit. F.-.

351. Kupfer-zwei-Pfennig 1764.

Vs. Stadtpyr in Verzierung, unten zwei Hufeisen = Münzmeister-Familie Holeisen.
Rs. Wertangabe in drei Zeilen über Jahreszahl, unten Muschel, Schrift bogig.
✳II✳ PFENNING STADT.MYNZ .1764.
Kupfer 22 mm 2,94 g Foto 924/29–30/L Inv.-Nr. 1537.
Lit. F. 648. N. 6748. Schwalbach 12/09.

352. Kupfer-zwei-Pfennig 1764.

Vs. Stadtpyr in Verzierung, unten zwei Hufeisen = Münzmeister-Familie Holeisen.
Rs. Wertangabe bogig über Jahreszahl und Blatt. Ohne Stadt.Mynz
✳II✳ PFEN NING .1764.
Kupfer 19 mm 2,74 g Foto 924/31–32/L Inv.-Nr. 1538.
Lit. F. 649. N. 6753. Schwalbach 12/09.

353. Kupfer-zwei-Pfennig 1765.

Vs. Stadtpyr in Verzierung, unten zwei Hufeisen = Münzmeister-Familie Holeisen.
Rs. Wertangabe in drei Zeilen bogiger Schrift über Jahreszahl und Stern.
II PFENNING STADT MYNZ .1765.
Kupfer meist 20 mm ca. 3,24 g Foto 924/33–34/L Inv.-Nr. 1539.
Lit. F. 662. N. 6749. Schwalbach 12/09.

354. ✳II✳ und Jahreszahl ohne Punkte.
Foto 924/35–36/L Inv.-Nr. 1540.
Lit. F. 663. N. 6750. Tornau 5/18.

S. 6, T. 137.

355. Kupfer-zwei-Pfennig 1766.
Vs. Stadtpyr in Verzierung, unten zwei Hufeisen=Münzmeister-Familie Holeisen.
Rs. Wertangabe in drei Zeilen bogiger Schrift über Jahreszahl.
II PFEN NING 1766
Kupfer meist 19 mm ca. 3,24 g Stempelfehler
Foto 923/2–3/L Inv.-Nr. 1541*.
Zweites Exemplar ohne Stempelfehler. Lit. F. 669. N. 6754. Tornau 5/18.
Foto 923/4–7/L Inv.-Nr. 1542.

356. Hufeisen dichter zusammen.
Foto 923/8–9/L Inv.-Nr. 1543.
Lit. F. 669. N. 6754.

357. Kupfer-zwei-Pfennig 1769.
Vs. Stadtpyr in Verzierung, unten Hufeisen = Münzmeister-Familie Holeisen.
Rs. Wertangabe in drei Zeilen, unten Jahreszahl. Mittelpunkt.
✳ II ✳ PFEN NING 1769.
Kupfer 19 mm 2,50 g Foto 923/10–11/L Inv.-Nr. 1544.
Lit. F. 674. N. 6755. Schwalbach 12/09.

358. Kupfer-zwei-Pfennig 1780.
Vs. Stadtpyr in Verzierung, unten Stern=Münzmeister Peter Neuss, ab 1775.
Rs. Wertangabe in drei Zeilen über Jahreszahl und Stern.
✳ II ✳ PFENNING STADTMYNZ 1780
Kupfer meist 22 mm ca. 4,10 g beginnender Stempelsprung. Foto 923/12–13/L Inv.-Nr. 1545.
Zweites Exemplar Stempelsprung Foto 1116/1–4/L Inv.-Nr. 7912.
Lit. F. 687. N. 6773. Schwalbach 12/09.

359. Kupfer-Pfennig 1758.
Vs. Stadtpyr zwischen geknoteten Zweigen, unten zwei Hufeisen = Münzmeister-Familie Holeisen.
Rs. Wertangabe in drei Zeilen über Jahreszahl, Zweigen und FT=Münzwardein Frings und Stempelschneider Jonas Peter Thiebaud, † 1769.
I. PFENNING STADT.MYNZ .1758.
Kupfer meist 18 mm ca. 2,04 g Foto 923/14–15/L Inv.-Nr. 1546.
Lit. F. 600. N. 6736. Schwalbach 12/09.

360. Stadtpyr zwischen zusammengelegten Zweigen.
Foto 924/9–10/L Inv.-Nr. 1547.
Lit. F.-(zu 600).N.-(zu 6736).

361. Kupfer-Pfennig 1759.
Vs. Stadtpyr, ohne Stiel, in Verzierung, unten zwei Hufeisen = Münzmeister-Familie Holeisen.
Rs. Wertangabe in drei Zeilen über Jahreszahl und Zweigen, kleine Rosetten.
✳ I✳ PFENNING STADT.MYNZ 1759.
Kupfer meist 18 mm ca. 1,80 g Foto 924/11–12/L Inv.-Nr. 1548.
Lit. F. 605. N.6743.

362. Große Rosetten
Foto 924/13–14/L Inv.-Nr. 1549.

363. PFENNING.
Foto 924/15–16/L Inv.-Nr. 1550.
Lit. F. zu 605. N. 6743.

S. 6, T. 137.

364. Kupfer-Pfennig 1761.
Vs. Stadtpyr in Verzierung, unten zwei Hufeisen=Münzmeister-Familie Holeisen.
Rs. Wertangabe in drei Zeilen über Jahreszahl und Zweigen.
✳ I ✳ PFENNING STADT MYNZ 1761.
Kupfer 17 mm 1,89 g Foto 924/17–18/L Inv.-Nr. 1551.
Lit. F. 623. N. 6744. Tornau 5/18.

365. Kupfer-Pfennig 1762.
Vs. Stadtpyr in Verzierung, unten zwei Hufeisen = Münzmeister-Familie Holeisen.
Rs. Wertangabe in drei Zeilen über Jahreszahl und Zweigen.
✳I✳ PFENNING STADT MYNZ 1762
Kupfer meist 19 mm ca. 1,91 g Foto 924/19–20/L Inv.-Nr. 1552.
Lit. F. 628. N. 6745. Schwalbach 12/09.

366. Wertzahl zwischen kleinen Rosetten. Stempelsprung.
Foto 924/21–22/L Inv.-Nr. 1553.
Lit. F. zu 628. N. 6745. Tornau 5/1918.

367. Kupfer-Pfennig 1763.
Vs. Stadtpyr in Verzierung, unten zwei Hufeisen = Münzmeister-Familie Holeisen.
Rs. Wertangabe in drei Zeilen über Jahreszahl und Zweigen.
✳I✳ PFENNING STADT MYNZ .1763.
Kupfer 19 mm 1,84 g Foto 924/23–24/L Inv.-Nr. 1554.
Lit. F. 638. N. 6747. Tornau 5/18.

368. Kupfer-Pfennig 1764.
Vs. Stadtpyr in Verzierung, unten zwei Hufeisen = Münzmeister-Familie Holeisen.
Rs. Wertangabe in drei Zeilen bogiger Schrift über Jahreszahl, Rosette und Muschel.
✳I✳ PFENNING STADT.MYNZ .1764.
Kupfer meist 19 mm ca. 1,41 g Foto 924/25–26/L Inv.-Nr. 1555.
Lit. F.-. N. 6746. Schwalbach 12/09.

369. Hufeisen abgewandt.
Foto 924/27–28/L Inv.-Nr. 1556.
Lit. F.-. N.- (zu 6746).

370. Kupfer-Pfennig 1764.
Vs. Stadtpyr in Verzierung, unten Muschel.
Rs. Wertangabe in drei Zeilen bogiger Schrift über Jahreszahl und Muschel zwischen Hufeisen, Punkt.
✳I✳ PFEN NING :.1764.:
Kupfer meist 16 mm ca. 1,80 g Foto 925/23A–24A/L Inv.-Nr. 1557.
Lit. N. 650. N. zu 6756. Tornau 5/18.

371. Jahreszahl zwischen Rosetten.
Foto 925/25A–26A/L Inv.-Nr. 1558.
Lit. 651. N. 6757. Tornau 5/18.

372. PFEN NING. .1764.
Foto 925/27A–28A/L Inv.-Nr. 1559.
Lit. F. 652. N. 6757. Tornau 5/18.

373. Vs. Ohne Muschel unter Stadtpyr.
Rs. ✳I✳ PFEN NING ✳1764✳
Foto 925/29A–30A/L Inv.-Nr. 1560.
Lit. F. zu 650/2. N. zu 6756/7. Tornau 5/18.

374. Kupfer-Pfennig 1765.
Vs. Stadtpyr in Verzierung.
Rs. Wertangabe in drei Zeilen über Jahreszahl.
I PFEN NING 1765
Kupfer 16 mm 1,70 g Foto 925/31–33/L Inv.-Nr. 1561.
Lit. F. 664. N. 6758. Schwalbach 12/09.

S. 6, T. 137.

375. Kupfer-Pfennig 1766.
Vs. Stadtpyr in Verzierung.
Rs. Wertangabe in drei Zeilen.
I PFEN NING 1766

Kupfer meist 16 mm ca. 1,63 g
Drei Exemplare
Foto 925/34A–35A/L Inv.-Nr. 1562. Foto 924/2–3/L Inv.-Nr. 1564.
Foto 924/4–5/L Inv.-Nr. 1565.
Lit. F. 670. N. 6759. Schwalbach 12/09.

376. Verzierung mit Muschel.

Zwei Exemplare
Foto 925/36A–37A/L Inv.-Nr. 1563*. Foto 924/7–8/L Inv.-Nr. 1566.
Lit. F. 671. N. 6759. Tornau 5/18.

377. Kupfer-Pfennig 1780.
Vs. Stadtpyr in Verzierung, unten Stern = Münzmeister Peter Neuss, ab 1775.
Rs. Wertangabe in drei Zeilen bogiger Schrift über Jahreszahl und Stern.
I PFENNING STADTMYN 1780.

Kupfer meist 19 mm ca. 1,75 g Foto 925/2A–4A/L Inv.-Nr. 1567.
Lit. F. 689. Bruer 2/28.

378. I PFENNING STADTMYNZ 1780
darunter kleiner Stern.

Stempelsprung Foto 925/5A–6A/L Inv.-Nr. 1568.
Lit. F. 688. N. 6771. Tornau 5/18.

379. Großer Stern.

Foto 925/7A–8A/L Inv.-Nr. 1569.
Lit. F.- (zu 688).

380. Kupfer-Pfennig 1780.
Vs. Stadtpyr in Umrahmung, unten Stern = Münzmeister Peter Neuss, ab 1775.
Rs. Wertangabe in drei Zeilen über Jahreszahl und Stern, Jahreszahl klein.
I PFENNING STADTMYNZ 17 80

Kupfer meist 19 mm ca. 2,18 g Foto 925/9A–10A/L Inv.-Nr. 1570.
Lit. F. 690. N. 6774. Kessler 4/16.

381. Jahreszahl groß 17 ✳ 80

Foto 925/11A–12A/L Inv.-Nr. 1571.
Lit. F. 690. N. 6774. Tornau 5/18.

382. Große Umrahmung.

Foto 925/13A–14A/L Inv.-Nr. 1572. Rückseite gering erhalten.
Lit. F. 690. N. 6774. Tornau 5/18.

383. Kupfer-Pfennig 1781.
Vs. Stadtpyr in Umrahmung, unten Stern = Münzmeister Peter Neuss, ab 1775.
Rs. Wertangabe in drei Zeilen bogiger Schrift über Jahreszahl und Stern.
I PFENNING STADTMYNZ 17 ✳ 81

Kupfer meist 18 mm ca. 1,44 g Foto 925/15A–16A/L Inv.-Nr. 1573.
Lit. F. 692. N. 6775. Tornau 5/18.

384. Jahreszahl 17 ✳ 81 eng.

Foto 925/17A–18A/L Inv.-Nr. 1574.
Lit. F.- (zu 692). N.- (zu 6775). Tornau 5/18.

385. Kupfer-Pfennig 1782.
Vs. Stadtpyr in Umrahmung, kleines Wappenoval. Girlandenenden hoch. Münzmeister Peter Neuss, 1775.
Rs. Wertangabe in drei Zeilen bogiger Schrift über Jahreszahl und Stern (fünfstrahlig).
I PFENNING STADTMYNZ 1782
Große Wertzahl.

Kupfer meist 18 mm ca. 1,74 g Foto 925/19A–20A/L Inv.-Nr. 1575.
Lit. F. 694. N. zu 6786. Schwalbach 12/09.

386. Kleine Wertzahl. Stern näher zur 8 der Jahreszahl.

Foto 925/21A–22A/L Inv.-Nr. 1576.
Lit. F. zu 693. N. zu 6786. Tornau 5/18.

S. 6, T. 137.

387. Stern zwischen der Jahreszahl.
Foto 927/26–27/L Inv.-Nr. 1577.
F. 693. N. zu 6786. Schwalbach 12/09.

388. Fünfstrahliger Stern.
Foto 927/28–29/L Inv.-Nr. 1578.
Lit. F. zu 693.

389. Girlandenenden frei hängend, Stern unten.
Foto 927/30–31/L Inv.-Nr. 1579.
Lit. F. 695. N. zu 6776. Tornau 5/18.

390. Ohne Stern unter der Umrahmung. Große Wertzahl.
Foto 927/32–33/L Inv.-Nr. 1580.
Lit. F. zu 695. N. 6786. Tornau 5/18.

391. Kleine Wertzahl.
Foto 927/34–35/L Inv.-Nr. 1581.
Lit. F. zu 695. N. 6786. Tornau 5/18.

392. Kupfer-Pfennig 1786.
Vs. Stadtpyr in Umrahmung mit hoch genommenen Girlandenenden.
Rs. Wertangabe in drei Zeilen bogiger Schrift über Jahreszahl und Stern.
I PFENNING STADTMYNZ 17 ✳ 86
Kupfer meist 18 mm ca. 2,05 g Foto 927/36–37/L Inv.-Nr. 1582.
Lit. F. 697. N. 6780. Tornau 5/18.

393. Jahreszahl: 1786, dicht darunter Stern.
930/2–3/L Inv.-Nr. 1583.
Lit. F. 697. N. 6780.

394. Jahreszahl: 1786. Stempelsprung
Foto 930/4–5/L Inv.-Nr. 1584.
Lit. F. zu 697. N. 6783. Tornau 5/18.

395. Unter Umrahmung Stern.
Foto 930/6–7/L Inv.-Nr. 1585.
Lit. F. zu 697. N. zu 6780. Schwalbach 12/09.

396. Kleiner Stadtpyr in Umrahmung mit hängenden Girlandenenden.
Foto 930/8–9/L Inv.-Nr. 1586.
Lit. F. 699. N. zu 6780. Tornau 5/18.

397. Stempelfehler: STADTMYN ohne Stern unter Jahreszahl.
Foto 930/10–11/L Inv.-Nr. 1587.
Lit. F. 700. N. 6785. Tornau 5/18.

398. Wertzahl: ✳I✳
Foto 930/12–13/L Inv.-Nr. 1588. Stempelsprung.
Lit. F. 701. N. 6784. Tornau 5/18.

399. Schrift gerade.
Foto 930/14–15/L Inv.-Nr. 1589.
Lit. F. 702. N. 6782. Tornau 5/18.

S. 6, T. 137.

400. Kupfer-Pfennig 1789.
Vs. Stadtpyr in Umrahmung.
Münzmeister Peter Neuss.
Rs. Wertangabe in drei Zeilen bogiger Schrift über Jahreszahl und Stern.
Kupfer meist 19 mm ca. 1,90 g drei Exemplare
Foto 930/16–17/L Inv.-Nr. 1590.
Foto 930/18–19/L Inv.-Nr. 1591*.
Foto 930/21–22/L Inv.-Nr. 1592.
Lit. F. 710. N.6778. Tornau 5/18.

401. Kupfer-Pfennig 1796.
Vs. Stadtpyr in Umrahmung.
Rs. Wertangabe in drei Zeilen, aber kleinerer Schrift.
Kupfer meist 19 mm ca. 2,14 g Foto 930/23–24/L Inv.-Nr. 1593.
Foto 930/25–26/L Inv.-Nr. 1594. zweites Exemplar mit beginnendem Stempelsprung.
Lit. F. 713. N.6801. Schwalbach 12/09.

402. Jahreszahl dicht an der Schrift.
Beschnittener Schrötling Foto 930/27–28/L Inv.-Nr. 1595.
Lit. F. zu 713. N. zu 6801.

403. Größere Schrift und Jahreszahl.
Foto 930/29–30/L Inv.-Nr. 1596.
Lit. F. 714.Bruer 2/28.

404. Größere Schrift und kleine Jahreszahl. Stempelsprung.
Foto 930/31–32/L Inv.-Nr. 1597.
Lit. F. 714. N. 6801. Schwalbach 12/09.

405. Größerer Abstand zwischen Jahreszahl und Stern.
Foto 930/33–34/L Inv.-Nr. 1598.
Lit. F. zu 714. N. zu 6801.

406. Kupfer-Pfennig 1797.
Vs. Stadtpyr in Umrahmung.
Münzmeister Peter Neuss, ab 1775.
Rs. Wertangabe in drei Zeilen Schrift über Jahreszahl und Stern.
I PFENNING STADTMYNZ 1797
Kupfer 19 mm 2,04 g Foto 930/35–36/L Inv.-Nr. 1599.
Lit. F. 717. N. 6802. Schwalbach 12/09.

407. Kupfer-Pfennig 1798.
Vs. Stadtpyr in Umrahmung.
Münzmeister Peter Neuss, ab 1775.
Rs. Wertangabe in drei Zeilen Schrift über Jahreszahl und Stern.
I PFENNING STADTMYNZ 1798
Kupfer meist 19 mm ca. 1,53 g Foto 930/37–38/L Inv.-Nr. 1600.
Lit. F. 719. N. 6803. Tornau 5/18.

408. Größere Schrift.
Drei Exemplare Foto 928/3–4/L Inv.-Nr. 1601.
Foto 928/5–6/L Inv.-Nr. 1602.
Foto 928/7–8/L Inv.-Nr, 1603*.
Lit. F. 720. N. 6803. Kessler 4/16.

409. Kupfer-Pfennig 1799.
Vs. Stadtpyr in Umrahmung. Münzzeichen Stern = Münzmeister Peter Neuss, ab 1775.
Rs. Wertangabe in drei Zeilen über Jahreszahl und kleinem Stern.
Kupfer meist 19 mm ca. 1,48 g Foto 928/9–10/L Inv.-Nr. 1604.
Lit. F. 723. N. 6804. Tornau 5/18.

410. Großer Stern unter Jahreszahl. Stempelfehler.
Drei Exemplare Foto 928/11–12/L Inv.-Nr. 1605*.
Foto 928/13–14/L Inv.-Nr. 1606. Foto 928/15–16/L Inv.-Nr. 1607.
Lit. F. 723. N. 6804. Kessler 4/16.

S. 6, T. 137.

411. Vs. Großer Stern unter Jahreszahl.
Rs. I PFENNING STADTMYNΣ
Foto 928/17–18/L Inv.-Nr. 1608.
Lit. F. 724. N. 6811. Jenke 9/13.

412. Kleiner Stern unter Jahreszahl.
Drei Exemplare
Foto 928/19–20/L Inv.-Nr. 1609*. Foto 928/21–22/L Inv.-Nr. 1610.
Foto 928/23–24/L Inv.-Nr. 1611.
Lit. F. 724. N. 6811. Tornau 5/18.

413. Kupfer-Pfennig 1800.
Vs. Stadtpyr in Umrahmung. Münzzeichen Stern = Münzmeister Peter Neuss, ab 1775.
Rs. Wertangabe in drei Zeilen über Jahreszahl und Stern.
I PFENNING STADTMÜNZ 1800
Kupfer meist 17 mm ca. 1,20 g Foto 928/25–26/L Inv.-Nr. 1612.
Lit. F. 725. N. 6805. Kessler 4/16.

414. Vs. Großer Stern unter Jahreszahl.
Rs. I PFENNING STADTMYNZ 1800
Foto 928/28–29/L Inv.-Nr. 1613.
Lit. F. zu 725/6. N. 6812. Jos. H. 1/09.

415. Kleiner Stern unter Jahreszahl.
Foto 928/30–31/L Inv.-Nr. 1614.
Lit. F. zu 725/6. N. 6812. Tornau 5/18.

416. I PFENNING STADTMYNΣ Großer Stern.
Zwei Exemplare.
Foto 928/32–33/L Inv.-Nr. 1615. Foto 928/34–36/L Inv.-Nr. 1616.
Lit. F.726. N.-.

417. Kupfer-Pfennig 1801.
Vs. Stadtpyr in Umrahmung.
Münzzeichen Stern = Münzmeister Peter Neuss, ab 1775.
Rs. Wertangabe in drei Zeilen über Jahreszahl und Stern.
I PFENNING STADTMVNZ 1801
Kupfer meist 18 mm ca. 1,90 g Foto 929/1–2/L Inv.-Nr. 1617.
Lit. F. 728. N. 6813. Tornau 5/18.

418. I PFENNING STADTMÜNZ 1801
Zwei Exemplare.
Foto 929/5–6/L Inv.-Nr. 1619. Foto 929/9–10/L Inv.-Nr. 1621.
Lit. F. 727. N. 6806.

419. Kleiner Stadtpyr.
Zwei Exemplare.
Foto 929/3–4/L Inv.-Nr. 1618. Foto 929/7–8/L Inv.-Nr. 1620*.
Lit. F. 727. N. 6808.

420. Kupfer-Pfennig 1802.
Vs. Stadtpyr in Umrahmung.
Münzzeichen Stern = Münzmeister Peter Neuss, ab 1775.
Rs. Wertangabe in drei Zeilen über Jahreszahl und Stern.
I PFENNING STADTMÜNZ 1802
Kupfer 17 mm 1,50 g Foto 929/11–12/L Inv.-Nr. 1622.
Lit. F. 732. N. 6807.

421. Kupfer-Pfennig 1803.
Vs. Stadtpyr in Umrahmung, unten breit.
Münzzeichen Stern = Münzmeister Peter Neuss, ab 1775.
Rs. Wertangabe in drei Zeilen über Jahreszahl und Stern.
I PFENNING STADTMÜNZ 1803
Kupfer meist 17 mm ca. 1,63 g Stempelfehler
Foto 929/15–16/L Inv.-Nr. 1624.
Lit. F. 733. N. 6808. Kessler 4/16.

422. Wappenumrahmung unten schmal.
Foto 929/17–18/L Inv.-Nr. 1625.
Lit. F. 734. Bruer 2/28.

423. Kleiner Stern unter Jahreszahl.
Foto 929/19–20/L Inv.-Nr. 1626.
Lit. F. 733. N. 6808. Kessler 4/16.

S. 6, T. 137.

424. Wertzahl: 1
Foto 929/13–14/L Inv.-Nr. 1623.
Lit. F. 735. N.-. Tornau 5/18.

425. Kupfer-Pfennig 1804.
Vs. Stadtpyr in Umrahmung. Münzzeichen Stern = Münzmeister Peter Neuss, ab 1775.
Rs. Wertgabe in drei Zeilen über Jahreszahl und Stern.
1 PFENNING STADTMÜNZ 1804
Kupfer meist 17 mm 1,23 g drei Exemplare. Foto 929/21–22/L Inv.-Nr. 1627.
Foto 929/23–24/L Inv.-Nr. 1628.
Foto 929/25–27/L Inv.-Nr. 1629*.
Lit. F. 737. N. 6809. Kessler 4/16.

426. Rosette unter Jahreszahl.
Foto 929/28–29/L Inv.-Nr. 1630.
Lit. F.- (zu 737). N.- (zu 6809). Tornau 5/18.

427. Kupfer-Pfennig 1805.
Vs. Stadtpyr in Umrahmung. Münzzeichen Stern = Münzmeister Peter Neuss, ab 1775.
Rs. Wertangabe in drei Zeilen über Jahreszahl und Stern.
1 PFENNING STADTMÜNZ 1805
Kupfer meist 17 mm ca. 1,33 g Foto 929/36–37/L Inv.-Nr. 1634.
Lit. F. 740. N. 6810. Tornau 5/18.

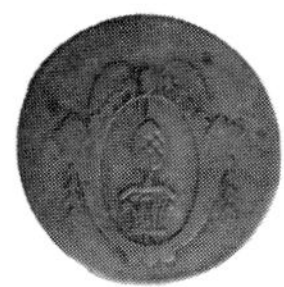

428. Großer Stern unter Jahreszahl. Zwei Exemplare.
Foto 936/4–5/L Inv.-Nr. 1635*.
Foto 936/6–7/L Inv.-Nr. 1636.
Lit. F. 740. N. 6810. Redder 9/12.

429. Kleines Wappen. Drei Exemplare.
Foto 929/30–31/L Inv.-Nr. 1631. Foto 929/32–33/L Inv.-Nr. 1632.
Foto 929/34–35/L Inv.-Nr. 1633.
Lit. F. 739. N. 6810. Kessler 4/16.

430. Kupfer-Heller 1608.
Vs. Stadtpyr zwischen Jahreszahl von Kranz umgeben.
Rs. Wertangabe in zwei Zeilen, Mittelpunkt.
CCCC . X X
Kupfer meist 12 mm ca. 0,74 g Foto 936/8–9/L Inv.-Nr. 1637.
Lit. F. 90. N. 6655. Erbstein 1/11.

431. Ohne Mittelpunkt. Zwei Exemplare.
Foto 936/10–11/L Inv.-Nr. 1638.
Foto 936/12–13/L Inv.-Nr. 1639.
Lit. F. 90. N. 6655. Tornau 5/18.

Goldabschlag vom Kupfer-Heller 1608.
siehe hier Katalog-Nr. 147.
Foto 951/28–29/L Inv.-Nr. 1640.

432. Kupfer-Heller 1610.
Vs. Stadtpyr zwischen Jahreszahl von Kranz umgeben.
Rs. Wertangabe in zwei Zeilen.
CCCC .X X
Kupfer 12 mm 0,65 g Foto 936/14–15/L Inv.-Nr. 1641.
Lit. F. 96. N.-. Tornau 5/18.

433. Kupfer-Heller 1612.
Vs. Stadtpyr zwischen Jahreszahl von Kranz umgeben.
Rs. Wertangabe in zwei Zeilen.
CCCC . X X
Kupfer 12 mm 0,62 g Foto 936/16–17/L Inv.-Nr. 1642.
Lit. F. 97. N. 37769. Tornau 5/18.

434. Kupfer-Heller 1614.
Vs. Stadtpyr zwischen Jahreszahl von Kranz umgeben.
Rs. Wertangabe in zwei Zeilen.
CCCC . X X
Kupfer meist 12 mm ca. 0,59 g Foto 936/18–19/L Inv.-Nr. 1643.
Lit. F. 101. N. 37770.

435. Ohne Mittelpunkt.
Foto 936/20–21/L Inv.-Nr. 1644.
Lit. F. 101. N. 37770. Tornau 5/18.

S. 6, T. 137.

436. Kupfer-Heller 1615.
Vs. Stadtpyr zwischen Jahreszahl von Kranz umgeben.
Rs. Wertangabe in zwei Zeilen.
CCCC . X X
Kupfer meist 12 mm ca. 0,53 g, zwei Exemplare. Foto 936/22–23/L Inv.-Nr. 1645*.
Foto 936/24–25/L Inv.-Nr. 1646.
Lit. F. 102. N. 6656. Tornau 5/18.

437. Kupfer-Heller 1617.
Vs. Stadtpyr zwischen Jahreszahl von Kranz umgeben.
Rs. Wertangabe in zwei Zeilen.
CCCC . X X
Kupfer 13 mm 0,64 g Foto 936/26–27/L Inv.-Nr. 1647.
Lit. F. 104. N. 6657. Erbstein 1/11.

438. Kupfer-Heller 1620.
Vs. Stadtpyr zwischen Jahreszahl von Kranz umgeben.
Rs. Wertangabe in zwei Zeilen.
CCCC . XX (eng)
Kupfer meist 12 mm ca. 0,51 g Foto 936/28–29/L Inv.-Nr. 1648.
Lit. F. 111. N. 37772. Tornau 5/18.

439. Wertangabe weit stehend.
Foto 936/30–31/L Inv.-Nr. 1649.
Lit. F. 111. N. 37772. Tornau 5/18.

440. Kupfer-Heller 1621.
Vs. Stadtpyr zwischen Jahreszahl von Kranz umgeben, 1 von 21 tiefer.
Rs. Wertangabe in zwei Zeilen.
CCCC . XX Mittelpunkt näher XX
Kupfer meist 13 mm ca. 0,54 g Foto 936/34–35/L Inv.-Nr. 1651.
Lit. F. 117. N. 6659.

441. Mittelpunkt näher CCCC
Foto 936/36–37/L Inv.-Nr. 1652.
Lit. F. 117. N. 6659.

442. 1 von 21 höher.
Foto 1006/17–18/L Inv.-Nr. 1653.
Lit. F. 117. N. 6659.

443. Jahreszahl in einer Linie.
Foto 936/32–33/L Inv.-Nr. 1650.
Lit. F. 117. N. 6659. Jos. H. 1/09.

444. Kupfer-Heller 1622.
Vs. Stadtpyr zwischen Jahreszahl, von Kranz umgeben.
Rs. Wertangabe in zwei Zeilen.
CCCC. XX Mittelpunkt näher C
Kupfer meist 10 mm ca. 0,23 g Foto 1006/19–20/L Inv.-Nr. 1654.
Lit. F. 125. N.-. Tornau 5/18.

445. Mittelpunkt näher XX
Foto 937/1+42A/L Inv.-Nr. 1655.
Lit. F. 125. N.-.

446. Kupfer-Heller 1624.
Vs. Stadtpyr in Umrahmung zwischen Jahreszahl, unten drei Kornähren = Münzmeister Balthasar Schmidt, bis 1638.
Rs. Kreuz in Vierpaß.
Kupfer 10 × 11 mm 0,73 g Foto 937/2–3/L Inv.-Nr. 1656. Vierschlag.
Lit. F. 162. N. 6668. Tornau 5/18.

447. Kupfer-Heller 1626.
Vs. Stadtpyr in Umrahmung zwischen Jahreszahl, unten drei Kornähren = Münzmeister Balthasar Schmidt, bis 1638.
Rs. Kreuz in Vierpaß.
Kupfer 11 × 11 mm 0,62 g, Vierschlag. Foto 937/3A–4A/L Inv.-Nr. 1657.
Lit. F. 196. N.-. Tornau 5/18.

448. Kupfer-Heller 1631.
Vs. Stadtpyr in Umrahmung zwischen Jahreszahl.
Rs. Lilienkreuz in Vierpaß.
Kupfer 11,5 × 11,5 mm 0,74 g Vierschlag
Foto 937/5A–6A/L Inv.-Nr. 1658.
Lit. F. 233. N.-. Tornau 5/18.

S. 6, T. 137.

449. Kupfer-Heller 1632.
Vs. Stadtpyr in Umrahmung zwischen Jahreszahl.
Rs. Lilienkreuz in Vierpaß.
Kupfer 11 × 11 mm 0,55 g Vierschlag Foto 937/7A–8A/L Inv.-Nr. 1659.
Lit. F. 241. N.-. Buchenau 10/18.

450. Kupfer-Heller 1633.
Vs. Stadtpyr in Umrahmung zwischen Jahreszahl.
Rs. Lilienkreuz in Vierpaß.
Kupfer 11 × 11 mm 0,61 g Vierschlag Foto 937/9A–10A/L Inv.-Nr. 1660.
Lit. F. 245. N. 6671. Buchenau 10/18.

451. Kupfer-Heller 1636.
Vs. Stadtpyr in Umrahmung zwischen Jahreszahl, unten Hufeisen = Münzmeister Johann Bartholomäus Holeisen, bis 1668.
Rs. Lilienkreuz in Vierpaß.
Kupfer 11 × 10,5 mm 0,58 g Vierschlag
Foto 937/11A–12A/L Inv.-Nr. 1661.
Lit. F. 263. N. 6672. Tornau 5/18.

452. Kupfer-Heller 1645.
Vs. Stadtpyr in Umrahmung zwischen Jahreszahl, unten Hufeisen = Münzmeister Johann Bartholomäus Holeisen, bis 1668.
Rs. Lilienkreuz in Vierpaß.
Kupfer meist 11 × 10,5 mm ca. 0,45 g Vierschlag.
Zweites Exemplar, Jahreszahl teilweise unleserlich, Stempelsprung.
Foto 937/13A–14A/L Inv.-Nr. 1662*. Foto 937/15A–16A/L Inv.-Nr. 1663.
Lit. F. 308. N. 37776. Schwalbach 12/09.

453. Kupfer-Heller 1659.
Vs. Stadtpyr in Umrahmung zwischen Jahreszahl, unten drei Hufeisen = Münzmeister Johann Bartholomäus Holeisen, 1639–1668.
Rs. Lilienkreuz in Vierpaß.
Kupfer 12 × 12 mm 0,53 g Vierschlag Foto 937/17A–18A/L Inv.-Nr. 1664.
Lit. F. 334. N.-. Tornau 5/18.

454. Kupfer-Heller 1661.
Vs. Stadtpyr in Umrahmung zwischen Jahreszahl, unten drei Hufeisen, Münzmeister Johann Bartholomäus Holeisen, 1639–1668.
Rs. Lilienkreuz in Vierpaß.
Kupfer 10,5 × 10,5 mm 0,50 g Vierschlag
Foto 937/19A–20A/L Inv.-Nr. 1665.
Lit. F. 339. N. 6675. Secker 10/14.

455. Kupfer-Heller 1665.
Vs. Stadtpyr in Umrahmung zwischen Jahreszahl, unten drei Hufeisen = Münzmeister Johann Bartholomäus Holeisen, 1639–1668.
Rs. Lilienkreuz in Vierpaß.
Kupfer 11 × 10,5 mm 0,42 g Vierschlag
Foto 937/21A–22A/L Inv.-Nr. 1666.
Lit. F. 344. N. 6678. Tornau 5/18.

456. Kupfer-Heller 1666.
Vs. Stadtpyr in Umrahmung zwischen Jahreszahl, unten drei Hufeisen = Münzmeister Johann Bartholomäus Holeisen jr., 1639–1668.
Rs. Lilienkreuz in Vierpaß.
Kupfer 11 × 11 mm 0,51 g Vierschlag Foto 937/23A–24A/L Inv.-Nr. 1667.
Lit. F. 346. N. 6679. Tornau 5/18.

457. Kupfer-Heller 1669.
Vs. Stadtpyr in Umrahmung zwischen Jahreszahl, nicht sichtbar unten zwei Hufeisen.
Rs. Lilienkreuz in Vierpaß.
Kupfer 11 × 11 mm 0,61 g Vierschlag Foto 937/25A–26A/L Inv.-Nr. 1668
Lit. F. 350. N.-. Tornau 5/18.

458. Kupfer-Heller 1670.
Vs. Stadtpyr in Umrahmung zwischen Jahreszahl, nicht sichtbar unten zwei Hufeisen.
Rs. Lilienkreuz in Vierpaß.
Kupfer 11,5 × 11,5 mm 0,71 g Vierschlag
Foto 937/28A–29A/L Inv.-Nr. 1669.
Lit. F. 351. N.-. Tornau 5/18.

S. 6, T. 137.

459. Kupfer-Heller 1671.
Vs. Stadtpyr in Umrahmung zwischen Jahreszahl, unten zwei Hufeisen = Münzmeister Johann Christoph Holeisen, 1668–1697.
Rs. Lilienkreuz in Vierpaß.
Kupfer 11,5 × 11 mm 0,51 g Vierschlag Foto 938/1 + 42A/L Inv.-Nr. 1670. Lit. F. 352. N.-. Tornau 5/18.

460. Kupfer-Heller 1672.
Vs. Stadtpyr in Umrahmung zwischen Jahreszahl, unten zwei Hufeisen = Münzmeister Johann Christoph Holeisen, 1668–1697.
Rs. Lilienkreuz in Vierpaß.
Kupfer 12 × 11,5 mm 0,53 g Vierschlag Foto 938/2–3/L Inv.-Nr. 1671. Lit. F. 354. N. 37778. Tornau 5/18.

461. Kupfer-Heller 1673.
Vs. Stadtpyr in Umrahmung zwischen Jahreszahl, unten zwei Hufeisen = Münzmeister Johann Christoph Holeisen, 1668–1697.
Rs. Lilienkreuz in Vierpaß.
Kupfer 11 × 11,5 mm 0,46 g Vierschlag Foto 938/4–5/L Inv.-Nr. 1672. Lit. F. 355. N.-. Schwalbach 12/09.

462. Kupfer-Heller 1676.
Vs. Stadtpyr in Umrahmung zwischen Jahreszahl, unten zwei Hufeisen = Münzmeister Johann Christoph Holeisen, 1668–1697.
Rs. Lilienkreuz in Vierpaß.
Kupfer 11 × 11 mm 0,71 g, Vierschlag. Foto 938/6–7/L Inv.-Nr. 1673. Lit. F. 359.

463. Kupfer-Heller 1677.
Vs. Stadtpyr in Umrahmung zwischen Jahreszahl, unten zwei Hufeisen = Münzmeister Johann Christoph Holeisen, 1668–1697.
Rs. Lilienkreuz in Vierpaß.
Kupfer meist 11 × 11 mm ca. 0,39 g, Vierschlag. Zwei Exemplare.
Foto 938/8–9/L Inv.-Nr. 1674.
Foto 938/10–11/L Inv.-Nr. 1675.
Lit. F. 363. N.-. Tornau 5/18.

464. Kupfer-Heller 1680.
Vs. Stadtpyr in Umrahmung zwischen Jahreszahl.
Rs. Lilienkreuz in Vierpaß.
Kupfer 11 × 11 mm 0,71 g, Vierschlag. Foto 938/12–13/L Inv.-Nr. 1676. Lit. F. 367.

465. Kupfer-Heller 1681.
Vs. Stadtpyr in Umrahmung zwischen Jahreszahl.
Rs. Lilienkreuz in Vierpaß.
Kupfer 11,5 × 11,5 mm 0,51 g, Vierschlag. Zwei Exemplare.
Foto 938/14–15/L Inv.-Nr. 1677*.
Foto 938/16–17/L Inv.-Nr. 1678.
Lit. F. 370. N.-. Tornau 5/18.

466. Kupfer-Heller 1682.
Vs. Stadtpyr in Umrahmung zwischen Jahreszahl.
Rs. Lilienkreuz in Vierpaß.
Kupfer 11 × 11 mm 0,44 g, Vierschlag. Foto 938/18–19/L Inv.-Nr. 1679. Lit. F.371. N.-. Tornau 5/18.

467. Kupfer-Heller 1683.
Vs. Stadtpyr in Umrahmung zwischen Jahreszahl, unten zwei Hufeisen = Münzmeister Johann Christoph Holeisen, bis 1697.
Rs. Lilienkreuz in Vierpaß.
Kupfer 11,5 × 11 mm 0,74 g, Vierschlag. Foto 938/20–21/L Inv.-Nr. 1680. Lit. F. 372. N. 37779. Tornau 5/18.

468. Kupfer-Heller 1684.
Vs. Stadtpyr in Umrahmung zwischen Jahreszahl, Pyr mit Blumenstiel.
Rs. Lilienkreuz in Vierpaß.
Kupfer 11 × 11 mm 0,43 g, Vierschlag. Foto 938/22–23/L Inv.-Nr. 1681. Lit. Unediert. F.-. N.-. Tornau 5/18.

469. Kupfer-Heller 1685.
Vs. Stadtpyr in Umrahmung zwischen Jahreszahl, unten nicht sichtbar zwei Hufeisen.
Rs. Lilienkreuz in Vierpaß.
Kupfer 11 × 11 mm 0,58 g, Vierschlag. Foto 938/24–25/L Inv.-Nr. 1682. Lit. F. 375. N. 6683. Tornau 5/18.

470. Kupfer-Heller 1686.
Vs. Stadtpyr in Umrahmung zwischen Jahreszahl, unten zwei Hufeisen = Münzmeister Johann Christoph Holeisen, 1668–1697.
Rs. Lilienkreuz in Vierpaß.
Kupfer meist 11 × 11 mm ca. 0,45 g Foto 938/26–27/L Inv.-Nr. 1683. Lit. F. 376. N.-. Tornau 5/18.

S. 6, T. 137.

471. Unter Umrahmung keine Hufeisen.
Foto 938/28–29/L Inv.-Nr. 7913.
Lit. F. 376. N.-.

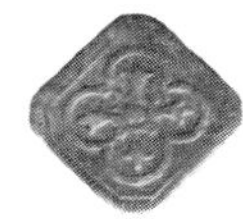

472. Kupfer-Heller 1690.
Vs. Stadtpyr in Umrahmung zwischen Jahreszahl, unten zwei Hufeisen = Münzmeister Johann Christoph Holeisen, 1668–1697.
Rs. Lilienkreuz in Vierpaß.
Kupfer 11,5 × 11 mm 0,50 g Vierschlag Foto 938/30–31/L Inv.-Nr. 1684
Lit. F. 391. N. 6687. Tornau 5/18.

473. Kupfer-Heller 1691.
Vs. Stadtpyr in Umrahmung zwischen Jahreszahl, unten zwei Hufeisen = Münzmeister Johann Christoph Holeisen, 1668–1697.
Rs. Lilienkreuz in Vierpaß.
Kupfer 11 × 11,5 mm 0,42 g Vierschlag Foto 938/32–33/L Inv.-Nr. 1685.
Lit. F. 394. N. 6689. Tornau 5/18.

474. Kupfer-Heller 1692.
Vs. Stadtpyr in Umrahmung, zwischen Jahreszahl, unten zwei Hufeisen = Münzmeister Johann Christoph Holeisen, 1668–1697.
Rs. Lilienkreuz in Vierpaß.
Kupfer 11 × 11,5 mm 0,44 g Vierschlag Foto 938/36–37/L Inv.-Nr. 1686.
Lit. F. 398. N. 6688. Tornau 5/18.

475. Kupfer-Heller 1693.
Vs. Stadtpyr in Umrahmung zwischen Jahreszahl, unten zwei Hufeisen = Münzmeister Johann Christoph Holeisen, 1668–1697.
Rs. Lilienkreuz in Vierpaß, im Zentrum eine Rosette.
Kupfer meist 11 × 11 mm ca. 0,39 g Vierschlag Foto 939/1/L Inv.-Nr. 1687.
Lit. F. 399. N. 6690. Tornau 5/18.

476. Im Zentrum ein Sternchen.
Foto 939/2–3/L Inv.-Nr. 1688.
Lit. F. 399. N. zu 6699. Tornau 5/18.

477. Kupfer-Heller 1695.
Vs. Stadtpyr in Umrahmung zwischen Jahreszahl, unten zwei Hufeisen = Münzmeister Johann Christoph Holeisen, 1668–1697.
Rs. Lilienkreuz in Vierpass.
Kupfer 12 × 11,5 mm 0,55 g Vierschlag Foto 938/34–35/L Inv.-Nr. 1690.
Lit. F. 419. N. 37780. Tornau 5/18.

478. Kupfer-Heller 1699.
Vs. Stadtpyr in Umrahmung zwischen Jahreszahl, unten zwei Hufeisen = Münzmeister Johann Christoph Holeisen, 1668–1697.
Rs. Lilienkreuz in Vierpaß.
Kupfer 11 × 11,5 mm 0,41 g Vierschlag Foto 939/4–5/L Inv.-Nr. 1689.
Lit. F. 429. N. 6692. Tornau 5/18.

479. Kupfer-Heller 1700.
Vs. Stadtpyr in Umrahmung zwischen Jahreszahl, unten zwei Hufeisen = Münzmeister Johann Christoph Holeisen.
Rs. Lilienkreuz in Vierpaß.
Kupfer 11 × 11 mm 0,43 g, Vierschlag. Foto 939/6–7/L Inv.-Nr. 1691.
Lit. F. 432. N.-. Tornau 5/18.

480. Kupfer-Heller 1701.
Vs. Stadtpyr in Rahmung zwischen Jahreszahl, unten zwei Hufeisen als Münzmeisterzeichen.
Rs. Lilienkreuz in Vierpaß.
Kupfer meist 11 × 11 mm ca. 0,43 g, Vierschlag.
Foto 939/8–9/L Inv.-Nr. 1692.
Lit. F. 436. N. 6697. Schwalbach 12/09.

481. Kleines Stadtpyr.
Foto 939/10–11/L Inv.-Nr. 1693.
Lit. F. 436. N. 6697. Tornau 5/18.

S. 6, T. 137, 138.

482. Kupfer-Heller 1702.

Vs. Stadtpyr in Umrahmung zwischen Jahreszahl, unten zwei Hufeisen als Münzmeisterzeichen.
Rs. Blumenkreuz mit Rosette.

Kupfer 11 × 11 mm ca. 0,39 g, Vierschlag.
Foto 939/12–13/L Inv.-Nr. 1694.
Lit. F. 439. N. 6698. Tornau 5/18.

483. Kupfer-Heller 1703.

Vs. Stadtpyr zwischen Jahreszahl, Münzmeisterzeichen zwei Hufeisen.
Rs. Blumenkreuz in Vierpaß.

Kupfer 10,5 × 10,5 mm 0,44 g, Vierschlag.
Foto 939/14–15/L Inv.-Nr. 1695.
Lit. F. 442. N. 6699. Tornau 5/18.

484. Kupfer-Heller 1706.

Vs. Stadtpyr zwischen Jahreszahl, Münzmeisterzeichen zwei Hufeisen.
Rs. Lilienkreuz in Vierpaß.

Kupfer 11 × 11 mm 0,54 g, Vierschlag. Foto 939/16–17/L Inv.-Nr. 1696.
Lit. F. 449. N. 6696. Tornau 5/18.

485. Kupfer-Heller 1715.

Vs. Stadtpyr zwischen Jahreszahl, unten zwei Hufeisen.
Rs. Doppeltes Blumenkreuz mit Rosette.

Kupfer 10,5 × 10 mm 0,44 g, Vierschlag, ausgerissen.
Foto 939/18–19/L Inv.-Nr. 1697.
Lit. F. 473. N. 6705. Tornau 5/18.

486. Kupfer-Heller 1721.

Vs. Stadtpyr zwischen Jahreszahl, unten zwei Hufeisen.
Rs. Blumenkreuz mit Rosette.

Kupfer 11,5 × 11,5 mm 0,53 g, Vierschlag.
Foto 939/20–21/L Inv.-Nr. 1698.
Lit. F. 477. N. 6706. Tornau 5/18.

487. Kupfer-Heller 1722.

Vs. Stadtpyr zwischen Jahreszahl, unten zwei Hufeisen.
Rs. Blumenkreuz mit Rosette.

Kupfer 11 × 11,5 mm 0,45 g, Vierschlag. Foto 939/22–23/L Inv.-Nr. 1699.
Lit. F. 478. N. 6707. Tornau 5/18.

488. Kupfer-Heller 1726.

Vs. Stadtpyr zwischen Jahreszahl, unten zwei Hufeisen.
Rs. Blumenkreuz mit Rosette.

Kupfer 11 × 11 mm 0,44 g, Vierschlag. Foto 939/24–25/L Inv.-Nr. 1700.
Lit. F. 489. N. 6715. Tornau 5/18.

489. Kupfer-Heller 1731.

Vs. Stadtpyr zwischen Jahreszahl, unten zwei Hufeisen.
Rs. Blumenkreuz mit Rosette.

Kupfer 12 × 12 mm 0,47 g, Vierschlag. Foto 939/26–27/L Inv.-Nr. 1701.
Lit. F. 493. N.-. Tornau 5/18.

490. Silberabschlag des Hellers 1731.

Vs. Stadtpyr zwischen Jahreszahl, unten zwei Hufeisen.
Rs. Blumenkreuz mit Rosette.

Silber 12 × 12 mm 0,84 g, Vierschlag. Foto 939/28–29/L Inv.-Nr. 1702.
Lit. F. 495. Hahlo, Leo Hamburger 1/27, 54.

491. Kupfer-Heller 1733.

Vs. Stadtpyr zwischen Jahreszahl, unten Hufeisen mit Nagellöchern, über dem rechten Hufeisen: Stempelfehler.
Rs. Blumenkreuz mit Rosette.

Kupfer meist 11,5 × 10,5 mm ca. 0,42 g, Vierschlag.
Foto 939/30–31/L Inv.-Nr. 1703.
Lit. F. 496. N. 6710. Tornau 5/18.

492. Ohne Stempelfehler.

Foto 939/32–33/L Inv.-Nr. 1704.
Lit. F. 496. N. 6710.

493. Kupfer-Heller 1734.

Vs. Stadtpyr zwischen Jahreszahl, unten zwei Hufeisen.
Rs. Blumenkreuz mit Rosette.

Kupfer 11,5 × 11,5 mm 0,41 g, Vierschlag.
Foto 939/34–35/L Inv.-Nr. 1705.
Lit. F. 497. N. 6711.

S. 6, T. 138.

494. Kupfer-Heller 1735.
Vs. Stadtpyr zwischen Jahreszahl, unten zwei Hufeisen.
Rs. Blumenkreuz mit Rosette.
Kupfer meist 11 × 11 mm ca. 0,43 g, Vierschlag.
Foto 944/1–1A/L Inv.-Nr. 1706.
Lit. F. 499. N. 6712. Tornau 5/18.

495. Kleines Stadtpyr.
Foto 944/2A–3A/L Inv.-Nr. 1707.
Lit. F. 499. N. 6712. Tornau 5/18.

496. Kupfer-Heller 1736.
Vs. Stadtpyr zwischen Jahreszahl, unten zwei Hufeisen.
Rs. Blumenkreuz mit Rosette.
Kupfer meist 11 × 11 mm ca. 0,55 g Vierschlag Foto 944/4A–5A/L
Inv.-Nr. 1708.
Lit. 501. N. 6716. Kessler 4/16.

497. Kleine Jahreszahl. Ausgerissen.
Foto 944/6A–7A/L Inv.-Nr. 1709.
Lit. F. 501. N. 6716. Tornau 5/18.

498. Kupfer-Heller 1737.
Vs. Stadtpyr zwischen Jahreszahl, unten zwei Hufeisen.
Rs. Blumenkreuz mit Rosette.
Kupfer 11 × 11 m 0,53 g Vierschlag Foto 944/8A–9A/L Inv.-Nr. 1710.
Lit. 506. N. 6713. Schwalbach 12/09.

499. Kupfer-Heller 1738.
Vs. Stadtpyr zwischen Jahreszahl, unten zwei Hufeisen, Stempelfehler über 8 der Jahreszahl.
Rs. Blumenkreuz mit Rosette.
Kupfer 10,5 × 11 mm 0,50 g Vierschlag ausgerissen Foto 944/10A–11A/L
Inv.-Nr. 1711.
Lit. F. 511. N. 6714. Tornau 5/18.

500. Silberabschlag des Hellers 1738.
Stempelfehler über 8 der Jahreszahl.
Silber 11 × 11 mm 0,70 g Vierschlag Foto 944/12A–13A/L
Inv.-Nr. 1712.
Lit. F. 512. Kube 11/03.

501. Silberabschlag des Hellers 1738.
Ohne Stempelfehler
Silber 11 × 10,5 mm 0,58 g Foto 944/14A–15A/L Inv.-Nr. 1713.
Lit. F. 512. Hahlo, Leo Hamburger 1/27, 54

502. Kupfer-Heller 1739.
Vs. Stadtpyr zwischen Jahreszahl, unten zwei Hufeisen.
Rs. Blumenkreuz mit Rosette.
Kupfer 11,5 × 11 mm 0,53 g Vierschlag Foto 944/16A–17A/L
Inv.-Nr. 1714.
Lit. F. 515. N. 6717. Tornau 5/18.

503. Silberabschlag des Hellers 1739.
Silber meist 12 × 12 mm 0,98 g Vierschlag, zwei Exemplare
Foto 944/18A–19A/L Inv.-Nr. 1715.
Foto 944/20A–21A/L Inv.-Nr. 1716*.
Lit. 517. Hirsch 7/98; Hahlo, Leo Hamburger 1/27, 54.

504. Kupfer-Heller 1740.
Vs. Stadtpyr zwischen Jahreszahl, unten zwei Hufeisen.
Rs. Blumenkreuz mit Rosette.
Kupfer 11 × 11 mm 0,44 g Vierschlag Foto 944/22A–23A/L
Inv.-Nr. 1717.
Lit. F. 522. N. 6719. Tornau 5/18.

505. Silberabschlag des Hellers 1740.
Vs. Stadtpyr in sechsbogiger Einfassung.
Rs. Malteserkreuz.
Silber 11,5 × 11 mm 0,73 g Vierschlag Foto 944/24A–25A/L
Inv.-Nr. 1718.
Lit. F. 526. Hahlo, Leo Hamburger 1/27, 54.

S. 6, T. 138.

506. Kupfer-Heller 1741.

Vs. Stadtpyr in bogiger Einfassung.
Rs. Malteserkreuz.

Kupfer meist 10,5 × 11 mm ca. 0,43 g Vierschlag Foto 944/26A–27A/L Inv.-Nr. 1719.
Lit. F. 527. N. 6720. Tornau 5/18.

507. 41 der Jahreszahl tiefer.

Foto 944/28A–29A/L Inv.-Nr. 1720.

508. Schmales Malteserkreuz.

Foto 945/1–2/L Inv.-Nr. 1721. Ausgerissen.
Lit. F. 527. N. 6720. Schwalbach 12/09.

509. Kupfer-Heller 1742.

Vs. Stadtpyr zwischen Jahreszahl in Umrahmung, unten zwei Hufeisen als Münzzeichen.
Rs. Ankerkreuz in bogiger Einfassung.

Kupfer 12 × 12 mm 0,51 g, Vierschlag. Foto 945/3–4/L Inv.-Nr. 1722.
Lit. F. 530. N. 37782. Tornau 5/18.

510. Silberabschlag des Hellers 1742.

Silber 12 × 12 mm 0,80 g, Vierschlag. Foto 945/5–6/L Inv.-Nr. 1723.
Lit. F. 532. Hahlo, Leo Hamburger 1/27, 54.

511. Kupfer-Heller 1743.

Vs. Stadtpyr zwischen Jahreszahl in Umrahmung, unten zwei Hufeisen als Münzzeichen.
Rs. Ankerkreuz in bogiger Einfassung.

Kupfer meist 10 × 11 mm ca. 0,44 g, Vierschlag.
Foto 945/7–8/L Inv.-Nr. 1724.
Lit. F. 537. N. 37783. Tornau 5/18.

512. Kleine Jahreszahl.

Foto 945/9–10/L Inv.-Nr. 1725. Stempelsprung.
Lit. F. 539. N. 37783. Tornau 5/18.

513. Kupfer-Heller 1744.

Vs. Stadtpyr in ovalem Schild.
Rs. Lilienkreuz, in den Winkeln Stern, Jahreszahl und zwei Hufeisen.

Kupfer 11 × 11 mm 0,45 g, Vierschlag. Foto 945/11–12/L Inv.-Nr. 1726.
Lit. F. 544. N. 6722. Tornau 5/18.

514. Silberabschlag des Hellers 1744.

Silber 12 × 12 mm 0,61 g, Vierschlag. Foto 945/13–14/L Inv.-Nr. 1727.
Lit. F. 546. Hahlo, Leo Hamburger 1/27, 55.

515. Kupfer-Heller 1744.

Vs. Wappen mit Girlanden.
Rs. Lilienkreuz, in den Winkeln Stern, Jahreszahl und zwei Hufeisen.

Kupfer 11 × 11 mm 0,43 g, Vierschlag. Foto 945/15–16/L Inv.-Nr. 1728.
Lit. F.- (zu 544/6). Tornau 5/18.

516. Vs. Stadtpyr zwischen Palmen, oben Stern zwischen Jahreszahl. Münzzeichen.
Rs. Ankerkreuz.

Kupfer 12 × 12 mm 0,59 g, Vierschlag. Foto 945/17–18/L Inv.-Nr. 1729.
Lit. F. 549. N. 37784. Schwalbach 12/09.

517. Silberabschlag des Hellers 1744.

Silber 11,5 × 11,5 mm 0,81 g, Vierschlag. Foto 945/19–20/L Inv.-Nr. 1730.
Lit. F. 550. Hahlo, Leo Hamburger 1/27, 55.

518. Kupfer-Heller 1745.

Vs. Ovales Stadtwappen zwischen Zweigen.
Rs. Malteserkreuz, in den Winkeln Rosette, Jahreszahl und zwei Hufeisen.

Kupfer 11 × 12 mm 0,53 g Vierschlag Foto 945/21–22/L Inv.-Nr. 1731.
Lit. F. 563. N. 6723. Tornau 5/18.

519. Silberabschlag des Hellers 1745.

Silber 11,5 × 11,5 mm 0,60 g Vierschlag Foto 945/23–24/L Inv.-Nr. 1732.
Lit. F. 565. Hahlo, Leo Hamburger 1/27, 55.

S. 6, T. 138.

520. Kupfer-Heller 1746.
Vs. Stadtpyr in Verzierung.
Rs. Malteserkreuz, in den Winkeln Rosette, Jahreszahl und zwei große Hufeisen = Münzmeisterzeichen.
Kupfer meist 12 × 12 mm ca. 0,53 g Vierschlag
Foto 945/25–26/L Inv.-Nr. 1733.
Lit. F. 566. N. 6725. Tornau 5/18.

521. Kleine Hufeisen. Beginnender Stempelfehler.
Foto 945/27–28/L Inv.-Nr. 1734.
Lit. F. 567. N. 6725. Tornau 5/18.

522. Stempelfehler an der 4 der Jahreszahl.
Foto 945/29–30/L Inv.-Nr. 1735.
Lit.F. 567. N. 6725.

523. Kupfer-Heller 1747.
Vs. Stadtpyr in ovalem Schild.
Rs. Malteserkreuz, in den Winkeln Muschel, Jahreszahl und zwei Hufeisen.
Kupfer 12 × 12 mm 0,44 g Vierschlag Foto 945/31–32/L Inv.-Nr. 1736.
Lit. F. 568. N. 6726. Tornau 5/18.

524. Vs. Stadtpyr in verziertem Schild.
Rs. Malteserkreuz, in den Winkeln Muschel, Jahreszahl und zwei Hufeisen.
Kupfer 13 × 12 mm 0,58 g Vierschlag Foto 945/33–34/L Inv.-Nr. 1737.
Lit. F. 570. N. zu 6726. Tornau 5/18.

525. Vs. Stadtpyr in reichverziertem Schild.
Rs. Malteserkreuz, in den Winkeln Muschel, Jahreszahl und zwei Hufeisen.
Kupfer 12 × 12,5 mm 0,34 g Vierschlag Foto 945/35–36/L Inv.-Nr. 1738.
Lit. F. 569. N. zu 6726. Tornau 5/18.

526. Vs. Stadtschild zwischen Palm- und Lorbeerzweig.
Rs. Malteserkreuz, in den Winkeln Feston, Jahreszahl und zwei Hufeisen.
Kupfer 12,5 × 12,5 mm 0,52 g Vierschlag Foto 946/1–2/L Inv.-Nr. 1739.
Lit. F. 571. N. 37785. Tornau 5/18.

527. Kupfer-Heller 1748.
Vs. Stadtpyr zwischen Zweigen.
Rs. Malteserkreuz, in den Winkeln Rosette, Jahreszahl und zwei Hufeisen = Münzmeisterzeichen Johann Christoph Holeisen.
Kupfer 12 × 12 mm 0,44 g, Vierschlag Stempelsprung.
Foto 946/3–4/L Inv.-Nr. 1740.
Lit. F. 572. N. 6777. Joseph H. 1/09.

528. Kupfer-Heller 1749.
Vs. Stadtpyr zwischen Zweigen.
Rs. Malteserkreuz, in den Winkeln Rosette, Jahreszahl und zwei Hufeisen = Münzmeister Johann Christoph Holeisen.
Kupfer 12 × 12 mm 0,49 g, Vierschlag. Foto 946/5–6/L Inv.-Nr. 1741.
Lit. F. 575 var. N.-. Schwalbach 12/09.

529. Silberabschlag des Hellers 1749.
Vs. Stadtpyr zwischen Zweigen.
Rs. Malteserkreuz, in den Winkeln Blüte, Jahreszahl und zwei Hufeisen = Münzmeister Johann Christoph Holeisen.
Silber 12 × 11,5 mm 0,60 g, Vierschlag. Foto 946/7–8/L Inv.-Nr. 1742.
Lit. F. 577. Hahlo, Leo Hamburger 1/27, 55.

530. Kupfer-Heller 1750.
Vs. Stadtpyr zwischen Zweigen.
Rs. Malteserkreuz, in den Winkeln Girlande, Jahreszahl und zwei Hufeisen = Münzmeister Johann Christoph Holeisen.
Kupfer meist 11,5 × 12 mm 0,33 g, Vierschlag.
Foto 946/9–10/L Inv.-Nr. 1743.
Lit. F. 578. N. 6728. Tornau 5/18.

531. In den Winkeln Rosette usw.
Foto 946/11–12/L Inv.-Nr. 1744.
Lit. F. 579. N.-. Tornau 5/18.

532. Kupfer-Heller 1751.
Vs. Stadtpyr zwischen Zweigen.
Rs. Malteserkreuz, in den Winkeln drei Rosen, Jahreszahl und zwei Hufeisen = Münzmeister Johann Christoph Holeisen.
Kupfer 12 × 12 mm 0,47 g, Vierschlag, Stempelfehler.
Foto 946/13–14/L Inv.-Nr. 1745.
Lit. F. 580. N.-. Tornau 5/18.

S. 6, T. 138.

533. Kupfer-Heller 1752.

Vs. Stadtpyr zwischen Zweigen, oben drei Röschen.
Rs. Malteserkreuz, in den Winkeln Girlande von drei Rosen, Jahreszahl und zwei Hufeisen = Münzmeister Johann Christoph Holeisen.

Kupfer 12 × 12,5 mm 0,51 g, Vierschlag, Stempelfehler.
Foto 946/15–16/L Inv.-Nr. 1746.
Lit. F. 583. N.-. Tornau 5/18.

534. Silberabschlag des Hellers 1752.

Vs. Stadtpyr zwischen Zweigen, oben drei Röschen.
Rs. Malteserkreuz, in den Winkeln drei Röschen, Jahreszahl und zwei Hufeisen = Münzmeister Johann Christoph Holeisen.

Silber 12 × 12 mm 0,50 g Foto 946/17–18/L Inv.-Nr. 1747.
Lit. F. 585. Hahlo, Leo Hamburger 1/27, 55.

535. Kupfer-Heller 1752

Hufeisen schräg und einander abgewandt.

Foto 946/19–20/L Inv.-Nr. 1748.
Lit. F. - (zu 583).

536. Kupfer-Heller 1753.

Vs. Stadtpyr zwischen Zweigen.
Rs. Malteserkreuz.

Kupfer 12 × 12 mm 0,43 g Vierschlag Foto 946/21–22/L Inv.-Nr. 1749.
Lit. F. 586. N. 6731. Tornau 5/18.

537. Kupfer-Heller 1754.

Vs. Stadtpyr zwischen Zweigen.
Rs. Malteserkreuz, in den Winkeln Kleeblatt, Jahreszahl und zwei Hufeisen über Palmzweigen.

Kupfer 12 × 12 m 0,43 g Vierschlag Foto 946/23–24/L Inv.-Nr. 1750.
Lit. F. 589. N. -. Tornau 5/18.

538. Kupfer-Heller 1755.

Vs. Stadtpyr zwischen Zweigen.
Rs. Malteserkreuz, in den Winkeln Kleeblatt, Jahreszahl und zwei Hufeisen über Palmzweigen.

Kupfer 11,5 × 12 mm 0,44 g Vierschlag Foto 946/25–26/L Inv.-Nr. 1751.
Lit. F. 591. N.-. Schwalbach 12/09.

539. Kupfer-Heller 1756.

Vs. Stadtpyr zwischen Zweigen.
Rs. Malteserkreuz, in den Winkeln Girlande, Jahreszahl und zwei Hufeisen = Münzmeister Johann Christoph Holeisen.

Kupfer 11,5 × 12 mm 0,48 g Vierschlag Foto 946/27–28/L Inv.-Nr. 1752.
Lit. F.- zu 593. N. 37787. Tornau 5/18.

540. Silberabschlag des Hellers 1756.

Vs. Stadtpyr zwischen Zweigen. Gleicher Stempel wie vorher.
Rs. Malteserkreuz, in den Winkeln Girlande, Jahreszahl und zwei Hufeisen = Münzmeister Johann Christoph Holeisen. Palmzweige.

Silber 12 × 12 mm 0,57 g Foto 946/29–30/L Inv.-Nr. 1753. Vierschlag.
Lit. F. 593. Buchenau 11/18.

541. Kupfer-Heller 1757.

Vs. Stadtpyr zwischen Zweigen.
Rs. Malteserkreuz, in den Winkeln Kleeblatt, Jahreszahl zwei Hufeisen (ohne Palmzweige).

Kupfer meist 12 × 12 mm ca. 0,50 g Vierschlag Foto 946/31–32/L Inv.-Nr. 1754.
Lit. F.- zu 594. N.-. Tornau 5/18.

542. Girlande, Jahreszahl, zwei Hufeisen und Palmzweige.

Foto 946/33–34/L Inv.-Nr. 1755.
Lit. F.- zu 595. N.-. Tornau 5/18.

Goldabschlag des Hellers 1757.

siehe Katalog-Nr. 148.

Foto 951/30–31/L Inv.-Nr. 1756.

543. Kupfer-Heller 1758.

Vs. Stadtpyr zwischen Zweigen.
Rs. Malteserkreuz, in den Winkeln Rosette, Jahreszahl und zwei Hufeisen = Münzmeister Johann Christoph Holeisen.

Kupfer meist 12 × 12 mm ca. 0,44 g Zwei Exemplare Foto 946/35–36/L Inv.-Nr. 1757. Foto 947/1–2/L Inv.-Nr. 1758.
Lit. F. 601. N. 6733. Schwalbach 12/09.

544. Girlande, Jahreszahl und zwei Hufeisen = Münzmeister Holeisen.

Foto 947/3–4/L Inv.-Nr. 1759.
Lit. F.- zu 601. N. 6733. Tornau 5/18.

S. 6, T. 138.

545. Kupfer-Heller 1759.
Vs. Stadtpyr in Einfassung.
Rs. Malteserkreuz, in den Winkeln Rosette, Jahreszahl und zwei Hufeisen = Münzmeister Holeisen.
Kupfer 12 × 12 mm 0,43 g Vierschlag Foto 947/5–6/L Inv.-Nr. 1760.
Lit. F. 608. N. 6734. Schwalbach 12/09.

546. Kupfer-Heller 1760.
Vs. Stadtpyr in Einfassung.
Rs. Malteserkreuz, in den Winkeln Rosette, Jahreszahl und zwei Hufeisen = Münzmeister Holeisen.
Kufer 12 × 12 mm 0,44 g
Zweites Exemplar, Stempelfehler
Foto 947/7–8/L Inv.-Nr. 1761. Foto 947/9–10/L Inv.-Nr. 7914.
Lit. F. 618. N. 37793. Tornau 5/18.

547. Silberabschlag des Hellers 1760.
Vs. Stadtpyr in Einfassung.
Rs. Malteserkreuz, in den Winkeln Girlande, Jahreszahl und zwei Hufeisen = Münzmeister Holeisen.
Silber 12 × 12 mm 0,54 g Vierschlag Foto 947/11–12/L Inv.-Nr. 1762.
Lit. F. 620. Hess. 10/02.

548. Kupfer-Heller 1761.
Vs. Stadtpyr in Einfassung.
Rs. Malteserkreuz, in den Winkeln Stern, Jahreszahl und zwei Hufeisen = Münzmeister Holeisen.
Kupfer 12 × 12 mm 0,57 g Vierschlag Foto 947/13–14/L Inv.-Nr. 1763.
Lit. F. 624. N.-. Tornau 5/18.

549. Kupfer-Heller 1763.
Vs. Stadtpyr in Einfassung.
Rs.Malteserkreuz, in den Winkeln Stern, Jahreszahl und zwei Hufeisen = Münzmeister Holeisen.
Kupfer 12 × 12 mm 0,43 g Vierschlag Foto 947/15–16/L Inv.-Nr. 1764.
Lit. F. 639. N.-. Joseph H. 1/09.

550. Kupfer-Heller 1765.
Vs. Stadtpyr in Einfassung.
Rs. Malteserkreuz, in den Winkeln Rosette, Jahreszahl und zwei Hufeisen = Münzmeister Holeisen.
Kupfer 12 × 12 mm 0,43 g Vierschlag Foto 947/17–18/L Inv.-Nr. 1765.
Lit. F. 665. N. 6762. Tornau 5/18.

551. Kupfer-Heller 1769.
Vs. Stadtpyr in Einfassung.
Rs. Malteserkreuz, in den Winkeln Rosette, Jahreszahl und zwei Hufeisen = Münzmeister Holeisen.
Kupfer 12 × 12 mm 0,44 g Vierschlag Foto 947/19–20/L Inv.-Nr. 1766.
Lit. F. 675. N. 6768. Tornau 5/18.

552. Großer Pyr. Ausgerissen.
Foto 947/21–22/L Inv.-Nr. 1767.
Lit. F. 675. N. 6768. Tornau 5/18.

553. Kupfer-Heller 1770.
Vs. Stadtpyr in Einfassung.
Rs. Malteserkreuz, in den Winkeln Rosette, Jahreszahl und zwei Hufeisen = Münzmeister Holeisen.
Kupfer 12 × 12,5 mm 0,44 g Vierschlag Foto 947/23–24/L Inv.-Nr. 1768.
Lit. F. 676. N. 6769. Schwalbach 12/09.

554. Kupfer-Heller 1771.
Vs. Stadtpyr in Umrahmung.
Rs. Malteserkreuz, in den Winkeln Rosette, Jahreszahl und zwei Hufeisen = Münzmeister Holeisen.
Kupfer 12,5 × 13 mm 0,40 g Vierschlag Foto 947/25–26/L Inv.-Nr. 1769.
Lit. F. 677. N. 6763. Tornau 5/18.

555. Kupfer-Heller 1772.
Vs. Stadtpyr in Umrahmung.
Rs. Malteserkreuz, in den Winkeln Rosette, Jahreszahl und zwei Hufeisen = Münzmeister Holeisen.
Kupfer 12,5 × 12 mm 0,44 g Vierschlag Foto 947/27–29/L Inv.-Nr. 1770.
Lit. F. 678. N. 6770. Tornau 5/18.

556. Kupfer-Heller 1775.
Vs. Stadtpyr in Umrahmung.
Rs. Malteserkreuz, in den Winkeln Stern, Jahreszahl und Rosette. (Ohne Hufeisen).
Kupfer meist 12 × 13 mm ca. 0,41 g Vierschlag
Foto 947/30–31/L Inv.-Nr. 1771.
Lit. F. zu 680. N.-. Tornau 5/18.

S. 6, T. 138.

557. Vs. Stadtpyr zwischen Zweigen.
Rs. Malteserkreuz, in den Winkeln Sterne und Jahreszahl.
Foto 947/32–33/L Inv.-Nr. 1772.
Lit. F. 681. N. 37794. Schwalbach 12/09.

558. Silberabschlag des Hellers 1775.
Vs. Stadtpyr in Umrahmung, darüber Jahreszahl.
Rs. Lilienkreuz.
Silber 12,5 × 12,5 mm 0,64 g Vierschlag Foto 947/34–35/L Inv.-Nr. 1773.
Lit. F. 684. Hahlo, Leo Hamburger 1/27, 55.

559. Kupfer-Heller 1776.
Vs. Stadtpyr zwischen Zweigen.
Rs. Malteserkreuz, in den Winkeln Sterne und Jahreszahl.
Kupfer 12 × 12 mm 0,41 g Vierschlag Foto 947/36–37/L Inv.-Nr. 1774.
Lit. F. 685. N.-. Tornau 5/18.

560. Kupfer-Heller 1780.
Vs. Stadtpyr, darüber Mauerkrone, unten zwei Sterne.
Rs. Wertangabe über Jahreszahl.
I HELLER 1780
Kupfer meist 14 mm ca. 0,63 g Foto 948/1–2/L Inv.-Nr. 1775.
Lit. F. 691. N. 6789. Tornau 5/18.

561. Jahreszahl klein.
Foto 948/3–5/L Inv.-Nr. 1776.

562. Kupfer-Heller 1782.
Vs. Stadtpyr unter Mauerkrone.
Rs. Wertangabe über Jahreszahl.
I HELLER 1782✳
Kupfer 14 mm 0,61 g Foto 948/6–7/L Inv.-Nr. 1777.
Lit. F. 696. N. 6790. Gruss 12/06.

563. Kupfer-Heller 1786.
Vs. Stadtpyr in Rechteck, unten zwei Rosetten.
Rs. Wertangabe über Jahreszahl.
I HELLER 1786
Kupfer meist 14 mm ca. 0,61 g Foto 948/8–9/L Inv.-Nr. 1778.
Lit. F. 703. N. 37795. Tornau 5/18.

564. Vs. Stadtpyr in Sechseck, unten Stern.
Rs. Wertangabe über Jahreszahl und Stern.
I HELLER 1786 ✳
Foto 948/18–19/L Inv.-Nr. 1783.
Lit. F. 707. N. zu 6792. Tornau 5/18.

565. Silberabschlag des Hellers 1786.
Silber 14 mm 0,54 g Foto 948/20–21/L Inv.-Nr. 1784.
Lit. F.- (zu 707).

566. Ohne Stern unter Sechseck.
Foto 948/22–23/L Inv.-Nr. 1785.
Lit. F. 708. N.- (zu 6792). Tornau 5/18.

567. Silberabschlag des Hellers 1786.
Silber 14 mm 0,82 g Foto 948/24–25/L Inv.-Nr. 1786.
Lit. F.- (zu 708). Karge 7/09.

S. 6, T. 138.

568. Wertzahl zwischen Rosetten.
Foto 948/10–11/L Inv.-Nr. 1779.
Lit. F. 704. N. 6792. Tornau 5/18.

569. Sechseck über zwei Sternen. Kleines Stadtpyr.
Foto 748/12–13/L Inv.-Nr. 1780.
Lit. F. 705. N. 37796. Tornau 5/18.

570. Großes Stadtpyr. Stempelsprung.
Foto 948/16–17/L Inv.-Nr. 1782.

571. Vs. Stadtpyr in Verzierung über zwei Sternen.
Rs. Kleine Jahreszahl über zwei Sternen.
Foto 948/26–27/L Inv.-Nr. 1787.
Lit. F. zu 703–708. N.-. Schwalbach 12/09.

572. Große Jahreszahl.
Foto 948/28–29/L Inv.-Nr. 1788.
Lit. F. zu 703–708. N.-. Tornau 5/18.

573. Jahreszahl ohne Stern.
Foto 948/14–15/L Inv.-Nr. 1781.
Lit. F. 705. N. zu 37796. Tornau 5/18.

574. Kupfer-Heller 1790.
Vs. Stadtpyr in Sechseck.
Rs. Wertangabe über Jahreszahl und Stern.
Kupfer 15 mm 0,60 g Foto 948/30–31/L Inv.-Nr. 1789.
Lit. F.-. N.-. Tornau 5/18.

575. Kupfer-Heller 1793.
Vs. Stadtpyr in Architektur mit Mauerkrone zwischen Lorbeerzweigen.
Rs. Wertangabe über Jahreszahl und Stern.
I HELLER 1793 ✳
Kupfer 15 mm 0,50 g Foto 948/32–33/L Inv.-Nr. 1790.
Lit. F. 711. N. 6793. Tornau 5/18.

576. Kupfer-Heller 1796.
Vs. Stadtpyr in Architektur mit Mauerkrone.
Rs. Wertangabe über Jahreszahl und Stern.
Kupfer meist 15,5 mm ca. 0,71 g Stempelfehler Foto 948/34–35/L Inv.-Nr. 1791.
Lit. F. 715. N. 6794. Schwalbach 12/09.

577. Kleine Jahreszahl.
Zwei Exemplare Foto 948/36–37/L Inv.- Nr. 1792. Foto 949/1/L Inv.-Nr. 1793.

578. Silberabschlag vom Heller 1796.
Siber 15 mm 0,99 g Foto 949/2–3/L Inv.-Nr. 1794.
Lit. F. 716.

579. Kupfer-Heller 1797.
Vs. Stadtpyr in Architektur darüber Mauerkrone.
Rs. Wertangabe über Jahreszahl und Stern. Stempelfehler über I
I HELLER 1796 ✳
Kupfer meist 14 mm ca. 0,83 g
Zweites Exemplar beginnender Stempelfehler Foto 949/4–5/L Inv.-Nr. 1795*. Foto 949/6–7/L Inv.-Nr. 1796.
Lit. F. 718. N. 6795. Tornau 5/18.

580. Kupfer-Heller 1798.
Vs. Stadtpyr in Architektur, schmaler Stadtpyr.
Rs. Wertangabe über Jahreszahl und kleinem Stern.
Kupfer meist 15 mm ca. 0,63 g Foto 949/8–9/L Inv.-Nr. 1797.
Lit. F. 721. N. 6796. Tornau 5/18.

S. 6, T. 138.

581. Breiter Stadtpyr.
Foto 949/10–11/L Inv.-Nr. 1798.

582. Großer Stern unter Jahreszahl.
Foto 949/12–13/L Inv.-Nr. 1799.

583. Schmaler Stadtpyr.
Foto 949/14–15/L Inv.-Nr. 1800.

584. Kupfer-Heller 1799.
Vs. Stadtpyr in Architektur (schmaler Stadtpyr).
Rs. Wertangabe über Jahreszahl und kleinem Stern.
Kupfer 14 mm 0,63 g Stempelsprung Foto 949/16–17/L Inv.-Nr. 1801.
Lit. F.-. N. 6797. Gruss 12/06.

585. Kupfer-Heller 1801.
Vs. Stadtpyr in Architektur.
Rs. Wertangabe über Jahreszahl und Stern.
I HELLER 1801 ✳
Kupfer meist 15 mm ca. 0,54 g Foto 949/18–19/L Inv.-Nr. 1802.
Lit. F. 729. N. 6798. Schwalbach 12/09.

586. Stadtpyrspitze dicht an der Architektur.
Zwei Exemplare Foto 949/20–21/L Inv.-Nr. 1803. Foto 949/22–23/L Inv.-Nr. 1804*.

587. Ohne Stern unter der Jahreszahl.
Foto 949/24–25/L Inv.-Nr. 1805.
Lit. F. 730. N. zu 6798. Tornau 5/18.

588. Kupfer-Heller 1804.
Vs. Stadtpyr in ovaler Verzierung mit dreiteiliger Girlande.
Rs. Wertangabe über Jahreszahl und Stern.
1 HELLER 1804 ✳
Kupfer meist 14 mm ca. 0,72 g Foto 949/26–27/L Inv.-Nr. 1806.
Lit. F. 738. N. 6799. Weinmeister 4/08.

589. Mit vierteiliger Girlande.
Zweites Exemplar Stempelsprung
Foto 949/28–29/L Inv.-Nr. 1807. Foto 949/30–31/L Inv.-Nr. 1808*.
Lit. F. zu 738. N. zu 6799.

590. Kupfer-Heller 1805.
Vs. Stadtpyr in ovaler Verzierung mit dreiteiliger Girlande.
Rs. Wertangabe über Jahreszahl und kleinem Stern.
Kupfer meist 14 mm ca. 0,80 g
zweites und drittes Exemplar Foto 949/32–33/L Inv.-Nr. 1809.
Foto 949/34–35/L Inv.-Nr. 1810. Foto 949/36–37/L Inv.-Nr. 1811.
Lit. F. 741. N. 6800. Tornau 5/18.

591. Großer Stern unter Jahreszahl.
Zweites Exemplar Stempelfehler
Foto 950/1–2/L Inv.-Nr. 1812. Foto 950/3–4/L Inv.-Nr. 1813.

S. 6, T. 138.

LUDWIG II. 1535–1574.

592. Goldgulden 1560.
Vs. Wappen zwischen Endziffern der Jahreszahl.
+LVD:CO:IN.STOL.
KO.R.Z.WERTH
Rs. Gekrönter Doppeladler unten Stadtpyr in Wappenschild.
FERDINAND.IM
P:CAES.AVGVST:
Gold 23 mm 3,24 g Foto 1122/3–4/L
Inv.-Nr. 8304.
Lit. Zu Fried. 362. A. Hess 10/12.

593. Alte Fälschung: Taler 1444!
Vs. Wappen zwischen Jahreszahl.
Granatapfel? LVIDOVIC:CO:IN:
STOLB:I:ROAIDITEIN.
Münzeichen Apfelfelders?
Rs. Doppeladler mit Wappenschild.
CA.ROLVEV.ROMITANO.
IM.TE.AVDV.OIT
(jeweils letztes D spiegelbildlich)
Silber 44 mm 27,14 g Foto 1122/7–8/L
Inv.-Nr. 8306. Guß.
Lit. Fried. 612. Friederich, Hess 3/14.

594. Reichstaler 1545.
Vs. Wappen zwischen Jahreszahl.
Granatapfel LVDOVIC:CO:IN:
STOLB:+:KONIGSTEN
Münzeichen Apfelfelders.
Rs. Gekrönter Doppeladler.
CAROLVS:V:RO
MA:IMPE:AVGV
Silber 40 mm 28,82 g Foto 1122/5–6/L
Inv.-Nr. 8305.
Lit. Fried. 301. Kirsch 5/09.

595. Reichstaler 1548.
Vs. Blumenkreuz mit Wappen in der Mitte und in den Winkeln.
Dreiblatt LVDOVI✳CO✳I✳
STOL✳KONIG✳
+✳RVPEFO
Münzeichen Dreiblatt = Zehnders.
Rs. Gekrönter Doppeladler unten Stadtpyr.
✳CAROLVS⁑V⁑RO MA⁑IMP⁑
AV⁑I548✳
Silber 41 mm 28,44 g Foto 1122/9–10/L
Inv.-Nr. 8307.
Lit. Fried. 329. Meyer 5/05.

S. 6, T. 138.

596. Reichstaler 1554.
Vs. Mehrfeldiges Wappen darüber Jahreszahl .1554.
Dreiblatt LVDOVI✳CO✳I✳STOL✳ KONI✳7✳RVPEF
Rs. Gekrönter Doppeladler, unten Stadtpyr.
CAROLI✳V✳IMP✳ AVG✳P✳F✳DECREo
Münzzeichen Zehnders.
Silber 41,5 mm 31,04 g Foto 1122/11–12/L
Inv.-Nr. 8308.
Lit. Fried. 341. Dr. Ahrens 2/11.

597. Reichsguldiner 1560,
(Guldentaler).
Vs. Mehrfeldiges Wappen unter Jahreszahl ✳I5✳60✳
+LVDOVI.CO✳IN✳STOL✳ KONIG✳ RVS✳Z✳WERTH
Rs. Gekrönter Doppeladler mit 60 im Reichsapfel, unten Stadtpyr.
FERDINANDI.IMP: AVG.P.F.DECRETO
Silber 38 mm 24,42 g Foto 1122/14–15/L
Inv.-Nr. 8309.
Lit. Fried. 365.
Strother, Rosenberg 11/20, 1177.

598. Halber Reichstaler 1544.
Vs. Mehrfeldiges Wappen zwischen Jahreszahl.
Granatapfel LVDOVIC⁑CO⁑I⁑ STOLB⁑7⁑KONIGSTEIN
Münzzeichen Apfelfelders.
Rs. Gekrönter Doppeladler mit Wappenschild, unten Stadtpyr.
CAROLVS✳V✳RO MA✳IMP✳AVGV✳
Silber 34 mm 14,34 g Foto 1122/16–17/L
Inv.-Nr. 8310.
Lit. Fried. 294. Leo Hamburger 11/20.

599. Halber Reichstaler 1548.
Vs. Blumenkreuz in der Mitte und den Winkeln Wappen.
Dreiblatt LVDOVI✳CO✳I✳ STOL✳KONIG✳7✳RVPEF
Münzzeichen Zehnders.
Rs. Gekrönter Doppeladler mit Wappenschild, unten Stadtpyr.
CAROLVS⁑V⁑RO MA⁑IMP⁑AV⁑48✳
Silber 35 mm 14,24 g Foto 1122/18–19/L
Inv.-Nr. 8311.
Lit. Fried.- (zu 334). Leo Hamburger.

S. 6, T. 138.

LUDWIG II. 1535–1574.

600. 1/2 Reichsguldiner 1560,
(halber Guldentaler).
Vs. Mehrfeldiges Wappen unter Jahreszahl ✳ I5 ✳ 60 ✳
+LVDOWIC9CO ✳ IN ✳ STOL ✳ KONIGS ✳ R
✳ 4 ✳ WERT
Rs. Gekrönter Doppeladler mit 30 im Reichsapfel, unten Stadtpyr.
✳ FERDINANDI ✳ IMP AVG ✳ PF ✳ DECRETO ✳
Silber 34 mm 12,15 g Foto 1122/20–21/L Inv.-Nr. 8312.
Lit. Fried. 369. A. Hess 11/20/1717.

601. Drittel Reichsguldiner 1554,
(drittel Guldentaler, zwanzig Kreuzer).
Vs. Mehrfeldiges Wappen unter Jahreszahl I554
Dreiblatt LVDOoCOoIoSTOLo
KONIo7oRVPEF
Rs. Gekrönter Doppeladler mit 20 im Reichsapfel, unten Stadtpyr.
CAROLIoVoIMP AVGoPoFoDECR
Münzzeichen Dreiblatt = Zehnders.
Silber 31 mm 8,62 g Foto 1122/22–23/L Inv.-Nr. 8313.
Lit. Fried. 342. Erbstein 4/10.

602. Viertel Taler 1544, (Ortstaler).
Vs. Wappen in Verzierung zwischen Jahreszahl.
Granatapfel LVDOVIC ✳ C ✳ I✳
STOLB ✳ 7 ✳ KONIGSTEIN
Rs. Gekrönter Doppeladler über Stadtpyr.
Münzzeichen Apfelfelders.
CAROLVS ✳ V ✳ RO MA ✳ IMP ✳ AVGV
Silber 29 mm 6,94 g Foto 1122/24–25/L Inv.-Nr. 8314.
Lit. Fried. 295. ex A. Merzbacher, Helbing 4/21, 760.

603. Drei Kreuzer 1554.
Vs. Vierfeldiges Wappenschild, darüber Jahreszahl.
Dreiblatt LVDoCOoIoSTOLoKONIo7oRVPE
Rs. Gekrönter Doppeladler mit o3o im Reichsapfel, unten Stadtpyr.
CAROLIoVoIM AVGoPoDEC
Münzzeichen Zehnders.
Silber meist 22 mm ca. 1,94 g Foto 1135/36–37/L Inv.-Nr. 8315.
Lit. Fried. 343. A. Hess 10/03.

604. CAROLI:V:IM AVG:P:F:DEC
Foto 1135/34–35/L und 1133/2A–3A/L Inv.-Nr. 8316.
Lit. Fried. zu 347. Leo Hamburger 4/03.

605. Im Reichsapfel 3 ohne Punkte.
Stempelfehler: RVPFE
Foto 1135/15–16/L und 1133/4A–5A/L Inv.-Nr. 8317.
Lit. Fried. (346) -. A. Hess 10/03.

S. 6, T. 138.

606. Im Reichsapfel .3.
Dreiblatt LVD:CO:I:STOL:KONIG:7:RVPEF
Foto 1135/13–14/L und 1133/6A–7A/L Inv.-Nr. 8318.
Lit. Fried. 350. A. Hess 10/03.

607. Drei Kreuzer 1555.
Vs. Vierfeldiges Wappen, darüber Endziffern der Jahreszahl .5 5.
Dreiblatt LVDoCOoIoSTOLoKONIo7oRVPE
Rs. Gekrönter Doppeladler mit 3 im Reichsapfel über Stadtpyr.
CAROLIoVoIM AVGoPoFoDEC
Münzzeichen Zehnders.
Silber meist 22 mm ca. 2,11 g Foto 1135/11–12/L und 1133/8A–9A/L Inv.-Nr. 8319.
Lit. Fried. 355. A. Hess 10/03.

608. Vollständige Jahreszahl.
Foto 1135/9–10/L und 1133/10A–11A/L Inv.-Nr. 8320
Lit. Fried. 359. Leo Hamburger 4/03.

609. Im Reichapfel o3o
Foto 1135/7–8/L und 1133/12A–13A/L Inv.-Nr. 8321.
Lit. Fried. zu 359. Auktion Hess 10/03.

610. Zwei Kreuzer ohne Jahr.
Vs. Vierfeldiges Wappen.
✳LVDOWIG.CO(....)TO.KO.R.Z.WERT
Rs. Gekrönter Doppeladler mit .2.
(...)DINAND.IM AVG.P.F.DECRET
Silber meist 20 mm ca. 1,64 g
Foto 1133/14A–15A/L Inv.-Nr. 8322.
Lit. Fried. 373a. S. 44, 16. A. Hess 10/03.

611. LVDOWIG.CO(....)TO.KO.Z.WERT
Foto 1133/18A–19A/L Inv.-Nr. 8324.
Lit. Fried. 373c. S. 44, 16. A. Hess 10/03.

612. Vs. LVDWIG.CO.IM.(.)TOL.KO.R.Z.WER
Im Reichsapfel Z ohne Punkte.
Foto 1133/16A–17A/L Inv.-Nr. 8323.
Lit. Fried. 373b. S. 44, 16.

Literatur

Arch.	R. von Höfken, Archiv für Brakteatenkunde, Wien 1885–1901.
Beyschlag	D. E. Beyschlag, Versuch einer Münzgeschichte Augsburgs, Stuttgart und Tübingen 1835.
C.	Karel Castelin, Grossus Pragensis, Braunschweig 1967.
Dbg.	H. Dannenberg, Die deutschen Münzen der sächsischen und fränkischen Kaiserzeit, Berlin 1879–1905.
Dav.	John S. Davenport, German Church and City Talers, Chicago 1967.
Fleischel	E. Fleischel, Seltene Taler und Doppeltaler der Sammlung Egon Fleischel. Berliner Münzblätter, NF 53, 1906, S. 303–310.
F.	Albert Forster und Richard Schmid, Die Münzen der freien Reichsstadt Augsburg,, Augsburg 1897.
Fried.	Karl Friederich, Die Münzen und Medaillen des Hauses Stolberg, Dresden 1911.
G.	Hans Gebhardt, Die deutschen Münzen des Mittelalters und der Neuzeit, Berlin 1930.
Goetz	C. J. Goetz, Beiträge zum Groschen-Cabinet. 3 Bände. Dresden 1811. C, J. Goetz, Deutschlands Kayser- Muenzen des Mittel-Alters. Dresden 1827.
H.	Hans Herzfelder, Die Reichsmünzstätten Nördlingen und Augsburg unter den Häusern Weinsberg und Königstein, München 1924, in: Mitteilungen der Bayer. Numismatischen Gesellschaft, 42. Jahrgang.
K.	Hans Krusy, Gegenstempel auf Münzen des Spätmittelalters, Frankfurt 1974.
Katz	V. Katz, Kontramarky na Prazskych Grosich, Prag 1927.
Laib	B. Laib, Augsburgische Geld- und Münzgeschichte, MMB 67/1972.
N.	Josef Neumann, Beschreibung der bekanntesten Kupfermünzen, Bd. 1–6, Prag 1858–1872.
Noss	Alfred Noss, Zur Chronologie der Augsburgischen Gemeinschaftspfennige von Bischof und Stadt, 1921, Bl. f. Mzfrde. S., 121f.
O.	J. E. Obermayer, Historische Nachrichten von bayerischen Münzen, Frankfurt – Leipzig 1763.
S.	W. Schwabacher, Christoph Ambergers „Visierungen“ zu Münzen der Reichsstadt Augsburg. Berliner Münzblätter. NF 330/1930. S. 81.
Saurma	Saurma-Jeltsch, Die Saurmasche Münzsammlung deutscher, schweizer und polnischer Gepräge. A. Weyl. Berlin 1892.
St.	Dirk Steinhilber, Geld- und Münzgeschichte Augsburgs im Mittelalter, Kallmünz 1954/1955, in: Jahrb. f. Num. und Geldgesch., 5. u. 6. Jg.

Karte der münzenprägenden Stände

Geografische Orientierungshilfe der münzenprägenden Stände siehe Seite 11–13.

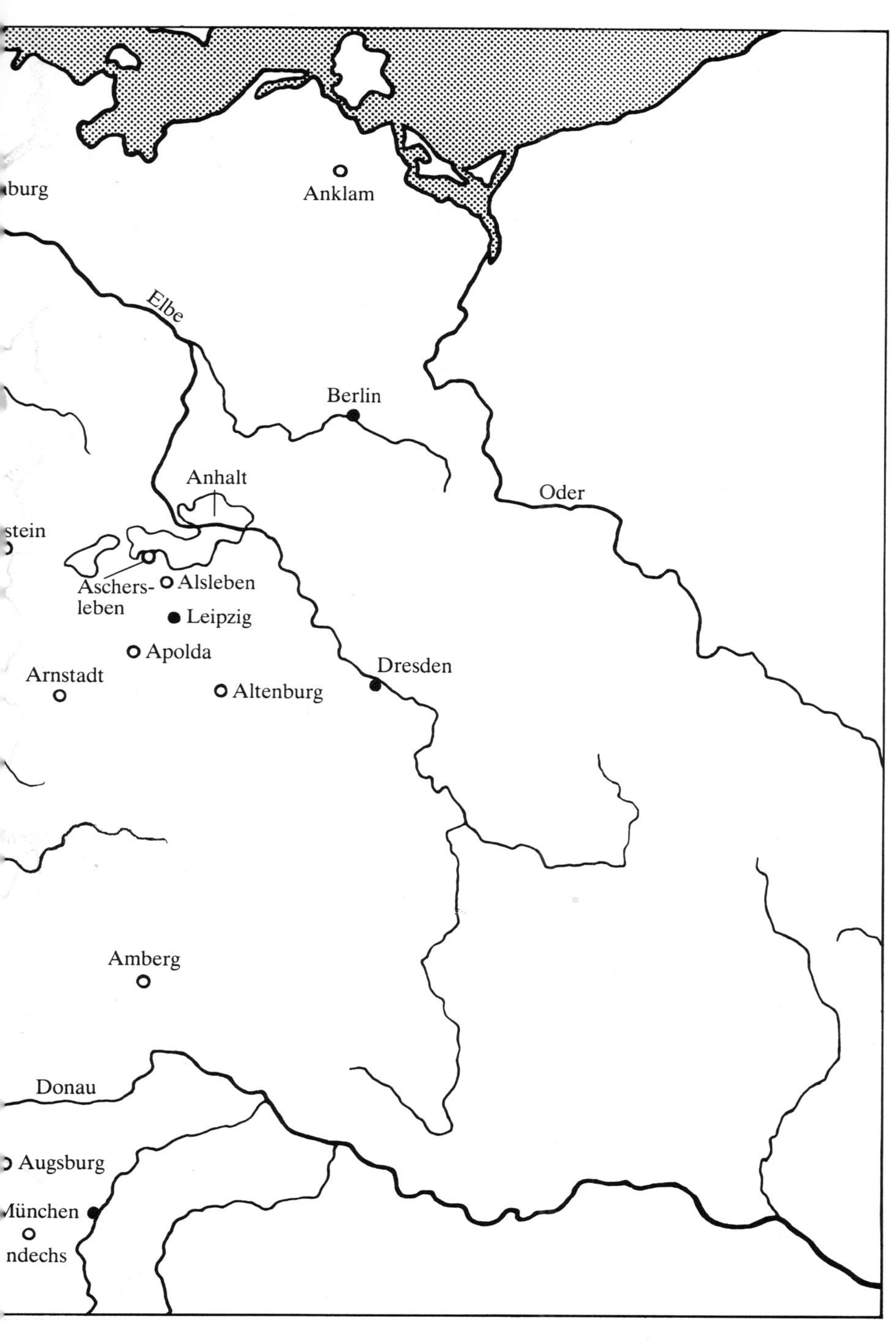
burg
Anklam
Elbe
Berlin
Anhalt
Oder
stein
Aschers-
leben
Alsleben
Leipzig
Apolda
Arnstadt
Dresden
Altenburg
Amberg
Donau
Augsburg
ünchen
ndechs